Pie IX
pape moderne

Du même auteur

HISTOIRE RELIGIEUSE

Gaston de Renty, Résiac, 1985.
Padre Pio, le stigmatisé, Perrin, 1988.
Paul VI, le pape écartelé, Perrin, 1993.
Enquête sur les apparitions de la Vierge, Perrin/Mame, 1995.
Storia della Chiesa, vol. X/1, Jaca Book, 1995 (Ouvrage collectif).

HISTOIRE DES IDÉES POLITIQUES

Maurice Barrès, Perrin, 1986.
Barrès et la terre, Sang de la terre, 1987.
Edmund Burke et la Révolution française, Téqui, 1987 (Couronné par l'Académie française).
La Contre-Révolution, Perrin, 1990. Ouvrage collectif sous la direction de Jean Tulard.
La Vie de Maurras, Perrin, 1991 (Prix Saint-Louis).

Journal de Saigon et du Mékong, Résiac, 1994.

Yves Chiron

Pie IX
pape moderne

Clovis

CLOVIS
B P 101
57233   BITCHE
Tél. : (16) 87.06.58.38

Couverture : Portrait de Pie IX conservé à Senigallia
Cliché Roger-Viollet

ISBN 2-903122-74-1

A Mgr Piolanti

Postulateur de la cause de Pie IX

INTRODUCTION

D E TOUS les papes de l'époque moderne, Pie IX est, avec Paul VI sans doute, et pour des raisons différentes voire opposées, le pape le plus controversé. On devrait d'ailleurs dire « était », car aujourd'hui son pontificat semble bien oublié du plus grand nombre. Pourtant ce pontificat (1846-1878), le plus long de l'histoire de l'Église, a dominé la deuxième moitié du XIXᵉ siècle.

Si l'on fait un bilan rapide de son œuvre, on relève plusieurs actes qui sont, encore aujourd'hui, des pierres milliaires de l'histoire de l'Église :

— il a été le premier pape à condamner le communisme (1846) ;

— après plusieurs siècles de disparition de la hiérarchie ecclésiastique dans certains pays protestants, il l'a rétablie en Angleterre (1850), en Hollande (1853) et en Écosse (1878) ;

— il a défini le dogme de l'Immaculée Conception (1854) ;

— il a renouvelé de manière ample et quasi-exhaustive la condamnation des erreurs modernes en matière de philosophie et de théologie par l'encyclique *Quanta Cura* et le *Syllabus* (1864) ;

— il a posé les fondements de l'Action catholique en approuvant le premier noyau de celle-ci, la « Société de la Jeunesse catholique italienne » (1868), puis « l'Œuvre des Congrès » (1874) ;

— il a réuni le concile du Vatican (1869-1870), le premier de l'époque moderne depuis le concile de Trente, où sera défini notamment le dogme de l'infaillibilité pontificale.

Tout ceci dans un contexte historique des plus troublés, celui de l'Europe post-révolutionnaire et post-napoléonienne qui connaît tout à la fois des révolutions, des changements de régime, le développement de l'industrialisation et de la sécularisation et, aussi, fait politique dominant du pontificat de Pie IX, la fin des États pontificaux.

De son vivant même, comme l'a remarqué G. Mollat, « il a été autant haï qu'aimé » [1]. Ses détracteurs ont été aussi nombreux que ses adulateurs. Ces adversaires étaient, pour certains, extérieurs à l'Église, notamment les partisans de l'unité italienne à laquelle faisait obstacle la souveraineté temporelle des papes, mais d'autres lui appartenaient, notamment les catholiques libéraux de différents pays qui reprochaient au pape de ne pas transiger avec les valeurs du monde moderne. Mais, sans risque de se tromper, on doit bien reconnaître que l'immense majorité des fidèles, du clergé et de l'épiscopat, fut, du vivant de Pie IX, en accord avec son enseignement et son gouvernement de l'Église.

Des cérémonies solennelles comme celle du XVIIIe centenaire du martyre de saint Pierre et saint Paul en 1867, celle du jubilé sacerdotal de Pie IX en 1869 et celle du cinquantième anniversaire de sa consécration épiscopale en 1877 furent l'occasion pour les catholiques, à Rome et dans le monde entier, de manifestations innombrables de sympathie et de fidélité.

_____

1 - G. MOLLAT, « Pie IX », **Dictionnaire de Théologie Catholique**, 1935, t. XII, col. 1 686.

Aujourd'hui, le plus grand nombre des fidèles de l'Église catholique ignorent tout ou presque de Pie IX. Si en Italie, notamment grâce aux initiatives de la Postulation de la cause de béatification du pape Mastai, l'historiographie n'a cessé de produire des études de plus ou moins grande qualité, en France, la dernière biographie de Pie IX est parue il y a plus de trente ans [1]. Œuvre de compilation désordonnée, qui abonde en erreurs de dates et de noms, elle avait néanmoins le mérite d'être la première, en langue française, à se fonder sur les Procès informatifs de la cause de béatification et sur les Archives secrètes vaticanes, réservées alors à quelques rares chercheurs.

Est à signaler aussi, datant de cette époque, une œuvre pionnière : **Le Pontificat de Pie IX**, de Roger Aubert. Cet ouvrage ne portait que sur le pontificat et ne traitait pas des années antérieures, si importantes pour comprendre le gouvernement de Pie IX, mais il reste, aujourd'hui encore, un ouvrage de référence même si nombre de ses interprétations sont contestables. La remarque faite alors par Roger Aubert reste toujours vraie aujourd'hui en France : « Il n'existe pas encore de biographie critique de Pie IX. La plupart des biographies parues de son vivant ou peu après sa mort (...) ne sont guère que des panégyriques » [2].

C'est donc une biographie critique que nous proposons aujourd'hui. Ce livre ne sera pas une histoire complète de l'Église sous le pontificat de Pie IX. On n'y trouvera pas une présentation détaillée de l'histoire religieuse des différents pays catholiques au XIXe siècle. Plus modestement, il propose un portrait de Pie IX qui ne se limite pas aux années du pontificat mais considère aussi l'enfance, la jeunesse et la carrière ecclésiastique de celui qui allait devenir

---

1 - Pierre FERNESSOLE, **Pie IX**, P. Lethielleux, 2 t., 1960-1963.
2 - R. AUBERT, **Le Pontificat de Pie IX**, 2e édition, Bloud et Gay, 1963, p. 6.

nesse et la carrière ecclésiastique de celui qui allait devenir pape en 1846. La formation, notamment spirituelle, reçue dans la jeunesse, les relations nouées à Rome dans les premiers temps du sacerdoce, la mission au Chili, les charges épiscopales exercées à Spolète puis à Imola nous paraissent particulièrement importantes pour comprendre les actions du pontificat qui a suivi.

S'il ne s'agit donc pas d'écrire une histoire de l'Église sous Pie IX mais de tracer une biographie, aussi complète et précise que possible, la présentation des actes pontificaux amènera à évoquer ponctuellement la situation religieuse de divers pays. Cette vie de Pie IX voudrait ainsi contribuer à mieux cerner, sans manichéisme ni anachronisme, l'évolution de l'Église au XIXe siècle.

Les sources, imprimées et manuscrites, d'un tel travail sont diverses. Il y a d'abord la riche historiographie italienne de ces dernières décennies. Après les premières biographies parues du vivant même du pape ou dans les années qui suivirent sa mort, une première synthèse est parue au début du siècle [1]. Mais l'entreprise était prématurée, ne pouvant tenir compte ni de la plupart des archives, romaines et étrangères, qui restaient à explorer, ni de tous les nombreux et circonstanciés témoignages recueillis lors des procès informatifs de la cause. Plus tard, Alberto Serafini s'engagea dans une énorme biographie, qu'il ne put mener à bien [2]. Roger Aubert a jugé sévèrement cette autre tentative, la plaçant, avec celle de Fernessole, parmi les ouvrages qui « relèvent d'un genre hagiographique

---

1 - Giuseppe Sebastiano PELCZAR, **Pio IX e il suo pontificato**, G.B. Berruti, Turin, 3 vol., 1909-1911.

2 - **Pio Nono**, Tipografia Poliglotta Vaticana, 1958. Seul est paru le premier volume portant sur les années antérieures au pontificat.

dépassé et manquent de perspective historique » [1]. Mais dans les 1 760 pages du livre de Serafini sont cités nombre de lettres et de documents d'un grand intérêt.

A partir des années 1970, avec la nomination d'un nouveau Postulateur de la cause de béatification et de canonisation, Mgr Piolanti, les études consacrées à Pie IX ont connu un nouvel essor en Italie : une revue trimestrielle consacrée à sa vie et à l'histoire de son pontificat a vu le jour, une collection de « *Studi Piani* » a été lancée à la Libreria Editrice Vaticana, des colloques ont été organisés.

Indépendamment de ces initiatives de la Postulation, le Père Giacomo Martina s.j. a publié ces dernières décennies une énorme étude en trois volumes consacrée exclusivement, comme l'étude de Roger Aubert, au pontificat [2]. D'une richesse documentaire exceptionnelle, notamment quant à l'exploitation des Archives secrètes vaticanes, elle demeurera pour longtemps l'œuvre de référence sur les aspects politiques et diplomatiques du pontificat. Certaines grandes questions religieuses sont aussi présentées en détail. Mais nombre des jugements et appréciations portés par le P. Martina dans ses trois riches volumes sont contestables [3].

Est à signaler aussi la parution, dans les années 1980, d'une « Vie de Pie IX » par l'archiprêtre de la cathédrale de Senigallia, ville natale de Pie IX [4]. Cet ouvrage, s'il ne

---

1 - R. AUBERT, *op. cit.*, p. 6.

2 - **Pio IX (1846-1850)**, Università Gregoriana Editrice, Rome, 1974 ; **Pio IX (1851-1866)**, Editrice Pontificia Università Gregoriana, 1986 ; **Pio IX (1867-1878)**, Editrice Pontificia Università Gregoriana, 1990.

3 - Le P. MARTINA, membre, en 1987, d'une commission de sept experts chargée d'examiner « l'opportunité » de la béatification de Pie IX a été le seul à juger celle-ci inopportune. Nous reviendrons sur cette question en conclusion de notre étude.

4 - Mgr Alberto POLVERARI, **Vita di Pio IX**, 3 vol., Editrice la Postulazione della causa di Pio IX/Libreria Editrice Vaticana, 1986-1988.

répond pas toujours aux règles de la critique historique et se réfère essentiellement à des sources italiennes, est, en revanche, entièrement favorable à la béatification de Pie IX.

Autre source que l'historien ne saurait négliger : les pièces du procès de béatification et de canonisation de Pie IX, du moins celles auxquelles il peut avoir accès. Nous détaillerons les étapes de ce procès, qui est toujours en cours, dans un chapitre de conclusion. La procédure a commencé, au début du siècle, par l'interrogatoire détaillé de 243 témoins, clercs ou laïcs, qui avaient bien connu Pie IX. Ces dépositions ont été recueillies en douze gros volumes, déposés à l'actuelle Congrégation de la Cause des Saints. Ces volumes ne sont pas consultables. En revanche, grâce à l'obligeance du Postulateur actuel de la cause, nous avons pu utiliser le volumineux *Summarium* réalisé en 1954 par la Sacrée Congrégation des Rites. Les 1 159 pages du *Summarium* rassemblent les dépositions les plus importantes. Elles contiennent nombre de faits qui apportent des lumières intéressantes sur les différents moments de la vie de celui que Jean-Paul II a proclamé « Vénérable » en 1985.

Une troisième source documentaire est composée des divers témoignages de contemporains, romains, italiens et étrangers et des nombreuses études historiques portant sur tel ou tel moment du pontificat. Il y a là beaucoup d'éléments variés et importants à prendre en compte, même s'il convient, ainsi que le demandait G. Mollat, de « passer au crible d'une sévère critique les travaux, et des apologètes et des détracteurs de Pie IX » [1].

------

1 - G. MOLLAT, *op. cit.*, col. 1 686.

Enfin, certaines archives méritaient une nouvelle consultation. Les Archives secrètes vaticanes ont largement été utilisées par Giacomo Martina et Alberto Polverari. Depuis la parution des ouvrages de ces deux auteurs, un certain nombre de documents — notamment des correspondances — provenant d'autres centres d'archives (archives diocésaines, archives d'État de Spolète, Macerata, Gaeta, Naples, etc.) ont été publiés dans plusieurs volumes, tirés à un nombre très réduit d'exemplaires, par Mgr Cittadini. Ces documents ne sont pas tous inédits et on peut regretter que les correspondances n'aient pas fait l'objet d'une édition critique, mais on y trouve des éléments intéressants.

Ce sont les archives françaises qui méritaient d'être explorées à nouveau : dépêches diplomatiques conservées aux Archives du Ministère des Affaires Étrangères, correspondances et autres écrits conservés aux Archives de Saint-Sulpice, lettres diverses conservées au département des Manuscrits de la Bibliothèque nationale. Parfois déjà consultées partiellement par certains historiens, parfois totalement inédites, elles offrent, sur différents moments du pontificat, nombre de faits et d'analyses qui valent d'être rapportés.

Par ailleurs, les ouvrages italiens sur Pie IX sont fortement marqués par la problématique de l'unification et, partant, ont tendance parfois à négliger les autres problématiques, notamment religieuses, et les fonds d'archives étrangers.

Cette étude livresque et d'archives s'est doublée de séjours à Senigallia (dont le palais natal de Pie IX abrite un centre d'études et un intéressant musée) et à Rome où, depuis près de dix ans, Mgr Piolanti, Postulateur de la cause, m'honore de sa bienveillante attention.

CHAPITRE PREMIER

LES PREMIÈRES ANNÉES

P IE IX EST issu d'une famille noble, les Mastai, établie
à Senigallia depuis plusieurs générations. Senigallia, orthographiée jadis Sinigaglia, est aujourd'hui une station balnéaire de 40 000 habitants, située sur les bords de
l'Adriatique, entre Ancône et Rimini [1]. La ville tire son
nom du latin Sena Gallica ou Seno Gallia, parce qu'au
IIIe siècle avant Jésus-Christ une colonie de Gaulois séno-
nais s'y était établie [2].

Lorsque le futur Pie IX y vit le jour, Senigallia faisait
partie des États pontificaux qui comprenaient alors, outre
Rome et le Latium, les Marches, l'Ombrie et la Romagne.
La ville n'était pas encore la grande station balnéaire
qu'elle est devenue, c'était une cité de 8 000 habitants au
passé prestigieux mais qui avait perdu un peu de son
éclat. Jusqu'au Moyen Age, elle avait été une cité portuai-
re et commerçante importante, dont les foires étaient
réputées dans toute la péninsule. Mais, quand, libéré de la
tutelle vénitienne à partir du XIVe siècle, le port de Trieste,
sur l'autre rive de l'Adriatique, prit son essor, il devint un
concurrent redoutable pour le port de Senigallia. La ville
connut un ralentissement de ses activités commerciales.

---

1 - Tout au long de cet ouvrage, nous respecterons l'orthographe italienne des
noms propres, sauf quand un usage français a prévalu. Nous dirons ainsi Ancône ou la
basilique Saint-Pierre mais nous parlerons de Giovanni Maria Mastai et non de
« Jean-Marie » Mastai.
2 - L. SALVATORELLI, **Histoire de l'Italie**, Éditions Horvath, 1973, p. 19.

Hormis les activités de pêche, la foire annuelle restait la seule activité notable de la ville. Cette foire, qui s'étalait sur plus d'un mois pendant l'été, restait la plus importante des États pontificaux. Les meilleures années, elle attirait 300 à 400 navires chargés de diverses marchandises en provenance de France, de Grèce, de Dalmatie, de Turquie, etc. Des acheteurs venaient de toute la péninsule italienne. Pendant ce mois de foire, la ville grouillait de monde, la population triplait ou quadruplait. C'était pour les habitants de Senigallia autant un sujet de distractions qu'une source de profits. Le reste de l'année, l'économie de la ville était plutôt tournée vers l'intérieur des terres, tirant des revenus importants des activités agricoles.

Pie IX appartient à une des familles importantes de Senigallia, la famille Mastai. Elle était originaire de Crema, en Lombardie [1]. Des documents relatifs à la ville de Crémone conservent la trace, du XIe siècle à la fin du XIIIe, de patronymes proches de celui de Mastai : De Mastaleis, De Mastaliis, Mastallia, Mastagius, Mastallius, Mastaius. Mais ce n'est que dans la cité, proche, de Crema qu'on trouve, en toute certitude, les origines de la famille.

Un Francesco Mastai naquit à Crema en 1520 et s'établit à Venise en 1540. Ses deux fils, Pompeo et Giovanni Maria, s'installèrent à Senigallia vers 1570-1580. Ils devinrent des notables de la ville. Giovanni Maria, quoique établi récemment dans la ville, en fut nommé *regolatore* puis *gonfaloniere*, c'est-à-dire, si l'on veut traduire en termes contemporains, modérateur puis magistrat suprême. Il est considéré aussi comme *nobile*, c'est-à-dire, sans conteste, noble. En 1653, le mariage d'un autre Giovanni Maria Mastai avec

---

1 - Mgr Angelo Mencucci, **La genealogia della famiglia Mastai-Ferretti dal Mille ad oggi**, Rotary Club, Senigallia, 1992.

Margherita Ferretti, issue d'une famille noble d'Ancône, permet d'ajouter un second patronyme. Les armoiries de la famille Mastai-Ferretti s'enrichissent : au lion d'or, couronné, sur fond azur (armoiries des Mastai) s'ajoutent désormais deux quartiers, barrés de rouge sur fond argent (armoiries des Ferretti). Un siècle plus tard, en 1750, un troisième Giovanni Maria recevra du duc de Parme un titre comtal.

Cette famille Mastai, puis Mastai-Ferretti, a joué un rôle éminent à Senigallia depuis le début du XVIIᵉ siècle : comme « regolatore » ou « gonfaloniere », dès la première génération, et à plusieurs reprises ensuite. Mais aussi en tant que membre du Conseil municipal ou comme *caporione* (titre que l'on peut traduire par commandant de la milice).

On relève aussi de nombreux ecclésiastiques dans la famille Mastai-Ferretti : des religieux, des religieuses, des chanoines, des abbés bénéficiaires ou conventuels, deux consulteurs du Saint-Office, un vicaire général. Trois des quatre oncles du futur Pie IX étaient des ecclésiastiques. L'un, Andrea, après avoir été chanoine de la cathédrale de Senigallia, deviendra évêque de Pesaro ; l'autre, Gabriele, également chanoine à Senigallia, était déjà mort quand naquit le futur pape ; un troisième enfin, Paolino, mena une carrière ecclésiastique à Rome où il fut secrétaire à la Rote et chanoine de la basilique Sainte Marie-Majeure.

C'est dans cette famille de petite noblesse, dévouée à l'Église et à la cité, que naquit Giovanni Maria Mastai-Ferretti, le futur pape. Son père, le comte Girolamo Mastai-Ferretti, était né en 1750. Le musée Pie IX (l'ancien palais Mastai) conserve une petite estampe qui représente le comte Girolamo, portant perruque et jabot, avec, au visage, un sourire dont héritera Giovanni Maria. En 1780, Girolamo Mastai Ferretti avait épousé Caterina Solazzi di Faro, elle aussi native de Senigallia. Le comte Girolamo fut un personnage important de la ville. De nombreux auteurs signalent qu'il fut élu, à plusieurs reprises, gonfalonier de Senigallia. En fait, il faut relativiser l'importance de cette charge. Carlo Falconi, au terme d'une étude attentive du fonctionnement municipal de la ville à cette époque, a relevé qu'à dix-huit reprises, entre 1782 et 1807, Girolamo Mastai fut désigné comme gonfalonier [1]. Mais la charge était temporaire, elle n'était exercée que pendant vingt jours, par un des trente-six membres du Conseil des nobles qui administrait la ville. Le comte fut certes choisi à dix-huit reprises, ce qui montre l'estime et la confiance que ses pairs lui portaient, mais il ne dirigea la ville que sur de courtes périodes discontinues. Par ailleurs, le gonfalonier n'était pas le chef suprême de l'administration de la ville. Il devait rendre des comptes à un gouverneur et au représentant local du légat pontifical de Pesaro-Urbino.

Le comte Mastai avait hérité de sa famille quelques biens, ce qui faisait de lui un notable aisé mais sans fortune éblouissante. Le palais Mastai était à l'époque une grande bâtisse carrée à trois étages (aujourd'hui il n'en reste plus que deux, l'étage supérieur ayant été détruit lors d'un tremblement de terre), au revêtement de briques. Les seuls ornements extérieurs véritablement remarquables sont deux portes à colonnades surmontées des armoiries de la famille. A l'intérieur sont à signaler, au premier étage, un grand salon de réception, orné de tableaux du XVIIe siècle, et une petite chapelle privée qui comporte un chemin de croix.

---

1 - Carlo FALCONI, **Il giovane Mastai**, Rusconi, 1981, p. 636.

A Roncitelli, dans la campagne, à sept kilomètres de la ville, les Mastai possédaient un autre *palazzo,* attenant au château de la petite cité. Ce *palazzo,* dont il ne reste presque plus rien aujourd'hui, était en fait une demeure bourgeoise à étages où la famille venait régulièrement en villégiature. De là le comte Girolamo pouvait se rendre dans les fermes qui lui appartenaient. Une tradition, encore vivace aujourd'hui, veut qu'en réalité le futur Pie IX soit né à Roncitelli, où sa mère se reposait, et non à Senigallia [1]. En fait, c'est bien au palais Mastai, à Senigallia, que naquit le futur Pie IX.

Il était le dernier enfant d'une famille qui a compté quatre garçons et cinq filles. Sont nés d'abord trois garçons : Gabriele, en 1781 ; Giuseppe, en 1782 et Gaetano, en 1783. Le quatrième enfant de la famille fut une fille, Maria Virginia, née en 1784 mais décédée l'année suivante. Suivirent quatre autres filles : Maria Teresa, née en 1786 ; Maria Isabella, née en 1787 ; Maria Tecla, née en 1788 et Maria Virginia, née en 1790. Puis vint Giovanni Maria, deux ans plus tard, le 13 mai 1792. Il fut baptisé le même jour à la cathédrale Saint-Pierre par son oncle Andrea. Il reçut comme prénoms : Giovanni Maria, Giovanni Battista, Pietro, Pellegrino, Isidoro. Ce sont les deux premiers qui seront conservés comme prénom usuel.

On sait aussi que le jour même de sa naissance il fut consacré à la Vierge Marie par sa mère, selon la pieuse coutume encore largement répandue alors. Un des premiers gestes de Giovanni Maria devenu pape sera de renouveler cette consécration pour marquer qu'il souhai-

---

1 - Cf. Renato LUCCHETTI, « Pio IX e il Castello di Roncitelli » in **Atti del II° convegno di ricerca storica sulla figura e sull'opera di papa Pio IX**, 9-10-11 octobre 1977, Centro Studi Pio IX, Senigallia, pp. 435-446.

tait placer la seconde partie de sa vie sous la protection spéciale de la Vierge Marie, comme le fut la première.

Piété familiale

De la petite enfance de Pie IX, nous ne savons pas grand chose si ce n'est quelques traits que lui-même ou des familiers ont rapportés plus tard.

Selon la coutume en usage dans les familles nobles ou bourgeoises d'alors, Giovanni Maria fut confié à une nourrice peu de temps après sa naissance. La famille Mastai possédait plusieurs fermes dans les environs de Senigallia. C'est à leurs fermiers de Roncitelli qu'ils confièrent le nouveau-né. La fermière, Marianna Chiarini, avait un enfant du même âge que Giovanni Maria et prénommé Domenico. Les deux enfants furent donc nourris au même lait, élevés dans le même cadre agraire : une ferme basse, à un étage, avec de grandes cours, proche du bourg. Cette ferme n'existe plus aujourd'hui.

Mariana Chiarini avait donné à l'enfant Mastai le diminutif de « Giovaninno » (ou, plus souvent, « Giuanin », dans le patois du pays). Le diminutif lui restera même après le retour à Senigallia.

C'est de sa mère que Giovaninno reçut sa première éducation chrétienne. Pour faire contrepoids aux relectures « hagiographiques » de cette prime enfance, on a voulu insister récemment sur la personnalité de Caterina Mastai, la décrivant comme une brave « ménagère », « privée de quelque auréole de raffinement aristocratique, authentique femme du peuple même si elle ne l'était pas » [1]. Ces appréciations, qui ne se fondent que sur un portrait

---

1 - C. Falconi, *op. cit.*, p. 35.

conservé au musée du Risorgimento de Milan, sont démenties par certains faits. Des ouvrages de piété ayant appartenu à Caterina Mastai sont conservés au musée Pie IX et attestent que sa piété était solide. Elle sut la transmettre à ses enfants.

Plus tard, Pie IX rapportera volontiers plusieurs traits de cette éducation religieuse [1]. C'est sa mère qui lui apprit à prier chaque matin et chaque soir. C'est elle aussi qui lui transmit la coutume de se priver du premier de chaque fruit qui, selon la saison, venait sur la table et d'offrir ce petit sacrifice à la Sainte Vierge. A des religieuses, Pie IX dira un jour : « C'est une pratique que j'ai apprise sur les genoux de ma mère, je l'ai toujours continuée et même maintenant que je suis pape, je le fais » [2]. Sa mère se rendait aussi tous les jours à la messe, célébrée tôt le matin, à l'église San Martino, tenue par les Pères Servites. Dans l'église un tableau représente Maria Santissima Addolarata (vocable traduit communément en français par « Notre-Dame des Sept Douleurs » et dont la représentation traditionnelle est une Vierge au cœur transpercé de sept glaives). Caterina Mastai l'avait en grande dévotion. Dès que Giovanni Maria fut en âge de raison, il accompagna sa mère à cette messe matinale quotidienne.

Ses frères et sœurs en faisaient-ils autant ? Il ne semble pas. Que ce soit sa mère qui ait incité l'enfant à l'accompagner chaque matin ou que ce soit Giovanni Maria qui l'ait demandé, la grande influence religieuse de Caterina Mastai sur son fils est notable. Elle n'est pas sans rappeler celle qu'aura, quelques décennies plus tard, la mère de saint

---

(1) Tous ces traits figurent dans le *Summarium*.

(2) *Summarium* § 355. Les 1159 pages du *Summarium* sont divisées en 3603 paragraphes numérotés. Nous donnons la références des paragraphes et non celle des pages.

Jean Bosco ou la mère de saint Pie X. Dans tous ces cas, l'exemple maternel, s'il n'a pas déterminé la vocation, est du moins resté inoubliable.

On doit aussi relever une autre dévotion à laquelle Pie IX restera très attaché, et qui lui vient de ses premières années : la dévotion à Notre-Dame de Lorette.

Loreto n'est qu'à une cinquante de kilomètres de Senigallia. La famille Mastai se rendit à plusieurs reprises en pèlerinage à la *Santa Casa*, la maison de la Vierge Marie qui, selon la tradition, fut amenée miraculeusement de Nazareth. Et, chaque année, le 10 décembre, comme nombre des familles de la région, les Mastai passaient une partie de la nuit en prières pour célébrer la Translation de la *Santa Casa*. A différents moments de sa vie, prêtre, évêque, pape, Pie IX reviendra en pèlerinage à Notre-Dame de Lorette [1].

Cette petite enfance n'était pas que de piété. On rapporte qu'il était « d'un naturel vivace, aimant la conversation » [2], qu'il participait volontiers aux jeux de son âge. Dans sa vieillesse, Pie IX se souviendra avoir joué « avec le fils d'un jacobin » qui lui-même deviendra révolutionnaire [3]. Plus tard, il aimera jouer au ballon, aller à la chasse, nager dans le canal qui se jette à la mer.

Un accident a marqué l'enfance du petit Giovanni Maria. Un jour d'octobre 1797, alors qu'il jouait dans la cour de la ferme de Roncitelli, il tomba dans un large puits et manqua de périr noyé. C'est le fermier qui, en se jetant

---

1 - Aldo ALBERONI, « Caratteristiche della spiritualità di Pio IX », in **Atti del II° convegno**..., *op. cit.*, p. 399.

2 - *Summarium* § 2815.

3 - Audience du 29 décembre 1872 in **Actes et paroles de Pie IX captif au Vatican**, Victor Palmé, 1874, p. 312.

lui-même dans le puits, parvint à le sauver [1]. L'incident dépasse l'anecdote puisque certains contemporains ont estimé que les crises d'épilepsie, dont souffrira le jeune Mastai au sortir de l'adolescence, trouvent leur origine dans cette frayeur enfantine.

Un autre des faits marquants de l'enfance du futur pape fut l'invasion des États pontificaux par les Français. L'Italie était alors divisée en plusieurs États souverains, dont le plus important, au nord-est, était le royaume de Sardaigne (ou de Piémont-Sardaigne). L'Autriche, elle, contrôlait au nord-ouest la Lombardie, avec Milan, et la Vénétie.

Le Directoire décida d'envoyer le jeune général Napoléon Bonaparte en Italie du nord avec pour mission de séparer les Piémontais des Autrichiens, tous deux en guerre contre la France, et de renflouer les caisses de l'État.

On sait combien cette première campagne d'Italie, lancée en avril 1796, fut un succès éclatant pour Bonaparte. Il contraignit les Piémontais à demander une paix séparée et obligea l'Autriche à signer un armistice en 1797. Ensuite il se retourna contre les États pontificaux. Les ordres reçus d'un des Directeurs, La Revellière-Lepeaux, indiquent bien la haine de l'Église qui inspirait cette invasion : il faut, écrivait le Directeur, « renverser Pie dernier de Rome, écraser en son repaire l'hydre du fanatisme sacerdotal ». Certes le jeune général Bonaparte n'était pas animé d'une telle haine, mais il obéira aux ordres reçus et laissera ses troupes malmener les clercs et piller les églises. Pie VI fut contraint de signer un traité de paix à Tolentino, par lequel il cédait une partie de ses territoires, notamment les Léga-

---

1 - *Summarium* § 356 et § 692 ; mais les témoignages divergent sur le lieu : un ruisseau, un bassin pour poissons, etc.

tions de Bologne et de Ferrare. En cette circonstance, Napoléon Bonaparte s'arrêta à deux reprises à Senigallia.

Il était déjà rentré en France, quand, au début de l'année 1798, prenant prétexte d'incidents survenus à Rome, le Directoire ordonna au général Berthier d'envahir ce qui restait des Etats pontificaux. Senigallia fut occupée par des troupes qui, comme partout ailleurs en Italie, se montrèrent brutales et promptes à faire main basse sur les objets précieux des églises.

Rome aussi fut occupée, la République romaine proclamée et Pie VI, malgré son grand âge et sa santé déficiente, emmené prisonnier [1]. Il fut transféré à Sienne (où il resta trois mois), puis à la Chartreuse de Florence. Il fut question alors de le déporter en Sardaigne. Finalement on l'emmena à Parme où il résida quelques jours puis son exode forcé se poursuivit par Turin, le col du Montgenèvre, Gap, Grenoble, Romans, enfin Valence où il mourut d'épuisement en août 1799. Le conclave ne pourra se réunir qu'en décembre suivant, à Venise. Le cardinal Chiaramonti sera élu pape et prendra le nom de Pie VII [2].

L'occupation française, les désordres qu'elle occasionnait, les violences commises à l'encontre du pape suscitèrent une grande émotion dans la famille Mastai. Caterina apprit alors à son fils à « prier pour les ennemis de l'Église » [3] et à ajouter aux prières du soir un *Pater* et un

---

1 - Un récit détaillé de ses tribulations figure dans l'**Histoire civile, politique et religieuse de Pie VI**, « Écrite sur des Mémoires authentiques par un Français catholique-romain », Avignon, s. d. (1802 ?), pp. 347-390.

2 - Élu le 14 mars 1800, Pie VII fit son entrée à Rome en juillet suivant. En venant de Venise, il avait passé la nuit du 21 juin à Senigallia. C'est dans ces circonstances que le jeune Mastai put apercevoir pour la première fois le pape qui allait jouer un rôle important dans son accession au sacerdoce.

3 - *Summarium* § 54.

Ave aux intentions du pape prisonnier et pour la conversion de ses persécuteurs.

C'est dans ce contexte historique troublé que, le 6 juin 1799, Giovanni Maria reçut le sacrement de confirmation. A cette époque, il était d'usage d'admettre les enfants au sacrement de confirmation à l'âge de sept ans et de n'admettre à la première communion que vers douze ans. C'est son précepteur, don Francesco Teloni, qui avait préparé le jeune Mastai à recevoir la confirmation. La cérémonie eut lieu dans la chapelle du palais épiscopal et le sacrement fut conféré par le cardinal Honorati, évêque de Senigallia.

Giovanni Maria était un enfant pieux et charitable. « Dès son enfance, rapportera un témoin au procès de canonisation, il s'était montré toujours éloigné de commettre quelque péché de manière délibérée » [1]. Il était « très bon, aimable, généreux envers les pauvres et il était heureux quand il pouvait donner une aumône, n'hésitant pas à se priver » [2]. Ce trait de caractère ne semble pas surfait puisqu'à Senigallia on l'appelait habituellement *Giovaninno il Buono*. Dans le procès de béatification, on rapporte aussi qu'encore enfant il aimait jouer les prédicateurs dans la rue, une croix à la main, faisant quelque sermon improvisé à ses camarades et les entraînant à l'église [3].

En la fête de la Purification, le 2 février 1803, il fit sa première communion dans la cathédrale de Senigallia. Ce jour-là se célébrait aussi dans la ville la fête de la *Madonna della Speranza*, honorée dans une chapelle de la cathédrale.

---

1 - *Summarium* § 57.
2 - *Summarium* § 51.
3 - Cette croix est conservée aujourd'hui au musée Pie IX.

En souvenir du double événement, sa mère offrit à Giovanni Maria une image de la *Madonna della Speranza*. Il la conservera toujours car elle lui rappelait la première grande émotion religieuse qu'il avait ressentie. Il communia avec ferveur. C'est de ce jour, semble-t-il, que date son désir de devenir prêtre [1].

On remarquera aussi qu'il n'avait pas encore onze ans quand il communia pour la première fois, alors que les autres communiants avaient douze ou treize ans. C'est sans doute qu'on l'estima suffisamment préparé pour communier avant l'âge prescrit à l'époque. Devenu pape, par différents actes, il commencera à combattre cette coutume de la communion tardive, même si c'est sous un pontificat ultérieur — celui de saint Pie X — que l'âge de la première communion sera officiellement abaissé à sept ans.

Au collège Saint-Michel

Après les premières études faites en famille, sous la direction de son précepteur, don Teloni, Giovanni Maria fut envoyé dans un collège des Pères Scolopes à Volterra [2].

Cet ordre religieux, fondé au XVIIe siècle et dévoué spécialement à l'instruction et à l'éducation chrétiennes, possédait, en Italie et à l'étranger, une dizaine de collèges fort réputés. Un oncle paternel de Giovanni Maria, le chanoine Andrea Mastai, avait accompli ses études au collège scolo-

---

(1) *Summarium* § 2 855.

(2) Les Scolopes — déformation de l'italien « Scuole Pie », « écoles pieuses » — sont appelés aussi « Piaristes », du nom de leur ordre religieux : l'*Ordo Clericorum Regularium Pauperum Matris Dei Scholarum Piarum*. Ils ne doivent pas être confondus, comme l'ont fait divers auteurs, avec les Frères des Écoles chrétiennes. On les appelle aussi, en France, *Calasantins*, du nom de leur fondateur, saint Giuseppe Calasanz.

pe de Rome et connaissait certains des professeurs du collège de Volterra. C'est lui qui incita le comte Mastai a envoyer son dernier fils dans ce collège lointain.

Volterra est située à quelque 300 km de Senigallia, à l'ouest de Sienne. Elle a un brillant passé étrusque puis romain, qu'attestent encore d'importants vestiges. Au début du XIXe siècle, c'était une petite cité de 2 500 habitants, qui faisait partie du grand-duché de Toscane. Ce fut donc un grand voyage, pour l'époque, hors des États pontificaux, que dut accomplir le jeune Mastai. Son oncle chanoine l'accompagna.

Le collège, fondé en 1710, était dédié à saint Michel et accueillait une soixantaine de garçons de familles nobles ou aisées. La plupart étaient pensionnaires. Giovanni Maria y arriva le 20 octobre 1803, il avait onze ans, et il y resta jusqu'en 1809 [1].

La formation scolaire dispensée au collège Saint-Michel était solide et organisée sur sept années, en trois cycles : *scuola di grammatica, scuola d'umanità, scuola di rettorica.* Le premier cycle, qui durait deux années, était consacré essentiellement à l'enseignement de l'italien et des « principes généraux de géographie et d'histoire ». Étaient dispensés aussi des notions d'arithmétique et des exercices de calligraphie. Le jeune Mastai, parce qu'il avait déjà reçu de son précepteur des rudiments dans ces diverses matières, ne passa qu'une année dans ce cycle. *La scuola d'umanità* durait trois années, consacrées à l'italien, au latin, au grec, à l'histoire, à la géographie et à la mytholo-

_____

1 - Certains auteurs le font arriver le 20 août 1803, voire en 1802. Les très nombreux documents d'archives reproduits par Giovanni AUSENDA et Claudio VILA PALA dans **Pio IX y las escuelas pias**, Éditions Calasanctianæ, Rome, 1979, permettent d'avoir une connaissance précise de ces années de collège.

gie. Enfin, les deux dernières années (*scuola di rettorica*) portaient essentiellement sur les mathématiques, la physique et la philosophie. Les lettres n'étaient pas pour autant abandonnées et s'ajoutaient des notions « d'institutions civiles » et de minéralogie.

Tous ces cours étaient dispensés par des Pères Scolopes. Un de ces professeurs, le P. Giovanni Inghirami, deviendra un astronome et cartographe réputé. Quand Giovanni Maria arriva au collège, il enseignait la philosophie, la physique, les mathématiques et le grec. Le jeune Mastai l'eut comme professeur de grec de 1803 à 1805, ensuite le P. Inghirami quitta le collège, appelé à d'autres fonctions dans son ordre.

Les élèves pouvaient recevoir aussi des cours facultatifs dans d'autres domaines : le français, la musique, le chant, le dessin, la décoration, la peinture, l'architecture civile ou militaire et la danse. Ces cours étaient dispensés par des professeurs extérieurs à l'établissement.

Il semble que Giovanni Maria ait suivi des cours de français puisque, plus tard, il saura se faire comprendre dans cette langue. En outre, il est certain qu'il apprit à jouer de la flûte et du violoncelle. Par la suite, il gardera du goût pour ces instruments. Le théâtre, la poésie, la danse et la musique étaient régulièrement à l'honneur au collège par des lectures publiques de pièces religieuses ou profanes, par des représentations de ballets et par des récitals.

L'instruction et la pratique religieuses tenaient, bien sûr, une grande place dans la vie quotidienne des élèves. Chacun possédait un livret de prières et de chants qui lui permettait de participer aux différents exercices de piété de la journée. Les élèves étaient incités à commencer la journée par une première prière personnelle. Puis le *Mise-*

rere était récité en commun. Chaque jour, la messe réunissait tous les élèves à la chapelle. A midi, la récitation de l'*Angelus* et un examen de conscience personnel précédaient le repas. La journée se terminait par la récitation du Rosaire et des Litanies des Saints. Le dimanche, avant la messe, les élèves écoutaient une lecture spirituelle puis une explication de l'Évangile du jour. La confession et la communion étaient obligatoires une fois par mois.

La discipline était sévère, destinée à doter les jeunes garçons d'une éducation solide. Le collège était dirigé par un Père Recteur, tandis qu'un Père Ministre était chargé de la discipline. Il se faisait assister dans cette tâche par des « préfets » (ou *camerata* en italien), choisis parmi les élèves les plus sérieux. Giovanni Maria fut « camérier » pendant plusieurs années. La discipline ne consistait pas seulement en l'observance d'un règlement fort pointilleux mais aussi en l'acquisition d'un comportement empreint de dignité et de pondération. Ainsi, le règlement stipulait : « Messieurs les collégiens doivent se traiter mutuellement avec la plus grande civilité. Par conséquent ils ne pourront user entre eux de surnom, ni autres termes impropres… ou manifester trop de familiarité » [1].

Les sorties dans la campagne, au-delà des portes de la ville, étaient autorisées tous les soirs mais les sorties dans Volterra même étaient interdites, si ce n'est pour des repas pris dans quelque famille de la ville, après autorisation du Père Recteur ou du Père Ministre. Ces repas pris à l'extérieur étaient interdits les jours de solennité religieuse ou pendant le carnaval. Autre dérogation : du premier juin au premier septembre, par chambre, à tour de rôle, les élèves pouvaient aller jouer à la balle ou au ballon sur un terrain

---

1 - Cité par G. AUSENDA et C. VILÀ PALÀ, p. 51.

clos situé dans la ville. Les seuls jeux autorisés dans l'enceinte du collège étaient le jeu de dames et le jeu d'échecs.

Le retour en famille n'avait lieu qu'une fois par an, pendant quarante jours, à l'automne. A moins que la famille elle-même ne rende à Volterra ou dans les environs, ce que fit la famille Mastai qui vint en villégiature de mai à octobre à Santa Margherita ou à Pignano, localités proches du collège. Il semble que le jeune Mastai ne revit Senigallia qu'en 1809.

De onze à dix-sept ans, le jeune Mastai reçut donc une formation très variée, soutenue par une discipline dont la rigueur n'était pas sans atténuation. Pie IX se souviendra qu'un des Pères Ministres qu'il avait connu, dans les deux dernières années de son internat, le P. Ceccherini, était « sévère et inflexible dans l'observance de la discipline, mais en même temps extrêmement bienveillant ».

Le zèle, la discipline tout autant que l'activité scolaire étaient stimulés au sein du collège par une « Académie des Constants ». Cette Académie comportait trois sections (Belles lettres, Philosophie et Arts) et réunissait, autour de leurs professeurs, les meilleurs élèves. Pour entrer dans cette Académie, il ne suffisait pas de briller dans telle ou telle discipline mais il fallait aussi avoir obtenu la « médaille de bonne conduite » et produire un certificat délivré par le Père Ministre. L'Académie organisait des « tournois », auxquels tous les élèves concouraient par équipes. A partir d'un thème donné, il fallait rédiger une composition littéraire et les festivités comprenaient aussi un ballet, une joute d'escrime, un concert musical ou quelque autre divertissement. L'Académie comprenait une hiérarchie. Les meilleurs élèves en gravissaient les échelons les uns après les autres.

Giovanni Maria fut candidat à la section des Arts de l'Académie, sans doute en 1806. Mais il n'en fut pas membre, sans que l'on sache si sa candidature fut repoussée ou s'il ne put présenter un niveau satisfaisant dans une des trois matières obligatoires pour cette section : les mathématiques, la calligraphie et le français. En revanche, il fut admis à la section des Lettres en août 1807. Le 18 décembre suivant, il fut élu censeur. Le 30 mars 1809, il fut élu à la section de Philosophie. En juillet 1809, enfin, il était élu consul.

Le consulat était le grade suprême de l'Académie. Le consul, dit le règlement de l'Académie, « doit donner l'exemple aux autres par son zèle dans l'étude et dans l'application ». Giovanni Maria avait sans doute bien mérité cet honneur par ses qualités intellectuelles et morales indéniables. Il était cité en modèle pour sa conduite et sa piété. Le P. Raphaël Cianfrocca, assistant général des Scolopes, a rapporté au procès de béatification le souvenir qu'avait laissé le jeune Mastai chez les Pères du collège : « Durant les six années de son séjour dans notre collège, il s'est montré pour tous les autres un modèle de piété et d'assiduité à l'étude » [1].

Un autre trait important de ces années à Volterra est à signaler : la grande dévotion mariale, et plus particulièrement à l'Immaculée Conception, qu'entretenaient les Pères Scolopes dans leurs collèges. Giovanni Maria, déjà dévôt de l'*Addolorata* et de Notre-Dame de Lorette sous l'influence de sa mère, a trouvé à Volterra une atmosphère propre à développer sa dévotion mariale.

Les Scolopes sont, d'après leurs statuts, des « Clercs réguliers de la Mère de Dieu ». Leur fondateur, saint Giu-

---

(1) *Summarium* § 2016.

seppe Calasanz (1558-1648), a inventé la dévotion de la
« Couronne des douze étoiles » : une invocation quotidienne des douze privilèges de la Vierge Marie. Le quatrième privilège de la Vierge est, selon la dévotion calasan-
zienne, celui d'avoir été préservée du péché originel :
« Loué soit Dieu le Père qui a préservé la Vierge Marie de
toute tache dans sa Conception ». Cette croyance en l'Immaculée Conception de la Vierge n'était pas un dogme de
foi et chacun sait que c'est Pie IX qui le définira en 1854.

Certains auteurs ont supputé qu'au collège Saint-
Michel cette dévotion des douze privilèges était à l'honneur et que l'Immaculée Conception était fêtée avec éclat.
Ils estiment que, devenu prêtre, Giovanni Maria Mastai
serait resté attaché à cette dévotion. Cette pieuse pratique
collégienne de la « Couronne des douze étoiles » serait
donc une des voies qui l'auraient conduit à promulguer le
dogme de l'Immaculée Conception. Ces auteurs en veulent pour preuve que, trois mois après la proclamation du
dogme, Pie IX enrichira de faveurs spirituelles la « Couronne des douze étoiles ».

Cette reconstruction, pour séduisante qu'elle soit, n'est
étayée sur aucun fait probant. Dans le règlement très
détaillé du collège Saint-Michel, qui énumère les prières et
pieuses pratiques à faire chaque jour ou à différents
moments de l'année liturgique, il n'est nulle part fait mention de la « Couronne des douze étoiles ».

A Volterra, aucune gravure ou statue de cette époque
ne peut être reliée à cette dévotion. Les livres de prière utilisés au collège — du moins ceux qui sont connus — ne la
mentionnent pas non plus. Il semble donc légitime de
conclure que cette « Couronne des douze étoiles » n'était
pas en usage à Volterra dans les années où le jeune Mastai
y fut élève. Il ne la connut que plus tard, à Rome ou, plus

vraisemblablement encore, lorsqu'il devint évêque de Spolète.

Il n'en reste pas moins vrai que la dévotion à l'Immaculée était présente à Volterra sous d'autres formes. L'Académie des Constants était placée explicitement sous son patronage et chaque année un triduum de prières en l'honneur de la « Conception de la Vierge Marie » était célébré. Il y eut donc bien, dès les années de jeunesse de Pie IX, une dévotion « immaculiste », même s'il ne faut point y rattacher des pratiques postérieures.

La grande épreuve

C'est entre 1807 et 1809, alors qu'il était au collège Saint-Michel, que Giovanni Maria connut la première des crises épileptiques qui allaient contrarier son existence et sa vocation pendant plusieurs années.

Si les auteurs divergent sur la date exacte, en revanche un témoignage de Pie IX lui-même permet de situer le lieu. Revenant à Volterra en 1857, à l'occasion d'un important voyage pastoral accompli dans ses États, il voulut revoir son ancien collège. Passant dans le petit salon qui précédait le bureau du Père Ministre, il se tourna vers le grand-duc de Toscane qui l'accompagnait et lui dit : « C'est là que je fus pris pour la première fois de convulsions épileptiques ; tout semblait fini pour moi ; mais la Providence... » [1]. En revanche, le pape n'a pas rapporté les circonstances du drame. Au procès de béatification, un témoin a indiqué que la crise survint après une violente querelle avec un camarade [2]. Il est difficile, aujourd'hui encore, de définir la nature exacte du mal dont souffrit le

---

1 - Cité par G. AUSENDA et C. VILA PALA, *op. cit.*, p. 95.
2 - *Summarium* § 2 412.

jeune Mastai. A défaut d'archives médicales probantes, il est impossible de dire s'il s'agissait d'une épilepsie généralisée ou focale. En revanche, les témoins s'accordent à décrire les crises comme violentes et suivies d'une perte de connaissance. Quel lien établir entre la querelle avec le camarade et la frayeur enfantine de la noyade ? Ces incidents suffisent-ils à provoquer des crises épileptiques ? Les spécialistes en psychologie en discutent encore [1].

Giovanni Maria connaîtra de nombreuses autres crises épileptiques dans les années suivantes. Mais elles étaient intermittentes. Il put achever sa scolarité au collège Saint-Michel dans des conditions normales. Le 7 septembre 1809, en présence de l'évêque de Volterra, du sous-préfet et du maire de la ville, il soutint avec succès une « épreuve physique-mathématique » qui portait sur les « machines optiques » et reçut en prix un livre de mathématiques. Le surlendemain, en tant que consul de l'Académie, il ouvrit une séance consacrée aux « fastes historiques des Grecs » par une Ode dithyrambique intitulée « Le génie d'Homère ».

Il terminait ainsi avec brio une scolarité qui l'avait doté d'une sérieuse formation humaniste et scientifique. Si sa formation théologique ultérieure allait être un peu décousue, à Volterra il a reçu une base solide de connaissances profanes.

Enfin, le 7 octobre, il reçut la tonsure cléricale des mains de Mgr Incontri, évêque de Volterra, après avoir obtenu les lettres dimissoriales du cardinal Gabriella, évêque de

---

1 - Au XIXᵉ siècle, le plus lu des biographes-hagiographes de Pie IX. Alex de SAINT-ALBIN, **Histoire de Pie IX et de son pontificat**, Victor Palmé, Paris, - Joseph Albanel Bruxelles, 1878, t. I, p. 9, n'osait parler d'épilepsie mais d'une « maladie jugée mortelle » dont la guérison fut miraculeuse.

Senigallia [1]. Certains auteurs ont voulu voir là, non pas le signe d'une vocation déterminée, mais une démarche opportuniste, le désir d'engager une carrière ecclésiastique [2]. Les difficultés financières que rencontrait sa famille, suite à l'occupation française, l'auraient incité à demander la tonsure pour obtenir des bénéfices ecclésiastiques, voire une prélature, sans embrasser le sacerdoce.

Cette explication bute sur une première contradiction : pourquoi le jeune Mastai aurait-il voulu recevoir la tonsure à Volterra si son objectif n'était que d'engager une profitable carrière ecclésiastique à Senigallia ? Il aurait très bien pu attendre quelques jours, le temps de rentrer chez lui. C'est plutôt un signe de parfaite sincérité que cette tonsure reçue à Volterra.

On peut penser que Giovanni Maria, en accomplissant ce premier pas vers le sacerdoce dans le collège qu'il allait quitter, avait voulu manifester toute la dette spirituelle qu'il avait envers ses maîtres Scolopes. Cette tonsure, et la prise de soutane qui l'accompagne, est aussi le premier engagement d'une âme imprégnée depuis longtemps d'une foi profonde. Nous avons déjà signalé l'aspiration enfantine, lors de la première communion, à devenir prêtre. Il y a pu y avoir aussi l'exemple des deux oncles chanoines et surtout la vie de piété régulière menée au collège.

Tout cela ne suffit-il pas à admettre comme entièrement sincère ce premier pas clérical d'octobre 1809 ? Mastai lui-même, alors qu'il venait de recevoir le chapeau cardinali-

---

1 - Plusieurs ouvrages, répétant l'erreur du chroniqueur du collège, situent ce premier pas vers le sacerdoce le 26 septembre. Mais les registres épiscopaux de Volterra fournissent la date exacte.

2 - C. FALCONI, *op. cit.*, pp. 98-99.

ce, se souviendra, dans une lettre adressée à Mgr Incontri, de cette cérémonie du collège Saint-Michel comme de « la première pierre » d'un édifice voulu par Dieu [1].

1 - Cité par Vila Pala, p. 77.

CHAPITRE DEUXIÈME

LES DIFFICILES CHEMINS DU SACERDOCE

G IOVANNI MARIA, après avoir séjourné quelque temps à Senigallia, partit pour Rome en décembre 1809 [1]. Récemment un auteur, qui a bâti une sorte de roman-feuilleton apparemment très sérieux et érudit sur les années de jeunesse du futur Pie IX, a voulu voir dans ce premier séjour romain du jeune Mastai « un séjour de quelques semaines à caractère touristique » [2]. Tout dément cette interprétation.

Giovanni Maria rejoignit Rome afin de poursuivre ses études en vue du sacerdoce. Il logea chez un de ses oncles paternels, le chanoine Paolino Mastai, employé à la Curie comme sous-secrétaire aux Mémoriaux. Ses fonctions permettaient au chanoine de résider au palais apostolique du Quirinal, là-même où, à l'époque, vivait Pie VII.

Plus tard, Pie IX lui-même corrigera de sa main le récit d'un historien jésuite, le P. Ballerini, qui avait entrepris sa biographie. Ballerini avait écrit que le jeune Mastai s'était rendu à Rome « pour l'apprentissage de la théologie ». Pie IX corrigera le manuscrit en indiquant qu'il était venu « suivre des cours de philosophie, de physique et de mathématiques... au Collège romain, sous la direction du

---

1 - Pierre FERNESSOLE, **Pie IX**, P. Lethielleux, 1960, t. I, p. 2, place cette arrivée « au début de 1809 ». Cette datation est en contradiction avec toutes les pièces d'archives qui renseignent sur les derniers mois du séjour à Volterra.

2 - Carlo FALCONI, **Il giovane Mastai**, Rusconi, 1981, p. 114.

professeur abbé Conti »[1]. Était-ce pour ensuite entrer dans quelque séminaire ? Oui, sans aucun doute. Le jeune Mastai était alors habillé en clerc et rien n'indique qu'à cette date, il ait renoncé au sacerdoce[2].

Mais ce séjour romain fut de courte durée. Les événements historiques obligèrent le jeune Mastai à rentrer à Senigallia. Quelques mois auparavant, suite à l'annexion des États pontificaux par Napoléon Ier, Pie VII avait protesté, en juin 1809, par une bulle d'excommunication contre les « usurpateurs, fauteurs, conseilleurs, exécutants » de la violation temporelle du Saint-Siège. En réponse, dans la nuit du 5 au 6 juillet, Napoléon avait fait enlever le pape et l'avait fait enfermer à Savone.

Rome et le Latium furent divisés en deux départements, le Tibre et le Trasimène, totalement intégrés à l'Empire français. Les institutions furent alignées sur celles existant en France[3]. C'est donc dans une ville en complet bouleversement qu'était arrivé le jeune Mastai en décembre 1809. Vint la dispersion définitive de la Curie, bientôt le chanoine Paolino Mastai dut s'exiler et Giovanni Maria abandonna l'habit clérical et retourna à Senigallia, sans doute avant la fin de l'année universitaire 1810[4].

Années d'épreuves

Ce sont les lois édictées par la nouvelle administration française qui imposèrent ce renoncement à l'habit clérical et ce départ de Rome. Giovanni Maria ne pourra

1 - Cité par POLVERARI I, p. 33.

2 - *Summarium* § 362 et 2 415.

3 - Jean-Marcel CHAMPION, « Pie VII » et Jacques GODECHOT, « Rome » in **Dictionnaire Napoléon**, sous la direction de Jean Tulard, Fayard, 1987.

4 - Pendant ce temps, son oncle Andrea, devenu évêque de Pesaro en 1806, fut arrêté, chassé de son diocèse et exilé en Italie du nord.

reprendre ses études qu'en 1814. Ces années 1810-1814 sont celles qui ont donné lieu, du vivant même du pape et jusqu'à aujourd'hui, aux hypothèses les plus aventureuses.

En 1854 un auteur, bien intentionné, écrivait dans une biographie du pape régnant : « Le décret de 1811, par lequel Napoléon organisait les gardes d'honneur, trouva Mastai dans une de ces heures indécises où l'on ne sait trop de quel côté diriger sa flottante activité. Agé de dix-neuf ans, et n'ayant pas encore entendu l'appel irrésistible de Dieu, le jeune comte s'engagea dans le 1er escadron du 1er régiment. (…) Il partit donc et fit deux ans de service dans ces régiments d'élite. A la chute de Napoléon et au démembrement de l'Empire, Mastai entra dans un régiment autrichien, mais il n'y resta pas : il y avait peu de sympathie de caractère et d'idées entre les autres officiers et lui. Redevenu libre, il demanda et obtint à grand'peine d'entrer dans la Garde noble, reconstituée par le pape Pie VII » [1].

Plus tard, deux mois après la mort de Pie IX, une revue maçonnique, amplifiant des rumeurs déjà publiées dans les années précédentes, publiait le prétendu témoignage d'un ancien compagnon d'armes du jeune Mastai. Non seulement le témoin cité affirmait avoir été le parrain d'initiation dans la franc-maçonnerie du futur pape mais encore il racontait : « J'étais alors sous-lieutenant et je l'avais dans le même escadron. Il avait le caractère fort gai. Il eut comme nous tous quelques amourettes à Thionville... Dès la chute de Napoléon, Mastai, comme tous les autres nobles italiens, s'empressa de quitter la France. Mastai, ayant l'esprit militaire, entre dans les dragons de

---

1 - E. de Saint-Hermel, **Pie IX**, Lib. Hachette et Cie, 1854, pp. 25-26.

Pie VII et y arrive au grade de capitaine. Il devait se marier. Sa fiancée se brûle dans un bal, le chagrin le conduit dans un cloître où il reçut les ordres et devint pape » [1].

Plus récemment, avec une certaine finesse, Carlo Falconi a renouvelé ces supputations : il a présenté le jeune Mastai de ces années comme un « dandy par contestation » et a essayé de reconstituer l'histoire de son « grand amour interdit » [2].

Toutes ces reconstitutions plus ou moins grossières ne résistent pas aux faits. Certains documents, à l'authenticité incontestable, fournissent des points de repère qui aident à éclairer partiellement ces années obscures. Certes, ils ne permettent pas une reconstitution année par année et parfois on doit se contenter de formuler des hypothèses. Mais ces documents suffisent pour écarter en toute certitude rumeurs et à-peu-prés.

Un texte écrit par le jeune Mastai, daté du 10 avril 1810, nous fait connaître son état d'esprit au moment où il quitte Rome. Il s'agit de notes prises au cours d'Exercices spirituels [3]. Ce texte présente un triple intérêt : il est le premier manuscrit du futur Pie IX que l'on possède ; il atteste qu'il pratiquait, dès cette époque, les Exercices spirituels ; et enfin, par la mention « dans l'état séculier » qui suit la date, il montre sans conteste que le fait d'avoir quitté l'habit clérical n'était pas sans importance aux yeux du jeune

---

1 - « Pie IX fut-il reçu franc-maçon avant d'être pape ? », **La Chaîne d'Union**, avril 1878, pp. 138-139.

2 - C. FALCONI, *op. cit.*, p. 127 sq.

3 - FERNESSOLE, *op. cit.*, pp. 21-23, publie la photographie du manuscrit et en donne une traduction. Nous avons complété et corrigé sa traduction par la version qu'en donne POLVERARI I, 35. SERAFINI p. 29 et Luigi BOGLIOLO, **Pio IX. Profilo spiritual,** Editrice la Postulazione della causa di Pio IX/Libreria Editrice Vaticana, 1989, le datent par erreur du 10 mars.

Mastai. Il montre surtout que ce jeune homme qui allait avoir dix-huit ans faisait déjà preuve d'une grande maturité spirituelle et que sa vie religieuse n'était pas superficielle :

« Au nom de la Très Sainte Trinité, de la Très Sainte Vierge, des saints Joseph, Jean-Baptiste, Jean l'Évangéliste, Louis de Gonzague, Philippe Neri, Giuseppe Casalanz, François d'Assise, et mon ange gardien.

« Mon âme, réforme ta conduite ; repens-toi de tant de péchés commis et tiens toujours devant tes yeux tes fautes. Remercie Dieu qui t'a attendu jusqu'à aujourd'hui ; et forme le propos de vivre toujours et autant qu'il est possible dans sa grâce.

« Fuis les occasions. Il vaut beaucoup mieux que tu t'éloignes de ces compagnies où il n'y a rien de saint, et d'où l'on ne sort jamais sans avoir commis au moins quelque péché véniel. Plus de ces idées spéculatives et terrestres qui t'attachent à l'or ou à la vanité : ne jamais penser au lendemain pour ton entretien ; remets-toi toujours en tout à la volonté de Dieu. Souviens-toi que les péchés véniels volontaires disposent au mépris de la divine Majesté ; et il me semble que jusqu'à présent tu évites les péchés mortels par crainte de l'Enfer, non par l'amour qui est dû à Dieu.

« Humilie-toi souvent et hais de toutes tes forces l'orgueil ; réprime ces mouvements de colère ; réponds à tous avec bonne grâce. Tâche de marcher toujours les yeux baissés ; domine le respect humain. Pour éviter les pensées irréligieuses, impures et autres, élève souvent ton esprit vers Dieu ; oraisons jaculatoires très souvent mais dites du fond du cœur. Par charité, fuis les péchés véniels qui sont l'escorte des péchés mortels : quand te vient la curiosité de goûter et que tu crois connaître quelque objet, baisse les yeux.

« Souviens-toi, si Dieu te donne la force de pouvoir le faire et te donne la santé, d'étudier pour t'instruire et t'instruire dans la voie de la grâce, non par ambition de savoir : chaque fois que tu te mets à ta table de travail, élève ton âme vers Dieu à cet effet.

« Ne pas être faible et montrer du courage en face des personnes qui t'induiraient à des choses dangereuses.

« Souviens-toi en somme que la vie est brève et que l'on n'apporte rien d'autre devant Dieu en son jugement terrible que nos actions. Reste donc tranquille, et accomplis le dessein divin qui t'a été désigné ».

Suivent des extraits, en latin, de la Bible et de divers auteurs spirituels, puis des réflexions personnelles sous forme de maximes. Telles celles-ci : « Les colonnes du ciel sont tombées et ont été brisées : qui me promettra de rester debout ? » , « Malheur aux séculiers qui diffèrent la pénitence jusqu'à l'article de la mort. Malheur aussi aux religieux qui jusqu'au même article ont dormi ».

Cette détermination, à l'orée d'années difficiles, montre chez le jeune Mastai une grande lucidité. Il connaissait ses faiblesses et cherchait à les combattre. Il était déterminé aussi à rester fidèle au dessein de Dieu sur lui (*sistema divino* dans le texte). Mais aussi s'ouvrait pour lui une période marquée de grandes incertitudes. La grave maladie dont il était atteint était-elle guérissable ? Son état de santé et l'occupation française lui permettraient-ils de retrouver le chemin des études et la voie du sacerdoce ?

La gravité de sa maladie est attestée par différents documents. Aucune archive médicale ne nous est parvenue mais on sait que des examens médicaux divers ont été pratiqués, sans doute dès les premières crises à Volterra. Les crises se sont répétées depuis la sortie du collège.

Rentré à Senigallia, après le court séjour romain, Giovanni Maria s'est vu déconseiller par les médecins des séances de travail trop longues. D'où la pratique dans ces années de distractions diverses : jeux de ballon, équitation, musique, longues promenades et aussi des séjours dans la villégiature de Roncitelli ou chez des parents, non loin de Senigallia : à Jesi, à Ostra Vetere, à Ancône, à Treja.

D'où aussi la recherche de quelque occupation. Un de ses amis d'enfance, Giovanni Marchetti, était devenu le secrétaire d'Antonio Aldini, l'homme de confiance de Napoléon dans le royaume d'Italie. Quand Aldini fut appelé en France, son secrétaire l'y suivit. Le jeune Mastai écrivit alors à son ami Marchetti pour obtenir « un poste dans l'administration impériale française ou dans le royaume d'Italie » [1]. Est-ce à dire que le futur pape avait alors renoncé à devenir ecclésiastique ? On ne peut l'affirmer. Peut-être ne cherchait-il, en attendant des jours meilleurs, qu'un emploi rémunéré pour avoir une occupation qui le distraie et qui lui procure quelque revenu (la situation financière de la famille était toujours aussi précaire).

Mais les crises épileptiques, dont il est difficile, encore une fois, de mesurer le degré, se poursuivaient. En février 1812, d'après une déposition faite quatre mois plus tard par deux *industrianti* de Senigallia, le jeune Mastai fut retrouvé inanimé à l'entrée du palais familial, une bave abondante lui sortant de la bouche. C'est cette épilepsie qui lui permit d'être exempté du service militaire.

Quelques mois après la crise ci-dessus mentionnée,

---

1 - Lettre du 12 avril 1812.

dans sa vingtième année, il fut, comme tous les jeunes gens de son âge, inscrit par le podestat de Senigallia sur la liste des conscrits destinés à faire partie de la Garde d'honneur du royaume d'Italie (Napoléon Ier s'était proclamé roi d'Italie en 1805). La conscription commença le 4 novembre. Le jeune Mastai s'y présenta, mais le jour même il écrivait à un ami : « Des dérangements horribles me tourmentent, peut-être vont-ils m'exempter » [1]. Ce qui arriva. Le vice-préfet français à Senigallia avait été, à plusieurs reprises, témoin, au palais Mastai, des crises épileptiques du cadet de la famille. Il décida de l'exempter du service des armes. Mais son supérieur, le préfet d'Ancône, par lettre en date du 12 novembre, exigea le paiement d'une taxe d'exemption d'un montant de 1 151 écus avant le 5 décembre [2]. Giovanni Maria demanda à en être dispensé : par lettre du 27 janvier 1813 cela lui fut refusé.

Certains auteurs, et le premier Postulateur de la cause de béatification lui-même, ont affirmé que le jeune Mastai « se rend aussitôt à Saint-Cloud pour implorer Napoléon Ier. Il en obtient heureusement un rescrit d'exemption » [3]. En fait, s'il obtint bien l'exemption, c'est après des démarches effectuées à Bologne. Une de ses amies d'enfance, Giacinta Marchetti, avait épousé un colonel-capitaine des Gardes d'honneur du royaume d'Italie, le comte Francesco Milzetti. Le comte Milzetti, en tant que commandant de la IVe compagnie de Romagne, avait aussi sous sa responsabilité la conscription dans les Marches. Il était donc l'homme de la situation. Giovanni Maria décida d'aller plaider sa cause auprès de cet homme influent. C'est à partir de ce

1 - Lettre citée par POLVEVARI I, 36-37.

2 - Mgr CANI, **Procès romain pour la cause de béatification et de canonisation du Serviteur de Dieu le pape Pie IX**, Bayard, 1910, p. 8.

3 - Mgr CANI, *op. cit.*, p. 8.

séjour à Bologne que Carlo Falconi a bâti tout un roman-feuilleton sur le « grand amour interdit » [1]. Il suppose que le jeune Mastai se rendant à Bologne était « exalté » à la pensée de revoir son amie d'enfance et, de lettres postérieures, il conclut que le futur pape a vécu à Bologne un « grand incendie amoureux ».

A bien des égards, cette reconstruction est bâtie sur des hypothèses tout à fait infondées. On ignore la durée exacte du séjour à Bologne. Carlo Falconi suggère qu'il a pu durer un an et demi, jusqu'à la fin de janvier 1814, parce que la première lettre connue à Giacinta Milzetti date du 16 mars du mois suivant. Mais rien n'indique qu'il n'y en eut pas précédemment, aujourd'hui perdues. Rien n'indique non plus que le jeune Mastai écrivit à ses amis bolonais aussitôt après son retour à Senigallia.

Ces lettres de Giovanni Maria à Giacinta n'étaient pas inconnues avant que Falconi ne les interprète de la façon que l'on a dite. Elles sont au nombre de neuf, de mars 1814 à avril 1816, et sont conservées aux Archives vaticanes. Elles ont été publiées, avec de nombreuses autres correspondances, dans le troisième volume de la *Positio* de la cause de béatification [2]. Falconi reconnaît qu'à les lire on peut n'y voir que l'expression des sentiments affectueux d'un jeune homme pour une amie d'enfance, mais il estime qu'une lecture attentive permet de relever des « expressions ambivalentes mais suffisamment significatives ».

Nous ne suivrons pas l'auteur dans cette hypothèse. Même si le jeune Mastai, dans ces années 1813-1814 a pu

---

1 - C. FALCONI, *op. cit.*, p. 164.
2 - **Appendix ad elenchorum scriptorum,** Typis polyglottis Vaticanis, 1995.

perdre de vue sa vocation sacerdotale ou, du moins, considérer que les circonstances rendaient sa réalisation bien
incertaine, rien n'autorise à accréditer une passion amoureuse pour une femme, mariée depuis sept ans, mère
d'une petite fille de deux ans. Dans les lettres écrites par
Giovanni Maria — les éventuelles réponses de Giacinta ne
sont pas connues — rien ne dépasse les limites de la
convenance. Certes, le jeune Mastai, incertain sur son sort
et ayant abandonné l'habit clérical depuis plusieurs
années, se comportait plus en jeune homme mondain
qu'en futur prêtre. A Senigallia et à Bologne, il fréquentait
les salons, le théâtre, les bals. Mais a-t-il éprouvé quelque
passion amoureuse, a-t-il songé à se marier ? Rien ne permet de l'affirmer. Les seules lignes connues de lui sur le
sujet disent le contraire. En mars 1814, à Giacinta, il écrit :

« Depuis mon retour de la charmante Bologne, je ne me
suis jamais éloigné de mon pays ; mais j'ai dû lutter jusqu'à ce jour contre les assauts d'une mère qui voulait
m'obliger à épouser sa fille…

« Véritablement, je n'avais jamais fait sortir de ma bouche
une promesse de mariage, je n'étais jamais allé dans sa
maison ; tout au plus, aurai-je été imprudent en la regar-
dant avec quelque intérêt les mois passés, et en lui faisant
quelque visite au théâtre en présence de sa mère.

« Mais, assez ! Me voici sauvé de la tempête, et je fais
vœu de regarder, dorénavant, les jeunes filles avec des
yeux de saint ermite. Je devrai le faire encore à l'égard des
femmes mariées tant qu'il y en aura une seule au monde
qui me rende indifférent pour toutes les autres… » [1].

---

1 - Lettre du 28 mars 1814, publiée in FERNESSOLE, *op. cit.*, t. I, p. 24.

Retour à Rome

Ce furent les bouleversements de l'Europe napoléo-
nienne qui vinrent, une fois encore, modifier le cours de
l'existence du jeune Mastai. Les défaites de la fin de l'Empire, l'invasion du sud de la France par Wellington, obligèrent Napoléon à libérer Pie VII, retenu à Fontainebleau
depuis 1812. Le 21 janvier 1814, ordre était donné de ramener Pie VII à Savone puis, en mars, on laissa le pape rentrer à Rome [1]. Ce voyage de retour fut long et triomphal.

En mai, on sut que Pie VII ferait halte, pour une nuit, à
Senigallia. Aussitôt des préparatifs eurent lieu. Les autorités civiles, installées par Napoléon, étaient en fuite. Sur la
place de la cathédrale, on brûla tous les vestiges de l'occupation française : toges et bonnets des juges, portraits de
Napoléon et du vice-roi. Des décors furent plantés pour
honorer dignement le pape. Il arriva le soir du 12 mai et
logea dans le palais épiscopal. On sait aussi qu'il fut reçu,
entre autres, au palais Mastai et que le jeune Giovanni
Maria lui fut présenté. Réception toute formelle certes,
mais le jeune Mastai, qui fêtait précisément ce jour-là ses
vingt-deux ans, ne l'a-t-il pas interprétée comme un signe
providentiel ?

Quoi qu'il en soit de la nature exacte de ses sentiments
et de ses projets ce 13 mai, on remarque qu'il décida aussitôt, avec quelques amis, de partir pour Rome afin d'assister
à l'entrée solennelle que devait y faire le pape une dizaine
de jours plus tard. Son oncle chanoine Paolino rentrait lui
aussi à Rome et on peut supposer que sa famille laissa par-

---

1 - J.-M. CHAMPION, « Pie VII », *op. cit.*, p. 1 331.

tir Giovanni Maria en sachant qu'il serait en de bonnes mains. De fait, il allait être logé, grâce à son oncle qui s'installa dans le même édifice, chez les chanoines de la splendide église Sainte-Madeleine. Le 24 mai, il assista, Piazza del Popolo, à l'entrée triomphale du pape dans sa ville, après cinq ans d'absence. Trois souverains qui avaient été chassés par Napoléon, le roi d'Espagne, le roi de Piémont-Sardaigne et le grand-duc de Toscane, étaient présents.

Quelles étaient alors ses intentions ? Il est bien difficile de les déterminer. Lui-même ne sait sur quelle voie s'engager. Le 7 septembre il écrit à son ami Marchetti qu'il ne sait pas combien de temps durera son séjour à Rome et ajoute : « Le meilleur parti serait de prendre la soutane (*prendere il collare*), mais malheureusement je n'ai pas la vocation » [1].

Le propos est sans ambiguïté mais ne permet pas d'affirmer, comme le fait Falconi, que le jeune Mastai était décidé à remplir un « véritable programme de *dolce vita* » [2]. Une fois encore, aucun des éléments connus sur cette période ne permet d'extrapoler ainsi. Ce que l'on sait de ses activités montre certes un jeune homme plutôt désœuvré mais certainement pas lancé dans un torrent de plaisirs débridés.

On sait qu'il a renoué avec les Pères Scolopes en assistant au « grand exercice académique de Belles Lettres » tenu en fin d'année scolaire dans leur collège romain, le *Collegio Nazareno*. On sait aussi qu'il s'est inscrit à l'Archiconfrérie de la *Santa Casa de Loreto* qui réunissait à Rome

---

1 - Lettre du 7 septembre 1814, citée par Polverari, t. I, p. 39. *Collare* signifie en italien « collier », mais l'expression *prendere il collare* signifie aussi prendre la soutane.

2 - C. Falconi, *op. cit.*, p. 164.

nombre de clercs et de laïcs originaires des Marches. Certes, le plaisir de nouer des liens avec des compatriotes a pu inciter Giovanni Maria à s'inscrire à cette Archiconfrérie mais le but de celle-ci était avant tout religieux : offices et messes dans l'église Notre-Dame de Lorette (notamment à l'occasion de la fête de la Translation le 10 décembre) et activités charitables. Incertain sur sa vocation, Giovanni Maria restait un jeune homme pieux et, dans tous les écrits ou témoignages de cette époque, nulle trace d'une crise qui l'aurait détourné de la pratique religieuse.

Son oncle Paolino veillait aussi sur lui. En novembre 1814, il fut nommé à la Chambre apostolique et quitta la maison des chanoines de Sainte-Madeleine pour un somptueux logement place Montecitorio, dans le magnifique Palais des tribunaux (aujourd'hui siège du Parlement italien). Il ne pouvait être question que son neveu le suive dans cette nouvelle résidence. Mais, quelques mois plus tard, il réussit à le faire admettre comme hôte dans la très austère maison des Pères de la Mission qui donnait sur la même place.

Le chanoine Mastai introduisit aussi son neveu auprès de quelques grandes familles romaines : les Orsini, Colonna, Doria, Piancini. Ce ne furent pas là de simples relations mondaines. Le jeune Mastai se familiarisa avec des familles qui, dans tous les domaines, jouaient un rôle de premier plan.

La famille Doria, par exemple, avait été la seule à pouvoir garantir sur hypothèque un prêt que le pape avait dû faire, après le traité de Tolentino, pour payer le million d'écus dont le Directoire exigeait le paiement immédiat. Quand le jeune Mastai entra en relations avec la famille, elle comptait deux cardinaux au Sacré-Collège. Pie IX, près de soixante ans plus tard, évoquera, dans une audience accordée à des représentants de la noblesse romaine, le souvenir d'une conversation avec un prince romain : « Je me rappelle qu'en ma jeunesse, parlant avec un prince romain alors très avancé en âge, et qui depuis longtemps nous a quittés pour entrer dans l'éternité, ce prince de sens et de principes vraiment catholiques me dit que les trônes avaient un double soutien : le clergé et l'aristocratie. Oui, disait-il, ce sont là les deux forces qui peuvent seules soutenir les monarchies » [1].

Le jeune Mastai fut particulièrement lié à deux princesses Doria, toutes deux très dévouées à des activités religieuses et caritatives : Teresa Doria Orsini et Chiara Doria Colonna. La première était une grande bienfaitrice des hôpitaux Saint-Jacques et du Saint-Sauveur, mais elle fut aussi fondatrice de l'ordre religieux des Hospitalières du Saint-Sauveur et d'un « Refuge » pour jeunes abandonnés et délinquants [2]. Giovanni Maria participa, dans une mesure difficile à déterminer, à ces activités caritatives. Les mentionner n'est donc pas anecdotique mais témoigne d'un type d'apostolat qui restera prédominant dans sa vie, jusqu'à sa première charge d'évêque.

Sont à signaler aussi ses liens, dès la fin de l'année 1814 sans doute, avec deux prêtres de grande valeur que son oncle ou quelque prince romain lui avait fait connaître : Pietro Caprano et Mgr Odescalchi. Le premier, professeur au Collège romain, était aussi camérier secret de Pie VII, consulteur de la Sainte Inquisition romaine et de plusieurs Congrégations. Il poursuivra une brillante carrière ecclé-

1 - Allocution du 29 décembre 1872 in **Actes et Paroles de Pie IX captif au Vatican**, Paris, Victor Palmé, 1874, p. 309, .
2 - C. FALCONI, *op. cit.*, p. 168.

siastique qui le mènera au cardinalat. Quand entra-t-il en relations avec le jeune Mastai ? Il est difficile de le déterminer avec exactitude. En revanche il est assuré qu'il fit inscrire, au printemps 1815 nous le verrons, son jeune protégé à la congrégation mariale du Collège romain. C'est lui aussi, sans doute, qui incita le jeune Mastai à suivre des cours, en auditeur libre, au même Collège. Giovanni Maria sera toujours reconnaissant à Caprano, nommé archevêque l'année suivante, des conseils reçus pendant cette période et il voudra que ce soit lui qui lui confère les ordres mineurs et majeurs.

Mgr Odescalchi, lui, appartenait à une des plus illustres familles de la noblesse romaine qui avait déjà donné à l'Église un grand pape du XVIIe siècle, Innocent XII. Malgré son jeune âge (29 ans) Mgr Odescalchi avait déjà accompli une brillante carrière à la Curie romaine et avait été promu par Pie VII « prélat domestique ». Mais ce n'était point un prélat de cours. Dès cette époque, il s'adonnait à des missions populaires, qui resteront le grand apostolat de toute sa vie, et il venait d'être nommé à la tête du « Dépôt des pauvres », un organisme destiné à gérer les œuvres pontificales qui avaient en charge quelque 2 000 pauvres de la Ville Éternelle [1].

Il exerçait aussi un ministère paroissial dans l'église Santa Maria in via Lata, sur le Corso, et se consacrait particulièrement à deux établissements romains de charité : la *Pia Casa de Ponterotto* et l'*Ospizio di Santa Galla* [2]. Enfin, avec un autre prêtre aujourd'hui canonisé, Gaspare del

---

1 - C. FALCONI, *op. cit.*, pp. 171-172.

2 - Le terme *ospizio* en italien n'a pas le sens restrictif de maison pour vieillards qu'il a en français. Il désigne plus largement un « asile », un établissement de charité destiné à diverses catégories de population.

Bufalo, il avait restauré l'ancienne Pieuse Union des prêtres de Santa Galla, dévouée particulièrement à la prédication populaire. On le voit donc, le milieu romain que fréquente le jeune Mastai dans ces années 1814-1815 est rien moins que frivole. Les premiers prêtres qu'il cotoie — il faut y ajouter Mgr Vincenzo Strambi, religieux passioniste, évêque de Macerata, également canonisé — appartiennent à cette catégorie des « saints prêtres » qui furent nombreux à Rome au début du XIXᵉ siècle et qui faisaient contraste, par leur piété profonde et leur zèle pastoral, avec un clergé de cour, plus nombreux et moins ardent.

Peut-être est-ce sur le conseil de Mgr Strambi que, du 26 février au 12 mars 1815, Mastai fit une retraite dans le couvent des Passionistes de Saint-Jean et Saint-Paul [1]. Habituellement, les retraites effectuées dans ce couvent étaient d'une durée de cinq jours, le jeune Giovanni Maria y demeura quinze jours. C'est dire le sérieux avec lequel il la suivit. Le prédicateur en fut sans doute le P. Paoluigi di Maria Vergine dont les Archives passionistes conservent justement un plan de retraite daté de 1815 et intitulé : « Réformes à accomplir par les séculiers dans leurs exercices privés ». Le fruit le plus immédiat de cette retraite est la décision prise par le jeune Mastai, quelques jours plus tard, le 25 mars, de s'inscrire à la *Prima Primaria* du Collège romain, c'est-à-dire à la plus ancienne congrégation mariale créée par les Jésuites. Peut-on avancer pour autant que cette retraite chez les Passionistes est « en lien avec la résolution de reprendre pleinement le chemin du sacerdoce » [2] ? Sans doute pas. Les mois qui suivent cette retraite

---

1 - P. Federico MENEGAZZO dell'Addolorata, « Fama di santita' del Servo di Dio Pio IX nelle tradizione passionista secondo un documento inedito », **Pio IX**, sept.-déc. 1977, pp. 470-474.

2 - Luigi BOGLIOLO, *op. cit.*, p. 38.

montrent quelles hésitations traversaient encore le jeune Mastai.

Alors qu'il sortait du couvent des Passionistes, il apprit que, pendant sa retraite, Napoléon s'était enfui de l'île d'Elbe et avait repris le pouvoir en France. Murat, que les Alliés avaient laissé à la tête du royaume de Naples, voulut alors soutenir l'ex-Empereur qui allait devoir affronter les armées coalisées. Il fit envahir les États pontificaux par ses troupes. D'où le départ précipité de Pie VII pour Gênes.

Se situent ici deux nouveaux épisodes, controuvés, de la vie du futur Pie IX : ses « fiançailles » et son passage dans les troupes pontificales. La première allégation est bien connue de ceux qui ont étudié les pièces du procès de béatification. Le P. Clementi, qui a assisté le premier Postulateur de la cause au début du siècle, cite deux sources manuscrites, de la fin du XIXᵉ siècle, qui rapportent la rumeur : pendant cette période, non précisément datée, le jeune Mastai aurait rencontré une certaine Teodora Valle Tota (ou Antonia Tota) et se serait fiancé avec elle [1]. Le P. Clementi, qui a eu accès à ces sources, estimait qu'une telle personne a sans doute bien existé, qu'elle avait été amoureuse du jeune Mastai mais qu'il n'y eut certainement pas de fiançailles. Carlo Falconi, dans son essai à l'érudition très étendue mais parfois mal assurée, sans apporter aucun élément nouveau, bâtit un nouvel épisode des plus romanesques : le jeune Mastai fut bien amoureux et fiancé et après que Pie VII fût rentré à Rome le 7 juin 1815, il demanda à être admis dans la Garde noble pontificale, parce qu'il avait l'intention « d'épouser la Tota » [2].

---

1 - *Summarium* § 2 423-2 424.
2 - C. Falconi, *op. cit.*, p. 185.

Cette reconstruction — qui ne tient qu'en une demi-page dans l'ouvrage de Falconi ! — n'est pas crédible et mêle le vrai et l'imaginaire. Qu'une certaine Tota ait bien existé et ait été amoureuse du jeune Mastai, pourquoi pas ? Mais lui, comment, au sortir d'une retraite sérieuse, entouré de prêtres solides, aurait-il pu céder à cette passion ? Sur un coup de tête ou un coup de cœur ? Dans ce cas, il y en aurait trace ici ou là, dans sa correspondance et dans sa vie. Or, ce n'est pas le cas.

La demande d'admission dans la Garde noble pontificale, en revanche, est bien réelle. Près d'un an auparavant déjà, Giovanni Maria s'était réjoui que les crises d'épilepsie se soient faites beaucoup plus rares [1]. L'amélioration de son état de santé lui permettait d'envisager non pas une carrière militaire mais une charge honorifique, au service du pape et un emploi qui, surtout, lui apporterait une rémunération substantielle. Dans les lettres à ses amis, il insiste sur cet aspect financier et sur le « divertissement » que cela lui procurerait. Il n'y a donc pas à inventer un scénario de futur marié désargenté qui rechercherait frénétiquement un gagne-pain. Il faut plutôt considérer le désoeuvrement d'un jeune homme de vingt-trois ans, qui séjourne à Rome depuis une année sans avoir encore clairement déterminé à quoi il allait consacrer sa vie.

La Garde noble pontificale ne sera officiellement reconstituée qu'en octobre suivant et les lenteurs de la bureaucratie vaticane feront que, quand la demande du jeune Mastai sera examinée, il aura déjà orienté sa vie vers une autre voie, même s'il abandonna la perspective d'être Garde noble à regret.

---

1 - Lettre du 13 juillet 1814 à Giacinta : « La période de mon horrible épilepsie s'éloigne de beaucoup », citée par Sefarini, p. 19.

Prêtre

La rencontre de Caprano et d'Odescalchi, sans doute à la fin de 1814 ; la longue retraite chez les Passionistes, en février-mars 1815, sont autant d'étapes importantes dans la voie qui va décider le jeune Mastai à devenir prêtre et à être fidèle à ses aspirations d'enfant et d'adolescent.

Une troisième étape est son emménagement, en août 1815, dans la maison des Pères de la Mission et sa rencontre avec Chiarissimo Falconieri. Nous avons dit comment c'est son oncle Paolino qui avait réussi, non sans difficulté, à faire admettre Giovanni Maria dans l'établissement. Cette maison recevait quelques rares hôtes privilégiés et notamment des prêtres ou des évêques qui y accomplissaient des retraites.

Le silence était de rigueur en tous lieux, y compris au réfectoire. C'est là que le jeune Mastai fit la connaissance, peu de temps après son arrivée, d'un jeune clerc, Chiarissimo Falconieri. Il allait être, dans ces premiers temps, un modèle autant qu'un ami. Devenu prêtre, évêque et pape, Mastai maintiendra des liens étroits d'amitié avec Falconieri qui mourra cardinal en 1859 [1].

De nombreux points communs unissaient les deux jeunes gens : ils étaient du même âge (Falconieri était né en 1794), ils avaient été tous deux élèves des Scolopes (Falconieri avait étudié dans leur collège de Sienne) et surtout ils avaient aspiré tous deux à entrer dans la Garde noble

---

1 - La vaste correspondance échangée de 1826 à 1846 entre MASTAI et FALCONIERI a été éditée et présentée, avec de nombreux autres documents, par Mgr GIOVANNI CITTADINI sous le titre : **Giovanni Mastai-Ferretti (Pio IX) Lettere IV**, Acquasanta-Frascati, 1994.

pontificale. Falconieri, sur les conseils de son directeur spirituel, l'abbé Guidi, y avait renoncé et venait dans la maison des Pères de la Mission faire une retraite avant de s'engager définitivement dans le sacerdoce. Pour le jeune Mastai, toutes ces coïncidences durent apparaître comme un nouveau signe de la Providence.

Falconieri fit rencontrer à Mastai son directeur spirituel, l'abbé Guidi. Celui-ci dirigeait, avec don Cesare Storace, l'*Ospizio dell'Assunta*, appelé plus communément *Ospizio Tata Giovanni*. Cet hospice était en fait un des principaux établissements de charité de Rome. Il tirait son appellation populaire de son premier fondateur au XVIIIe siècle. Un maçon, Giovanni Borgi, avait recueilli chez lui de jeunes garçons qui dormaient sur les marches du Panthéon. Le petit foyer d'origine prit de l'ampleur grâce à l'aide que des clercs apportèrent à ce modeste laïc.

Quand Mastai fit la connaissance de l'abbé Guidi et de son œuvre, celle-ci était encore installée dans la Maison des Catéchumènes. En 1816, l'hospice Tata Giovanni sera transféré dans les bâtiments d'un ancien couvent, annexé à l'église de Sant'Anna dei Falegnami. Plus qu'un simple asile, il était devenu une œuvre d'instruction et de formation professionnelle destinée aux enfants abandonnés. Le jeune Mastai y fera de fréquentes visites et le procès de béatification rapporte que, le soir, il venait apprendre à lire et à écrire aux jeunes orphelins, et les jours de fête, il les emmenait en promenade sur l'Aventin ou sur le mont Testaccio. Cette fréquentation régulière de l'hospice Tata Giovanni, et peut-être aussi l'exemple de Falconieri, l'amenèrent à choisir l'abbé Guidi comme directeur spirituel. Celui-ci l'incita sans doute à se déterminer sérieusement sur sa vocation : Garde noble pontifical ou prêtre ? La décision ne fut pas soudaine.

A lire certaines lettres, on devine que la voie militaire ne lui procure plus autant d'enthousiasme. Le 6 novembre, soit peu de mois après avoir rencontré l'abbé Guidi, Mastai écrivait à Giacinta : « Cette Garde noble n'est pas encore organisée, et, comme tout se fait avec le plus de lenteur possible, je ne sais pas quand elle commencera. J'éprouve quelque remords d'avoir convoité un tel poste, n'étant pas sûr que je puisse me plier à une vraie discipline et faire la figure militaire qu'il faut. Mais peut-être tout tournera-t-il bien ? » [1]

Peu de jours après, un événement vint, de manière décisive, interrompre cette perspective militaire. Au procès de béatification, d'après des sources dignes de foi, le P. Clementi, déjà cité, a fait la déposition suivante, très importante : « Le soir d'un jeudi de novembre, le cardinal barnabite Gregorio Fontana, retournait à son habitation de la via dei Chiavari mais son carrosse dut s'arrêter tout à coup devant un corps prostré à terre. C'était le Serviteur de Dieu qui avait été atteint d'une crise d'épilepsie alors qu'il se rendait à l'école de Tata Giovanni, laquelle avait alors son entrée de l'autre côté. Le chanoine Storace et d'autres accoururent, et par ce fait public le Serviteur de Dieu ne put plus cacher son mal. Par conséquent il ne pouvait plus entrer dans le corps des Gardes nobles. Il se présenta toutefois au Saint-Père, lequel confirma ses désillusions, lui disant : "Le Seigneur veut quelque chose d'autre de vous" et lui conseillant de demander des lumières au Seigneur.

« Dans l'antichambre du pape se trouvait le Vénérable Vincenzo Pallotti, lequel voulait beaucoup de bien au jeune comte Giovanni Mastai, et le voyant sortir de l'au-

---

1 - Lettre du 6 novembre 1815, citée in Mgr CANI, *op. cit.*, p. 10.

dience du pape tout découragé et désolé, et avec de grosses larmes aux yeux, lui demanda la raison de tant d'affliction. Et lui répondit que s'était évanouie son espérance de pouvoir être admis parmi les Gardes nobles du pape. Le Vénérable le réconforta, et lui dit ces paroles : "Au lieu de garder, tu seras gardé" » [1].

Cette déposition est confirmée par une dizaine d'autres dépositions recueillies dans le *Summarium*. Toutes rapportent les faits d'une manière similaire, même si les propos respectifs de Pie VII ou de Vincenzo Pallotti (aujourd'hui canonisé) y sont parfois plus développés [2]. On sait, par ailleurs, que c'est le docteur Concionofro Concioni, médecin des Gardes nobles pontificaux, qui, suite à la crise de novembre, fit rayer de la liste des candidats le jeune Mastai. Celui-ci tenta alors un ultime recours auprès de Pie VII. D'où l'audience ci-dessus rapportée.

De manière assurée, on peut donc considérer qu'en novembre-décembre 1815 le futur pape n'avait pas encore orienté de manière déterminée sa vie vers le sacerdoce et qu'il n'abandonna qu'à regret la perspective militaire. Mais spirituellement il était mûr pour s'engager sur une autre voie. Il retourna dans sa famille à Senigallia et accomplit un pèlerinage au sanctuaire de Notre-Dame de Lorette. Certains auteurs affirment qu'il fut définitivement guéri de son épilepsie à l'occasion de ce pèlerinage. L'affirmation est excessive. Mastai dira plus tard, nous le verrons, qu'il n'a été définitivement guéri de son épilep-

---

1 - *Summarium* § 2 426-2 427

2 - C. FALCONI, *op. cit.*, p. 248, estime, sans apporter d'argument, que la rencontre avec saint Vincenzo Pallotti dans l'antichambre du pape est « une légende bien contruite ». Elle est pourtant attestée par d'autres sources que le procès de béatification de Pie IX.

sie qu'en 1818. Et dans le procès de béatification, la guérison est attribuée, selon les dépositions, à la Madonna del Mare vénérée dans un couvent de capucines de Fabriano (près d'Ancône), à une bénédiction de Pie VII reçue dans l'audience déjà mentionnée, à l'intercession de saint Louis de Gonzague ou à celle de la vénérable Elisabetta Canori [1].

On peut donc estimer que cette guérison ne fut pas soudaine, qu'elle a été demandée avec ferveur par l'intéressé et par sa mère, en divers lieux, mais qu'elle a été bien réelle, permettant son ordination sacerdotale en 1819.

En février 1816, Mastai revint à Rome. C'est pendant ce mois qu'il se décida de manière irrévocable à devenir prêtre. Alors qu'il se trouvait dans l'église de Santa Maria dell'Orazione (dite aussi della Morte), via Giulia, où il avait servi une messe, « c'est pendant une prière qu'il prit la ferme résolution de revêtir l'habit ecclésiastique et de se tourner à nouveau vers le sacerdoce s'il réussissait à surmonter l'obstacle de l'épilepsie » [2].

Au sortir de cette messe, il alla trouver son ami Falconieri, lui fit part de sa décision et s'entretint avec lui. En mars il reprit la soutane et, le 30, il écrivait à Giacinta : « Maintenant je vais vous donner une nouvelle qui vous paraîtra peut-être extravagante, et dont le résultat ne sera peut-être pas approuvé par vous. — Mon habit est totalement changé, ma manière de vivre entièrement différente, et je suis habillé en clerc car j'espère suivre la carrière ecclésiastique. J'ai sérieusement réfléchi avant de me décider à un tel pas, et suivant le conseil de personnes sages, je

---

1 - *Summarium* § 854, 996, 1046, 1719.
2 - *Summarium* § 2 430.

me suis décidé d'une manière absolue » [1]. Bientôt, il expliquera dans une autre lettre qu'il n'entendait pas mener une carrière ecclésiastique vers la prélature (*giro prelatizio*), qui permettait d'accéder jusqu'au cardinalat sans être prêtre, mais qu'il voulait se sanctifier dans l'état ecclésiastique : « Ma santé m'a fait connaître plus clairement que le bonheur n'est pas de ce monde et que, par conséquent, ce monde est le lieu où l'homme doit préparer son bonheur » [2].

Le clerc Mastai s'adonna alors, avec sérieux, à des études de théologie au Collège romain et à l'Académie ecclésiastique, et de droit canon à l'Université romaine. Son professeur de théologie fut la chanoine Giuseppe Maria Graziosi qui était un thomiste convaincu [3]. Il continua aussi à fréquenter l'hospice Tata Giovanni et à se dévouer à l'œuvre de l'abbé Guidi et du chanoine Storace. En fin d'année, il effectua une retraite pour pratiquer, une nouvelle fois, les Exercices spirituels. Ce fut du 20 au 30 décembre dans le couvent des Passionistes où il avait effectué sa précédente retraite [4].

A l'issue de cette retraite, il rédigea un règlement de vie [5].

Il s'était déterminé au sacerdoce mais n'était pas entré dans un séminaire. Il résidait toujours dans la maison des Pères de la Mission. Aussi se fixa-t-il un règlement de vie très précis, déterminant le temps à consacrer à la prière, à la messe quotidienne et aux différentes activités.

---

1 - Lettre citée par SERAFINI, p. 172.
2 - Lettre du 20 avril 1816 citée par FERNESSOLE, *op. cit.*, t. I, p.27.
3 - Antonio PIOLANTI, **Pio IX e la rinascita del tomismo**, Libreria Editrice Vaticana, 1974, pp.10-15.
4 - P. Federico MENEGAZZO dell'Adolorata, art. cit., p. 471.
5 - Texte de cette « Metodo di vita », in FERNESSOLE, *op. cit.*, t. I, pp. 28-29.

Certains auteurs, et le premier Postulateur de la cause lui-même, datent du 5 janvier 1817 la réception par le jeune clerc des quatre ordres mineurs [1]. En fait, comme Alberto Polverari l'a montré, une telle cérémonie doit être placée un an plus tard [2]. Une autre retraite l'a précédée, effectuée une nouvelle fois chez les Passionistes, du 23 au 25 décembre 1817 [3]. Les résolutions prises à l'issue de cette retraite nous sont connues par un petit memorandum qu'a rédigé, en toute simplicité et humilité, le jeune clerc :

« 1° Pacte conclu avec mes yeux que je ne garde pas.

2° Éviter et beaucoup moins proférer discours quelconque portant préjudice au prochain.

3° Être souverainement attentif aux premiers mouvements de colère et supporter de bonne grâce tort quelconque.

4° Me soumettre pleinement aux jugements de Dieu.

5° Ne jamais cesser de lui demander que je sois digne d'être admis parmi ses ministres.

6° Grande humilité, et avoir présente cette vertu lorsque je crois n'être pas considéré, être méprisé » [4].

Le 5 janvier 1818, après que l'évêque de Senigallia lui eut envoyé ses lettres dimissoriales, Giovanni Maria Mastai reçut les quatre ordres mineurs des mains de celui qui fut parmi ses premiers guides, Mgr Caprano. Sa vie était désormais toute entière orientée vers la prière, l'apostolat et l'étude. Le 1ᵉʳ avril suivant il s'inscrivit à la Pieuse

---

1 - Mgr CANI, *op. cit.*, p. 11.
2 - POLVERARI t. I, p. 66.
3 - P. Federico MENEGAZZO dell'Addolorata, art. cit., p. 471.
4 - Texte in FERNESSOLE, *op. cit.*, t. I, p. 29.

Union des prêtres de Santa Galla, dont s'occupait Mgr Odescalchi. Il y retrouvait le chanoine Storace, Mgr Caprano, don Vincenzo Pallotti et il y fera la connaissance de Mgr Polidori auquel le lieront, à l'avenir, des liens étroits d'estime et de confiance. Sans doute est-ce dans le cadre de cette confrérie qu'il fut amené à enseigner le catéchisme à la paroisse de Saint-Sauveur.

Est à signaler aussi sa participation à une mission populaire donnée en septembre suivant par Mgr Odescalchi, Mgr Strambi et deux autres clercs à Senigallia. Le clerc Mastai fit peut-être quelques prédications. Quelques semaines plus tard, l'évêque de la ville, le cardinal Testaferrata, fera son éloge : « Il s'acquitta de sa charge avec grande présence d'esprit au milieu d'une importante affluence de population. Le sujet est si bon... » [1].

A l'occasion de cette mission, il s'inscrivit, avec Mgr Odescalchi, à la Confrérie du Saint-Sacrement et de la Croix de Senigallia. Cela impliquait, certainement, l'engagement de s'adonner régulièrement à certaines dévotions particulières.

On sait aussi qu'il envisagea à un moment d'entrer chez les Jésuites puis chez les Passionistes, mais il y renonça après avoir consulté des religieux de ces ordres et sur les conseils de son directeur spirituel [2].

Avant même son ordination sacerdotale, l'essentiel de l'apostolat du clerc Mastai était consacré à l'hospice Tata Giovanni. A l'automne 1817, l'abbé Guidi était mort. Mastai et Falconieri avaient alors choisi le chanoine Storace comme directeur spirituel. L'assiduité du clerc Mastai à s'occuper des jeunes abandonnés incitèrent le chanoine

---

1 - Lettre du 4 novembre 1818 à Mgr CRISTALDI, citée in POLVERARI t. I, p. 67.
2 - *Summarium* § 2112.

Storace à l'associer plus étroitement à l'établissement. A partir du 1er février 1818, Mastai s'établit à Tata Giovanni et y resta jusqu'au 2 juillet 1823, date de son départ pour le Chili.

L'épilepsie est une cause d'empêchement au sacerdoce. Mastai qui, depuis plusieurs mois, n'avait plus connu de crises, demanda que cet empêchement soit levé. Un rapport sur le sujet, et sur les autres aspects de la personnalité du candidat au sacerdoce, fut demandé à l'évêque de Senigallia. Celui-ci, en date du 4 novembre, répondit : « A ma connaissance, il ne souffre plus de crises d'épilepsie comme il y était sujet dans ses plus tendres années. Je suis sûr qu'il y a déjà plusieurs mois qu'il n'est pas tombé une seule fois dans cette maladie » [1]. Pie VII accepta à condition qu'à l'avenir, quand Mastai serait prêtre, il ne célèbre la messe qu'assisté d'un diacre ou d'un autre prêtre [2].

Après avoir accompli avant chaque cérémonie une retraite, il put recevoir le sous-diaconat le 19 décembre 1818, le diaconat le 7 mars 1819 et enfin le sacerdoce le 10 avril suivant. Comme pour les ordres mineurs, c'est Mgr Caprano qui lui conféra les ordres majeurs. Les cérémonies eurent lieu dans la chapelle du palais Doria. Les clercs et les princes qui avaient contribué à l'orienter de manière profitable aux premiers temps de son séjour romain assistaient ainsi à l'aboutissement d'un chemin qui avait parfois été tortueux.

---

1 - Cité par FERNESSOLE, t. I, p. 30.

2 - Mgr CANI, *op. cit.*, p. 13 et C. FALCONI, *op. cit.*, p. 106. Le 3 avril 1819, peu de jours avant son ordination, Mastai obtiendra d'être dispensé, pendant trois mois probatoires, de cette obligation. Le 4 juillet suivant, une nouvelle dispense, de six mois cette fois, sera accordée. D'autres dispenses, de plus longue durée, seront accordées en janvier et novembre 1820 et en août 1821. Puis devant la confirmation que la guérison était définitive, don Mastai n'eut plus de dispense à demander.

Le 11 avril, jour de Pâques, le nouveau prêtre célébra sa première messe dans l'église de Sant'Anna dei Falegnami, annexée à l'hospice Tata Giovanni. Son ami Falconieri, devenu prêtre quelques mois auparavant, son oncle Paolino et le chanoine Storace l'entouraient à l'autel. Il allait avoir vingt-sept ans et la carrière ecclésiastique qui s'ouvrait devant lui allait être fort différente de celle qu'il imaginait alors.

CHAPITRE TROISIÈME

DE TATA GIOVANNI AU CHILI

L'APOSTOLAT à l'hospice Tata Giovanni occupa toujours une grande partie de son temps. Mais même après son ordination, il continua à suivre des cours de théologie et à étudier personnellement certaines questions. Pour se préparer au sacerdoce, il n'avait pas reçu la formation doctrinale systématique dispensée par un séminaire, il n'avait pas non plus suivi les différentes étapes d'un cursus universitaire. Aussi, pendant plusieurs années, y compris après son retour du Chili, il continuera à mener des études personnelles en différents domaines de la théologie.

En 1821, il adresse une demande afin de pouvoir lire des ouvrages répertoriés sur la « liste des livres interdits » (c'est-à-dire inscrits à l'Index) mais nécessaires à ses études [1]. L'autorisation lui sera accordée. Des archives personnelles subsistant de cette époque, il ressort que, dans les années 1819-1823, don Mastai a étudié et pris des notes abondantes sur divers sujets théologiques et moraux tel « la forme et la matière du sacrement de confirmation » ou « la guerre juste et injuste ». On relève aussi des notes de lecture nombreuses tirées des Saintes Écritures et des Pères de l'Église. Certes, don Mastai ne peut être considéré comme un théologien. Malgré ses liens étroits avec le thomiste Graziosi, on ne peut pas non plus considérer

---

(1) Texte de la demande in SERAFINI p. 223.

qu'il ait reçu « une formation thomiste » véritable [1]. Mais, inversement, on ne peut pas dire, comme le font certains auteurs, que ses connaissances théologiques étaient superficielles.

L'attestent les nombreux textes de prédication de cette époque qui nous sont parvenus. Il s'agit soit de courts sermons aux enfants de l'hospice Tata Giovanni, soit de prédications plus développées dispensées dans différentes églises de Rome.

Aux enfants il prêchait la nécessité de s'instruire des mystères de la foi : « L'ignorance en matière religieuse forme des incrédules », disait-il. Il prêchait aussi sur les fins dernières : « La pensée de la mort est salutaire, elle invite à la pénitence ». Il tenait en grande estime un ouvrage du bienheureux Claude de la Colombière, *La pensée de la mort : règle de vie*, il l'utilisera encore souvent par la suite pour d'autres prédications sur ce thème qui lui tenait à cœur. A ses jeunes protégés, aussi, il offrait en modèle saint Louis de Gonzague, pour lequel il avait lui-même une grande dévotion.

Ses prédications à l'extérieur furent plus nombreuses encore. Pour les années 1819-1823, les Archives secrètes vaticanes conservent le texte de quelque deux cent soixante sermons, panégyriques ou prédications spirituelles [2]. Les publics sont très divers : religieuses, élèves du Collège romain ou fidèles des paroisses. Ces prédications ont été données dans diverses églises de Rome ou dans des couvents.

---

1 - Mgr Antonio PIOLANTI, **Pio IX e la rinascita del tomismo**, Libreria Editrice Vaticana, 1974, p. 10.

2 - Nombreux extraits dans P. FERNESSOLE, **Pie IX**, P. Lethielleux, t. I, p. 36 et sq.

Tous les témoignages concordent pour dire qu'il était un bon orateur. A lire les textes qui nous sont parvenus, on voit aussi qu'ils étaient solides doctrinalement et étayés par de fréquentes citations scripturaires et patristiques. On y trouve des explications de l'Évangile, des sermons sur les sacrements, sur la Passion du Christ, sur les dons du Saint-Esprit, sur la prière comme unique moyen d'obtenir la miséricorde divine, des panégyriques de saint Louis de Gonzague, de saint Augustin, une série de huit discours sur les âmes du Purgatoire. Est à relever aussi un discours sur l'Assomption de la Vierge Marie.

Ce goût pour la prédication trouvait bien sûr son fondement dans une profonde piété personnelle.

Don Mastai, déjà membre de plusieurs pieuses associations, s'inscrivit le 11 juillet 1819 à l'Archiconfrérie du Sacré-Cœur de Jésus de l'église San Theodoro. Il le fit par une double motivation. D'abord, bien sûr, par dévotion envers le Sacré-Cœur, dévotion dont on trouve diverses traces écrites dans ces années et à laquelle était attaché son directeur spirituel, le chanoine Storace. Quand il sera devenu pape, il contribuera à développer cette dévotion dont le point culminant sera la consécration du monde au Sacré-Cœur, le 16 juin 1875 [1]. L'autre motivation est que cette Archiconfrérie était aussi une confrérie de pénitents particulièrement dévoués à prier pour les défunts ; on sait combien le souci de la bonne mort et du sort des défunts faisait partie des préoccupations spirituelles de don Mastai [2].

---

1 - Arnaldo PEDRINI, « Pio IX e la devozione al Sacro Cuore di Gesu », **Pio IX**, janvier-août 1986, pp. 82-107.

2 - Cette Archiconfrérie était dite aussi des *Sacconi*, du nom de la robe de toile grossière qu'ils revêtaient lors de leurs offices.

En 1821, don Mastai devint aussi membre du Tiers-
ordre franciscain, au cours d'une cérémonie qui eut lieu
au couvent de Saint-Bonaventure, sur le mont Palatin, où
il accomplissait parfois de courtes retraites. En cette même
année 1821, il effectua plusieurs retraites. La première eut
lieu en février, peut-être en lien avec l'entrée dans le Tiers-
ordre de saint François. Il y pratiqua un examen de
conscience sans concession à l'issue duquel il nota les
défauts dont il avait à se corriger :

« 1. Facilité à juger d'une manière *sinistre* (trop sévère
pour le prochain).

2. Facilité à m'irriter au moindre affront.

3. Facilité à m'attrister de n'être pas considéré.

4. Peu d'attention à l'office, spécialement les jours non
choraux.

5. Attache à ma personne — spécialement en certain
temps, tout cela dérivant de l'esprit de superbe.

6. Tristesse de ne pas savoir trouver, en l'occurrence,
le procédé à suivre pour supprimer quelque abus : effet de
l'esprit propre de superbe.

7. Tendance de nature, ou pour mieux dire tentation
par laquelle la nature se réjouit d'un danger occasionnel
prochain ou d'autre chose de ce genre.

8. Angoisse »[1].

On relève ensuite la pratique des Exercices spirituels en
juin puis, à nouveau, en novembre. Avec, à chaque fois, de
sévères introspections et des résolutions prises. En juin, il
relève de manière détaillée les différents points sur lesquels il doit s'examiner :

---

1 - Texte cité par P. Fernessole, *op. cit.*, p. 33.

« L'estime pour le prochain.

La tranquillité contre l'anxiété.

La mansuétude et l'humilité.

La chasteté et la pureté.

L'office dit hors du chœur avec plus d'attention.

La grâce de reconnaître rapidement les tentations.

L'intention droite.

Un peu de clarté d'idées.

Le désir de faire ce qui plaît à Dieu.

Le vrai mépris de soi-même, par lequel on rend grâce à Dieu du mépris reçu des prochains, des humiliations, etc.

Ne pas faire la loi alors qu'on est débutant.

Une plus grande charité envers le prochain.

La grâce de vaincre la tentation du faux mépris de soi-même, etc. qui provient du manque de zèle pour la gloire de Dieu, afin de la rechercher avec diligence » [1].

Ce goût pour les retraites et pour les pieuses confréries montrent, à l'évidence, le désir de don Mastai de se perfectionner et de se sanctifier.

On ne connaît, en revanche, aucune démarche, aucune sollicitation pour obtenir quelque fonction importante, quelque marchepied vers les grades supérieurs de la hiérarchie ecclésiastique. Quand il partira au Chili, en 1823, ce ne sera point à la recherche de quelque carrière loin de Rome mais par un idéal missionnaire qui apparaît totalement désintéressé.

Au Chili

En 1818, au terme d'un soulèvement contre l'Empire espagnol qui avait duré deux ans, Bernardo O'Higgins avait proclamé l'indépendance du Chili. Le 6 octobre 1821,

---

1 - SERAFINI, p. 185

O'Higgins, désigné « Directeur suprême » du nouvel État, adressa une lettre à Pie VII exprimant le désir de voir réorganiser l'Église catholique au Chili. Il envoyait à Rome comme ministre plénipotentiaire don José Ignacio de Cienfuegos, ancien vicaire général du diocèse de Santiago [1]. Le chanoine Cienfuegos n'arriva en Italie qu'en juillet 1822.

L'Espagne, dès qu'elle avait eu connaissance de l'envoi par le Chili d'un représentant auprès du Saint-Siège, avait manifesté, auprès du Secrétaire d'État du pape, le cardinal Consalvi, sa totale hostilité à la reconnaissance diplomatique de « ces provinces rebelles ». Cienfuegos fut reçu d'abord par le cardinal Consalvi, le 3 août, puis, finalement quelques jours plus tard, par le pape lui-même. Sans doute Pie VII avait-il été favorablement impressionné par les bonnes dispositions dont faisaient preuve les nouvelles autorités chiliennes : la lettre indiquait que « la Constitution fondamentale du Chili a décrété que la religion catholique, apostolique et romaine est l'unique qui doit être professée ».

Néanmoins, pour ne pas froisser les susceptibilités espagnoles, Cienfuegos ne fut pas reçu en qualité de représentant diplomatique — ce qui eût été une reconnaissance officielle du nouvel État — mais en tant que « simple particulier venu exposer au Saint-Siège l'état de la religion au Chili ». Sans rien promettre, Pie VII fit étudier la question par la Secrétairerie d'État. Cienfuegos rédigea quatre mémoires pour exposer la situation politique et religieuse

---

1 - Le texte de cette lettre, ainsi que tous les documents officiels relatifs à la Mission que le Saint-Siège va envoyer, ont été édités par Fernando RETAMAL FUENTES, **Escritos menores de la Mision Muzi**, Pontificia Universidad Catolica de Chile, Santiago, 1987. Ce recueil permet de rectifier de manière définitive les erreurs et approximations de nombreux auteurs sur le sujet.

du Chili et préciser les demandes faites par les nouvelles autorités.

Le pape décida finalement d'envoyer une Mission pontificale dans le nouvel État. Elle serait chargée d'étudier sur place la situation de l'Église et les relations entre les autorités religieuses locales et le nouvel État. Cette Mission serait dirigée par un prélat qui aurait le titre de Vicaire apostolique. C'est Pietro Ostini qui fut d'abord désigné pour cette mission. Pietro Ostini était professeur d'histoire de l'Église à l'Académie des Nobles ecclésiastiques, qui dépendait de la Secrétairerie d'État. Il était aussi un de ces nombreux ecclésiastiques qui venaient parfois exercer un apostolat à l'hospice Tata Giovanni. Don Mastai le connaissait donc.

Quand, au début de l'année 1823, il apprit la mission qui était confiée à Pietro Ostini, il en fut, écrira-t-il, « tout à coup électrisé »[1]. Il aimerait tant l'accompagner… Il fit part à son directeur spirituel de ce souhait. Le chanoine Storace n'y fit pas obstacle, même si la perspective de voir partir son précieux auxiliaire à l'hospice Tata Giovanni ne devait guère l'enchanter. Il connaissait l'intérêt pour les missions qu'avait déjà manifesté à plusieurs reprises son assistant. Plus tard Pie IX dira avoir souhaité entreprendre ce voyage « non pour connaître des terres inconnues mais seulement pour gagner au Christ autant d'âmes que je pourrais »[2].

---

1 - « *Questa notizia… mi elettrizzo subito* », l'expression se trouve dans la « relation » ou « journal » que Mastai a tenu pendant son voyage et son séjour au Chili. Cette « *Relazione* » a été éditée intégralement pour la première fois par Alberto SERAFINI en 1958. Nous nous référerons à la nouvelle édition annotée, en espagnol, qu'en a fournie Lillian CALM, **El Chile de Pio IX : 1824**, Editorial Andres Bello, Santiago, 1987. L'ouvrage reproduit, en outre, de nombreux autres documents.

2 - Propos recueilli dans les *Novæ animadversiones* du procès de béatification, cité par POLVERARI, t. I, p. 73, n. 4.

Quand il rencontra Pietro Ostini, au sortir d'un office, Mastai lui fit part de son désir. Le prélat ne s'y montra pas défavorable et promit d'en parler au cardinal Consalvi, Secrétaire d'État, et au cardinal Della Genga, cardinal-vicaire de Rome. Mais Ostini, finalement, renonça à la mission qu'on lui confiait. Un nouveau Vicaire apostolique fut nommé en la personne de Mgr Muzi, jusque-là auditeur de la Nonciature de Vienne.

Ce contretemps ne fut pas préjudiciable aux projets de don Mastai. Le cardinal Della Genga fit intervenir Mgr Caprano. Celui-ci, qui avait été, nous l'avons vu, un des premiers protecteurs romains du jeune Mastai, venait d'être nommé secrétaire de la Congrégation de la *Propaganda Fide* (la Congrégation chargée des missions). C'était l'homme de la situation. Il écrivit une lettre à l'abbé Capaccini, *primo minutante* de la Secrétairerie d'État, chargé de proposer les noms d'ecclésiastiques susceptibles d'accompagner Mgr Muzi dans sa mission. Il fit l'éloge du candidat Mastai :

« Il est difficile de trouver une personne qui réunisse davantage toutes les qualités requises que ce très respectable prêtre. Piété singulière et solide, douceur de caractère, prudence et sagacité non ordinaire, grand zèle doublé toutefois d'une science qui, chez lui, se trouve en abondance, et enfin jeunesse, parce qu'il a dépassé de peu la trentaine. J'ajouterai le désir de servir Dieu et d'être utile au prochain dans la mission auprès des infidèles ». Mgr Caprano exprimait néanmoins deux réserves : une santé fragile et le fait qu'il manquera à Tata Giovanni où il est unanimement apprécié [1].

_____

1 - Lettre du 23 avril 1823 citée in SERAFINI, p. 249.

La candidature de don Mastai fut retenue. Il était nommé « auditeur » de la Mission dirigée par Mgr Muzi. Un autre ecclésiastique ferait office de secrétaire, don Sallusti. Le 17 mai, présentant officiellement les membres de la Mission dans une lettre à l'envoyé extraordinaire du Chili, l'abbé Capaccini disait du jeune « auditeur » : « Le comte Mastai, chanoine de la Basilique de S. Maria in Via Lata, jeune de moins de 35 ans, au comportement angélique et à l'intelligence distinguée. Par sa naissance et par ses vertus il aurait pu accéder facilement à la prélature romaine ; cependant, empreint d'un esprit vraiment évangélique, il a préféré partir comme simple subalterne dans la Mission au Chili » [1].

Mais la comtesse Mastai était effrayée d'un si long voyage. Le 18 mai, elle écrivit au cardinal Consalvi pour demander l'annulation de la nomination de son fils, arguant de « la faiblesse de ses forces ». Il était trop tard. La nomination avait été signifiée la veille au représentant chilien.

Pour se préparer à ce grand voyage où tout était incertain, y compris la possibilité d'aller évangéliser des païens (car tel n'était pas le but officiel de la Mission), don Mastai effectua une nouvelle fois les Exercices spirituels chez les Jésuites de Sant' Andrea al Quirinale.

Le 3 juillet 1823, les trois membres de la Mission partirent de Rome à destination de Gênes, où l'embarquement devait se faire à bord de l'*Héloïse*. Don Mastai ne reverra Rome qu'un an et demi plus tard, en novembre 1825. A partir de Florence, le 8 juillet, il prit des notes sur le périple qu'il accomplissait. Continuées au jour le jour, elles lui

---

1 - Lettre au chanoine Cienfuegos citée in F. RETAMAL FUENTES, **Escritos**..., p. 88.

permettront de rédiger, à son retour à Rome, une *Breve relazione del viaggio fatto al Chile*, relation de plus de 300 pages manuscrites [1]. A Gênes, les trois voyageurs retrouvèrent Cienfuegos qui les accompagnera jusqu'au Chili.

Le départ fut retardé à cause des difficultés financières rencontrées par les armateurs du navire et par les mauvaises nouvelles reçues de Rome où le pape avait fait une grave chute. Sa mort pouvait remettre en question la Mission. Mgr Muzi et don Mastai profitèrent de cette attente pour se rendre à Turin, alors capitale du royaume de Piémont-Sardaigne. Ils y avaient un ami commun, Antonio Tosti, depuis un an chargé d'affaires du Saint-Siège auprès de la Cour. Mastai l'avait sans doute connu à Rome, d'où il était natif, dans quelques-unes des bonnes œuvres auxquelles il avait participé [2]. Ils séjournèrent quelques jours à Turin puis revinrent à Gênes. Pour tromper le temps, ils apprirent l'espagnol.

Le 23 août, finalement, leur parvint la nouvelle de la mort de Pie VII, survenue trois jours plus tôt. Une nouvelle attente commença. Il fallait obtenir du futur pape la confirmation de la Mission. Mgr Muzi et don Mastai allèrent se présenter à l'archevêque de Gênes, Mgr Lambruschini. Celui-ci leur offrit l'hospitalité dans son palais.

Le 1er octobre, ils apprirent que le cardinal Della Genga avait été élu pape le 28 septembre et avait pris le nom de Léon XII. L'intérêt que celui-ci avait montré pour la Mission quelques mois auparavant et la part qu'il avait prise dans la nomination de don Mastai étaient des gages certains que la mission serait confirmée. Sans attendre cette

---

1 - Cf. L. CALM, *op. cit.*

2 - C. FALCONI, **Il giovane Mastai**, Rusconi, 1981, p. 778, n° 26.

confirmation, la Mission partit de Gênes le 5 octobre à bord de l'*Héloïse*.

Le voyage en mer dura trois mois, jusqu'en Argentine, puis le trajet terrestre, jusqu'au Chili, prit deux autres mois. La navigation ne fut pas sans péripéties. Une première tempête assaillit le navire près de l'île de Majorque. A Las Palmas, les voyageurs furent mis en quarantaine puis finalement arrêtés par les autorités locales qui faisaient partie des derniers révoltés contre Ferdinand VII [1]. Au bout de quelques jours ils furent relâchés.

Après avoir franchi le détroit de Gibraltar, fin octobre, le navire fut agité si fortement par les vents et les vagues que don Mastai ne put célébrer la messe ni le jour de la Toussaint ni le suivant. A hauteur des Canaries, le navire fut pris d'assaut par des corsaires colombiens qui fouillèrent tout, en malmenant les passagers, puis laissèrent repartir le bateau. Ces événements n'ajoutèrent pas seulement, cruellement, au pittoresque de la traversée, ils furent aussi, pour don Mastai, l'occasion de réflexions d'ordre moral et spirituel. Un long feuillet, écrit vers la fin du voyage sur mer, est conservé, qui comporte des résolutions en douze points, dont voici quelques-unes :

« 1. Réflexion et recours à Dieu dans les événements inattendus.

2. Fermeté chrétienne et sang-froid.

8. Mortification des sentiments.

9. Regarder en toutes choses Jésus-Christ et ainsi vaincre.

---

1 - En juillet 1822, les libéraux espagnols étaient entrés en révolte contre Ferdinand VII, monarque absolu. En avril 1823, Louis XVIII avait envoyé un corps expéditionnaire au secours de Ferdinand VII. A la fin de l'été 1823, toute la péninsule ibérique avait été soumise, sauf certaines îles des Baléares.

9. Regarder en toutes choses Jésus-Christ et ainsi vaincre.

12. Demander toujours la connaissance de soi-même et la force de s'améliorer » [1].

Enfin, après une violente tempête qui secoua très violemment les passagers à l'approche des côtes sud-américaines, le navire accosta à Montevideo le 1ᵉʳ janvier 1824. Il poursuivit ensuite sa route jusqu'à Buenos-Aires. L'accueil enthousiaste réservé aux voyageurs étrangers par les enfants argentins rappela à don Mastai comment saint François-Xavier avait été, lui aussi, accueilli dans quelques-unes de ses missions par des enfants.

Mgr Muzi avait commencé à donner le sacrement de confirmation dans une chapelle mais une autre cérémonie de confirmation, prévue le lendemain, dut se faire dans la résidence du Visiteur apostolique parce que le gouvernement, franc-maçon, avait interdit de conférer la confirmation sans son autorisation. D'autres tracasseries administratives vinrent assombrir le séjour à Buenos-Aires. Puis la Mission poursuivit son voyage vers Santiago du Chili, à bord de plusieurs voitures à chevaux.

En route, dans la ville de Rosario qui n'avait pas vu d'évêque depuis de nombreuses années, Mgr Muzi, assisté de don Mastai, conféra le sacrement de confirmation à une multitude d'enfants. Puis ce fut la traversée de la pampa, non sans peur des Indiens qui étaient réputés attaquer fréquemment les voyageurs ou les habitations isolées.

A San Luis il fallut s'arrêter une semaine parce qu'une des voitures du convoi, celle de Cienfuegos, s'était rom-

---

1 - Memento du 17 décembre 1823, non rapporté par Mastai dans sa « Relation ». Publié par SERAFINI, p. 270.

fet d'une mission ». Mgr Muzi conféra, une fois encore, le sacrement de confirmation. Puis il fallut franchir, à dos de mulet, la Cordillère des Andes. « A chaque pas on rencontrait des cadavres et des os de mulets et de chevaux », écrira, avec un peu d'exagération sans doute, don Mastai. Il raconte aussi qu'aux passages les plus étroits et les plus abrupts, « j'avais les yeux fermés, me laissant guider par la mule où j'avais dû monter et récitant des oraisons jaculatoires ».

Un tel périple, à cette époque, était épuisant physiquement et nerveusement. C'est avec soulagement que la Mission arriva, saine et sauve, à Santiago, le 6 mars.

La situation politique avait changé : O'Higgins, qui avait renoué les relations avec le Saint-Siège et était à l'origine de cette Mission, avait été renversé par un coup d'État. Le nouveau *Director Supremo*, le général Freire, n'était pas dans les mêmes dispositions que son prédécesseur. Dès les premiers temps, il chercha à s'acquérir les faveurs du Visiteur apostolique par la corruption. Celui-ci refusa, vivement encouragé par don Mastai. La Mission commençait sous de mauvais auspices. Après les réceptions qui marquèrent les premiers temps du séjour, don Mastai, fidèle à ses résolutions spirituelles, fit une retraite, avant Pâques, au couvent dominicain récollet de Santiago.

Ce couvent de dominicains était le seul monastère masculin de la ville à respecter la règle religieuse et la vie en communauté. « L'état des ordres (religieux) à notre arrivée, écrira Mastai, était en grande décadence. Discordes et divisions, spécialement pour l'élection du provincial qui donnait lieu à motif de scandale ». En revanche, « le clergé séculier jouit d'une grande estime dans la ville, comme aussi les monastères de moniales, qui sont sept ». Santiago comptait, à l'époque, une trentaine d'églises. L'évêque, qui s'était montré fidèle à l'Espagne lors de la révolution d'indépendance, avait été exilé pendant trois ans.

Plusieurs longues lettres adressées par Mastai à sa famille et à des amis (notamment au cardinal Odescalchi et au chanoine Graziosi) montrent dans quel état d'esprit le jeune « auditeur » accomplit sa mission [1]. Il accorda un grand intérêt à la vie religieuse du peuple, s'attachant à comprendre ses traditions et sa mentalité, et aussi aux différents aspects de la vie quotidienne.

Des divers documents existants, il ressort que don Mastai assista énergiquement le Visiteur apostolique dont la santé était fragile. Il exerça une authentique mission religieuse, multipliant les visites de paroisses, célébrant la messe et confessant. Il accepta aussi d'être chapelain d'un couvent de Clarisses capucines. On rapporte même qu'il ne refusa pas d'être le parrain de confirmation d'un jeune Chilien, fils d'un modeste concierge.

C'est avec les autorités civiles que le Vicaire apostolique et son auditeur rencontrèrent les plus grandes difficultés. Par ambition, Cienfuegos joua un rôle trouble que Mastai, dans sa « Relation », signale à plusieurs reprises. La Mission de Mgr Muzi était de régler les différents problèmes disciplinaires et canoniques qui se posaient à l'Église et d'établir les bases d'une convention avec les autorités civiles. Le nouveau *Director*, libéral et anticlérical, se montra, en fait, hostile à toute négociation sérieuse et posa d'emblée des exigences inacceptables, telles que l'abolition de plusieurs fêtes religieuses, la nomination des évêques à la discrétion des seules autorités civiles et l'*exequatur* (c'est-à-dire la faculté que se réserve l'autorité civi-

---

1 - Publiées in L. CALM, *op. cit.*, p. 127 s. q.

le d'autoriser ou non la publication des actes du Saint-Siège dans le pays).

Suite à un nouveau bouleversement politique, la Constitution existante fut abolie puis le gouvernement, le 23 septembre, enjoignit aux forces de l'ordre de disperser les communautés religieuses dans tout le pays et de confisquer leurs biens. Il procéda à la nomination de nouveaux évêques, dont Cienfuegos, nommé évêque auxiliaire de Santiago, et demanda à Mgr Muzi de les consacrer. Celui-ci refusa, estimant que les normes fixées par le pape n'étaient pas respectées.

La Mission était un échec. Le 19 octobre elle quitta Santiago et se rendit sur la côte Pacifique, à Valparaiso, pour embarquer. Après le passage du Cap Horn sans dommage mais sous la neige et entouré de baleines, le navire arriva à Montevideo le 4 décembre. La Mission y résida deux mois. Mgr Muzi procéda à plusieurs ordinations sacerdotales. Don Mastai souhaitait ardemment rester à Montevideo, « spécialement, écrit-il, pour me dévouer au bénéfice spirituel des paysans ». Il sollicita l'autorisation de Mgr Muzi. Celui-ci refusa. Il redoutait de voir don Mastai exposé à quelque danger et il lui semblait préférable que l'ensemble de la Mission retournât à Rome rendre compte au pape du travail accompli.

Le 18 février 1825, la Mission partit de Montevideo pour rentrer, enfin, en Italie. Après une halte d'un jour à Tanger et un séjour de quelques semaines à Gibraltar, ce n'est que le 5 juin qu'elle atteignit Gênes.

Après avoir subi, avec tout l'équipage, quinze jours de quarantaine dans le port, don Mastai alla passer quelques jours dans sa famille puis regagna Rome.

Directeur de l'hospice San Michele

Léon XII, après qu'il eut pris connaissance des rapports de la Mission au Chili et mesuré la valeur du zèle que le jeune auditeur y avait déployé, lui proposa sans doute quelque autre mission diplomatique. Don Mastai aurait pu ainsi poursuivre une belle carrière au service du Saint-Siège. Il y renonça. Les difficultés rencontrées à Santiago et, sans doute aussi, la nostalgie de son apostolat passé, lui firent préférer un ministère à Rome.

Il ne put reprendre la direction de Tata Giovanni. Lors de son départ pour l'Amérique, deux ans plus tôt, un nouveau directeur avait été nommé, l'abbé Carlo Luigi Morichini. Don Mastai lui rendit plusieurs visites et se lia d'amitié avec lui. Mais il ne pouvait être question de le remplacer.

Finalement, Léon XII le nomma « Président » de l'hospice apostolique San Michele a Ripa. Cet hospice était alors la plus importante œuvre caritative et sociale de Rome, elle dépendait directement du pape. Depuis un siècle les Souverains Pontifes successifs l'avaient richement dotée et assuraient l'essentiel de son entretien. Un diplomate de l'époque le décrit ainsi : « Ce vaste établissement, qui sert à la fois d'asile, d'école des arts et métiers, d'école des beaux-arts, d'hôpital, de maison de refuge, est en quelque sorte une ville et aussi difficile à administrer qu'un chef-lieu de province » [1]. Le propos est exagéré, mais il est vrai que l'œuvre était très imposante. L'hospice assistait quelque 1 200 personnes, logées dans des bâti-

---

1 - Comte d'IDEVILLE, **Pie IX. Sa vie, sa mort. Souvenirs personnels,** Victor Palmé, Paris - J. Albanel, Bruxelles, 1878, pp. 11-12.

ments séparés : un asile de vieillards, un centre d'études et de travail pour les enfants abandonnés, une maison de correction pour les jeunes délinquants et un refuge pour les femmes dévoyées. L'édifice immense, construit au début du XVIIIᵉ siècle par l'architecte Carlo Fontana, dans le quartier du Trastevere, abrite aujourd'hui le ministère des Biens culturels.

La nomination de don Mastai à la présidence d'une œuvre aussi imposante étonna parce que les titulaires précédents avaient tous été des cardinaux. Elle fut interprétée comme une marque évidente de faveur de Léon XII qui, encore cardinal, nous l'avons vu, avait déjà favorisé le départ de Mastai au Chili. Le titulaire était en relations régulières avec les plus hautes personnalités de l'Église, et de manière particulière avec le pape qui restait le grand bienfaiteur de l'œuvre.

Quand don Mastai reçut communication de cette nomination, il crut qu'il était indigne de remplir une telle charge, d'autant plus que son prédécesseur laissait l'œuvre en proie à de graves difficultés administratives et disciplinaires. Dans une lettre qui montre son authentique esprit d'humilité, il demanda à Léon XII de revenir sur sa décision, arguant de ses faibles moyens intellectuels et des déficiences de sa mémoire, conséquence, disait-il, de sa maladie passée. Il craignait de porter des dommages à une aussi vaste administration par son incompétence.

Le pape ne revint pas sur sa décision. Alors don Mastai se consacra avec énergie à sa nouvelle charge. Il fut, pendant vingt mois, un administrateur efficace et releva l'œuvre qui déclinait.

Il accorda une grande attention à donner une formation et un métier aux jeunes résidents de l'hospice. Des professeurs et des maîtres-artisans venaient chaque jour apprendre les rudiments de leur art aux pensionnaires ; don Mastai voulut diversifier la formation dispensée et introduisit de nouveaux métiers à San Michele.

Il institua aussi ce que l'on appellerait aujourd'hui la « participation » : ceux qui, résidant à l'hospice, travaillaient à l'extérieur ou à l'intérieur, ne percevaient jusque-là aucun revenu. La totalité de leur rémunération était retenue par l'administration au titre des frais de séjour, en sorte qu'ils ne recevaient que trente écus à leur sortie de l'établissement. Don Mastai décida que la moitié du produit de leur travail serait désormais accordée aux apprentis et ouvriers de l'établissement. Les sommes, placées mois après mois dans une banque, leur seraient remises, augmentées des intérêts, quand ils quitteraient l'hospice.

Il s'ingénia aussi à obtenir des autorités ecclésiastiques ou civiles des subsides pour améliorer les installations existantes. Il veilla avec une grande attention aux nombreux pensionnaires de son établissement, multipliant les lettres de recommandation pour faciliter le placement des plus jeunes en âge de travailler, défendre leur intérêt ou les tirer d'ennuis. Une liste complète des résidents fut établie à son intention, ce qui lui permettait de suivre avec attention les cas les plus difficiles.

En bon éducateur, il adopta à San Michele quelques méthodes de discipline qu'il avait connues dans sa jeunesse au collège de Volterra. Il nomma, avec l'approbation du pape, un *vigilatore* (surveillant en chef) venu de l'extérieur, « honnête, probe et actif », bien rémunéré pour s'assurer de sa fidélité, chargé de faire respecter le règlement dans l'établissement. Ce *vigilatore* était assisté de nombreux préfets de chambre à qui incombait la discipline. Don

Mastai veilla aussi à améliorer la qualité et la quantité des repas servis aux réfectoires.

Il se soucia aussi de la vie spirituelle des résidents de l'hospice. De manière habituelle il s'attacha lui-même, le dimanche, à expliquer l'Évangile du jour et, lors des grandes fêtes, à faire quelque exhortation.

La direction de San Michele n'occupait pas tout son temps. Don Mastai continua ses prédications et son apostolat auprès de la jeunesse. Durant l'année 1826-1827, il fut confesseur des jeunes pensionnaires du collège scolope *Nazzareno*. Il rendit visite aussi à ses anciens pensionnaires de Tata Giovanni : c'était l'occasion de quelque prédication spirituelle. Il retrouva aussi la congrégation *dei Sacconi* et la Pieuse union des prêtres de Santa Galla.

Il fut un prédicateur recherché. Le plus important des discours de cette époque fut un panégyrique de l'Immaculée Conception donné à la basilique Sainte-Marie Majeure le 8 décembre 1826. On y voit le futur pape promulgateur de ce dogme en prêcher la doctrine avec enthousiasme, se référant très fréquemment à la Bible. Est à relever aussi, signe d'une autre de ses dévotions affectionnées, la prédication d'un triduum sur le Sacré-Cœur.

Prédicateur recherché, président efficace de l'hospice San Michele — où il réussit, tout à la fois, à rétablir les finances et la discipline —, don Mastai fut appelé, moins de deux ans après sa nomination, à une plus haute charge : l'épiscopat.

On peut penser que Léon XII, en le nommant à la tête d'un grande œuvre en difficulté, avait voulu éprouver ses capacités d'administrateur. Don Mastai était âgé d'à peine trente-cinq lorsqu'il fut nommé archevêque de Spolète.

CHAPITRE QUATRIÈME

ÉVÊQUE DE SPOLETE

L E 24 AVRIL 1827, don Mastai apprenait qu'il était nommé archevêque de Spolète. Le président de l'hospice San Michele fut extrêmement surpris d'une telle promotion.

Une fois encore, sa première réaction fut de refuser. Il se sentait incapable de remplir une telle charge. Il fit part de ses appréhensions à ses conseillers spirituels. Ceux-ci l'inclinèrent à accepter, faisant valoir sans doute sa réussite dans les dernières missions qu'on lui avait confiées. A son ami Mgr Falconieri, qui avait été nommé archevêque de Ravenne l'année précédente, don Mastai écrivit, avec humilité mais non sans humour : « Le bon Dieu s'amuse véritablement *in orbe terrarum*, puisqu'il a voulu élever un bien misérable insecte à tant d'honneur » [1]. De cette même lettre, il ressort que don Mastai est allé exposer ses craintes au pape : « J'ai exposé mes difficultés au Saint-Père, et depuis je suis tranquillisé ».

Puis le 5 mai, au même Falconieri, il écrivait sa crainte de « l'examen » qui était alors imposé aux futurs évêques : « Le 18 aura lieu l'examen, et l'on verra bien comment le Seigneur châtie ma superbe ; le 21 aura lieu le consistoire » [2].

---

1 - Lettre non datée, publiée par Mgr CITTADINI, **Giovanni Mastai-Ferretti (Pio IX) Lettere IV**, Acquasanta-Frascati, 1994, p. 103.

2 - Lettre du 5 mai 1827, in **Lettere IV**, *op. cit.*, p. 105.

Cet examen, que le pape présidait parfois, entouré de cardinaux, de théologiens et de canonistes, consistait en un interrogatoire, plus ou moins long, du candidat pressenti, sur des questions religieuses. Sans connaître les questions posées à Mastai et les réponses qu'il fit, on sait que, plus de dix ans plus tard, il en gardait encore un mauvais souvenir[1].

Léon XII, néanmoins, dut estimer que le candidat s'en était sorti très honorablement. Au consistoire où Mastai fut officiellement préconisé archevêque de Spolète, le 21 mai, le pape fit l'éloge du nouveau promu : « Il a rempli la charge de prédicateur, et maintenant, il remplit de même les fonctions de directeur de cet hospice apostolique ; il s'est montré chanoine insigne de l'église collégiale de Santa Maria in Via Lata. Homme doué de gravité, de prudence, de doctrine, de probité, d'expérience, et parfaitement versé dans l'exercice des fonctions ecclésiastiques »[2].

Don Mastai n'avait pas recherché cet honneur : aux dires de plusieurs témoins il ne l'accepta que par obéissance et quitta l'hospice San Michele non sans déchirement du cœur. Devenu pape, il y fera plusieurs visites et lui accordera des subsides.

Pour se préparer à la cérémonie de consécration épiscopale, don Mastai effectua une retraite de six jours chez les Jésuites, à Sant'Andrea del Quirinal. Il séjourna au noviciat du 27 mai au 1er juin et y pratiqua, une nouvelle fois,

---

1 - Lettre de Mgr Mastai au cardinal Polidori le 13 mai 1838, citée in POLVERARI, t. I, p. 89. C. FALCONI, **Il Giovani Mastai**, Rusconi, 1981, pp. 618-621, a exagéré l'importance de cette épreuve et la faiblesse intellectuelle de Mastai.

2 - D. MORONI, « Spoleto », in **Dizionario di erudizione storico-ecclesiastico**, 1861, cité par P. FERNESSOLE, **Pie IX**, P. Lethielleux, 1960, t. I, p. 52.

les Exercices spirituels. Comme à l'accoutumée, les notes conservées montrent la grande élévation spirituelle et l'esprit de mortification qui l'animaient. On y lit notamment des résolutions qui peuvent révéler, en contrepoint, les défauts et imperfections de celui qui s'y engage :

« Ne pas t'impatienter à l'égard des pauvres, des personnes incommodes, exigeantes, ennuyeuses. Demander à Dieu la grâce de te délivrer de la tentation du sommeil, le matin, spécialement pour pouvoir méditer avec profit. (...) Afin d'acquérir l'humilité, t'habituer à contrarier, souvent pendant le jour, ta volonté propre, même dans les choses licites » [1].

Cette fois, les Exercices spirituels n'étaient pas seulement une introspection spirituelle mais devaient aussi le préparer à cette plénitude du sacerdoce qu'est l'épiscopat. On trouve donc, parmi les notes prises pendant cette retraite, un écrit de trois pages qui est une méditation sur la vocation de l'évêque, « époux de l'Église ». Don Mastai y prend pour modèle de l'épiscopat Gregorio Barbarigo, évêque de Bergame à la fin du XVIᵉ siècle puis cardinal, canonisé par Jean XXIII. Mgr Barbarigo a laissé des *Règles* destinées aux futurs évêques.

Don Mastai prépara aussi un horaire quotidien à suivre dans ses nouvelles fonctions. Un horaire qui ménage, comme il se doit, un temps important, tout au long de la journée, pour les offices liturgiques et spirituels : « Oraison vocale et méditée » à 6 h 30, messe à 7 h 00, deuxième messe (« d'action de grâces ») à 7 h 30, récitation des Heures à différents moments du jour et du rosaire, après la promenade quotidienne.

---

1 - Cité par P. Fernessole, *op. cit.*, t. I, p. 53.

Spolète

Le 3 juin 1827, en la solennité de la Pentecôte, dans l'église San Pietro in Vincoli, don Mastai reçut la consécration épiscopale des mains du cardinal Francesco Saverio Castiglioni (qui deviendra pape, moins de deux ans plus tard, sous le nom de Pie VIII), assisté de Mgr Piatti, archevêque de Trébizonde et de Mgr Sinibaldi, archevêque de Damiette. Ce même jour, pour placer sous la protection divine son nouveau départ de Rome, il s'inscrivait à l'Archiconfrérie de la Très Sainte Trinité des pèlerins [1].

Avant même de gagner sa ville, Mgr Mastai adressa à ses fidèles une lettre pastorale. Puis il se rendit à Spolète [2].

Spolète était alors une petite mais antique cité de l'Ombrie, appartenant aux États pontificaux. Elle comptait parmi ses enfants illustres des martyrs (saint Britius, saint Sabinus et saint Martial) et un pape, Urbain VIII.

Le siège n'était vacant que depuis le 24 février mais le prédécesseur de Mgr Mastai, Mgr Mario de Baroni Ancaiani, était mort après une longue maladie pendant laquelle son diocèse avait été laissé à l'abandon. L'état moral de la population s'était fortement dégradé et les caisses de l'évêché étaient vides. Mgr Mastai dut pourvoir lui-même aux frais occasionnés par sa consécration puis à

---

1 - Serafini, p. 415.

2 - Sur cet épiscopat, outre Serafini, Fernessole et Polverari, une importante étude a été réalisée par Mgr Ottorino Pietro Alberti : « L'episcopato di G.M. Mastai Ferretti a Spoleto », in **Atti del II° Convegno di ricerca storica sulla figura e sull'opera di papa Pio IX**, 9-10-11 octobre 1977, Centro Studi Pio IX, Senigallia, pp. 116-172. Cette étude a ensuite été reprise dans le volume collectif : **Pio IX Arcivescovo di Spoleto**, Vallecchi, Florence, 1980.

son installation. Pour ce faire il vendit une petite propriété personnelle et fit un emprunt que son frère Gabriele accepta de garantir.

On notera ici que de cette époque datent deux bénéfices ecclésiastiques qui lui furent attribués et qui lui permirent d'avoir des revenus supplémentaires : en avril 1827 il entra en possession de la prélature Ercolani, à Parme, et en février de l'année suivante il fut pourvu du bénéfice de la chapelle San Giorgio et San Antonio dans la cathédrale de Senigallia.

Le 1er juillet 1827, Mgr Mastai prit officiellement possession de sa cathédrale. Sa première prédication impressionna favorablement les fidèles. Sa personnalité, jeune et active, tranchait avec celle de son prédécesseur que le grand âge et une paralysie partielle avaient rendu impotent. La tâche qui attendait le nouvel évêque était immense.

Une de ses premières obligations fut de se doter d'un secrétaire. Il choisit le chanoine Giuseppe Stella, de Nocera. Dans une lettre au cardinal Polidori, il le décrira comme « bon, pieux, exemplaire mais obstiné et pointilleux » [1].

Deux mois après son installation à Spolète, Mgr Mastai demanda au pape de pouvoir conserver la sainte Eucharistie dans la chapelle privée de son palais épiscopal, lequel était un peu éloigné de la cathédrale. Il souhaitait pouvoir à loisir adorer le Saint Sacrement dans sa résidence. La Sacrée Congrégation des Rites n'accorda pas la permission, sans doute par crainte de quelque vol ou sacrilège de la part d'étrangers. Aussi, tous les jours, Mgr Mastai

---

1 - Lettre du 28 décembre 1838, citée in SERAFINI, p. 840.

se rendit à la cathédrale pour faire une visite au Saint Sacrement.

Dans plusieurs lettres à Léon XII, le nouvel évêque rendit compte de son gouvernement du diocèse. Il s'agissait bien d'une « reprise en main », à la fois systématique, patiente et énergique. Son diocèse comptait environ 45 000 fidèles, répartis en 172 paroisses. Pour bien mesurer l'état de son diocèse, il s'attacha d'abord à multiplier les visites pastorales. Il lui fallut quatre années pour visiter toutes les paroisses. A l'issue de cette longue visite pastorale de son diocèse, en décembre 1831, il adressa au Saint-Siège une « Relation » détaillée.

Aujourd'hui encore de nombreux villages et localités, y compris ceux et celles situés dans des régions montagneuses alors d'accès difficile, conservent des pierres commémoratives de son passage. Il ne limitait pas ces visites à son clergé et aux paroissiens et n'hésitait pas à pénétrer dans les pauvres habitations isolées, dispersées dans ce qu'on appelle parfois les « déserts apennins ».

Lors d'une visite en un village reculé de montagne, dans une lettre à Mgr Polidori il écrira, avec un certain amusement : « Prie pour moi qui suis tourmenté dans ces âpres montagnes et qui prends de l'eau et du vent en quantité »[1].

Bien des fois il lui fallait rappeler à l'ordre un clergé aux mœurs relâchées, donner lui-même l'exemple de la prédication, de l'administration des sacrements et du catéchisme. Dans les premiers temps de son épiscopat, il fit distribuer à son clergé les *Avertissements aux confesseurs* de saint Charles Borromée.

---

1 - Lettre du 28 mai 1831, citée in SERAFINI, p. 433.

Lors des visites dans les paroisses, il s'attachait à réorganiser les confréries, les très nombreuses œuvres et à faire restaurer les oratoires isolés. Il interrogeait les enfants sur le catéchisme, mais aussi sur leurs connaissances profanes. Il se plaisait aussi à réciter le rosaire avec les fidèles à l'issue de la visite pastorale.

Aux visites pastorales, s'ajoutèrent des lettres personnelles et des réunions sacerdotales dans la cathédrale. On a conservé de nombreuses exhortations et prédications de Mgr Mastai à ses prêtres, portant « sur l'examen », sur l'obéissance, sur l'obligation de leur propre état, sur l'application à l'étude, sur la modestie ou encore sur « la dignité exceptionnelle du prêtre et la grandeur de son pouvoir ».

Il prit soin également des futurs prêtres. Il demanda à des Pères jésuites, qui dirigeaient le collège de la ville, de venir enseigner au séminaire, aux côtés de prêtres séculiers. Mgr Mastai adressa aussi fréquemment des exhortations spirituelles aux séminaristes, chaque semaine à partir de 1831. Alors qu'ils n'étaient guère nombreux à l'arrivée de Mgr Mastai, leur nombre s'accrut rapidement. Dans une « Relation » adressée au Saint-Siège à la fin de l'année 1831, il citera le chiffre de 65 élèves. Il veilla à n'admettre aux ordres sacrés que des candidats dignes et assurés de persévérer et pour cela prenait toutes les informations nécessaires sur chacun de ceux qui lui étaient présentés. Il refusa des candidats à plusieurs reprises et, au contraire, en aida financièrement d'autres qui n'avaient pas les moyens de payer la pension requise.

Le nouvel évêque s'attacha aussi à réformer, quand cela était nécessaire, les communautés religieuses. Dès le premier mois de son arrivée, il eut à s'occuper d'un monastère dédié à l'Enfant-Jésus, où régnaient la discorde et le mécontentement. Il confia aux Pères jésuites de la ville le soin de reprendre en main le monastère et rédigea lui-même un nouvelle règle monastique [1]. Par des instructions et exhortations lors de visites canoniques ou par des lettres particulières, notamment lors des prises d'habits ou des vœux, il s'attacha à raviver l'esprit religieux. Par exemple, le 13 février 1830, lors de sa première visite canonique au monastère del Palazzo, il exhorta à la ferveur : « Vous ne pouvez ignorer que l'état de religieuse n'est pas un état d'inaction et de froideur, mais que c'est, au contraire, un état de fatigue et de ferveur » [2].

Souvent, Mgr Mastai insistait sur le respect des règles religieuses, propres à chaque congrégation ou institut, et aussi sur la nécessité de la vie liturgique conventuelle et d'une pratique assidue de l'oraison. Sur cet aspect de la vie religieuse, et sur les grâces mystiques qui pouvaient en découler, Mgr Mastai adopta toujours une attitude prudente quoique non hostile. Cela se vérifiera aussi quand il sera devenu pape.

Pendant son épiscopat à Spolète, il dirigea notamment une religieuse du monastère Santa Chiara de Montefalco : sœur Chiara Teresa del S. Cuore di Maria [3]. Il la visita à plusieurs reprises et lui écrivit de nombreuses lettres. Il lui enseignait la simplicité, l'humilité, la charité envers le prochain et la confiance en Dieu. « Ce que le Seigneur exige de vous, lui écrivait-il le 28 novembre 1831, c'est d'abord l'humilité, le mépris de vous-même, la joie de l'esprit et la charité égale pour toutes les sœurs, même quand vous

---

1 - Lettre citée par Mgr ALBERTI, *op. cit.*, p. 167, n° 67.

2 - Cité par P. FERNESSOLE, *op. cit.*, t. I, p. 59.

3 - Celle-ci, originaire d'Ancône, était dirigée par don Mastai depuis 1825. Quand il devint évêque de Spolète, elle demanda à devenir religieuse dans un couvent de son diocèse. Mgr Mastai la fit entrer chez les Clarisses de Montefalco.

croyez être offensée ». Et à cette même religieuse qui aspirait à la vie mystique et qui voulait se lancer dans la lecture des œuvres de saint Jean de la Croix, Mgr Mastai répondit sans détours : « Non, cette nourriture n'est pas pour vos dents » [1].

La population civile du diocèse était aussi l'objet de ses sollicitudes. La grande inégalité des conditions le mettait en rapport avec des milieux fort différents. Sa prédication s'adressait à tous et il avait, pour cet exercice, une grande facilité. Ses talents de prédicateur lui firent quitter à plusieurs reprises son diocèse pour prononcer des panégyriques ou des discours à Rome ou à Senigallia.

Doit être relevé aussi, comme un trait permanent de son apostolat, son souci des plus pauvres. Le 8 novembre 1829, sous le patronage de la Vierge Marie, il ouvrit un hospice pour recueillir les orphelins. Les enfants étaient envoyés, la journée, dans des boutiques pour y apprendre un métier et les Jésuites, dont l'église était toute proche, leur dispensaient une instruction religieuse.

La révolution de 1831

Le 30 novembre 1830, mourut Pie VIII, qui avait succédé moins de deux ans plus tôt à Léon XII. Le conclave chargé d'élire le successeur de Pie VIII fut long.

Une société secrète italienne liée à la franc-maçonnerie, les Carbonari, en profita pour tenter une insurrection à Rome [2]. L'objectif des Carbonari était l'unification de l'Italie et la création d'une république. Parmi les Carbonari passés à la postérité, on peut signaler les noms de Giusep-

---

1 - Lettres citées par P. FERNESSOLE, *op. cit.*, t. I, p. 60.
2 - Sur les aspects généraux de cette révolution italienne de 1831, cf. Luigi SAL-VATORELLI, **Histoire de l'Italie**, Éditions Horvath, 1973, p. 466 sq.

pe Mazzini, futur chef du mouvement révolutionnaire *La Jeune Italie*, et de Louis-Napoléon Bonaparte, neveu de Napoléon Ier. Si le premier, exilé alors en France, ne participa pas à la tentative, le second y prit une part active. Elle eut lieu en décembre 1830 mais fut un échec.

En février 1831, alors que le cardinal Cappelari était élu pape et prenait le nom de Grégoire XVI, d'autres troubles, fomentés par les Carbonari, éclatèrent dans les États pontificaux, à Bologne, et dans le duché de Parme dont le prince fut chassé. L'insurrection s'étendit à toute la Romagne, aux Marches et à l'Ombrie (où se trouvait Spolète). A Bologne, un gouvernement provisoire, présidé par un avocat libéral, Giovanni Vicini, fut mis en place et, le 8 février, déclara « dissous de fait et de droit pour toujours » le pouvoir temporel du pape sur la ville et la province.

Grégoire XVI, tout en cherchant à préserver la Ville Éternelle des troubles — il fit acheter des armes à l'étranger et constitua une Garde civique à Rome —, essaya de calmer les esprits en diminuant les impôts, en abaissant les taxes douanières et l'impôt sur le sel et en amnistiant soixante-dix prisonniers politiques, condamnés pour crimes d'État. Toutes ces mesures ne suffirent pas à apaiser les passions. La garnison d'Ancône capitula devant les insurgés, le cardinal Benvenuti, envoyé par le pape comme légat, fut arrêté et emprisonné.

A Spolète, le 23 février, un « gouvernement provisoire » de quatre membres (dont deux avocats) réussit à s'imposer et à chasser les autorités civiles nommées par le pape.

Grégoire XVI se résolut alors à demander l'aide militaire de l'Autriche. Celle-ci, de toute manière, serait intervenue tant elle redoutait la propagation de la révolution en

Lombardie, qu'elle contrôlait depuis plus d'un siècle. Début mars, les troupes autrichiennes franchirent le Pô, rétablirent dans leur duché la duchesse de Parme et le duc de Modène puis, à la fin du mois, libérèrent Bologne. Certaines troupes révolutionnaires, commandées par le général Sercognani, refluèrent vers le sud et entrèrent en Ombrie.

Spolète se retrouva au cœur du dénouement de cette tentative révolutionnaire. Aux premiers temps du soulèvement, Mgr Mastai, dans une lettre à la Secrétairerie d'État, s'était montré partisan d'une intervention rapide des troupes pontificales : « ...toutes les forces (révolutionnaires) de Pérouse, Foligno, Spolète, Terni réunies atteignent à peine 500 hommes. Sans uniformes, pas dirigés, peu courageux, il est certain qu'ils ne peuvent en imposer à personne... Ou la troupe pontificale est décidée à se battre et la victoire est assurée ; ou la troupe pontificale est entièrement corrompue, et alors je remets la cause dans les mains du Seigneur, et je me tais » [1]. Dans cette même lettre, il signalait aussi : « Le fils de Louis Bonaparte est à Spolète avec l'idée d'enrôler beaucoup de jeunes gens, mais jusqu'à présent il en a trouvé peu disposés à le suivre ». Mais, un mois plus tard, à l'approche des troupes de Sercognani, la situation devint inquiétante. Mgr Mastai ignorait la reprise de Bologne et la capitulation du gouvernement révolutionnaire, signée le 26 mars.

Ce même jour, il jugea plus prudent de quitter Spolète, d'autant plus que la Garde civique qui avait été constituée dans sa cité avait rallié la révolution. Il se réfugia dans le couvent capucin d'une cité de son diocèse, Leonessa, qui, territorialement, n'appartenait pas aux États pontificaux

---

1 - Lettre du 24 février 1831 citée par Mgr ALBERTI, *op. cit.*, p. 139.

mais dépendait du royaume de Naples. C'est là qu'il reçut une dépêche du cardinal Benvenuti, libéré d'Ancône, qui lui apprenait la reddition du gouvernement révolutionnaire et qui le nommait, sur ordre de Grégoire XVI, délégué apostolique extraordinaire pour les provinces de Spolète et de Rieti, avec charge d'y rétablir le pouvoir temporel du pape.

Dès le 29 mars au soir, Mgr Mastai était de retour à Spolète. Il y reçut un accueil très chaleureux : à l'évidence la plus grande partie de la population était restée fidèle au gouvernement pontifical. Le lendemain il mit sur pied une commission chargée de l'assister dans sa fonction de délégué apostolique et il rendit public un édit appelant au calme. Il réussit à faire désarmer 300 révolutionnaires qui s'étaient réfugiés dans la cité et leur fit délivrer un sauf-conduit.

Le 31 mars, ce furent 3 000 révolutionnaires qui arrivèrent à Spolète. Ils étaient disposés à organiser une guérilla contre les troupes autrichiennes qui s'avançaient dans la région et on pouvait craindre qu'ils ne missent la petite cité à feu et à sang. Là encore, Mgr Mastai réussit à leur faire déposer les armes et à leur faire quitter la ville, délivrant des passeports à ceux qui le demandaient et faisant distribuer des vivres [1]. Ainsi, avant l'arrivée des troupes autrichiennes, Mgr Mastai avait réussi à pacifier sa ville sans effusion de sang.

Le procès de béatification rapporte qu'à un commandant de la garnison autrichienne qui, ultérieurement, lui avait présenté une liste de citoyens suspects de complicité avec la rébellion, l'archevêque de Spolète avait répondu :

---

1 - Lettre du 1ᵉʳ avril 1831 au cardinal Bernetti, Secrétaire d'État, citée par Mgr ALBERTI, *op. cit.*, p. 141. Cf. aussi *Summarium* § 2 928.

« Quand le loup veut dévorer la brebis, il n'en informe pas le pasteur » et il avait déchiré la liste [1].

Une autre anecdote a été rapportée par plusieurs témoins lors du procès de béatification : Louis-Napoléon Bonaparte aurait été, lui aussi, sauvé par Mgr Mastai, qui lui aurait fourni, ainsi qu'à sa mère, la reine Hortense, un passeport anglais et une aide financière de deux cents écus [2]. L'anecdote, rapportée par les premiers biographes de Pie IX et par des auteurs plus récents, expliquerait que, pour en quelque sorte payer sa dette, Louis-Napoléon Bonaparte, devenu Président de la République française puis Empereur des Français, ait envoyé à deux reprises un corps expéditionnaire secourir son protecteur devenu pape.

Si la présence de Louis-Napoléon Bonaparte à Spolète est attestée, par la lettre citée de Mgr Mastai, l'anecdote finale semble bien controuvée. Pie IX lui-même la démentira à deux personnes différentes : au P. Ballerini, jésuite, et au comte de Résie, qui fut le premier directeur des chemins de fer pontificaux [3].

Dans cet épisode de la révolution de 1831, Mgr Mastai n'agit ni par lâcheté, comme certains auteurs l'ont prétendu, ni par sympathie pour les idées libérales, comme d'autres l'ont soutenu. Il chercha avant tout à ne pas ajouter des malheurs aux troubles déjà graves. A aucun moment, il ne mit en doute la légitimité du pouvoir temporel des papes sur ces provinces. Il se voulut, selon les termes d'une supplique adressée au Souverain Pontife le

---

1 - *Summarium* § 2 278.

2 - *Summarium* § 1 412, 1 722, 2 029.

3 - Témoignage de Ballerini cité dans le *Summarium* § 2 660 et témoignage de Résie, directeur des chemins de fer pontificaux rapporté par le diplomate d'Ideville.

5 avril 1831, un « pacifique médiateur » [1]. Cette supplique visait à obtenir de Grégoire XVI le pardon pour ses « brebis » (*mie pecorelle*) de Spolète, c'est-à-dire les représentants publics qui avaient rallié l'insurrection. Grégoire XVI accéda à sa demande.

Cette tentative révolutionnaire de 1831 annonçait d'autres troubles qui, sporadiquement, agiteront les États pontificaux dans les années suivantes pour, finalement, conduire à la révolution de 1848.

Pendant tout son pontificat, Grégoire XVI eut à subir une opposition politique et religieuse, rarement affichée au grand jour et venue des milieux les plus divers. La contestation principale vint des adversaires de la politique pontificale. Ils reprochaient au pape d'être un des derniers souverains absolutistes d'Europe, c'est-à-dire de détenir les trois pouvoirs (exécutif, législatif et judiciaire), et à son gouvernement de n'être composé que d'ecclésiastiques.

Les opposants les plus modérés de Grégoire XVI réclamaient des réformes, notamment l'entrée de laïcs au gouvernement et l'instauration d'une assemblée consultative ou législative. Les plus radicaux, notamment l'association clandestine *Jeune Italie* créée par Mazzini à Marseille après l'échec de la révolution de 1831, réclamaient la fin même du pouvoir temporel du pape, l'unification de l'Italie et l'instauration d'une république.

Après la révolution de 1831, les éléments les plus modérés furent encouragés par les grandes puissances européennes qui incitèrent le pape à réformer sa politique. Quelques mois après les troubles, la France, dans le but de

---

1 - Lettre au cardinal Pacca, doyen du Sacré-Collège, le priant de présenter la supplique à Grégoire XVI, citée in POLVERARI I, p. 103.

de neutraliser l'influence autrichienne en Italie, organisa une conférence internationale à Rome à laquelle prirent part des représentants de l'Angleterre, de l'Autriche, de la Prusse et de la Russie. Le 21 mai cette conférence présenta à Grégoire XVI un *memorandum* qui préconisait diverses réformes : admission des laïcs dans les fonctions administratives et judiciaires, amélioration du système judiciaire, création de conseils municipaux et provinciaux élus dotés de réels pouvoirs administratifs, création d'une Consulte indépendante pour contrôler le budget des États pontificaux, établissement d'un Conseil d'État pour élaborer les lois et juger les contentieux.

Les historiens, aujourd'hui, reconnaissent que l'image d'un Grégoire XVI obtus et réactionnaire, que ses adversaires ont dépeinte, est caricaturale. Le pape et son Secrétaire d'État, Bernetti, ont appliqué, dans les mois qui ont suivi le *memorandum*, certaines recommandations des puissances européennes. Par plusieurs édits furent créés des conseils communaux et provinciaux (certes non élus mais choisis, aux deux tiers, parmi les propriétaires fonciers et, pour le tiers restant, parmi les professions libérales), le système judiciaire fut réformé et une commission centrale des finances fut instituée. Par ailleurs des laïcs purent accéder à certaines responsabilités administratives dans la poste, le télégraphe, la douane et les tribunaux de première instance. En revanche Grégoire XVI n'institua pas d'assemblée consultative, n'admit pas de laïcs dans le gouvernement et ne laïcisa pas complètement l'administration. Ce que le pape n'avait pas accordé fit oublier ce qu'il avait déjà concédé. Les critiques à son encontre ne cessèrent pas. D'autant plus qu'il ne put venir à bout de certains abus, bien réels, qu'une certaine littérature populaire se plaisait à dénoncer. Les *Sonnets* de G.G. Belli en sont l'illustration la plus fameuse. Belli fut, dans ces années, l'auteur de milliers de sonnets qui circulèrent sous le manteau, copiés et recopiés, témoin d'un état d'esprit anticlérical qui se répandait parmi la population des Etats pontificaux. Belli y critiquait, sous une forme souvent plaisante, « le favoritisme, l'espionite, la lenteur et la confusion de l'appareil législatif, les abus de pouvoir de la magistrature, l'état des finances... » [1].

La correspondance de Mgr Mastai montre que quelques-unes de ces critiques étaient partagées par certains dignitaires ecclésiastiques. Lui aussi critique l'indolence et le désordre de la bureaucratie, les abus de pouvoir et l'insuffisance de la police. Il observe, pour le déplorer, que « nombreux sont ceux qui ont honte d'être sujets pontificaux et nombreux sont ceux qui y sont indifférents » [2]. Quelques années plus tard, alors qu'il sera évêque d'Imola, on le verra adresser à la Secrétairerie d'État des propositions très concrètes de réforme, sans se départir néanmoins d'une entière fidélité à Grégoire XVI et sans remettre en cause de quelque manière que ce soit le pouvoir temporel du pape.

La tentation d'abandonner

Quelques mois après la fin de ces événements, Mgr Mastai, fatigué, éprouva une grande lassitude et demanda à être relevé de son siège. Dans un mémoire adressé en novembre 1831 à son ami le cardinal Odescalchi, devenu préfet de la Congrégation des Évêques, il demandait, parlant de lui à la troisième personne, à être déchargé de ses fonctions. Arguant des séquelles de l'épilepsie dont il avait souffert entre 1809 et 1818, « consé-

---

1 - MARTINA, I, 51.
2 - Lettre citée in SERAFINI, p. 1 404.

quences, écrivait-il, qui l'empêchent de s'appliquer comme il le voudrait à l'accomplissement de ses devoirs » [1], il aspirait, ajoutait-il, à « vivre dans la retraite et loin du tumulte des affaires ». Puis, présentant ses vœux de Noël au Souverain Pontife à la fin novembre (selon la coutume alors en usage dans les États pontificaux), il renouvela sa demande auprès de Grégoire XVI. Une fois encore il mit en avant sa « faiblesse », son « inexpérience des sciences sacrées », sa « déficience dans les charismes que demande l'Apôtre à un évêque » et « la santé chancelante dont je suis affligé depuis de nombreuses années » [2]. Les réponses écrites qui furent éventuellement faites à ces deux lettres ne nous sont pas parvenues, mais on peut penser qu'Odescalchi, qui le connaissait bien, conseilla de temporiser.

Après la tentative révolutionnaire de 1831, un autre événement dramatique vint, le 13 janvier de l'année suivante, mettre à l'épreuve l'archevêque de Spolète. Trois villes de son diocèse, Bevagna, Trevi et Montefalco, ainsi que d'autres localités, furent ravagées par un tremblement de terre. A Bevagna, les trois quarts des habitations furent détruites. En plein hiver, deux mille personnes se retrouvèrent sans toit.

Mgr Mastai se rendit dans toutes les communes touchées par le tremblement de terre. Il distribua des secours financiers et établit des rapports circonstanciés pour solliciter l'aide des autorités civiles et du Saint-Siège. A Bevagna, il fit construire, en payant de ses deniers, des baraques en bois afin de donner un toit aux sans-abris. Par une circulaire, il fit appel à la générosité de tous les fidèles

---

1 - Texte reproduit par Mgr ALBERTI, *op. cit.*, pp. 142-143.
2 - Lettre citée in Mgr ALBERTI, *op. cit.*, pp. 143-144.

de son diocèse. Grégoire XVI envoya un premier secours de 5 000 écus et dans plusieurs diocèses des provinces environnantes, on fit des quêtes pour celui de Spolète. Le pape créa des Commissions de secours publics dans les localités les plus touchées et en nomma l'archevêque de Spolète président.

Les derniers mois de l'épiscopat de Mgr Mastai dans ce diocèse furent principalement consacrés à organiser la distribution des secours, à restaurer les édifices publics et à financer la reconstruction des habitations.

Mais un tel désastre naturel n'appelait pas seulement une solidarité matérielle. Selon Mgr Mastai, les bons devaient y voir un avertissement céleste et les mauvais des « fléaux mérités » envoyés par Dieu [1]. Il demanda à des Pères jésuites de venir prêcher des séries d'Exercices spirituels dans plusieurs villes de son diocèse.

Lui-même, peu de jours après le tremblement de terre, s'était rendu à Trevi à l'occasion de la fête du saint patron de la ville. Trevi était une des villes où les destructions avaient été les plus nombreuses. L'archevêque prêcha sur la place publique et conclut son exhortation par une ardente invocation : « Seigneur, si vous avez besoin d'une victime pour satisfaire votre justice, épargnez le troupeau et frappez le pasteur » [2].

---

1 - L'expression est, prophétiquement, employée par Mgr Mastai, quelques jours avant le tremblement de terre, dans une lettre de vœux adressée à un correspondant romain, lettre citée in SERAFINI, p. 529.

2 - Cité in Mgr ALBERTI, *op. cit.*, p. 147.

CHAPITRE CINQUIÈME

ÉVÊQUE ET CARDINAL D'IMOLA

G RÉGOIRE XVI avait été fort satisfait de la manière
dont Mgr Mastai avait su pacifier Spolète et l'Ombrie après la révolution de 1831. Sans doute aussi pensa-t-il qu'un changement de poste était le meilleur remède à la lassitude dont se plaignait son évêque.

Le 19 novembre 1832, l'archevêque de Spolète recevait une lettre du pape lui annonçant son transfert à l'évêché d'Imola. Ce n'était certes pas une punition mais plutôt une promotion. L'atteste le fait que le diocèse d'Imola était bien plus peuplé que celui de Spolète — il était un des plus importants de la Romagne — et que, traditionnellement, lui était attaché un titre cardinalice. Dans le passé, deux évêques d'Imola étaient devenus papes : le cardinal Chigi, devenu pape sous le nom d'Alexandre VII en 1655, et le cardinal Chiaramonti, devenu Pie VII en 1800.

Signe d'une faveur bien marquée, Grégoire XVI annonçait la nouvelle à l'intéressé non par l'intermédiaire des services de la Curie mais par une lettre personnelle. Aussi, à la différence de ses précédentes nominations, ce transfert à Imola ne fut pas reçu par Mgr Mastai avec les affres de l'angoisse. Il répondit aussitôt au pape par une lettre toute empreinte d'obéissance. Il voyait cette nomination comme un « décret de la divine volonté » et il s'y soumettait en serviteur fidèle de l'Église : « Je croirais trahir les vues que Votre Sainteté a daigné fixer sur moi… et j'impose silence à l'appréhension qui m'assiège au sujet des difficultés plus ardues et du poids plus lourd que vous avez daigné m'imposer »[1].

La nomination ne fut rendue publique que le 17 décembre. Quoique Mgr Mastai passât d'un archevêché à un évêché, cette nomination fut perçue, nous en avons vu les raisons, comme une promotion. Mais c'était aussi un diocèse difficile. La Romagne avait été un des foyers les plus ardents de la révolution de 1831 et les esprits y étaient encore fort agités. Le précédent titulaire du diocèse, le cardinal Giacomo Giustiniani, avait dû fuir la ville lors des troubles de l'année précédente et s'était réfugié à Rome, suppliant le pape de lui retirer ce siège. Grégoire XVI avait tergiversé pendant près de deux ans puis, finalement, il y nomma Mgr Mastai, espérant qu'il s'y montrerait aussi « pacifique médiateur » qu'à Spolète. A Spolète, nombre de clercs et de fidèles regrettèrent son départ. Des suppliques furent envoyées au pape pour qu'il revînt sur sa décision. En vain.

Si Mgr Mastai adressa une lettre pastorale au clergé et aux fidèles d'Imola dès le 25 décembre, il ne gagna son nouveau diocèse que dans la nuit du 8 au 9 février 1833[2]. Après avoir quitté Spolète, il avait voulu se rendre au sanctuaire de Notre-Dame de Lorette pour y vénérer la Vierge, puis il était allé à Senigallia visiter sa mère et célébrer une messe pontificale, à la demande de l'évêque de la ville. L'entrée solennelle dans la cathédrale d'Imola et la cérémonie d'intronisation eurent lieu le 13 février au

---

1 - Lettre du 19 novembre 1832, citée in P. FERNESSOLE, **Pie IX**, Lethielleux, 1961, t. I, p. 74

2 - Outre SERAFINI et POLVERARI, cf. Mino MARTELLI, « Pastoralita di G.M. Mastai Ferretti Vescovo e Cardinale di Imola (1832-1846) » in **Atti del II Convegno di ricerca storica sulla figura e sull'opera di papa Pio IX**, Centro Studi Pio IX, Senigallia, 9-10-11 octobre 1977, pp. 173-20.

milieu d'une grande foule. Sa renommée l'avait précédé. Le comte Giuseppe Alberghetti, représentant d'Imola à Rome, avait écrit au gonfalonier de la cité pour lui annoncer la nomination de Mgr Mastai. Il l'avait présenté en ces termes : « Il est connu, écrivait-il, et estimé de tous pour sa sainteté, sa douceur, sa prudence et sa modération » [1].

Imola était située au nord des États pontificaux, en Romagne. Elle dépendait administrativement de la Légation de Ravenne. Politiquement, comme l'ensemble de la Romagne, elle était partagée en trois courants :

— Le parti « autrichien », favorable à une extension de la domination de l'Autriche sur toutes les Légations.

— Le parti « papalin » ou « sanfediste » (défenseur du pape et de la « Sainte Foi »), qui non seulement cherchait à préserver l'autorité temporelle du pape sur ces territoires mais souhaitait aussi une domination du clergé dans les domaines sociaux et politiques.

— Le parti « libéral » enfin, qui réclamait la fin du pouvoir temporel du pape ou, du moins, des réformes de grande ampleur dans tous les domaines.

Le terme « libéral » regroupait, à l'époque, une grande diversité de doctrines et de programmes politiques : depuis les « mazziniens » de la *Jeune Italie*, favorables à une unification de l'Italie et à la république, jusqu'à ceux qui commençaient à rêver d'une sorte de confédération italienne unissant toutes les monarchies et principautés de la péninsule maintenues en place.

Mgr Mastai ne soutint aucun de ces trois partis, quoi qu'en aient dit certains contemporains qui, au moment de

---

1 - Lettre citée in POLVERARI I, p.111

son élection au souverain pontificat, le présentèrent comme un « libéral ». Quelques mois après son arrivée à Imola, dans une lettre à son ami et voisin le cardinal Falconieri, archevêque de Ravenne, il dit très bien quelle était alors sa position de « juste milieu » : « Je déteste et j'abomine jusqu'à la moelle de mes os les pensées et les actions des libéraux ; mais le fanatisme des soi-disant papalins ne m'est assurément pas sympathique. Le juste milieu, ce juste milieu chrétien, et non le diabolique juste milieu qui est aujourd'hui à la mode, serait la voie que j'aimerais suivre avec l'aide du Seigneur : mais y réussirai-je ? » [1].

Réforme du clergé

L'état religieux du diocèse était déplorable. Les agitations révolutionnaires de 1831 et 1832 et la vacance du siège épiscopal pendant deux ans avaient fait se dégrader les mœurs de la population, et le clergé lui-même présentait bien des défaillances. Des curés de paroisse s'adonnaient au jeu, à la chasse voire à la contrebande avec la Toscane voisine, d'autres fréquentaient les théâtres ou ne portaient pas l'habit clérical. Nombre de chanoines se dispensaient de leur office au chœur.

Mgr Mastai s'adonna sans tarder à la réforme du clergé. Il imposa aux chanoines de la cathédrale et des autres églises collégiales des « constitutions » sévères. Pour rédiger ces constitutions il consulta divers chapitres, notamment ceux d'Osimo et de Notre-Dame de Lorette, s'inspirant des règlements qui les régissaient.

Pour maintenir un contact régulier avec son clergé, il envoya périodiquement des circulaires qui avaient un

---

1 - Lettre du 3 juin 1833 citée par MARTINA I, p. 52.

caractère à la fois religieux et administratif. A ses prêtres Mgr Mastai imposa le port de la soutane, il interdit toute activité commerciale et toute fréquentation des salles de jeux, il recommanda de n'avoir à son service que « des personnes de sexe différent âgées d'au moins quarante ans ».

Ces prescriptions furent inégalement suivies, notamment dans les parties les plus reculées du diocèse puisque, dix ans après son arrivée, Mgr Mastai, dans une lettre circulaire à ses vicaires forains, se plaignait encore de quelques curés de paroisse, « spécialement dans la partie alpestre » du diocèse, qui « loin d'exercer les fonctions de pasteurs, sont de vrais loups, scandale et ruine du troupeau, objet d'affliction pour les bons, amertume continuelle pour ceux de leurs confrères qui sont zélés et exemplaires... ». Et il rappelait, pour tous, des prescriptions précises :

« 1. il est défendu à tous les curés, prêtres et clercs de sortir avec un costume... en quelque manière séculier.

2. Que chacun des susdits se garde de retenir chez lui des armes prohibées et d'en porter, de quelque genre que ce soit.

3. Sont expressément recommandées les réunions des cas de conscience...

4. ...veiller à ce que les curés résident constamment dans leurs presbytères respectifs, qu'ils expliquent le saint Évangile, enseignent la doctrine chrétienne, qu'ils annoncent au peuple les vigiles et fêtes... [1].

Ces prescriptions disciplinaires s'accompagnaient d'incitations à l'approfondissement de la vie spirituelle.

---

1 - Lettre circulaire du 22 août 1843, citée in P. FERNESSOLE, *op. cit.*, t. I, pp. 77-78 et in M. MARTELLI, *op. cit.*, p. 182.

Mgr Mastai recommandait à son clergé la pratique régulière de l'oraison, de la confession hebdomadaire, de la lecture de la Bible et de la vie des saints, « toutes ces pratiques qui aident à conserver l'esprit ecclésiastique et à obtenir de Dieu ces grâces dont nous avons tous besoin pour combattre les ennemis spirituels ».

Il inaugura aussi, le 7 avril 1834, une vaste maison comportant vingt-sept chambres, où les prêtres pouvaient venir quelques jours afin de suivre les Exercices spirituels. Un ancien couvent, proche du sanctuaire de la Madonna del Piratello et du cimetière de la ville, avait été aménagé pour recevoir les clercs deux fois par an, au printemps et à l'automne.

Dans une lettre pastorale à son clergé, datée du 1er mars de cette année-là, il présenta de manière détaillée la méthode et l'esprit des Exercices spirituels et le profit que les prêtres pourraient en retirer, autant pour leur sanctification personnelle que dans l'exercice de leur ministère. Pour diriger ces Exercices, Mgr Mastai avait demandé au préposé général des Jésuites à Rome de lui envoyer un religieux.

Lui-même fit régulièrement retraite au Piratello, seul ou avec quelques prêtres. Une déposition du procès de béatification indique qu'il aimait passer la nuit « dans une salle qu'il avait lui-même fait peindre en forme de grotte ou de catacombe avec dans une petite niche des crânes et des ossements de morts » [1]. Il ne faut pas voir là quelque goût pour le morbide mais bien plutôt le souci, constant chez Mastai, nous l'avons dit, de se préparer à une bonne mort et de prier pour les défunts. Par ailleurs, la confrérie romaine des *Sacconi* à laquelle il appartenait se réunissait

---

1 - *Summarium* § 2 969.

régulièrement dans la nécropole de la chapelle San Theodoro. Peut-être Mgr Mastai a-t-il voulu recréer ainsi, à
Imola, un lieu qui lui était cher spirituellement ?

Sont conservées des notes personnelles qu'il a prises
lors de la première retraite organisée au Piratello. Elles
révèlent les défauts et inclinations dont il cherchait à se
corriger et aussi l'élévation de son âme : « Guerre à
l'amour-propre et ne jamais parler de soi et de choses personnelles, et bien plus encore ne pas les cultiver et s'y
complaire. Diligence au lever pour la méditation. Abréger
la récréation après le repas. (...) Grande patience et ne
jamais se laisser surprendre par des mouvements de colère. Parler de tous avec charité et se persuader qu'on est
plus mauvais que les autres. Retrouver la diligence à écrire pour venir en aide à la mémoire. Grande union avec
Dieu spécialement dans la récitation de l'office divin » [1].

Ces retraites au Piratello, seul ou autour de ses prêtres,
eurent une grande importance dans l'épiscopat à Imola.
Ils furent, sans nul doute, un soutien spirituel dans les
épreuves qu'il eut à connaître. Les prédicateurs jésuites
qu'il faisait venir à Imola étaient d'une grande valeur.
Après 1838, quand son ami le cardinal Odescalchi eut
renoncé au cardinalat et à sa charge de préfet de la
Congrégation des Évêques et des Réguliers pour devenir
simple Jésuite — avant de mourir en odeur de sainteté —
Mgr Mastai fit appel à lui, à plusieurs reprises, pour prêcher les Exercices spirituels au Piratello.

Afin d'améliorer la formation doctrinale de ses prêtres,
Mgr Mastai créa une Académie biblique où, un jeudi par
mois, une conférence sur les Saintes Écritures était donnée

---

1 - SERAFINI, pp. 697-698.

au clergé. Il créa aussi des conférences de théologie morale destinées à approfondir les questions de ce domaine délicat et à résoudre les « cas » les plus difficiles. Mais cette réforme du clergé de son diocèse ne fut ni aisée ni rapide.

Mgr Mastai s'attacha aussi, comme à Spolète, à doter son diocèse de bons prêtres. A son arrivée le séminaire était occupé par des troupes autrichiennes. Les séminaristes avaient trouvé un refuge précaire et malcommode dans de petites pièces du palais épiscopal. Avant même de rejoindre Imola, Mgr Mastai avait écrit au Secrétaire d'État, le cardinal Bernetti, lui demandant de construire une caserne pour les troupes d'occupation afin que le séminaire fût rendu à ses occupants. Finalement il réussit à négocier un accord avec le commandant des troupes autrichiennes : celles-ci évacueraient le séminaire et iraient s'établir dans un ancien couvent dominicain.

En septembre les séminaristes réintégrèrent leur établissement et en novembre le nouvel évêque pouvait inaugurer l'année scolaire. Il veilla à la restauration du séminaire dans l'esprit du concile de Trente, obligeant tous les élèves à l'internat. Il paya lui-même la pension des clercs les moins fortunés tandis qu'il n'hésitait pas à exclure des séminaristes qui ne semblaient pas faits pour la vie sacerdotale. Il suivit attentivement tous les candidats jusqu'au sacerdoce et assista aux examens. Et pour améliorer la formation des futurs prêtres, il fit introduire deux enseignements qui n'avaient pas été dispensés jusqu'à présent dans l'établissement : un cours de liturgie à partir de 1838 et un cours d'Écriture Sainte à partir de 1843.

Pareillement il veilla au sain épanouissement des communautés religieuses de son diocèse. A Lugo un monastère de chanoinesses de Saint-Augustin périclitait. Dans une lettre au vicaire forain de Lugo, il se plaignit que ces religieuses, la plupart âgées, se contentent de « dire le rosaire et rien de plus... Le remède indispensable est l'introduction de quelque religieuse qui non seulement porte l'habit mais aussi le chapeau » [1].

Bientôt il nomma une nouvelle supérieure, qui avait une dévotion particulière au Sacré-Cœur, sœur Maria Annunziata Andreucci. Il l'avait connue alors qu'il était encore évêque de Spolète. Elle appartenait alors à un couvent de Clarisses de Trevi et était devenue sa dirigée. De nombreuses lettres de direction spirituelle de Mgr Mastai à sœur Maria Annunziata sont conservées et montrent que, dans ce domaine aussi, il fut un prêtre avisé.

Quand sœur Maria Annunziata eut obtenu de pouvoir quitter les Clarisses pour le couvent de Lugo, Mgr Mastai fit changer les statuts du monastère et donna aux religieuses un nouveau nom qui marquât davantage leur vocation : elles devinrent les Adoratrices perpétuelles du Sacré-Cœur de Jésus. Il les visita souvent. Le couvent reprit vie et le nombre des religieuses s'accrut fortement, même si sœur Maria Annunziata mourut précocement, l'année 1842, en odeur de sainteté. On notera la vocation particulière de ce nouvel Institut, révélatrice de sa déjà ancienne dévotion au Sacré-Cœur. Plus tard, il demanda à toutes les paroisses de son diocèse, par une lettre pastorale en 1841, de développer la dévotion au Sacré-Cœur.

Mgr Mastai, outre la direction spirituelle, par correspondance, de plusieurs religieuses de son diocèse, donna à diverses reprises des conférences spirituelles dans des couvents. Sa réputation pour la direction des religieuses fit qu'en 1841 la Congrégation des Évêques et des Réguliers

---

1 - Lettre citée par M. MARTELLI, *op. cit.*, p. 184. Le jeu de mots final est difficilement traduisible : « *non solo la tonaca ma anche la testa* ».

le nomma Visiteur apostolique d'un monastère de domi-
nicaines à Fognano, dans le diocèse voisin de Faenza.

Le monastère abritait soixante sœurs qui s'occupaient
d'un collège de filles, lequel comptait quatre-vingt-sept
élèves. Ce couvent traversait une crise profonde.

Lors de sa première visite, Mgr Mastai passa cinq journées entières, à raison de dix heures par jour, à écouter les
doléances des religieuses et à les interroger une à une. Il
exerça cette charge de Visiteur apostolique pendant cinq
ans, jusqu'à son élévation au pontificat [1]. Il y fit la connaissance d'une âme mystique, Mère Rosa Teresa Brenti.
Celle-ci, stigmatisée depuis 1819, le choisit comme confi-
dent spirituel.

Ils entretiendront, même après que Mgr Mastai fût
devenu pape, une correspondance [2]. Dans les ouvrages à
scandale des années 1860, la Mère Brenti sera calomniée et
présentée comme la maîtresse du pape.

Les visites pastorales et les missions de quelques jours
dans les paroisses furent d'autres moyens, traditionnels,
pour réformer en profondeur son clergé et son diocèse. Il
visita une à une toutes les paroisses de son diocèse de juin
1833 à décembre 1834 et il commençait une deuxième série
de visites quand il fut appelé au Souverain Pontificat.

Quant aux missions, elles étaient souvent confiées à
trois ou quatre Pères jésuites qui, en quelques jours, prê-
chaient, confessaient et organisaient des cérémonies pour
une cité tout entière.

---

1 - M. MARTELLI, *op. cit.*, p. 185.
2 - Renseignements fournis par Joachim BOUFLET, auteur d'une **Encyclopédie
des phénomènes extraordinaires de la vie mystique**, en cours de publication
(1er volume, F.-X. de Guibert, 1992).

A Imola même, la dernière mission avait été prêchée en 1815. Durant l'épiscopat de Mgr Mastai, il y en eut deux : l'une en 1836 (à l'occasion de la célébration du centenaire de l'image miraculeuse *Salus infirmorum* que nous évoquerons plus loin) et l'autre pendant le carême de 1846, à l'occasion du Xᵉ anniversaire de la mission précédente.

Lors de la première mission, l'affluence fut telle que les prédicateurs durent sortir des églises et prêcher sur les places. Mgr Mastai invita son ami le cardinal Falconieri à donner la prédication de conclusion, à la communion du dimanche.

L'attrait pour les missions évangélisatrices qui l'avaient conduit au Chili ne l'avait pas quitté. A Imola, en 1839, il institua canoniquement dans son diocèse l'Œuvre de la Propagation de la Foi, créée à Lyon en 1822 par une laïque, Pauline Jaricot. Cette œuvre était destinée à récolter, par des quêtes, des fonds destinés aux missions. Une revue, les *Annales de la Propagation de la Foi*, diffusait dans un large public des récits de missionnaires et donnait des informations sur le progrès des missions. Mgr Mastai fut le premier évêque italien à introduire cette œuvre dans son diocèse et, pour la promouvoir, il publia une lettre pastorale sur le sujet.

On relève aussi, parmi ses sollicitudes pastorales, l'assistance spirituelle aux prisonniers et aux condamnés à mort. En 1835, il donna lui-même l'exemple en se rendant à Lugo pour assister deux assassins qui allaient être guillotinés. Cette présence d'un évêque aux côtés de criminels en prison puis au pied de la guillotine scandalisa certains bien-pensants. Mgr Mastai leur permit de mourir chrétiennement mais fut fortement impressionné par leur exécution. A Falconieri il écrira : « J'ai vu pour la première fois la guillotine : l'image m'en reste encore présente et je crois que je n'oublierai pas pendant de nombreuses années le spectacle auquel j'ai assisté » [1].

On relève aussi la place éminente qu'il réserva au culte marial dans son apostolat.

En 1836 il voulut célébrer avec éclat le centenaire d'un tableau miraculeux de la Vierge vénéré sous le titre de *Salus infirmorum*. Le jeudi 12 mai, le tableau fut emmené solennellement de l'église des Servites de Marie, qui l'abritait, à la cathédrale ; le vendredi, le tableau fut porté de monastère en monastère et proposé à la dévotion des différents ordres religieux comme des fidèles et le dimanche 15 mai, jour du centenaire, après une messe pontificale célébrée dans la cathédrale par l'évêque, l'image miraculeuse fut ramenée à l'église des Servites de Marie.

Le succès rencontré par ces grandes cérémonies mariales et aussi sa dévotion ancienne à l'Immaculée Conception incitèrent Mgr Mastai à instituer, quelques mois plus tard, une procession solennelle entre l'église de S. Francesco, qui abritait un tableau de l'Immaculée Conception, et la cathédrale. Désormais, chaque 8 décembre, après que l'évêque se fût rendu à la chapelle, le tableau était porté en grande pompe à la cathédrale, avec le concours du clergé de la ville et de la population, et il y était vénéré par un *triduum*.

Administrateur avisé

Mgr Mastai fut-il un bon gestionnaire de son diocèse ? On peut en douter. Les revenus du diocèse ne suffisaient pas aux œuvres de bienfaisance qu'il créa ou poursuivit et,

---

1 - Lettre du 21 juillet 1835 citée in M. MARTELLI, *op. cit.*, p. 189.

surtout, aux charités privées dont il fut prodigue. Un exemple, entre autres :

« Un jour une pauvre vieille femme parvient jusqu'au cabinet du prélat, se jette à genoux et lui demande une aumône. Monseigneur venait d'épuiser sa bourse ; il n'avait pas un seul bajoccho dans son tiroir. On ne pouvait cependant pas renvoyer ainsi cette malheureuse. "Prenez ce couvert, dit le bon prélat, lui donnant une pièce d'argent marquée à ses armes ; prenez-le vite, allez le mettre au mont-de-piété, je le retirerai quand j'aurai de l'argent". Le soir l'intendant, soucieux et morose, annonçait à son maître qu'un couvert avait disparu, qu'il fallait chercher le voleur, que le voleur devait être dans la maison : il s'aperçut enfin que Monseigneur riait de son inquiétude, et, s'il cessa de chercher le voleur, ce fut pour adresser un véritable sermon au volé » [1].

L'anecdote, au ton si hagiographique, est confirmée par d'autres sources. Et des témoignages nombreux rapportent d'autres actes de charité de Mgr Mastai. Quand il quitta Imola pour le Saint-Siège, il laissa des dettes dont il dut s'acquitter une fois devenu pape.

Parmi les fondations de bienfaisance qu'il réforma, on relève un orphelinat féminin dont il confia la direction aux Sœurs de la Charité. Il agrégea à cet orphelinat deux autres institutions : une école gratuite pour filles et un pensionnat de jeunes filles.

En juillet 1836, il créa l'Opera di S. Pier Crisologo, du nom de l'église à laquelle elle était rattachée. Cette œuvre, qui n'est pas sans rappeler l'hospice Tata Giovanni, fut confiée aux Oratoriens. Y étaient accueillis de jeunes gar-

---

1 - E. de Saint-Hermel, **Pie IX**, L. Hachette et Cie, 1854, pp. 40-41.

çons abandonnés auxquels était dispensé, les jours de fête, un enseignement religieux et que l'on cherchait à placer, en semaine, auprès d'artisans ou de paysans pour qu'ils acquièrent un métier. Mgr Mastai suscita des œuvres similaires dans d'autres villes de son diocèse, à Lugo et à Casola Valsenio, entre autres.

On relève aussi parmi les œuvres fondées un foyer pour « filles perdues » dont il confia la direction à la congrégation du Bon Pasteur d'Angers qui envoya quatre religieuses, dont deux françaises. Et aussi un Mont-de-Pitié, un Monte Frumentario (destiné à fournir des provisions alimentaires) et la Società di S. Terenzio dévouée à assurer des soins médicaux à domicile pour les pauvres.

S'il fut un gestionnaire qui n'arriva pas à équilibrer ses comptes, il fut à Imola un administrateur dont tous, y compris les adversaires libéraux, eurent à se louer. Certes, bien qu'Imola appartînt aux États pontificaux, il ne revenait pas à l'évêque de diriger administrativement et politiquement le diocèse mais il se devait, bien souvent, d'être l'intermédiaire entre la population et les autorités romaines et locales représentantes du pape. Il sollicita l'entretien des ponts et des digues, fréquemment endommagés par les crues des rivières. Il veilla au bon fonctionnement des moulins et à l'organisation des marchés. Plusieurs établissements hospitaliers dans différentes villes du diocèse ont vu le jour suite à l'appui qu'il a donné à leur fondation et il a obtenu aussi la création d'une route pour relier Imola à Bologne (elle sera terminée alors qu'il sera lui-même devenu pape). On relève aussi que, pour lutter contre l'usure, il appuya la fondation de caisses d'épargne : à Imola ce fut un échec, mais à Lugo elle vit le jour en 1842 et fut le premier établissement bancaire de la ville.

En bon administrateur, il s'efforça aussi de ne pas manifester de parti pris à l'égard d'une des factions qui se disputaient l'opinion publique d'Imola. Il réunissait régulièrement autour de lui des ecclésiastiques et des notables d'Imola pour étudier « les moyens les plus propices à favoriser le bien-être matériel de la cité »[1].

C'est dans ces circonstances qu'il fut amené à fréquenter des libéraux, notamment le comte Pasolini. Nous avons déjà cité une des lettres de Mgr Mastai à son ami le cardinal Falconieri où il déclarait vouloir se tenir dans un « juste milieu chrétien ». Cette recherche du « juste milieu chrétien » va lui valoir, dès l'été 1834, d'être accusé de libéralisme.

Le gonfalonier d'Imola, César Codronchi, une des personnalités les plus en vue du « parti autrichien », fut un des dénonciateurs de l'évêque à la Secrétairerie d'État. Il accusait notamment Mgr Mastai d'être hostile à un corps de police, les Volontaires pontificaux, créé par le Secrétaire d'État, le cardinal Bernetti. Celui-ci chargea un des amis de Mastai, le cardinal Polidori, d'informer, pièces à l'appui, l'évêque d'Imola des accusations portées contre lui.

Pendant l'été, Mgr Mastai adressa plusieurs lettres au cardinal Polidori et au cardinal Bernetti pour réfuter ces accusations. Ces lettres sont d'une grande franchise et d'une liberté de ton qui montrent que, face au mensonge et à l'erreur, d'où qu'ils viennent, Mgr Mastai ne transige pas. On retrouvera cette force d'âme dans de nombreux actes de son pontificat futur.

Sur la question des Volontaires pontificaux, s'adressant à leur fondateur, le cardinal Bernetti, loin de se contenter

---

1 - *Summarium* § 1 725.

de déférentes approbations, il ne craint pas de mettre en cause « quelques-uns d'entre eux... guidés par la passion et par la frénésie ». Il ajoute : « J'ai toujours cru devoir recommander aux Volontaires de garder leur dignité, de ne pas abuser de la force, de donner toujours mieux le bon exemple, comme il convient à une troupe destinée à maintenir l'ordre et à servir le Vicaire de Jésus-Christ » [1].

Le cardinal Bernetti n'était pas éloigné des vues de Mgr Mastai. Mais en 1836 il fut remplacé à la Secrétairerie d'État par le cardinal Luigi Lambruschini. Celui-ci se montra nettement plus enclin à défendre l'ordre à tout prix et à soutenir les positions autrichiennes.

Si l'accusation de « libéralisme » poursuivit Mgr Mastai pendant longtemps, et jusque dans les premières années de son pontificat, la suite de sa carrière montre que Grégoire XVI n'y accorda jamais foi.

Cardinal

Dès 1836 le bruit courut que Mgr Mastai allait être nommé nonce à Paris. De manière plus officielle enfin, en 1838, il fut pressenti pour ce poste, mais il aurait loisir de conserver l'évêché d'Imola. Le pape pensait sans doute que le « pacifique médiateur » de 1831 et le réformateur d'Imola serait l'homme de la situation dans la France de Louis-Philippe.

Sur le plan religieux, la France de cette époque présentait une situation paradoxale. Elle connaissait une renaissance religieuse profonde. Par exemple le nombre des ordinations sacerdotales avait considérablement augmenté en quinze ans, passant de 715 en 1814 à 1 400 en 1821

---

1 - Lettre du 28 juillet 1834, citée par P. FERNESSOLE, *op. cit.*, t. I, p. 95.

pour atteindre 2 350 en 1829 [1]. Mais l'anticléricalisme et le libéralisme progressaient aussi fortement dans l'opinion publique, notamment depuis la révolution de 1830.

On peut douter que Mgr Mastai ait eu alors une vue précise de la situation française et il semble que le premier point lui était plus présent à l'esprit que le second. En tout cas, dans une lettre au cardinal Polidori, il fit valoir différents motifs qui le dissuadaient d'accepter une telle charge : sa maîtrise insuffisante de la langue française, sa mémoire qui parfois le trahissait « même en quelque affaire importante », la supériorité du clergé français auprès duquel il craignait de ne pas soutenir la comparaison et enfin l'appréhension de voir resurgir, « dans un climat différent », les crises d'épilepsie dont il avait souffert durant sa jeunesse [2].

On peut penser que le motif le plus sérieux de son refus était de devoir abandonner pour de longs mois son diocèse et la crainte que son œuvre de restauration religieuse n'en soit affaibli. Grégoire XVI offrit alors la nonciature à un autre prélat mais, quelques mois plus tard, en mars 1839, le Secrétaire d'État proposa, cette fois, la nonciature de Naples à Mgr Mastai.

Une fois encore, celui-ci se déroba. A un de ses secrétaires, Mgr Sbarretti, qui lui faisait remarquer qu'en refusant à nouveau une nonciature, il avait manqué « *il Cappello* » (le chapeau de cardinal), Mgr Mastai répondit : « Cela m'importe peu » [3].

---

1 - Adrien DANSETTE, **Histoire religieuse de la France contemporaine**, Flammarion, t. I, p. 256.

2 - Lettre du 18 mai 1838 citée par P. FERNESSOLE, *op. cit.*, t. I, p. 90.

3 - *Summarium* § 1 843.

Faut-il voir dans ces propositions de nonciatures presti-
gieuses non pas des promotions mais un moyen, flatteur,
d'éloigner de la Romagne un évêque que le Secrétaire
d'État Lambruschini jugeait trop modéré ? Peut-être.

En tous cas, Grégoire XVI conserva sa confiance à
l'évêque d'Imola et démentit la prédiction de Mgr Sbarretti. Lors du consistoire du 23 décembre 1839 il nomma
Mgr Mastai cardinal *in petto*. La cérémonie d'intronisation
n'intervint que l'année suivante, le 14 décembre.

On rapporte que le cardinal Lambruschini, Secrétaire
d'État, lorsque le pape lui avait manifesté son intention de
créer cardinal Mgr Mastai aurait objecté : « Chez les Mastai, tout le monde est libéral, même les chats ! » Si l'anecdote est vraie, elle témoigne que la rumeur lancée cinq ans
plus tôt courait toujours mais aussi qu'elle était si peu crédible que Grégoire XVI, pape foncièrement anti-libéral,
n'y a pas accordé crédit puisqu'il a passé outre l'objection
de son Secrétaire d'État et a créé cardinal l'évêque d'Imola.

L'intéressé, lui, chercha d'abord à repousser l'honneur
qui lui était fait. Une lettre de Mgr Mastai au cardinal Falconieri indique qu'il n'accepta le chapeau cardinalice que
sur les instances du Père jésuite Seguir, qui prêchait des
Exercices spirituels au clergé d'Imola.

Réformateur

Le début des années 1840 vit se multiplier en Italie les
écrits, de diverses tendances, visant à répandre la double
revendication de réforme du gouvernement pontifical et
d'unité de l'Italie.

Le plus célèbre d'entre eux est l'ouvrage de l'abbé Vincenzo Gioberti, qui, de son exil, publia *Del primato morale e
civile degli Italiani*. Dans cet ouvrage, qui suscitera un

grand enthousiasme chez certains Italiens (il sera vendu à 80 000 exemplaires, chiffre énorme pour l'époque), Gioberti appelait l'Italie à renaître et à reprendre son antique mission civilisatrice. Le premier pas de cette renaissance devrait être le retour du pays à une unité politique. Les différents États italiens existants se fédéreraient autour du pape, seul principe d'union entre des Italiens séparés depuis longtemps et jaloux de leurs traditions et mentalités différentes. Le roi de Piémont-Sardaigne serait le défenseur armé de cette fédération d'États. Chaque État conserverait une part de sa souveraineté mais introduirait les réformes indispensables à cette unité, en procédant notamment à l'élection d'une assemblée consultative et en accordant la liberté à la presse.

Dans une seconde édition de son livre, Gioberti fera précéder son texte de « Prolégomènes » où il s'en prendra violemment aux Jésuites accusés, par l'éducation qu'ils dispensent à tous les fils des classes nobles et aisées, d'être un des principaux obstacles à l'union politique et religieuse de l'Italie.

L'année suivante, un historien piémontais, Cesare Balbo, publia un ouvrage qui eut également un grand retentissement : *Le speranze d'Italia*. Il y repoussait la solution néo-guelfe de Gioberti, critiquant celui-ci d'avoir réduit la religion à une fonction sociale et politique. En bon libéral, Balbo estimait que la religion catholique doit être maintenue au-dessus de la politique et que le spirituel et le temporel doivent être absolument indépendants. Partisan de l'unité italienne, Balbo ne souhaitait ni « primat du pape » (comme Gioberti), ni recours à la violence et aux armes (comme les révolutionnaires) et préconisait d'attendre le moment favorable en préparant les esprits aux changements qui, tôt ou tard, se produiraient.

Mgr Mastai a-t-il été séduit par les thèses de ces deux auteurs ? C'est ce qu'a affirmé le comte Pasolini que nous avons déjà évoqué. C'est lui qui aurait fait découvrir à l'évêque d'Imola les ouvrages de Gioberti et de Balbo. Le fils du comte Pasolini a même prétendu qu'en 1846, en se rendant au conclave, Mgr Mastai aurait emporté ces deux livres « afin de les offrir au nouveau pape », signe de l'importance qu'il leur aurait accordée [1].

Ces affirmations, diffusées dès les premiers temps du pontificat, contribueront à accréditer la thèse d'un pape séduit, pendant quelques années, par les idées libérales. En réalité les affirmations des Pasolini, père et fils, sont plus qu'exagérées et relèvent de la propagande en faveur des idées nationales et libérales. Leurs partisans cherchaient à se prévaloir artificieusement de l'autorité du pape pour mieux arriver à leurs fins.

Il est évident que Mgr Mastai à Imola, dans la Romagne agitée par les courants libéraux et révolutionnaires, a eu connaissance des ouvrages de Gioberti et de Balbo. S'il ne les a pas lus, du moins en a-t-il connu les principales idées parce que ces écrits faisaient l'objet de conversations fréquentes parmi les notables de cette région.

Le plus important est de connaître son jugement personnel sur ces thèses. Plusieurs sources permettent de constater qu'il ne les partageait pas.

Dans une lettre à un correspondant jésuite, le P. Ferrara, évoquant l'ouvrage de Gioberti, Mgr Mastai stigmatise les « erreurs classiques de ce pauvre ecclésiastique » [2]. Ce jugement sévère a, pour l'historien, plus de valeur que les

---

1 - Giuseppe PASOLINI, **Memorie raccolte da suo Figlio**, Turin, 1887, p. 52 et sq., cité in AUBERT, p. 15.
2 - Lettre du 15 avril 1846, citée in SERAFINI, p. 126.

affirmations intéressées des uns et des autres. Et si nous voulons connaître la pensée authentique du futur pape à cette époque et son jugement sur la politique temporelle de Grégoire XVI, nous pouvons nous référer à un mémoire qu'il adressa en septembre 1845 à Mgr Rioberti, Substitut à la Secrétairerie d'État pour les Affaires Intérieures.

Ce texte, assez long, était déjà rédigé lorsque de nouveaux troubles survinrent en Romagne. Le 27 septembre, des insurgés réussirent à s'emparer facilement de la ville de Rimini mais n'en restèrent maîtres que quelques jours. Ils avaient publié un *Manifeste des populations de l'État romain au Princes et aux Peuples d'Europe* qui réclamait l'admission des laïcs dans la haute administration, l'élection de conseils municipaux par les citoyens et la création d'un Conseil d'État issu des conseils provinciaux.

Le mémoire de Mgr Mastai s'inscrivait donc dans une actualité brûlante, même si Imola, peu éloignée de Rimini, n'avait pas été touchée par ces troubles rapidement maîtrisés. Il faut préciser, pour ne pas en dénaturer le sens, qu'il ne s'agit point d'une participation publique de l'évêque d'Imola aux débats en cours.

Préparé sans doute depuis plusieurs mois, il n'était destiné qu'à la seule Secrétairerie d'État et ne fut pas connu alors du public. Mgr Mastai ne souhaitait que soumettre diverses suggestions de réformes à ceux qui avaient en charge l'État pontifical.

Comme tout programme de réformes, ce mémoire se montre critique envers l'administration existante et ne manque pas de dénoncer de nombreux abus mais en rien il ne peut être rattaché aux théories de Gioberti et de Balbo. Il est à la fois plus modeste (il s'intitule, très sobrement, *Pensées relatives à l'administration publique de l'État pontifical*) et très pragmatique, divisé en cinquante-huit paragraphes plus ou moins longs [1].

On relève immédiatement combien les préoccupations d'ordre temporel, qui appellent immédiatement des propositions de réformes administratives, sont mêlées, dans cet écrit, avec des préoccupations d'ordre moral, qui appellent d'autres mesures très concrètes. Mgr Mastai, en accord avec la doctrine catholique, ne séparait pas les deux domaines : les problèmes sociaux et politiques trouvent leurs solutions par la religion.

Sans passer en revue un à un les cinquante-huit paragraphes de son mémoire, qui sont autant de suggestions, on peut en relever les points les plus importants. Concernant le domaine financier, pour sortir de la situation présente « d'humiliation » (§ 1) il suggérait une réforme générale des impôts, qui verrait le taux d'imposition fixé par une loi (§ 13) et qui interdirait aux communes de fixer elles-mêmes l'impôt (§ 45). Il demandait aussi une révision du système très sévère de la censure. Sans remettre en cause le bien-fondé de celle-ci, il suggérait qu'elle soit confiée à « un collège de réviseurs » (§ 2). Relevant le nombre très élevé des prisonniers, politiques et criminels, dans les États pontificaux (20 000 prisonniers sur 2,5 millions d'habitants) il souhaitait d'abord la création d'une « Union charitable », comme il en existait à Milan ou à Vienne, destinée à s'occuper des prisonniers à leur sortie et à ne pas les abandonner à leur sort (§ 7 et 8). Plus loin, il suggérait la proclamation d'une amnistie « modérée » pour les prisonniers politiques et les exilés. « La multipli-

---

1 - Le texte en a été publié pour la première fois intégralement dans l'**Elenchus scriptorum** du procès de béatification. A sa suite, SERAFINI et POLVERARI l'ont reproduit intégralement.

cité des exilés politiques multiplie les canaux de la révolution » (§ 48).

Dans les différents domaines de l'administration, il plaidait pour un meilleur choix des hommes : « Les tribunaux d'État ont besoin d'hommes plus choisis : peut-être faudrait-il mieux les payer » (§ 9), les gouverneurs sont « timides, inexperts et incapables de soutenir l'honneur de ce poste. Pour ne rien dire de la corruption et de l'ignorance de certains chanceliers et substituts » (§ 9), qui eux aussi devraient être mieux payés (§ 37).

La noblesse, les propriétaires terriens et les hommes de talent sont tenus éloignés des affaires publiques, alors qu'ils pourraient utilement représenter leurs provinces à Rome et constituer un Conseil consultatif (§ 12). Tout ceci en veillant à ce que ces responsabilités plus grandes confiées aux laïcs n'aboutissent pas à « miner sourdement le gouvernement dans ses bases » (§ 15). La « troupe indigène » (c'est-à-dire originaire des États pontificaux, par opposition aux Gardes suisses) est « un autre fléau de l'Etat » par son manque de formation militaire et la corruption de ses officiers supérieurs (§ 11). Il faudrait mieux l'utiliser, notamment comme auxiliaire de police et mieux la payer (§ 25).

L'instruction publique manque « d'unité de direction » ; la Congrégation des Études devrait fixer pour tous les établissements scolaires quels sont les auteurs à étudier : « Nous sommes dans des temps où l'on abuse de l'étude de la philosophie », souligne Mgr Mastai. Les lumières de la philosophie ne suffisent pas, celle-ci doit être soumise à une saine théologie (§ 16). Les Facultés attribuent les diplômes avec trop de facilité (§ 17 et 52). Chaque université devrait comporter une « école de religion » et proposer aux élèves un « catéchisme philosophique » pour les prémunir « contre les assauts continuels des incrédules » et « la domination tyrannique de l'indifférentisme » (§ 17). Des cours de « doctrine chrétienne » devraient être obligatoires dans tous les collèges et lycées (§47).

L'évêque d'Imola proposait aussi que fût créé un prix destiné à récompenser les compositeurs d'œuvres dramatiques « pour éliminer l'indécence et l'immoralité des œuvres présentes » (§ 37).

Le P. Martina, auteur de la plus volumineuse étude consacrée au pontificat de Pie IX, a jugé très sévèrement ce texte antérieur de moins d'un an à l'élection : « Les *Pensieri* dénoncent les abus introduits dans le système mais n'entendent pas le remettre en question. Leur auteur se révèle plein de bonne volonté, désireux du bien public, de la paix, mais il n'est ni clairvoyant, ni profond, il est même plusieurs fois simpliste dans ses solutions » [1].

Ce jugement nous paraît injuste. Certes les *Pensieri* du cardinal d'Imola sont présentées d'une manière désordonnée et contiennent des répétitions. Mais on doit les considérer pour ce qu'elles sont : non comme le programme de gouvernement d'un cardinal *papabile* qui entendrait se préparer en vue d'une élection pontificale qu'il estimerait proche mais plutôt comme une suite d'observations très concrètes et de suggestions, tout aussi précises, rédigées par l'évêque d'un diocèse situé dans une province agitée, soucieux de ne pas laisser la situation s'envenimer.

Ces *Pensieri*, d'ailleurs, rassemblent des observations et des suggestions que leur auteur avait déjà formulées, à titre privé, dans diverses correspondances au cours des mois et des années qui ont précédé. On ne doit pas les consi-

---

1 - Martina, I, 55.

dérer comme une réponse aux troubles qui se produi-saient en Romagne à la même époque, ils sont antérieurs.

En revanche, est en lien direct avec les troubles de Romagne l'opuscule que publia Massimo D'Azeglio quelques mois plus tard, en mars 1846 : *Degli ultimi cosi di Romagna* (« Des récents événements de Romagne »).

Cet ouvrage, comme ceux de Gioberti et de Balbo, connut un grand succès. Il valut à son auteur d'être expul-sé du grand-duché de Toscane, mais l'ouvrage continua à être diffusé sous le manteau à Florence et ailleurs.

D'Azeglio condamnait parallèlement la tentative révo-lutionnaire de Rimini de l'année précédente et la politique de Grégoire XVI.

Il plaçait ses espoirs dans le gouvernement de Charles-Albert, roi de Piémont-Sardaigne, qu'il jugeait modéré, et dans un pape libéral. Fut remarqué d'ailleurs l'éloge qu'il faisait du cardinal Gizzi. Celui-ci, légat apostolique à Forli, s'était opposé à ce que les procès politiques intentés suite à la rébellion de Rimini fussent traités par la « Com-mission spéciale mixte », sorte de tribunal exceptionnel, créé depuis peu et détesté en Romagne pour la sévérité de ses sentences [1].

Le cardinal Gizzi, néanmoins, n'était pas un libéral. D'Azeglio ne le présentait pas comme tel mais louait « son humanité », « la noblesse de son cœur » et ses « manières tempérées d'agir ».

Enfin, D'Azeglio attendait du futur pape qu'il réforme fondamentalement ses États, qu'il règne et ne gouverne plus personnellement, qu'il passe d'un régime absolutiste

---

1 - Stefano GIZZI, **Il Cardinale Tommaso Pasquale Gizzi**, Amministrazione provinciale di Frosinone, 1993, pp. 149-150.

à un régime représentatif fondé sur une Constitution et qu'il laisse la direction des affaires publiques à des laïcs.

On sait que le futur Pie IX lut ce nouvel ouvrage des libéraux et le jugea sévèrement :

« Parmi beaucoup de mensonges et de calomnies effrontées, écrivait-il au P. Luigi Taparelli D'Azeglio (frère de Massimo et un des artisans du renouveau thomiste), il dit quelques vérités. Il n'est pas impie, parce qu'il ne dit rien contre la religion et se proclame catholique. Seulement il est agité de la fièvre italienne et, si ses compagnons d'idée suivaient son conseil, nous aurions un bien et un mal. Le bien serait de ne plus avoir les émeutes et les séditions qu'il condamne ; le mal serait d'avoir une profusion d'écrits qui protestent, critiquent et condamnent le gouvernement » [1].

Mgr Mastai soufffrait des passions partisanes qui déchiraient la Romagne. Certes les révolutionnaires lui étaient odieux et il les jugeait plus sévèrement que les criminels de droit commun [2]. Mais les « fanatiques » de l'autre bord, les « papalins », lui inspiraient « quelque dégoût » [3]. Et la répression menée contre les opposants politiques lui semblait excessive.

Quelques mois avant d'être élu pape, il écrivait à son ami Falconieri : « Imola en ce moment est tranquille, mais quelque 200 prisonniers sont une marchandise très mauvaise dans une petite cité gardée par une seule compagnie de Gardes suisses » [4].

---

1 - Lettre du 19 avril 1846, in P. PIRRI, **Carteggio del P. Luigi Taparelli d'Azeglio**, Turin, 1922, p. 182, cité par MARTINA t. I, pp. 56-57.

2 - Si les seconds sont protégés par « une seule légion de démons », les autres le sont « par tout l'enfer », lettre du 21 mai 1845, citée in M. MARTELLI, *op. cit.* 189.

3 - Lettre du 12 septembre 1834, citée in M. MARTELLI, *op. cit.*, p. 191.

4 - Lettre du 27 septembre 1845 citée in M. MARTELLI, *op. cit.*, p. 194.

On se tromperait fort, pourtant, en jugeant le cardinal d'Imola comme un faible. Une autre lettre de cette époque en témoigne. Elle est adressée au cardinal Secrétaire d'État Lambruschini et le cardinal Mastai y demandait la création d'une « Commission qui serait annoncée au public sans couleur politique » et qui aurait pour tâche de juger, en urgence, les auteurs de crimes perpétrés sous couvert d'actions politiques [1].

C'est donc un homme informé de la situation politique des États pontificaux et aux vues bien arrêtées qui va être élu pape en juin 1846.

Le 1er juin 1846 mourait Grégoire XVI. Quand le cardinal apprit la nouvelle, le 4 au matin, il pratiquait les Exercices spirituels au Piratello, entouré de quelques-uns de ses prêtres. Le 6 il procéda à des ordinations sacerdotales et célébra dans la crypte de la cathédrale un office funèbre pour le pape défunt. Ce même jour il écrivait à la supérieure du couvent des Adoratrices perpétuelles du Sacré-Cœur de Lugo : « Priez le Seigneur plus que jamais afin qu'il veuille bien donner à son Église un pontife qui puisse, en ces temps difficiles, soutenir le grand poids... » [2].

---

1 - Lettre du 17 septembre 1845, citée in P. FERNESSOLE, *op. cit.*, t. I, p. 96.
2 - Lettre citée in M. MARTELLI, *op. cit.*, p. 194.

CHAPITRE SIXIÈME

SOUVERAIN PONTIFE

E N CE MOIS de juin 1846, les noms de plusieurs
papabili circulaient, dont celui de Mastai. L'élection
de celui-ci ne fut pas une heureuse surprise comme
nombre d'historiens l'ont soutenu. Déjà en 1842 l'ambassadeur d'Autriche à Rome citait son nom parmi les
papabili. Quand la nouvelle de la mort de Grégoire XVI se
répandit et qu'on commença à faire des supputations sur
le nom de son successeur, plusieurs ambassadeurs, celui
de France, celui de Naples, celui du Piémont, le désignè-
rent dans des dépêches diplomatiques à leur ministre
comme un pape possible sinon probable. Mais il faut
convenir que l'élection du cardinal Mastai fut néanmoins
disputée.

Le conclave

Le cardinal Mastai, accompagné de son secrétaire, le
chanoine Stella, et de son vice-majordome Badalleli, partit
d'Imola le 6 ou le 7 juin. Lors de l'une de ses étapes, il s'arrêta dans un couvent à Rimini. Le procès de béatification
indique qu'une religieuse lui a prophétisé qu'il serait
bientôt pape et qu'il ne retournerait pas sur son siège épiscopal d'Imola [1]. Cette religieuse, non nommée, a été iden-
tifiée comme étant sœur Maria Maddalena della Ss. Trinità
(1821-1887), dite « la Sainte de Rimini ». Cette religieuse,

---

(1) *Summarium* § 283.

stigmatisée, sera reçue en audience à plusieurs reprises par Pie IX, à partir de 1860, pour une fondation religieuse qu'elle projetait en Romagne. Sa cause de béatification a été introduite. Le pape la tenait en très haute estime [1].

Dans la suite de son voyage vers Rome, le cardinal Mastai s'arrêta dans un autre couvent, à Nocera Umbra, pour y célébrer la messe. Après son départ, une âme mystique (dont la cause de béatification est aussi ouverte), sœur Maria Agnese Steiner dit à son confesseur : — J'ai vu le nouveau pape. Celui-ci lui aurait répondu : — C'est impossible, le cardinal Mastai est trop jeune ! [2].

Des décennies plus tôt, une autre prophétie de l'élection aurait été faite par Pie VII, lors de son exil à Fontainebleau. Il aurait annoncé, dans un document écrit, qu'un de ses successeurs à l'épiscopat d'Imola serait élu pape et prendrait le nom de Pie. Le papier aurait été ensuite communiqué à Pie IX qui, l'ayant fait authentifier, aurait fait donner une pension à vie à son donateur [3]. Mais ce document semble n'avoir pas été retrouvé dans les Archives vaticanes.

Le 12 juin, le cardinal Mastai arriva à Rome et logea dans le palais Filippani. Des rencontres informelles entre cardinaux avaient déjà commencé. Le 8 juin, Basso, le vice-consul sarde à Rome, informe son gouvernement que « plusieurs cardinaux se rendent fréquemment chez le cardinal Polidori. Lambruschini, Altieri, Brignole, Amat et d'autres ont tenu de longues conférences dans sa résidence » [4]. Il ne faut point voir dans ces réunions autour de

---

1 - Identification et renseignements fournis par Joachim BOUFLET.
2 - *Summarium* § 768.
3 - *Summarium* § 388.
4 - Lettre citée in MARTINA t. I, p. 89.

Polidori, lié au cardinal Mastai depuis longtemps, une sorte de complot en faveur de l'évêque d'Imola. En effet, certains participants à ces réunions seront candidats contre lui. Ces rencontres eurent plutôt pour objet de simples échanges de vues sur les nécessités de l'Église et les différents candidats possibles.

L'opinion publique était divisée sur le successeur à donner à Grégoire XVI. Certains révolutionnaires auxquels se joignirent des libéraux firent circuler dans plusieurs villes des États pontificaux et dans les Légations des pétitions demandant au futur pape d'engager des réformes politiques conformes au *Memorandum* de 1831 et d'accorder une amnistie. Des pétitions de ce genre circulèrent à Osino, à Ancône, à Forli, à Bologne.

Si dans ces pétitions aucun nom n'était cité, en revanche, dans les conversations, plusieurs cardinaux se partageaient la faveur des Romains. Les plus libéraux tenaient pour le cardinal Gizzi, surnommé « le pape D'Azeglio », en référence à l'ouvrage déjà cité de Massimo D'Azeglio qui contenait de grands éloges sur lui. Parmi les gens du peuple, le vieux cardinal Micara, religieux capucin, orateur célèbre, était le favori ; mais son âge — octogénaire, il était le doyen du Sacré-Collège — et sa santé précaire lui ôtaient toute chance sérieuse d'être choisi. Les noms d'autres cardinaux circulaient parmi les fidèles : Angelo Maï, Mezzofanti, Falconieri, l'archevêque de Ravenne ami de Mastai, tandis que le nom de l'évêque d'Imola était peu connu des Romains. Au sein du Sacré-Collège, un certain nombre de cardinaux privilégiaient la continuité avec le pontificat précédent et pensaient que l'élection du cardinal Lambruschini serait une garantie de stabilité et de bons rapports conservés avec l'Autriche (leurs adversaires les appelaient les *zelanti* ou intransigeants).

Une autre tendance souhaitait un pape moins intransigeant, issu non de la bureaucratie vaticane mais d'un diocèse. Un pape qui, à la fois, soit natif des États pontificaux pour en bien connaître les difficultés et qui, aussi, soit informé des nécessités et des problèmes de l'Église à l'étranger. C'est ainsi que le nom de Mastai circula, tandis que celui de Gizzi, porté au pinacle par la brochure D'Azeglio, apparaissait comme trop marqué par l'esprit et les disputes du moment.

Le conclave s'ouvrit le dimanche 14 juin, non au Vatican mais au palais du Quirinal (la coutume en avait été prise depuis la mort de Pie VII), en présence de cinquante cardinaux.

Le Sacré-Collège comptait soixante-deux membres mais une bulle de Grégoire XVI, en 1844, avait adopté une nouvelle règle de succession : à la mort du pape, si les cardinaux présents le jugeaient nécessaire, le conclave pourrait s'ouvrir aussitôt, sans attendre l'arrivée des les cardinaux les plus lointains, pourvu que la loi traditionnelle des deux tiers des suffrages puisse être respectée pour l'élection. L'entrée en conclave se fit donc sans attendre l'arrivée de tous les cardinaux étrangers qui ne représentaient qu'une minorité du Sacré-Collège (sur soixante-deux cardinaux, cinquante-quatre étaient italiens). Il était évident que seul un Italien était susceptible d'être élu. Les trois cardinaux français, de La Tour d'Auvergne, de Bonald et Bernet, avaient reçu du chef de gouvernement, Guizot, une « Note pour servir d'instructions à l'occasion du conclave ». Cette longue « Note » de douze pages, d'esprit élevé, ne donnait certes pas de consignes de vote, elle ne portait pas non plus d'exclusive contre tel ou tel *papabile*. Elle se contentait de brosser le portrait du pape « idéal ». On notera que certains traits pouvaient très facilement être appliqués au cardinal Mastai : « La piété la plus sincère, la foi la plus vive, les mœurs les plus édifiantes, la science théologique la plus haute sont, sans nul doute, les premières vertus, les qualités dominantes qu'on doit désirer sur la Chaire de saint Pierre ; mais le chef de l'Église a besoin de posséder, en même temps, d'une part, les lumières nécessaires à l'administration spirituelle et temporelle dont il est chargé pour le bonheur commun des fidèles et pour celui de ses peuples en particulier, d'autre part, cette élévation de caractère et de vues, cette expérience des hommes et des choses, cette connaissance des temps modernes, ce mélange de fermeté et de modération qui sont plus indispensables que jamais pour le gouvernement des esprits » [1].

Guizot ne citait pas explicitement le nom de Mastai. Ce nom pourtant n'était pas inconnu des gouvernements européens. Dès 1842, Lützow, ambassadeur d'Autriche à Rome, avait écrit à son gouvernement que le cardinal Mastai serait un candidat acceptable pour ceux qui pensent que le prochain pape ne devrait être « ni un frère ni un étranger » [2].

A l'approche du conclave, d'autres diplomates firent part à leur gouvernement de la probabilité de l'élection de Mastai : dès le 3 juin, le vice-consul sarde, et le 4, l'ambassadeur napolitain estimaient que l'évêque d'Imola serait le prochain pape parce qu'il jouit d'une bonne réputation dans son diocèse et qu'il a su faire preuve, dans des heures difficiles, d'esprit de conciliation [3].

---

1 - « Note » du 8 juin 1846, A.M.A.E., C. P., Rome, 986, ff. 187-192.

2 - Le refus d'un « frère » était une claire allusion à Grégoire XVI, issu de l'ordre Camaldule ; le refus d'un « étranger » exprimait le souhait que le prochain pape soit originaire des États pontificaux.

3 - Dépêches diplomatiques citées par MARTINA, t. I, p. 85.

Mais d'autres noms circulaient. On prévoyait donc un conclave long et un nombre élevé de scrutins. En fait quatre scrutins suffirent et le conclave proprement dit ne dura que quarante-huit heures. Alors que son pontificat allait durer près de trente-deux années (le plus long de l'histoire de l'Église), le conclave qui élit Pie IX fut un des plus courts. Sa brièveté tranchait avec ceux qui avaient abouti à l'élection des prédécesseurs : Pie VIII avait été élu au terme d'un conclave de dix-huit jours, Léon XII au terme d'un conclave de trente-six jours et Grégoire XVI au terme d'un conclave de cinquante jours.

Deux scrutins eurent lieu le 15 juin, deux autres le 16. D'après différentes sources, parfois divergentes en certaines données [1], nous pouvons établir ainsi les résultats de ces quatre scrutins :

	15 juin		16 juin	
	1er scrutin	2e	3e	4e
Lambruschini	15	13	11	10
Mastai	13	17	27	36
Falconieri	4	7	4	4
Oppizoni	3	7	—	—
De Angelis	3	5	4	5
Gizzi	2	2	2	1

On remarque d'abord que dès le premier tour, deux cardinaux, le Secrétaire d'État et l'évêque d'Imola, rassemblèrent sur leur nom un nombre élevé de voix puis qu'un

---

1 - P. Fernessole, **Pie IX**, P. Lethielleux, 1960, t. I, p. 119 ; Martina t. I, pp. 92-93.

seul, le cardinal Mastai, progressa régulièrement et de manière significative.

On sait également que le cardinal Polidori, que l'on peut considérer comme un des maîtres spirituels de Giovanni Maria Mastai dans ses jeunes années sacerdotales, et que le cardinal Bernetti, ancien Secrétaire d'État de Grégoire XVI, furent dès le premier vote les « grands électeurs » de l'évêque d'Imola, c'est-à-dire appelèrent à voter pour lui.

Certains historiens font valoir aussi qu'au soir du premier jour de conclave, après deux tours de scrutin, le cardinal Falconieri, autre ami du cardinal Mastai, demanda à ses partisans de porter leurs suffrages sur l'évêque d'Imola. Si le fait est exact, on remarquera que le conseil fut peu suivi puisque, jusqu'à la fin, des voix se portèrent sur Falconieri. On notera aussi le peu de poids du cardinal Gizzi, candidat des libéraux et de D'Azeglio.

Pendant longtemps certains historiens ont fait état d'un veto de l'empereur d'Autriche-Hongrie à l'encontre du cardinal Mastai jugé hostile aux intérêts autrichiens en Italie [1]. Le veto n'aurait pu s'exercer parce que le cardinal autrichien porteur de ce veto impérial serait arrivé en retard au conclave et n'aurait pu participer aux votes [2].

Un historien autrichien a définitivement établi que l'Autriche-Hongrie, lors de cette élection de 1846, a bien eu l'intention d'user de son droit de veto, non point contre le cardinal Mastai mais contre le cardinal Bernetti jugé

---

1 - L'empereur d'Autriche, le roi d'Espagne et le roi de France bénéficiaient encore du privilège de s'opposer à l'élection au souverain pontificat d'un cardinal jugé hostile à leurs intérêts.

2 - T. ORTOLAN, « Conclave », **Dictionnaire de Théologie Catholique**, t. III, col. 707-727. Le *Summarium* § 236, rapporte lui aussi ce veto manqué contre Mastai.

trop francophile [1]. C'est le cardinal Gaysruck, archevêque de Milan, alors possession autrichienne, qui avait été chargé de faire valoir ce veto autrichien, mais il n'eut pas la possibilité de le faire, n'étant arrivé à Rome que le 19 juin, soit deux jours après la proclamation de l'élection.

Le soir du 16 juin, au quatrième scrutin, le cardinal Mastai réussit donc à obtenir le nombre de voix nécessaire pour être élu pape : 36 voix se portèrent sur son nom contre 10 seulement à Lambruschini. La majorité des deux tiers canoniquement requise était atteinte.

Une tradition, reprise par de nombreux historiens, veut que Mastai, qui était parmi les trois scrutateurs chargés de dépouiller et compter les scrutins, s'évanouit quand il comprit qu'il allait l'emporter [2]. En réalité, alors que vingt-sept bulletins portaient déjà son nom, le cardinal Mastai demanda à être remplacé au dépouillement. Il le fut par le cardinal Serracassano. Neuf autres bulletins portaient encore son nom. L'interruption du dépouillement, bien attestée par les documents relatifs au conclave conservés en archives, a sans doute été embellie ultérieurement en un accès d'humilité et d'émotion de la part du nouvel élu.

La réalité est plus simple : par modestie, le cardinal Mastai n'a sans doute pas voulu proclamer lui-même un résultat qui, de toute évidence, allait lui être favorable ; il a préféré laisser cette tâche à un autre. Il n'y eut donc point d'évanouissement et le témoignage circonstancié d'un des cardinaux présents, le cardinal Fieschi, un scrutateur, montre au contraire l'évêque d'Imola parfaitement calme

---

1 - F. Engel JONAS, **Osterreich und Vatikan**, Graz, Wien, 1958 ; cité par MARTINA t. I, p. 87.

2 - D'autres versions de l'incident parlent d'un évanouissement du cardinal Lambruschini, furieux de voir la tiare lui échapper…

et acceptant sans hésiter la lourde charge qui lui était confiée [1]. Aussitôt, comme le veut la tradition, il déclara vouloir prendre le nom de Pie IX, en mémoire et reconnaissance pour Pie VII à qui il devait d'être prêtre et à qui il avait succédé comme évêque d'Imola.

L'acte canonique qui enregistre son élection est daté du 16 juin, à 23 h 45. Vu l'heure tardive, l'annonce à la population de l'élection pontificale ne sera faite que le lendemain matin à 9 heures.

Sa première lettre, le soir même, fut pour ses trois frères, Gabriele, Giuseppe et Gaëtano, restés à Senigallia. Elle indique bien l'état d'esprit du nouvel élu : « ... le Dieu béni qui humilie et exalte a voulu élever ma misère à la plus sublime dignité qui soit sur cette terre. Que soit toujours faite sa très sainte volonté ! Je connais la gravité quasi immense d'une telle charge, et je connais également ma pauvreté, pour ne pas dire la véritable nullité de mon esprit. Faites prier et priez pour moi » [2].

On note aussi, dans cette même lettre, qu'il ne chercha pas à empêcher les festivités que ne manqueraient pas d'organiser la municipalité en son honneur. Il demanda en revanche que « la somme à dépenser soit tout entière consacrée à des choses utiles à la cité ». De la même manière qu'en 1840, il n'avait pas refusé pas de financer les fêtes populaires qui furent données à Imola en l'honneur de

---

1 - Le cardinal Nocella déposera au procès de béatification que la nuit qui suivit l'élection, le nouveau pape, d'après ses confidences, dormit d'une seule traite, *Summarium* § 13. Est rapporté par une autre déposition que le cardinal Mastai avait emmené comme livre de méditation au conclave un manuel de piété sur le Sacré-Cœur du Père jésuite Carlo Borgo, *Summarium* § 111.

2 - Lettre publiée in « Lettere di Pio ai familiari », **Pio IX nel primo centenario della sua morte**, Editrice la Postulazione della causa di Pio IX/Libreria Editrice Vaticana, 1978, p. 45.

son élévation au cardinalat. A un conseiller qui lui suggérait d'affecter plutôt l'argent à des charités envers les pauvres, le nouveau cardinal avait fait remarquer que c'étaient les gens les plus pauvres qui participaient à ces fêtes et qui s'en réjouissaient.

Le 17 juin au matin, du haut du balcon du Quirinal, le cardinal Tommaso Riario Sforza annonça le nom du nouveau pape à la foule qui attendait sur la place Monte Cavallo.

Ni son nom ni sa silhouette n'étaient familiers à la population romaine. D'après certains témoignages de l'époque, le nom du nouvel élu fut d'abord accueilli sans enthousiasme. Depuis la veille au soir, la rumeur avait couru que le cardinal Gizzi avait été élu. Pour ceux qui s'attendaient à le voir apparaître ce fut la désillusion. Mais quand Pie IX sortit sur le balcon, sa jeunesse — il était âgé de cinquante-quatre ans —, son visage avenant et ovale, sa belle corpulence et sa voix agréable séduisirent la foule rassemblée.

Dans les jours suivants, certains journaux rappelèrent qu'en sa jeunesse il s'était montré un zélé et bienfaisant directeur de l'orphelinat Tata Giovanni puis de l'hospice San Michele. Ceci ajouta à sa popularité naissante. Et aussi commença à se répandre la rumeur — infondée, nous l'avons vu — que le nouveau pape était « libéral ».

Le secrétaire de l'ambassade de Rome, A. de Broglie, a rapporté l'anecdote qui courut alors la ville. Lorsqu'arriva à Civita-Vecchia la première diligence en provenance de Rome après l'élection pontificale, on s'enquit auprès du premier voyageur descendu du nom du nouveau pape. Dans l'enthousiasme, il laissa échapper : « *Il papa è fatto e liberale, coglione !* » (le pape élu est libéral, couillon !).

Les réformistes, de toutes tendances, se prirent à rêver que le pape tant désiré par D'Azeglio était arrivé. Les gens informés, eux, ne s'y trompèrent pas : Pie IX ne serait pas un pape libéral. Ni sur le plan de la doctrine religieuse, ni non plus sur le plan politique.

Metternich le premier, qui avait tant redouté l'élection d'un cardinal partisan de l'unité italienne et de la guerre à l'Autriche, fit part le 26 juin, à son ambassadeur à Rome, de son contentement : l'élection de Pie IX, écrivait-il, lui a causé « une satisfaction aussi vive que légitime » . Tandis que Pellegrino Rossi, l'ambassadeur de France à Rome, annonçait à Guizot avoir rencontré deux cardinaux « qui doivent être le plus avant dans la pensée du Saint-Père. Ils m'ont positivement affirmé qu'on accorderait tout de suite l'amnistie et les chemins de fer. Si cela se vérifie, je regarde la tranquillité des provinces comme assurée » [1].

Un autre diplomate, Auguste de Liedekerke, Ministre des Pays-Bas à Rome, adressait à son gouvernement un rapport qui présentait le nouvel élu comme « plein de douceur et de modestie », « doué d'un jugement excellent ».

Il estimait aussi que Pie IX saurait imprimer « une bonne et sage direction » aux affaires temporelles et « contenir dans de justes bornes cette bonté… qui, dans la vie publique, peut facilement dégénérer en faiblesse, et maintenir ainsi de graves abus » [2].

Tous ces diplomates connaissaient, au moins de nom et de réputation, le nouveau pape et portaient sur lui un jugement assez juste. Aucun ne s'imaginait que l'élu du conclave était un libéral. La suite de l'histoire a montré ce

1 - Dépêche du 17 juin 1846, A.M.A.E., C. P. Rome 986, f. 197.
2 - Dépêche du 19 juin 1846, citée in Martina, t. I, p. 95.

que sa bonhomie apparente pouvait couvrir de détermination intangible.

Charles de Mazade, au lendemain de la mort de Pie IX, dressera un portrait qui mérite d'être retenu :

« Nul moins que Pie IX ne ressemblait à ces papes mondains des temps passés qui mettaient tant de calculs dans leur politique ; il était de la race des vrais pontifes : simple, sincère et intrépide, avec une candeur absolue de foi qu'il poussait jusqu'au mysticisme, qu'il savait en même temps parer d'esprit et de grâce. Quand on l'approchait, on ne pouvait qu'être frappé de ce mélange de piété attendrie, d'ingénieuse bonne humeur et de pénétrante finesse qui donnait à sa physionomie une originalité si expressive.

« Il avait la gaîté d'une conscience tranquille, et c'est avec une sorte d'ingénuité de cœur, bien plus que par des préméditations ambitieuses, qu'il a accompli les actes les plus éclatants, les plus audacieux, les plus hasardés de son règne.

« (...) Il avait de ces mots d'une douce et fine ironie par lesquels il déconcertait jusqu'aux plus graves personnages » [1].

Mazade, libéral, adversaire du pouvoir temporel des papes, dressait un portrait assez fidèle, corroboré par d'autres témoignages de proches du pape : Pie IX fut un pape empli d'un grand sens du surnaturel, lequel dictait toute son action — ce que Mazade appelle sa « candeur absolue de foi ». Mais il ne fut point un personnage froid, impénétrable ou tourmenté : ses accès de colère, son humour et ses saillies ironiques sont bien connus.

---

1 - « Chronique de la Quinzaine », *Revue des Deux-Mondes*, 1ᵉʳ mars 1878, p. 957.

Le pape de l'amnistie

Le couronnement du nouveau pape eut lieu le 21 juin. La veille, Pie IX avait fait distribuer des aumônes aux pauvres de Rome et rendre à leurs propriétaires tous les objets déposés au Mont-de-Piété de la ville, en payant lui-même les sommes dues. Le plus grand nombre attendait avec impatience les premières décisions qu'il prendrait dans le domaine temporel. La rumeur se répandit que, le jour du couronnement, il annoncerait deux concessions importantes : les chemins de fer et l'amnistie.

La construction de chemins de fer dans les États pontificaux favoriserait, bien sûr, le commerce et l'industrie mais aussi, pour les libéraux et les révolutionnaires, elle symbolisait la modernité vers laquelle devait se tourner le pontificat. L'amnistie des prisonniers politiques manifesterait la volonté d'apaisement du nouveau pape mais aussi, pour les libéraux et les révolutionnaires, elle symbolisait la rupture avec le régime honni de Grégoire XVI.

Le pape avait bien conscience des interprétations abusives auxquelles pourraient donner lieu ses premières décisions : aussi se refusa-t-il à toute mesure précipitée. La cérémonie du couronnement eut lieu sans qu'aucune annonce spectaculaire ne fût faite.

Pie IX fut soucieux de recueillir d'abord l'avis des cardinaux les plus au fait des affaires politiques. Le 30 juin, il créa une commission consultative composée de six cardinaux et chargée d'examiner, avec lui, les questions les plus urgentes. Il choisit les deux anciens Secrétaires d'État de son prédécesseur (Bernetti et Lambruschini) et les cardinaux Mattei, Macchi, Gizzi et Amat ; un jeune prélat,

Mgr Corboli Bussi, qui allait exercer une grande influence auprès de Pie IX dans les mois et les années à venir, faisant office de secrétaire [1].

On remarquera combien, dans ce premier conseil, Pie IX a tenu à mêler personnalités réputées « réactionnaires » et personnalités réputées « libérales ». Il apparaît clairement, au vu des décisions prises, que, concernant les affaires temporelles, Pie IX était animé d'une double préoccupation : pacifier les esprits, mener une réforme de l'administration des États pontificaux et, en même temps, ne pas laisser les idées libérales triompher. A ne s'attacher qu'aux mesures de pacification et de réforme, nombre de contemporains, et d'historiens à leur suite, ont entretenu la légende d'un pape « libéral » qui aurait renié ensuite ses idées.

La réalité est autre. Pie IX, dans les premières décisions qu'il a prises, s'est montré à la fois généreux et prudent. Alors qu'il était encore évêque d'Imola, nous l'avons vu, il avait suggéré à Grégoire XVI d'introduire certaines réformes dans le gouvernement et l'administration des États pontificaux. Devenu pape, il n'était donc pas étonnant qu'il cherchât à les appliquer.

Le conclave avait été l'occasion pour plusieurs villes des États pontificaux et des Légations d'envoyer aux cardinaux des lettres publiques contenant des requêtes et réclamant des réformes. Pie IX en tint compte dans ses premières décisions, même s'il ne pouvait être question de

---

1 - G. Martina estime : « Plus qu'un très efficace exécuteur des directives du pape, il fut un de ses principaux inspirateurs, et entre lui et son souverain se développa non seulement une profonde et réciproque estime mais aussi une vraie cordialité, qui rappelle l'intime communion de sentiments existant entre Pie X et le cardinal Merry del Val », MARTINA, t. I, p. 115. Mgr Corboli Bussi mourut prématurément, en 1850, âgé de 37 ans.

satisfaire l'ensemble des demandes qui avaient été formulées.

Ainsi, datée du 10 juin, soit quatre jours avant l'ouverture du conclave, des personnalités civiles de Rome avaient adressé aux cardinaux une lettre contenant une liste détaillée des réformes souhaitées :

« — Réprésentation municipale à Rome, composée des meilleurs conservateurs du peuple romain.

— Lois civiles et criminelles conformes à l'actuelle civilisation ; recherche et punition des délits d'État aux tribunaux ordinaires ; juridiction des tribunaux ecclésiastiques annulée pour les laïcs.

— Amnistie générale et pleine pour les prévenus politique jusqu'à cette date.

— Institution d'un suprême Conseil d'État résidant à Rome.

— Emplois et dignités civiles, militaires et judiciaires aux laïcs.

— Garde civique ; renvoi de la milice étrangère.

— Instruction publique et sa direction enlevée au clergé, sauf l'instruction religieuse.

— Censure préventive de la presse limitée aux matières morales et religieuses.

— Voies ferrées ; et enfin toute autre amélioration sociale correspondant au progrès des autres peuples civilisés d'Europe » [1].

On voit que ces réformes contenaient, parmi des revendications acceptables (telle l'introduction du chemin de fer), d'autres revendications tout à fait inacceptables pour

---

1 - Lettre publiée in P. FERNESSOLE, *op. cit.*, t. I, p. 118

le chef de l'Église, notamment la laïcisation de l'enseignement.

La première réunion de la commission cardinalice eut lieu le 1ᵉʳ juillet, en présence du pape. Trois questions furent examinées — signe, si besoin était, que la ligne directrice des discussions était fixée par le pape et non laissée à l'initiative des cardinaux consultés : la réforme de la Secrétairerie d'État, pour mieux affirmer la compétence particulière de chacun de ses organismes ; la construction de lignes de chemins de fer ; l'amnistie.

Les deux derniers sujets furent les plus disputés, notamment par le cardinal Lambruschini. Celui-ci fit valoir que la construction de voies ferrées mettrait en péril plus facilement la sûreté de l'État en multipliant et facilitant les déplacements et aussi placerait les industries locales dans une concurrence plus sévère avec les industries des autres États. D'autres évoquèrent le coût financier d'un tel projet.

Lambruschini se déclara également réticent à accorder une amnistie aux prisonniers politiques : elle pourrait paraître comme un encouragement aux révolutionnaires et une condamnation du pontificat précédent. D'autres, tel le cardinal Gizzi, estimèrent au contraire qu'une telle mesure d'apaisement contribuerait à pacifier les esprits. Certains cardinaux soulignèrent la nécessité de faire prêter aux amnistiés un serment de fidélité et de leur demander une rétractation de leurs erreurs passées.

Pie IX, sans aucun doute, était déterminé à accorder une amnistie. Cela figurait dans les suggestions qu'il avait adressées à la Secrétairerie d'État en 1845. Mais on se rappelle qu'il estimait qu'elle devait être « modérée ». Le principe d'une amnistie était acquis, encore fallait-il bien peser les termes du décret qui la rendrait publique afin que ni les uns ni les autres ne se méprennent sur ses intentions.

Le 8 juillet, une deuxième réunion de la commission cardinalice discuta des modalités de l'amnistie. Il fut convenu qu'en seraient exclus les clercs, les employés du gouvernement, tous ceux qui avaient exercé une charge publique et les condamnés de droit commun, et qu'une déclaration de fidélité au Souverain Pontife serait exigée de ceux qu'on libérerait de prison ou qu'on autoriserait à rentrer d'exil.

Furent évoqués aussi d'autres sujets qui nécessitaient un plus long examen : l'équilibre des finances publiques, la lutte contre la corruption dans l'administration, la réorganisation de l'armée, la fondation de centres d'éducation et d'assistance pour la jeunesse désœuvrée. On constate à nouveau que le pape soumettait à examen des suggestions qu'il avait déjà émises dans les années précédentes alors qu'il était à Imola.

Le 15 juillet, le décret d'amnistie fut proposé à la commission cardinalice. Le texte en avait été préparé par Mgr Corboli Bussi. Les termes mêmes du décret montrent assez qu'en la circonstance le pape n'agit ni par faiblesse ni par démagogie mais avec générosité et réalisme. Il évoquait sa compassion pour des condamnés politiques issus d'une « jeunesse inexpérimentée qui, entraînée au milieu des troubles politiques par de folles illusions, paraissait plutôt séduite que séductrice ». Il disait aussi sa « conviction de pouvoir pardonner sans mettre en danger l'ordre public » et la suite du décret montrait clairement qu'il n'entendait ni renoncer à sa souveraineté temporelle ni supporter, à l'avenir, de nouveaux troubles.

Il affirmait en effet : « Nous nous plaisons à espérer que ceux qui useront de notre clémence sauront en tout temps respecter nos droits et leur propre honneur. Nous avons encore la confiance que notre pardon, pacifiant les cœurs, mettra fin aux discordes civiles qui sont toujours ou la cause ou l'effet des passions politiques. Ainsi se justifiera le lien de la paix, qui, dans le dessein de Dieu, doit unir les fils d'un même père. Si nos espérances devaient être en partie déçues, nous nous souviendrions, bien qu'avec une amère douleur, que si la clémence est la plus douce prérogative de la souveraineté, la justice en est le premier devoir » [1].

Les articles 1 et 2 du décret posaient d'ailleurs comme condition de l'amnistie que les bénéficiaires fassent une déclaration écrite et sur l'honneur aux termes de laquelle ils reconnaissaient Pie IX comme « souverain légitime » et s'engageaient « non seulement à n'abuser, en aucune manière et en aucun temps, de la grâce qui leur est accordée, mais encore à remplir tous les devoirs de bons et fidèles sujets ».

Daté du 16 juillet, le décret d'amnistie fut affiché dans Rome dans la soirée du 17. Les auteurs divergent sur la portée de cette amnistie. Certains auteurs, tel Fernessole, parle de quelque 1 500 détenus politiques (condamnés ou prévenus) libérés. Martina, après avoir confronté diverses sources d'archives, donne le chiffre plus modeste d'environ 400 détenus libérés et de 269 exilés rentrés à Rome après avoir signé la déclaration demandée [2]. Plus d'une centaine d'autres exilés, obéissant aux mots d'ordre de Mazzini, exilé à Londres, refusèrent de signer le formulai-

---

1 - Texte du décret in P. FERNESSOLE, *op. cit.*, t. I, pp. 133-134.
2 - MARTINA, t. I, p. 100, n. 5.

re de soumission mais un certain nombre purent quand même revenir au pays, le plus célèbre étant le libéral Terenzio Mamiani, lié à Gioberti, et qui sera plus tard un des ministres de Pie IX.

Cette amnistie, si large, fut accueillie avec un grand enthousiasme par la population. Dès le 17 au soir les manifestations de joie se multiplièrent dans les rues et de grands rassemblements à la lueur des flambeaux furent organisés sur les principales places de Rome et autour du palais du Quirinal où résidait habituellement le pape. Cela dura plusieurs semaines et fut imité dans les principales villes des États pontificaux.

Le célèbre poète Gabriele Rossetti rédigea une chanson qui fut bientôt sur toutes les lèvres et dont le refrain était : « Vive l'Italie, vive Pie IX, vive l'union, vive la liberté » ; Rossini composa un « Hymne populaire à Pie IX » qui fut joué pour la première fois une semaine à peine après la proclamation de l'amnistie ; quelque temps plus tard c'était un arc de triomphe, en bois et en carton, qui était érigé Piazza del Popolo en l'honneur du pape [1].

Le prénom de Pie, pour les garçons, ou de Pia, pour les filles, fut donné aux nouveaux-nés. Des portraits du pape, tenant en ses mains le décret d'amnistie, furent imprimés et diffusés dans Rome mais aussi dans toute l'Italie et jusque dans les pays étrangers, notamment en France, où l'amnistie avait été célébrée unanimement dans la presse. La Bibliothèque Nationale de Paris possède plusieurs exemplaires de ces portraits imprimés de grande diffusion et le musée Pie IX, à Senigallia, montre à ses visiteurs un

---

1 - Toutes ces célébrations ont été rappelées dans une exposition organisée à Rome, au musée du Folklore, en 1987 : « Rome 1846-1849. De la réforme de Pie IX à la République romaine », compte-rendu dans *L'Osservatore romano*, 28 février 1987.

foulard d'époque où le texte complet du décret d'amnistie a été reproduit.

Louis Veuillot qui sera, parmi les publicistes laïcs, un indéfectible défenseur de Pie IX pendant tout son pontificat, a noté : « Rien, peut-être, n'égala jamais l'*hosannah* des premiers jours de ce règne, qui, sauf de rares intervalles, n'a été qu'une longue tempête. (...) Le monde eut comme un éblouissement de tendresse » [1].

Avec le recul de l'histoire, on doit constater que l'amnistie « fut à l'origine d'un délire collectif de l'opinion publique, en partie spontané et en partie artificiellement entretenu, et qui trouvera sa conclusion dans la révolution européenne de 1848 » [2]. Alors qu'elle était mesurée et prudente et qu'elle contenait aussi une mise en garde, elle fut présentée par les libéraux et les révolutionnaires sous un tout autre jour : comme les prémisses, voire la promesse, de réformes plus amples et comme l'aube d'une ère nouvelle. Des comités se créèrent pour entretenir artificieusement les manifestations d'enthousiasme et celles-ci devinrent bientôt autant d'occasions de manipulation de l'opinion publique et un moyen d'intimider le nouveau pouvoir.

Premières mesures

La nomination d'un Secrétaire d'État est un des actes les plus attendus de tout nouveau Souverain Pontife. Même si le Secrétaire d'État est d'abord l'exécutant de la politique pontificale, il peut parfois contribuer à celle-ci ou l'infléchir par son tempérament et son influence. Par ailleurs, en choisissant cet homme-clef de sa politique, le pape manifeste, plus ou moins clairement selon les cas, à

---

1 - L. VEUILLOT, **Pie IX**, Œuvres Complètes, P. Lethielleux, 1929, t. X, p. 391.
2 - MARTINA t. I, p. 101.

l'ensemble de la hiérarchie ecclésiastique quelle orientation il entend donner à son pontificat. Le choix de Pie IX était donc attendu.

Ce n'est que le 8 août qu'il nomma Secrétaire d'État le cardinal Gizzi. Celui-ci, nous l'avons vu, avait la réputation d'être un libéral. Cette réputation était infondée [1]. Les autorités civiles et ecclésiastiques des États pontificaux s'en rendirent compte très rapidement.

Dès le 24 août, en accord avec le pape, il adressa des circulaires aux autorités provinciales et aux magistrats locaux demandant que soit mis fin aux manifestations fêtant l'amnistie, manifestations d'enthousiasme qui prenaient une tournure inquiétante d'exaltation et donnaient lieu à des incidents répétés. Et il mettait explicitement en garde contre « certaines théories… et certaines tendances, auxquelles Sa Sainteté elle-même est complètement étrangère » [2].

Une circulaire de même tonalité sera envoyée le 8 octobre suivant.

Bientôt, en février 1847, dans une lettre au nonce de Vienne, chargé d'en communiquer la teneur à Metternich, le cardinal Gizzi expliquait la politique suivie. Il y distinguait les légitimes progrès matériels à envisager (réformes diverses, amélioration du commerce, de l'industrie, de l'agriculture, intallation du chemin de fer) des revendications constitutionnalistes soutenues par les libéraux mais inacceptables.

---

1 - Mario DE CAMILLIS, « Gizzi Pasquale Tommaso », **Enciclopedia cattolica**, Città del Vaticano, 1951, t. VI, col. 863-864 et Stefano GIZZI, **Il Cardinale Tommaso Pasquale Gizzi**, Amministrazione provinciale di Frosinone, 1993.

2 - Circulaire du 24 août 1846 citée in S. GIZZI, *op. cit.*, pp. 174-175.

Au fil des semaines et des mois, les mesures pratiques se succédèrent. Fut créée une « Commission consultative des chemins de fer », composée de clercs et de laïcs, chargée d'étudier l'introduction de ce nouveau moyen de transport dans les États pontificaux. Le 7 novembre fut publiée une « Notification » qui prévoyait la construction de cinq lignes de chemin de fer. Finalement, malgré l'interruption des études et des travaux occasionnée par la révolution de 1848, une première ligne sera inaugurée en 1856 entre Rome et Frascati. D'autres lignes seront créées par la suite.

D'autres mesures adoptées par Pie IX dans les premiers temps de son pontificat accrurent sa popularité : il fit baisser le prix du pain et du sel, ordonna de grands travaux pour faire embaucher des chômeurs, fit ouvrir une mine et fit créer des écoles du soir et du dimanche pour les apprentis et les ouvriers.

Ces mesures pratiques, pour utiles qu'elles étaient, ne constituaient pas les réformes en profondeur qui s'imposaient aussi bien dans l'administration que dans la justice, les finances, la police et l'armée. On a écrit que « Pie IX n'avait pas une idée très claire des réformes à adopter » et qu'il avait tergiversé dans certaines de ses grandes décisions politiques [1]. Cette appréciation nous semble injuste. Les *Pensieri* de 1845 ont bien montré que leur auteur avait une conscience aiguë des abus et insuffisances de l'État pontifical. Devenu pape, il fut confronté à une série de problèmes qui devinrent parfois des dilemmes. Ainsi, évoquant devant l'ambassadeur de France à Rome les faiblesses et les maux qui affligeaient son administration, le pape évoqua « les obstacles qu'il rencontrait surtout de la

---

1 - Martina, t. I, p. 119.

part des personnes qui auraient dû l'aider et le seconder »
et reconnut « qu'on avait malheureusement trop multiplié
les fonctions et les emplois, et que les places étaient par
conséquent mal rétribuées et remplies par des hommes à
la fois peu capables et mal payés ; que les destituer sans
fonction était dur, et que tous les pensionner était ruineux
pour le trésor » [1].

On ne peut reprocher à Pie IX de n'avoir pas eu, en
1846-1847, « une idée très claire des réformes à adopter ».
On doit plutôt considérer la méthode qu'il a adoptée, dès
les premières semaines de son pontificat : ne pas prendre
de décision précipitée et recueillir d'abord les avis des personnes compétentes. Un prélat qui le connaissait depuis
trente ans, Mgr Tizzani, évêque de Terni, exprima à l'aube
du pontificat un jugement fort éclairant : « Nous avons un
nouveau pape, Pie IX, aimé de tous. C'est un homme de
conciliation, il nous donnera un long et beau pontificat » [2].

Qui pluribus

L'étude des premiers temps du pontificat, si riches en
décisions diverses, risque de faire passer au second plan le
souverain pontife lui-même. Ce serait une grave erreur de
compréhension du pontificat que de laisser dans l'ombre
sa vie spirituelle et ses préoccupations religieuses.

Depuis ses jeunes années sacerdotales, nous l'avons vu,
Pie IX avait été un prêtre qui s'était adonné volontiers aux
retraites spirituelles, qui avait fréquenté diverses pieuses

---

1 - Dépêche de Rossi à Guizot, le 18 décembre 1846, A.M.A.E., C. P., Rome 986
ff. 330-331.

2 - Lettre de Mgr Vicenzo Tizzani à Cesare di Castelbarco, le 18 juillet 1846, citée
par G. RADICE « Pio il grande dal carteggio letterario col Conte Cesare di Castelbarco
(1846-1856) » in **Pio IX nel primo centenario**..., p. 306

confréries et qui avait toujours consacré un temps important à ses obligations cléricales et à la prière. Évêque à Spolète puis à Imola, il chercha toujours à ce que ses nouvelles
charges n'entravent pas sa vie spirituelle. Devenu pape, il
n'agit pas autrement. On peut affirmer, sans verser dans la
légende hagiographique, qu'il laissa toujours le primat à
la vie spirituelle. Le procès de béatification contient des
témoignages multiples qui illustrent ce fait.

Peu de temps après son élection, Pie IX renouvela sa
consécration à la Sainte Vierge Marie [1]. Malgré le poids
écrasant de sa tâche, les sollicitations multiples, les soucis
graves et divers, il s'attacha à réserver un important temps
quotidien à la prière : outre la messe et la lecture du bréviaire qu'il faisait avec l'un ou l'autre de ses camériers
secrets, il rendait chaque jour une visite au Saint-Sacrement qui était conservé dans une chapelle située juste au-
dessus de sa chambre. Il avait placé dans cette chapelle,
qu'il appelait *Mio Paradisetto*, de nombreuses reliques qui
lui étaient chères [2].

Il pratiquait aussi quotidiennement l'oraison [3]. Le
R.P. Huguet, qui a séjourné à Rome et a reçu les confidences du secrétaire et des camériers du pape, a rapporté
ainsi, du vivant de Pie IX, sa journée religieuse : « Le Saint-
Père se rend de bonneheure à sa chapelle… Le pape Pie IX
célèbre la messe lentement et saintement ; souvent son
auguste visage est baigné de larmes pendant qu'il tient
dans ses mains sacrées le Dieu caché dont il est le vicaire.
Ordinairement il dit la messe à sept heures et demie, et
assiste en action de grâces à une seconde messe célébrée

---

1 - *Summarium* § 391.
2 - *Summarium* § 257-258.
3 - *Summarium* § 2 096-2 097.

par un de ses chapelains ; puis il récite à genoux, avec l'un des prélats de son entourage, une partie du bréviaire, et rentre dans son appartement. A la chute du jour, indiquée par le son de l'Angelus et appelée l'*Ave Maria*, le pape récite avec sa suite la Salutation angélique, et y joint un *De Profundis* pour tous les fidèles du monde entier morts dans le courant du jour. Le Saint-Père passe trois heures chaque jour en adoration devant Notre Seigneur. C'est là qu'il puise tant de lumières et de secours pour le gouvernement de l'Eglise » [1].

Si l'on fait la part de la pieuse exagération et du style de l'époque, on a là une image assez précise de la vie religieuse privée du pape. On peut y ajouter encore d'autres traits significatifs. Avant les repas, pendant un certain temps du moins, il lisait fréquemment ou faisait lire un florilège de textes de saint François de Sales et il recommandait souvent cet ouvrage [2]. C'est certainement cette prédilection pour saint François de Sales, qui lui venait du cardinal Polidori, qui amènera Pie IX à le proclamer docteur de l'Église en 1877. Cet attachement particulier pour l'auteur de l'*Introduction à la vie dévote* s'est vérifié aussi, après sa mort, quand on a découvert, dans un de ses livres de piété, un petit tableau qu'il avait confectionné lui-même et où il avait placé de tout petits portraits des saints qui lui étaient

---

1 - Lettre R.P. HUGUET, **L'Esprit de Pie IX**, Félix Girard, Lyon-Paris, 1866, pp. 4-5.

2 - *Summarium* § 3. Le cardinal Nocella, qui rapporte le fait, parle du « Giussada ». L. BOGLIOLO, in **Pio IX, profilo spirituale**, Libreria Editrice Vaticana, 1989, p. 155, n. 11, a établi qu'il s'agit en fait du « Gessaga ». Carlo Antonio GESSAGA, directeur des sœurs de la Visitation à Rome, fut l'auteur, dans les années 1750, d'un ouvrage intitulé **Motivi o sieno Avvertimenti cavati dalle Opere di S. Francesco di Sales per ciascun giorno dell'anno**. L'ouvrage fut réédité en 1857 sous le titre **S. Francesco di Sales. Diario sacro estratto dalla sua vita e dalle sue opere**. C'est sans doute cette édition qu'utilisait Pie IX.

chers : la Sainte Vierge, les apôtres Pierre et Paul, saint Jean, sainte Catherine vierge et martyre, saint Philippe Neri, saint Louis de Gonzague et saint François de Sales [1].

La première encyclique que Pie IX rendit publique peut être considérée à la fois comme la clef de son pontificat et comme un révélateur de sa véritable personnalité. Datée du 9 novembre 1846, l'encyclique *Qui pluribus* porte en germe les grands textes doctrinaux du pontificat : l'encyclique *Quanta cura*, le *Syllabus* et les deux constitutions définies au concile Vatican I.

Cette encyclique, à la préparation de laquelle le cardinal Lambruschini prit une part prépondérante, aurait dû détruire définitivement le mythe du pape « libéral » mais le mythe perdura encore deux années. Il faudra que Pie IX rejette la guerre contre l'Autriche puis refuse de céder à la révolution romaine pour que la légende commence à s'effriter, et alors nombreux seront ceux qui accuseront le pape de renier ses convictions antérieures.

Qui pluribus était pourtant, à l'aube du pontificat, un révélateur solennel de l'esprit du pape et des orientations religieuses de son pontificat, c'était aussi un avertissement doctrinal sévère. Aujourd'hui encore certains historiens s'étonnent de la gravité de l'encyclique : « Il y a incontestablement un contraste certain entre la modération et la chaleur humaine dont Pie IX fait preuve dans ses contacts personnels et le ton âpre, pessimiste, sans un rayon de lumière, de *Qui pluribus* : la différence répondait à une réelle dissension dans l'âme du pape » [2]. Nous ne croyons pas du tout qu'il y ait eu « dissension dans l'âme du pape ». L'encyclique ne fut pas un coup de tonnerre

---

1 - *Summarium* § 76.
2 - MARTINA, t. I, p.1219.

dans un ciel serein et n'est pas en contradiction avec les réformes administratives et politiques engagées.

Les libéraux regrettèrent qu'elle soit éloignée des préoccupations politiques du moment et qu'elle ne contienne aucune annonce de réformes.

C'est qu'elle se situait sur un autre plan et manifestait essentiellement des soucis d'ordre religieux. Si sur le plan des affaires temporelles, Pie IX pouvait se montrer conciliateur et réformateur, tant que cela ne remettait pas en cause le principe de sa souveraineté temporelle et ne mettait pas en danger l'indépendance des États pontificaux, sur le plan religieux il ne pouvait être question, pour lui, de quelque accommodement que ce fût.

Les progrès de l'irréligion dans la société, en Italie et ailleurs, le développement, dans l'Église même, de doctrines philosophiques et théologiques erronées, nécessitaient un combat d'ordre doctrinal pour défendre la foi menacée et pour susciter un réveil spirituel parmi les fidèles comme parmi le clergé. Qui plus est, selon Pie IX, toute réforme temporelle de la société était vouée à l'échec si elle ne prenait pas appui sur une base religieuse solide.

Le ton de cette encyclique ne nous paraît ni « âpre » ni sans « lueur » d'espoir. Certes, le jugement de la situation est sévère : « Dans ce siècle déplorable, une guerre furieuse et redoutable est déclarée au catholicisme » [1]. Et le pape désigne les différents « ennemis de notre religion », en rappelant les condamnations qu'ont déjà portées contre certains d'eux ses prédécesseurs.

Il y a d'abord les rationalistes, ceux qui osent « ensei-

---

1 - Texte intégral latin et français in ENCYCLIQUES, t. I, pp. 51-84.

gner hautement et publiquement que les augustes mystères de notre religion sont des erreurs et des inventions humaines » et qui opposent la raison à la foi. Pie IX réfute cette opposition, et ce sera un des soucis doctrinaux constants de son pontificat : « Quoique la foi soit au-dessus de la raison, il ne peut jamais exister entre elles aucune opposition, aucune contradiction réelle, parce que toutes deux émanent de Dieu même, source unique de l'immuable et éternelle vérité ; et qu'ainsi elles doivent s'entraider, la droite raison démontrant, soutenant et défendant la vérité dans la foi, et la foi affranchissant la raison de toutes les erreurs, l'éclairant, l'affermissant et la complétant par la connaissance des choses divines ».

Sont aussi visées les sociétés secrètes, « sorties des ténèbres pour la ruine de la religion, des États ». Pie IX rappelle les condamnations de la franc-maçonnerie faites depuis Clément XII et les confirme. Il prend aussi la suite de Grégoire XVI en condamnant les « perfides sociétés bibliques qui renouvellent les anciens artifices des hérétiques et ne cessent de répandre, à un nombre immense d'exemplaires et à très grands frais, les livres des Écritures traduits, contre les très saintes règles de l'Église, dans toutes les langues vulgaires, et souvent expliqués dans un sens pervers ».

Le pape met en garde aussi — et ce sera un autre thème doctrinal récurrent de son pontificat — contre « cet épouvantable système d'indifférence pour toute religion » qui prétend « que les hommes peuvent obtenir le salut éternel dans quelque religion que ce soit ». Enfin, et le fait est à noter, deux ans avant la publication du *Manifeste du Parti communiste* de Karl Marx et de Friedrich Engels, Pie IX est le premier pape à condamner « l'exécrable doctrine dite du communisme : totalement contraire au droit naturel lui-même, elle ne pourrait s'établir sans renverser de fond en comble tous les droits, les intérêts, la propriété, la société même ».

Dans cette encyclique, Pie IX ne se contente pas de poser un sombre diagnostic. Il indique aussi les moyens les plus appropriés pour endiguer « ce déluge général des erreurs » et « cette licence effrénée dans les pensées, dans les discours et dans les écrits ». Il appelle les évêques à défendre la foi par une prédication inlassable et en formant un clergé zélé et sérieux :

« En vous gardant d'imposer trop tôt les mains à qui que ce soit, selon le précepte de l'Apôtre, n'initiez aux saints ordres et n'appliquez aux fonctions ecclésiastiques que ceux qui, après d'exactes et rigoureuses épreuves, vous paraîtront ornés de toutes les vertus, recommandables par leur sagesse, propres à servir et à honorer vos diocèses, éloignés de tout ce qui est interdit aux clercs, appliqués à l'étude, à la prédication, à l'instruction... »

La bonne formation des clercs, et aussi la réforme des ordres religieux, seront une des grandes préoccupations des premières années du pontificat. Un an après son élection, nous le verrons, Pie IX publiera une très importante encyclique, *Ubi primum arcano*, adressée aux supérieurs d'ordres religieux [1]. Elle contenait de solennels avertissements et annonçait une réforme dont nous reparlerons.

L'Église universelle

La situation politique agitée à Rome et les vastes réformes politiques engagées par Pie IX ne doivent pas faire oublier les autres préoccupations du pape pour le reste de l'Eglise. Certains résultats obtenus avec de grandes puis-

---

1 - Texte in ANNALES I, pp. 7-10.

sances, jusque-là hostiles à l'Église, semblèrent annoncer des lendemains heureux.

Il y eut d'abord la signature, assez inespérée, d'un concordat avec la Russie. Le vaste Empire russe comptait six ou sept millions de catholiques romains, presque tous étrangers : des Polonais (depuis le partage de la Pologne, à la fin du XVIIIe siècle, entre la Russie, la Prusse et l'Autriche), des Lituaniens ainsi que des Lettons. Il y avait aussi environ deux millions de catholiques de rite byzantino-slave (appelés aussi « uniates »), installés dans certains territoires polonais mais surtout en Ukraine et en Biélorussie.

Suite à la révolution polonaise de 1831 (qui fut un échec et que Grégoire XVI avait condamnée), les catholiques uniates furent intégrés de force dans l'Église orthodoxe et leur « Union » avec Rome fut officiellement abolie en 1837 [1]. Toutefois un voyage privé du tsar Nicolas Ier en Italie fut l'occasion d'une rencontre avec Grégoire XVI le 13 décembre 1845 et l'idée d'un concordat naquit alors [2]. Quand Pie IX devint pape quelques mois plus tard, il agréa ce projet et des négociations officielles s'ouvrirent le 19 novembre 1846.

Du côté du Saint-Siège les négociateurs furent le cardinal Lambruschini, assisté de Mgr Corboli Bussi. Il y eut vingt-sept séances de discussions et le 3 août 1847 le concordat fut officiellement approuvé par les deux parties et ratifié par le pape le 24 août suivant.

---

1 - Wolodymyr KOSYK, **L'Ukraine et les Ukrainiens**, Publications de l'Est européen, 1993, p. 116.

2 - AUBERT p. 22 et Giovanni KRAJCAR, « Pio IX e la Russia » in **Atti del II° Convegno di ricerca storica sulla figura e sull'opera di papa Pio IX**, 9-10-11 octobre 1977, Centro Studi Pio IX, Senigallia, pp. 347-360.

Divers éléments positifs pouvaient satisfaire l'Église : outre le maintien de tous les diocèses polonais, il y avait rétablissement ou création de sept diocèses dans les autres régions catholiques de l'Empire. Chaque diocèse était pourvu d'un séminaire et une Académie ecclésiastique catholique serait érigée à Saint-Pétersbourg, correspondant à une faculté de théologie. Le pape choisirait les évêques dans des listes établies par le gouvernement russe. Si l'on songe que tous les sièges épiscopaux étaient vacants, à l'exception d'un seul, ce concordat était un succès.

Mais il laissait non résolu de graves problèmes, notamment la question des mariages mixtes et la suppression de l'Église uniate ukrainienne. Dans les années à venir, l'Empire russe — qui n'avait jamais officiellement publié ce concordat — en violera à plusieurs reprises les dispositions.

Plus heureux fut le rétablissement des relations avec la Turquie [1]. Sur la suggestion d'un prêtre napolitain en résidence à Constantinople, le sultan Abdülmecit Ier accepta de renouer des relations officielles avec le Saint-Siège. Au début de 1847, il chargea l'ambassadeur turc à Vienne de se rendre à Rome pour assurer à Pie IX que le sultan « désirait vivre en amitié » avec lui et qu'il « saurait protéger les chrétiens qui habitent ses vastes États », c'est-à-dire tout le pourtour méditerranéen oriental. Cette visite d'un diplomate de la Sublime Porte — la première depuis trois siècles et demi — ne passa pas inaperçue. Ce rapproche-

---

1 - AUBERT, p. 21 ; Pierre MÉDEBIELLE ,« Pie IX et la restauration du Patriarcat latin de Jérusalem » in **Pio IX nel primo centenario...**, *op. cit.,* pp. 76-92 et Jean-Pierre VALOGNES, **Vie et mort des Chrétiens d'Orient. Des origines à nos jours**, Fayard, 1994, pp. 505-506 et p. 570.

ment inattendu permit à Pie IX d'annoncer, le 4 octobre suivant, le rétablissement d'un patriarcat latin à Jérusalem et la nomination à ce siège d'un Italien, Mgr Valerga. Ce n'était pas une création artificielle mais le rétablissement d'un patriarcat qui avait disparu en 1291, suite à la destruction du royaume latin de Jérusalem. Il y avait aussi « la volonté du Saint-Siège d'assurer la sauvegarde des droits catholiques sur les Lieux saints, directement menacés par les menées agressives du clergé grec orthodoxe » [1]. Le sultan signera aussi, en 1852, un *firman* répartissant la garde des Lieux saints entre grecs, arméniens et latins.

Est à noter aussi, dans le prolongement du rétablissement du patriarcat latin, la publication, le 6 janvier 1848, d'une encyclique, *In suprema Petri* [2]. Elle était adressée aux « chrétiens d'Orient », c'est-à-dire à la fois aux catholiques de différents rites et aux non-catholiques. Aux évêques catholiques orientaux, de rite non-latin, Pie IX faisait l'éloge de leurs « liturgies catholiques particulières » et s'engageait à les maintenir « intactes ». Aux chrétiens orientaux qui « se tiennent éloignés de la communion du Siège de Pierre », le pape, après avoir rappelé les fondements de la doctrine de la primauté pontificale, lançait un appel à revenir au sein de l'Église catholique. Il garantissait aux prêtres et aux évêques qui reviendraient au sein de l'Église catholique que « leur rang et leurs dignités » seraient préservés.

On a souligné que cet appel à l'union « n'eut d'ailleurs pas de suite » [3]. Ce raccourci masque en réalité plusieurs conséquences positives qui sont loin d'être négligeables.

---

1 - J.-P. Valognes, *op. cit.*, p. 505.
2 - Texte in Annales, I, pp. 19-23.
3 - Aubert, p. 22.

Certes, il n'y eut pas, à cette date, de conversion au catholicisme dans les hiérarchies orientales non-catholiques et les répliques à l'encyclique furent vives, mais celle-ci permit quand même « d'amorcer, entre catholicisme et orthodoxie, un échange d'écrits théologiques sur le thème du rétablissement de la pleine communion entre chrétiens ».

Par ailleurs, le réveil des catholiques orientaux non latins fut patent. Par exemple, dès 1849, l'Église catholique grecque tint un concile provincial à Jérusalem, sous la présidence du patriarche d'Antioche. Enfin, en lien avec le patriarcat latin de Jérusalem, le nombre des catholiques latins de Terre Sainte passa, en quelques décennies, de 4 000 à 40 000.

Après la Russie et la Terre Sainte, un troisième pays fut l'objet particulier des préoccupations de Pie IX avant la révolution qui le chassa de Rome : la Suisse [1]. Dans certains cantons suisses, depuis les dernières années du pontificat de Grégoire XVI, les actions hostiles à l'Église catholique s'étaient multipliées à l'instigation de « l'aile extrémiste du libéralisme, sous l'influence d'émigrés proscrits d'Allemagne, d'Italie ou de Pologne, et inféodés à la franc-maçonnerie » [2]. Il y eut des fermetures illégales de couvents et, surtout, en 1844 et 1845, le canton de Lucerne (où des Jésuites venaient de s'installer) fut victime de véritables expéditions punitives menées par des bandes armées, tolérées par les autorités cantonales voisines. Le 11 décembre 1845, à l'instigation du juriste Constantin Siegwart-Müller, les sept cantons catholiques — Lucerne, Uri, Schwyz, Unterwalden, Zug, Fribourg, Valais — déci-

---

1 - Fernand MOURRET, **Histoire générale de l'Église**, t. VIII, « L'Église contemporaine », Bloud et Gay, 1922, pp. 426-429 ; AUBERT, pp. 22-24 ; Victor CONZEMIUS, **Philip Anton von Segesser**, Beauchesne, 1991, pp. 41-56.

2 - AUBERT, p. 23.

dèrent de former une « alliance séparée » (*Sonderbund*) pour préserver leur souveraineté et maintenir le principe d'un État confessionnel.

Le 20 juillet 1847, la Diète fédérale, où les radicaux étaient majoritaires, déclara le *Sonderbund* illégal et exigea sa dissolution. Le 3 septembre suivant, elle ordonnait l'expulsion des Jésuites du canton de Lucerne, les accusant d'être à l'origine de la résistance catholique. Les cantons catholiques refusèrent de s'incliner. Les douze autres cantons levèrent une armée de 50 000 hommes, commandés par le général Dufour. Le 4 novembre, la Diète ordonna la soumission par la force.

Ce fut la guerre civile. La population des cantons catholiques était cinq fois moins nombreuse que celle des autres cantons coalisés. Le *Sonderbund* espérait une aide des puissances catholiques voisines, l'Autriche ou la France. Celle-ci proposa une médiation collective des cinq grandes puissances européennes, mais la Grande-Bretagne fit attendre, sciemment, sa réponse « assez longtemps pour permettre aux troupes fédérales helvétiques d'occuper tous les cantons du *Sonderbund* » [1]. Quand la note des cinq puissances européennes fut envoyée, le 30 novembre 1847, le dernier canton catholique venait de faire sa soumission la veille.

En trois semaines, les troupes du *Sonderbund* avaient été écrasées et les radicaux purent imposer leur politique : expulsion de tous les religieux, installation de gouvernements libéraux dans les cantons catholiques. Une nouvelle constitution fut adoptée quelques mois plus tard qui accentuait le caractère fédéral de l'État et réduisait les

---

1 - Guy Antonetti, **Louis-Philippe**, Fayard, 1994, p. 892.

pouvoirs des cantons. En août 1848, les cinq cantons qui composaient le diocèse de Genève et de Lausanne se voyaient imposer une convention par laquelle la tutelle de l'État sur les nominations épiscopales était entière et qui prévoyait, entre autres choses, la prestation d'un serment à la Constitution et aux lois des cantons. Par une lettre, en date du 14 septembre, Mgr Marilley, évêque de Genève et de Lausanne, protesta. Le 30 du même mois, par son Secrétaire d'État, Pie IX protestait à son tour. Le gouvernement répliqua en arrêtant Mgr Marilley, le 25 octobre, et en l'assignant à résidence puis en l'exilant en France. Il ne put revenir à Fribourg qu'en 1856.

CHAPITRE SEPTIÈME

DES RÉFORMES À LA RÉVOLUTION

A LORS QU'À l'étranger, les succès et les échecs alternaient dans la vie de l'Église catholique, à Rome la situation était toujours aussi délicate.

L'année 1847 fut l'année où Pie IX accomplit dans ses États les plus importantes réformes administratives et politiques. En novembre précédent, un manifeste avait annoncé de nouvelles mesures pratiques, notamment l'élargissement de la commission chargée de réformer les codes civil et criminel. Mais libéraux et modérés attendaient de grandes réformes : la liberté de la presse, la mise en place d'un véritable gouvernement qui comprendrait des laïcs, la création d'une assemblée représentative.

Une lettre du ministre français des Affaires Étrangères, Guizot, à son ambassadeur à Rome, Rossi, illustre bien, en ce début d'année 1847, l'attente voire l'impatience d'une partie de l'opinion publique, à Rome comme à l'étranger. Le rapport est d'autant plus intéressant qu'il accorde au pape des circonstances atténuantes et que le ministre français est bien informé par son représentant à Rome. Celui-ci, en effet, est reçu régulièrement par le Souverain Sontife pour de longs entretiens.

A propos des promesses de réformes faites par Pie IX, Guizot note : « Nous ne doutons pas qu'il ne soit fermement décidé à les tenir : nous faisons sincèrement la part de toutes les difficultés qu'il rencontre, soit dans le mauvais vouloir et l'opposition de ceux qui, quoiqu'il procède avec réserve et maturité, trouveront toujours qu'il en fait trop et va trop vite, soit dans l'inexpérience des hommes les mieux disposés à le seconder et, sous un autre rapport, dans la déplorable composition du personnel administratif. Mais nous pensons aussi qu'il est temps enfin que les actes répondent aux promesses, et que le moment est venu de réaliser quelques réformes » [1].

Une des grandes réformes attendues était l'instauration de la liberté de la presse. La censure existante était triple : il existait une censure religieuse, une censure par matière et une censure politique. Elle veillait à ce que les journaux et les livres, de quelque sujet qu'ils traitent, ne portent pas atteinte à « la croyance droite, à la bonne morale et à l'ordre public ». Elle s'exerçait, bien sûr, avant publication et pouvait aboutir à l'interdiction de la parution d'un ouvrage ou d'un journal. Dans les faits, elle avait rendu quasiment impossible toute activité journalistique de type quotidien. L'unique journal existant, le *Diaro di Roma*, était riche en nouvelles officielles et en articles scientifiques, mais ne publiait pas de commentaires de l'actualité immédiate [2]. Néanmoins, l'État pontifical n'était pas un État totalitaire où chaque imprimerie est surveillée et dont les frontières sont hermétiques. Des ouvrages, édités sans autorisation à Rome ou ailleurs en Italie, étaient diffusés sous le manteau.

Aussi Pie IX, sans supprimer complètement cette censure, jugea utile, au début de l'année 1847, d'accorder une plus grande liberté à la presse et à l'édition.

----

1 - Lettre de Guizot à Rossi, le 23 janvier 1847, A.M.A.E., C. P., Rome, vol. 986, f. 14.

2 - Stefano GIZZI, **Il Cardinale Tommaso Pasquale Gizzi**, Amministrazione provinciale di Frosinone, 1993, p. 186.

Alors que le décret allait bientôt être rendu public, dans une lettre au cardinal Amat, légat à Bologne, le pape le justifiait en expliquant qu'une telle liberté de presse est certes « assez dangereuse » mais que, bien limitée, elle contribuera à diminuer le nombre des écrits dangereux [1]. Les faits allaient bientôt démentir les espoirs, un peu naïfs, du pape.

L'édit, en date du 15 mars 1847, et préparé par Mgr Corboli Bussi suivant les directives du pape, accordait une plus grande liberté d'impression pour tous les écrits relatifs à la science, à la littérature, aux arts, à l'histoire et à l'administration publique ; en revanche restaient étroitement contrôlés les écrits relatifs à la religion et au gouvernement. Étaient passibles de condamnation notamment tous les articles et ouvrages qui « directement ou indirectement » suscitaient la haine contre le gouvernement.

Par ailleurs, depuis trois mois déjà, à l'initiative du directeur général de la police, Mgr Marini, une sorte de journal officiel avait été lancé, *Il Contemporaneo*, destiné à faire connaître à l'opinion publique les positions gouvernementales et à faire pièce aux nombreuses publications clandestines qui critiquaient la politique suivie [2].

L'ambassadeur de France commenta ainsi à son ministre le décret sur la liberté de la presse : « C'est très peu de chose en soi : c'est beaucoup ici. Je crois que les censeurs seront fort indulgents et que les publications se multiplieront. Au surplus les libéraux le trouvent insuffi-

---

1 - Lettre au cardinal Amat du 13 mars 1847 publiée in G. MAIOLI, **Pio IX da Vescovo a Pontefice, Lettere al card. Luigi Amat,** Modena, 1949, p. 111 ; cité par MARTINA, t. I, pp. 124-125.

2 - Pie IX, alors qu'il n'était encore qu'évêque d'Imola, avait déjà suggéré le lancement d'un tel journal dans ses *Pensieri* adressées à la Secrétairerie d'État, § 29, 30, 51.

sant ; ils ont été, dit-on, jusqu'à dire que c'est un retour au système de Grégoire XVI » [1].

De fait, loin d'apaiser les esprits, une telle liberté de la presse favorisa l'expression des opinions les plus contraires et les plus passionnées. Quelques semaines après la publication de l'édit, le cardinal Gizzi dut faire expulser de Rome treize personnes suspectes et fit saisir des journaux clandestins diffusés sous le manteau dans les cafés de la ville. Furent saisis aussi des journaux autorisés qui avaient publié des articles ou des manifestes hostiles à la politique menée par le gouvernement pontifical.

L'agitation était entretenue par des « cercles » (une douzaine) que l'on peut comparer aux « clubs » qui existaient à Paris pendant la Révolution de 1789.

Les trois plus importants cercles romains étaient le « cercle des commerçants », plutôt modéré ; le « cercle romain », où s'illustraient certains grands noms de la noblesse, tel Michaelangelo Gaetani et où se recrutaient nombre de partisans des idées « nationales », c'est-à-dire favorables à une guerre « d'indépendance » pour libérer l'Italie de toute présence autrichienne ; enfin, le plus extrémiste, le « cercle populaire », dirigé par Angelo Brunetti, dit Ciceruacchio, qui se révèlera un agitateur habile. Ce cercle était « national » et révolutionnaire, favorable à l'unité italienne et hostile au pouvoir temporel du pape.

Les cercles s'activaient par des réunions ou par des manifestations et en diffusant des feuilles imprimées, autorisées ou non. Le gouverneur de Rome, Mgr Grassellini, tolérait cette agitation qui allait croissante. A cette époque, Pie IX se trouvait à une croisée des chemins. Il

---

1 - A.M.A.E., C. P., Rome, 986, ff. 39 v - 40.

s'était engagé dans certaines réformes mais n'entendait remettre en cause ni son pouvoir temporel ni les principes qui fondent la politique chrétienne. Certains, dans son entourage, craignaient que les concessions faites soient déjà excessives. Le cardinal Gizzi, notamment, réclamait des mesures plus énergiques contre les démonstrations publiques qui acclamaient Pie IX tout en conspuant la Secrétairerie d'État et qui étaient une menace permanente. Il souhaitait que le plus grand nombre des amnistiés soient éloignés de Rome [1].

Gizzi, par ailleurs, avait une santé déficiente — en février il avait dû rester alité pendant plusieurs semaines à cause de crises de goutte. Le 4 avril, il présenta sa démission à Pie IX. Celui-ci la refusa.

Dans le même temps, certains courants de l'opinion publique faisaient de la surenchère et cherchaient à obtenir du pape toujours plus de réformes. On ne saurait reprocher à Pie IX d'avoir agi dans la précipitation. Toutes les réformes déjà entreprises et celles qui vont être engagées dans les mois suivants ont été longuement préparées.

Le pape a largement tenu compte d'avis divergents et, jusqu'en 1848, les décrets ou avis qui paraissent mettent en place des institutions dont les attributions sont clairement limitées. Mais les libéraux et les révolutionnaires, à chaque fois, les ont considérées comme des premiers pas vers des bouleversements radicaux que Pie IX ne souhaitait certainement pas. Quand les réformes promises tardaient à être annoncées, des manifestations bien organisées montraient au pape l'impatience et le mécontentement de ses « sujets ».

----

1 - S. GIZZI, *op. cit.*, p. 201.

Ainsi, quand le 25 mars 1847 Pie IX se rendit à l'église Santa Maria sopra Minerva pour la célébration de la fête de l'Annonciation, il fut accueilli par une foule, manipulée par le Cercle populaire, où l'on criait : « *Viva Pio Nono solo* » (Vive Pie IX seul), « A bas Gizzi », « Courage, Saint-Père, le peuple est avec vous ».

En quelques mois, plusieurs institutions importantes furent mises en place. Le 12 juin, un *motu proprio* créait un véritable Conseil des ministres, où les compétences de chacun étaient mieux définies, mais le Secrétaire d'Etat restait le pivot du gouvernement (il avait en charge le ministère de l'Intérieur et celui des Affaires Étrangères) et les autres ministres (Industrie et Commerce, Travaux publics, Justice, Guerre, Finances) étaient tous des cardinaux ou des prélats.

Ceux qui réclamaient l'entrée de laïcs au gouvernement n'étaient pas satisfaits. Gizzi dut, dix jours plus tard, publier une circulaire où, après avoir rappelé les réformes déjà concédées et confirmé que d'autres améliorations dans l'administration publique allaient être faites, il demandait aux Romains de cesser les manifestations. On sait qu'il envisageait déjà à cette époque de faire appel à une intervention militaire autrichienne en cas de troubles. De fait, la situation devenait préoccupante. Fin juin, l'ambassadeur Rossi, bon observateur, écrivait à son ministre : « De nombreuses satires circulent. Dans les cafés, dans les réunions le langage devient de plus en plus libre et amer et les têtes s'exaltent »[1].

Quelques jours plus tard, rendant compte d'un entretien avec Pie IX, il précisait : « Le Saint Père reconnut que la situation était devenue grave, qu'il était urgent d'apai-

---

1 - Dépêche du 28 juin 1847, A.M.A.E., C. P, Rome, 987, f. 78.

ser l'opinion publique par quelques mesures promptes et satisfaisantes ; il me dit que ses intentions étaient toujours les mêmes et que le public ne tenait pas assez compte des obstacles qu'il y avait à vaincre » [1].

Le 5 juillet, un édit créait une Garde civique, composée de citoyens de 21 à 60 ans, à l'imitation de la Garde nationale qui avait existé en France au début de la Révolution en 1789. Cette Garde civique était commandée par un laïc, le prince Rospigliosi.

Le cardinal Gizzi, hostile à cette Garde civique qui lui semblait un facteur de troubles, présenta une nouvelle fois sa démission au pape. Cette fois, Pie IX accepta et le remplaça à la Secrétairerie d'État par le cardinal Gabriele Ferretti, qui était son cousin et remplissait la charge de légat à Pesaro. Rossi décrit Ferretti comme « populaire, actif, bouillant, exécutant à la minute ce qu'il comprend » [2]. Le nouveau Secrétaire d'État poursuivit les réformes engagées, non sans maladresses dues à la précipitation, et il eut à affronter la première crise extérieure grave du pontificat.

Menaces autrichiennes

Début juillet 1847, la rumeur d'un complot courut dans Rome. Le complot aurait été le fait de ceux que les libéraux et les révolutionnaires appelaient les « grégorianistes », c'est-à-dire les nostalgiques du pontificat de Grégoire XVI, hostiles aux réformes en cours. Le gouverneur de Rome et directeur de la police, Mgr Grassellini, et plusieurs officiers pontificaux auraient été impliqués dans ce complot dirigé contre les libéraux. Les comploteurs auraient agi en

---

1 - Dépêche du 28 juin 1847, A.M.A.E., C. P. Rome, 987, f. 78.
2 - Dépêche du 28 juillet 1847, A.M.A.E., C. P., Rome 987, f. 105 v.

lien avec l'Autriche, disposée à intervenir militairement dans les Etats pontificaux pour mettre fin à une agitation qui l'inquiétait. Certains journaux étrangers, notamment le *Times*, accréditèrent l'idée d'un complot et accusèrent l'Autriche. En réalité, on ne put mettre en cause qu'un agitateur stipendié de l'Autriche, Virginio Alpi, et aucune action d'envergure n'était en préparation [1].

Après la révolution de 1848, Pie IX, faisant un bilan lucide de ces années agitées dans la célèbre allocution du 20 avril 1849, niera qu'il y ait eu véritablement complot. Mais, sur le moment, la rumeur fut utilisée par les libéraux et les révolutionnaires pour crier à la trahison. Le Secrétaire d'État Ferretti crut bien faire en renvoyant le gouverneur de Rome injustement accusé, Mgr Grassellini, et en le remplaçant par Mgr Morandi.

L'incident s'ajoutait à des agitations à Rome et dans les campagnes environnantes et à une presse, autorisée ou non, qui multipliait les articles hostiles à l'Autriche. Qui plus est, le prétendu « complot » devait intervenir le 17 juillet. Or, ce même jour, 860 soldats autrichiens franchirent le Pô et s'installèrent à Ferrare.

L'Autriche, depuis le traité de Vienne, avait le droit, pour sa sécurité, de maintenir des troupes dans la citadelle de Ferrare et dans deux casernes de la ville. Mais celle-ci était sous l'entière souveraineté des États pontificaux et le pape y était représenté par un légat, le cardinal Luigi Ciacchi. L'installation de troupes supplémentaires dans la ville, et non plus dans la seule citadelle et les casernements, constituait une ingérence extérieure manifeste et contraire aux dispositions du traité de Vienne.

---

1 - MARTINA, t. I, pp.143-145.

Pie IX avait été placé devant le fait accompli. Les Autrichiens agissaient de leur propre initiative et n'avaient prévenu le légat de Ferrare que la veille de leur entrée dans les États pontificaux. Leur arrivée provoqua des incidents.

Aussitôt le parti « national » cria à l'invasion et, aussi bien à Rome que dans les autres États italiens, l'agitation s'accrut. Les manifestations de protestation contre la présence autrichienne se multiplièrent et on en appela à la Garde civique pour venger l'affront. Les historiens s'accordent aujourd'hui pour dire qu'en la circonstance Pie IX sut calmer les esprits et éviter une aggravation de la situation. Il trouva l'appui de certains libéraux, notamment Massimo D'Azeglio qui publia une brochure, *Protesta per i casi di Ferrara*, qui appelait à l'apaisement et à la concorde autour de Pie IX [1].

Le pape fit preuve de fermeté et de prudence à la fois. Le légat de Ferrare puis le Secrétaire d'État protestèrent d'abord publiquement contre l'installation de troupes autrichiennes à Ferrare.

Pie IX réunit, le 16 août, une congrégation cardinalice pour décider quelle attitude adopter face à l'Autriche. Le rappel du nonce à Vienne fut écarté parce qu'un tel geste aurait pu être interprété comme une rupture des relations diplomatiques et aurait paru un encouragement à ceux qui étaient pressés d'en découdre avec les Autrichiens. On préféra une double action diplomatique, en direction de Vienne et en direction des autres États italiens.

Il fut décidé que serait proposée aux autres États italiens la constitution d'une « ligue douanière » destinée à améliorer les échanges commerciaux entre eux et à resser-

---

1 - Le texte de cette brochure fut « revu et approuvé par Pie IX lui-même », écrit MARTINA, t. I, p. 48.

rer leurs liens. L'idée n'était pas nouvelle et avait déjà été illustrée dans les États allemands, à partir de 1834, par le *Zollverein*. Elle était aussi dans la lignée de la politique extérieure italienne voulue par Pie IX : non pas l'unité politique, qu'il repoussait complètement, voulant préserver l'entière souveraineté des États pontificaux, mais l'établissement de relations de bon voisinage dont chaque pays pourrait tirer un profit économique. C'est dans cet esprit qu'avait été signé, le mois précédent la réunion, un traité de commerce et de navigation entre le Piémont-Sardaigne et les États pontificaux.

Le projet de « ligue douanière » n'est pas né spontanément en août 1847 mais les événements de Ferrare ont été l'occasion de tenter de le mettre sur pied. Mgr Corboli Bussi, qui venait d'être nommé secrétaire de la Congrégation des Affaires Ecclésiastiques Extraordinaires, fut chargé de présenter le projet aux différents gouvernements italiens. Dès le mois d'août il se rendit à Florence et à Turin.

Parallèlement, pour régler pacifiquement la question de Ferrare, des dépêches diplomatiques furent échangées entre Rome et Vienne.

Les éléments les plus extrémistes, eux, rêvaient de mener une guerre de « libération » contre l'Autriche.

Mazzini, de son exil londonien, publia le 8 novembre une lettre ouverte *A Pio IX, Pontefice Massimo*, dans laquelle il adjurait le pape de se mettre à la tête du mouvement pour l'unité italienne.

Garibaldi, lui, offrait de se mettre au service du pape pour chasser les Autrichiens. Le roi de Piémont-Sardaigne lui-même, Charles-Albert, s'imaginait avoir trouvé enfin le prétexte de faire la guerre à l'ennemi héréditaire. Pie IX, tout en défendant les droits et l'honneur des États pontificaux, ne souhaitait pas du tout une guerre. Le 12 septembre, il écrivit à l'empereur d'Autriche, Ferdinand, pour lui demander officiellement de faire rentrer ses troupes dans la citadelle de Ferrare. Le pape ne s'alignait pas sur les positions extrémistes du courant « national » mais demandait le strict respect du traité de Vienne.

Ferdinand, d'abord, refusa, prétextant l'agitation croissante et les menées anti-autrichiennes en Italie. Des rencontres furent alors organisées à Rome et à Milan entre des représentants autrichiens et le Secrétaire d'État ou ses envoyés et finalement, le 16 décembre, l'Autriche cèda et fit rentrer ses troupes dans la citadelle de Ferrare et dans les casernes attribuées.

La patience de Pie IX avait vaincu mais le mythe du pape « libéral » s'en trouva renforcé : pour les libéraux et les révolutionnaires, il n'était plus seulement un réformateur, il était devenu le champion de la lutte contre l'Autriche.

Cette interprétation de l'incident de Ferrare était plus qu'exagérée et, quelques mois plus tard, quand une guerre éclatera entre le royaume de Piémont-Sardaigne et l'Autriche, on verra Pie IX refuser d'engager les États pontificaux dans le conflit afin de prendre part à la « croisade anti-autrichienne ».

Pour connaître la position véritable de Pie IX sur les idées d'indépendance italienne — qu'il ne confondait certes pas avec la cause de l'unité italienne qu'il refusait —, on peut se référer à ce qu'il avait déclaré, quelques mois avant l'incident de Ferrare, à l'ambassadeur d'Autriche : « Comme Italien, je ne puis les blâmer ; comme souverain, je désire un bon voisinage avec l'Autriche ; comme pape, je demande à Dieu la paix entre les nations. Mais je dois avant tout remplir mon devoir » [1].

Vers la guerre

L'affaire de Ferrare ne ralentit pas les réformes en cours. Le 2 octobre, un *motu proprio* créait à Rome un Conseil municipal. Ce « Conseil délibérant », selon l'expression de Pie IX, comprendrait un sénateur, huit adjoints et cent membres. Les premiers membres seraient nommés par le pape, les autres par cooptation, et ils seraient chargés d'élire le sénateur-président. Le premier sénateur-président fut le prince Corsini.

Sans être une émanation du suffrage universel (ce que critiquèrent aussitôt les plus radicaux), ce Conseil municipal ou Sénat permettait à Rome de retrouver, après plusieurs siècles, une représentation de sa population qui avait déjà existé dans l'Antiquité. L'événement fut célébré par des manifestations de joie.

Encore une fois, Pie IX se montrait, parmi les souverains italiens, le plus audacieux. Après son édit sur la presse du début d'année, le grand-duché de Toscane et le royaume de Piémont-Sardaigne avaient accordé, à leur tour, une certaine liberté de presse ; les deux royaumes durent de nouveau concéder chez eux ce que le pape avait accordé dans ses États.

Une dizaine de jours plus tard, le 14 octobre, un autre *motu proprio* créait une Consulte d'État. Présidée par un cardinal légat — le premier fut le cardinal Antonelli —, elle était composée de vingt-quatre conseillers nommés

---

1 - Pie IX à l'ambassadeur d'Autriche à Rome, le 12 avril 1847, cité par MARTINA, t. I, p. 152.

par le pape d'après une liste de trois candidats que chaque province avait été invitée à envoyer. Le projet était en préparation depuis plusieurs mois et faisait partie des réclamations habituelles des cercles.

Les éléments les plus radicaux accueillirent encore le *motu proprio* en le faisant servir, indûment, à leur propagande. Il était stipulé que cette Consulte d'État était une assemblée représentative et consultative. Certains voulurent ne voir là qu'un premier pas vers une assemblée élue et législative. C'était outrepasser non seulement la parole mais même la pensée du pape.

Le 15 novembre, avant de tenir leur première séance, les députés de la Consulte d'État furent reçus par le pape. Il leur fit un discours remarqué. L'ambassadeur de France à Rome rapporte : « Le Saint-Père paraissait très animé en le prononçant... il insista très fortement sur les deux points capitaux, le rôle purement consultatif de la nouvelle assemblée et la ferme résolution de son gouvernement de résister aux perturbateurs. On dit même qu'il prononça le mot d'ingratitude, qui n'est pas reproduit dans le texte imprimé » [1]. Le mot est juste si l'on songe au rôle que joueront, dans les mois suivants, certains hommes auxquels Pie IX avait confié des responsabilités importantes dans les nouvelles institutions.

Le premier jour de l'année 1848 s'ouvrit sous de mauvais auspices. A la tête d'une délégation des cercles romains, Ciceruacchio se présenta au Quirinal pour soumettre au pape une liste de vingt-quatre revendications, parmi lesquelles : doter les États pontificaux d'une constitution libérale, faire entrer des ministres laïcs au gouver-

---

1 - Dépêche du 18 novembre 1847, A.M.A.E., C. P., Rome, 987, ff. 205-209.

nement, accorder une entière liberté à la presse et expulser les Jésuites.

Ils furent reçus par le Secrétaire d'État qui, à la lecture de leurs revendications, s'emporta et leur lança : « Voyous, vous ne serez donc jamais contents ? Vous êtes insatiables ! » [1]. L'incident suscita aussitôt une manifestation houleuse que Pie IX réussit à calmer en recevant le sénateur Corsini. Mais des événements extérieurs allaient précipiter Pie IX dans un *maëlstrom* dont il ne se sortirait que par la fuite à Gaète.

A Milan, le 3 janvier, des incidents opposant des « patriotes » aux troupes autrichiennes firent plusieurs morts et de nombreux blessés. Durant ce même mois, dans le royaume de Naples, un mouvement insurrectionnel se propagea à partir de la Sicile, réclamant une « Constitution » et la « liberté ». Bientôt, dans tous les États italiens, y compris à Rome, des manifestations furent organisées pour réclamer une guerre contre l'Autriche et la mise en place de gouvernements constitutionnels. Cette double revendication unissait des manifestants qui, pour autant, ne partageaient pas le même idéal politique. L'ambassadeur Rossi distingue bien dans ses rapports à son ministre les « radicaux » et les « nationaux », on pourrait introduire encore d'autres distinctions.

Dans les États pontificaux, les « radicaux » (Ciceruacchio, Sterbini, Galletti, le prince de Canino) avaient adopté les théories de l'exilé Mazzini et se montraient partisans d'une unification de l'Italie et de la mise en place d'une république, ce qui impliquait le renversement, par la violence s'il le fallait, du pouvoir pontifical. Les « nationaux »

---

1 - Polverari, t. I, p. 185.

(D'Azeglio, Mamiani, Minghetti), plus modérés, n'étaient pas hostiles à la papauté ; ils étaient favorables à la mise en place d'un régime constitutionnel mais souhaitaient aussi le départ des Autrichiens et rêvaient d'une certaine unité italienne, au moins sous la forme d'une confédération. Certains de ceux-ci avaient été reçus par le pape dans les mois précédents et, face aux événements du début de l'année 1848, Pie IX en fera entrer plusieurs dans son gouvernement.

En janvier, le décès du ministre des Armées, le cardinal Massimo, fournit à Pie IX l'occasion de faire entrer, pour la première fois, un laïc dans le gouvernement, en la personne du général Pompeo Gabrielli. Le 21, le cardinal Ferretti, malade et dépressif, et qui était en dissension avec Pie IX, donna sa démission. Le 7 février, le pape le remplaça à la Secrétairerie d'État par le cardinal Bofondi, qui avait jusque-là occupé les fonctions de légat à Ravenne. En dix-huit mois, trois Secrétaires d'État s'étaient succédé, ce qui n'a pas facilité la politique menée par le pape.

Au lendemain de cette nomination, une nouvelle manifestation fut organisée sous le balcon du Quirinal, menée par le sénateur Corsini et Ciceruacchio, aux cris de « A bas les ministres ecclésiastiques » et « Vive l'Italie ».

Le 10 février, dans une proclamation « Aux Romains », Pie IX annonçait qu'il allait augmenter le nombre des ministres laïcs et se disait prêt à accorder ce qui pouvait contribuer au bien public mais il mettait aussi en garde les agitateurs, s'affirmant disposé à « résister avec la force des institutions existantes aux désordres violents » comme aux « demandes non conformes à (mes) devoirs et à votre félicité ». Il dénonçait également ceux qui agitent « les peuples d'Italie avec l'épouvante d'une guerre étrangère favorisée et préparée par des conjurations internes ou l'inertie malveillante des gouvernants ». Mais si une telle guerre survenait, le pape savait pouvoir compter sur tous les fidèles : « Nous chef et pontife suprême de la très sainte religion catholique, est-ce que nous n'aurions pas pour notre défense, si nous étions injustement attaqué, d'innombrables fils qui soutiendraient, comme la maison du Père, le centre de l'unité catholique ? C'est un grand don du ciel, parmi tant d'autres marques de sa prédilection pour l'Italie, qu'à peine trois millions de nos sujets aient deux cents millions de frères de toute nation et de toute langue ». Le manifeste se terminait par une invocation : « Bénissez, grand Dieu, l'Italie, et conservez-lui toujours ce don précieux entre tous, la foi ! » [1].

De cette intervention du pape, les Romains les plus exaltés et les autres Italiens « patriotes » ne voulurent retenir que la bénédiction de l'Italie. Ils l'interprétèrent comme un soutien à la cause de l'unité italienne et comme un encouragement à une croisade sacrée contre l'Autriche. C'était là travestir complètement le sens des paroles du pape. Il avait parlé en tant que chef spirituel et non en tant que souverain temporel. Plusieurs fois par la suite, et même après que le roi d'Italie lui ait pris ses États, Pie IX bénira l'Italie. Ce faisant il ne bénissait pas des institutions, un régime, mais un pays, une population.

Les « patriotes » ne tinrent aucun compte des appels au calme et des mises en garde que contenait cette proclamation. Ils ne prêtèrent pas attention non plus à un terme, « conjuration intérieure », qui montrait la lucidité de Pie IX. Le pape savait bien que sous le couvert d'indépendance et d'unité italienne, certains (les héritiers du carbonarisme, la franc-maçonnerie) poursuivaient un autre

1 - Texte intégral du manifeste dans POLVERARI, t. I, pp. 186-187.

dessein : le priver de sa souveraineté temporelle et laïciser les institutions et la société italienne. Après la révolution, Pie IX dénoncera à de nombreuses reprises la conjuration de ceux qui veulent « corrompre le cœur » de l'Italie.

Le 12 février, comme il l'avait promis deux jours auparavant, il constitua un nouveau gouvernement qui comprenait quatre laïcs : Pasolini, Sturbinneti, Gaetani, Gabrielli.

Mais déjà les événements extérieurs rendaient dépassée, aux yeux des plus exaltés, cette nouvelle concession. Sans parler de la révolution qui, le 24 février en France, renversait la monarchie de Louis-Philippe et celle du 13 mars, en Autriche, qui renversait le gouvernement de Metternich, on doit relever aussi la « révolution constitutionnelle » qui a embrasé tour à tour les différents États italiens : le 10 février, Ferdinand II accorde une constitution au royaume de Naples, le 15 février Léopold II l'imite dans le grand-duché de Toscane et le 4 mars, Charles-Albert, à son tour, dans le royaume de Piémont-Sardaigne.

Quoiqu'en préparation depuis un mois, dans une commission cardinalice qui comprenait notamment le cardinal Antonelli et où joua un grand rôle Mgr Corboli Bussi, le « Statut fondamental » accordé par Pie IX le 14 mars apparut comme la suite, tardive, des constitutions concédées dans les royaumes voisins. Le « Statut fondamental pour le gouvernement temporel des États de l'Église » faisait passer les États pontificaux du régime absolu, où le pouvoir exécutif n'était dépendant d'aucun autre pouvoir, à un régime constitutionnel. Deux chambres étaient créées : un Haut Conseil, composé d'ecclésiastiques et de laïcs, et une Chambre des députés, élue, qui aurait la charge de voter les lois mais dont les délibérations étaient soumises à l'approbation du pape. On notera les limites qui étaient fixées à ces nouveaux pouvoirs. Pie IX, à la fois chef spirituel et souverain temporel, ne pouvait laisser une assemblée laïque décider à elle seule de la législation à appliquer dans ses États.

Ce « Statut fondamental » fut annoncé quatre jours après qu'un de ses maîtres d'œuvre, le cardinal Antonelli, fut devenu Secrétaire d'État, remplaçant le cardinal Bofondi, canoniste émérite mais inapte aux affaires publiques. Antonelli avait constitué aussi un nouveau gouvernement à dominante laïque : six laïcs pour trois ecclésiastiques.

Le cardinal Antonelli restera en poste pendant près de trente années, hormis une courte interruption, déployant un art politique qui le fit surnommer « le Richelieu italien »[1].

Giacomo Martina a très bien défini sa personnalité et la complémentarité, parfois l'antithèse, qu'elle offrait avec celle de Pie IX : « Diacre mais pas prêtre, croyant et fidèle à ses devoirs sans jamais être dévot ni pieux (les accusations sur sa vie privée sont sans fondement), froid, réservé, capable de double jeu, attaché à sa famille, occupé à accumuler un beau patrimoine, il était la parfaite antithèse de Pie IX, parfois trop expansif, sincère, incapable de dissimuler, très pieux et profondément dévot.

« L'habileté économique et politique du cardinal, en somme la complémentarité des deux hommes, expliquent cette collaboration étroite qui dura vingt-huit années »[2].

---

1 - Cf Carlo FALCONI, **Il Cardinale Antonelli**, Arnoldo Mondadori Editore, Milan, 1993.

2 - G. MARTINA, « Pie IX » in **Dictionnaire historique de la papauté**, sous la direction de Philippe Levillain, Fayard, 1994, p. 1 345.

Dans un premier temps, le cardinal Antonelli ne va rester à la Secrétairerie d'État et à la présidence du Conseil des ministres que cinquante jours puis il saura prudemment se mettre au second plan tout en restant un homme de grande influence et attendre l'heure de son retour officiel.

Les appels à la guerre contre les « Barbares » se multipliaient et, en mars 1848, Venise et Milan, les deux principales villes du nord de l'Italie appartenant à l'Autriche, connaissaient des insurrections contre l'occupant. Après avoir tergiversé, finalement, le 24 mars, le roi de Piémont-Sardaigne déclarait la guerre à l'Autriche. Aussitôt, de tous les États italiens, s'organisèrent des départs de volontaires pour renforcer les troupes sardes.

A Rome, la veille même de la déclaration officielle de guerre, une grande réunion, organisée par les « patriotes » les plus déterminés, s'était tenue au Colisée en faveur de la guerre contre l'Autriche. Deux religieux y avaient pris la parole, le Père Gavazzi et le Père Dumaine, un Français, signe qu'une partie du clergé s'était ralliée aux positions les plus exaltées.

Ce même jour un premier contingent de volontaires était parti de Rome. Pie IX avait autorisé ces enrôlements — qui se seraient faits même sans son autorisation — mais quand ces premiers volontaires étaient venus demander la bénédiction de leurs drapeaux, le pape avait refusé et avait expressément ordonné de seulement « protéger la frontière » et de ne pas la franchir [1]. Puis, avec le cardinal Antonelli, il chercha à organiser les masses de volontaires qui se présentaient de tous les États pontificaux, souvent

---

1 - MARTINA, t. I, p.230.

issus de la Garde civique. Deux groupes d'armée furent constitués : l'un, d'environ 7 000 hommes issus des troupes régulières, sous le commandement du général Durando ; l'autre, de plus de 10 000 volontaires, sous les ordres du général Ferrari. Si les premiers étaient assez bien équipés, les uns comme les autres étaient inexpérimentés dans l'art de la guerre. Ils avaient pour seule mission de défendre les frontières et, en aucun cas, d'attaquer l'Autriche et de voler au secours des Lombards et des Vénitiens.

Dans cette logique défensive, Pie IX, après avoir consulté les cardinaux de la Congrégation des Affaires Extraordinaires, proposa aux différents États italiens de constituer une « Ligue de défense ». Tous acceptèrent sauf le Piémont-Sardaigne qui aurait souhaité un engagement militaire commun contre l'Autriche et la constitution d'un conseil de guerre sous sa présidence, ce que Pie IX refusait absolument.

Dans son entourage, certains, notamment Mgr Corboli Bussi, étaient partisans d'une guerre contre l'Autriche. Il faut signaler aussi les arguments de l'abbé Rosmini, philosophe et théologien qui sera, quelques mois plus tard, parfois écouté du pape. Lui aussi était partisan de la « guerre d'indépendance ». Le pape se devait d'entrer en guerre non seulement parce que ce serait une guerre « juste » mais aussi parce qu'elle serait d'une « grande utilité nationale »[1].

Une déclaration du 30 mars put faire croire que le parti de la guerre l'avait emporté. Après que, dans les jours précédents, les Piémontais eurent remporté des victoires

---

1 - Cité in POLVERARI, t. I, p.193.

contre les Autrichiens en Lombardie et en Vénétie, le pape, dans une proclamation largement inspirée par Mgr Corboli Bussi, déclara : « Les événements qui se sont succédé si rapidement ces deux derniers mois ne sont pas une œuvre humaine » et il estimait qu'il fallait y « adorer les desseins cachés de la Providence ».

Même si l'ennemi n'était pas nommé, la tonalité anti-autrichienne de cette proclamation apparut comme une bénédiction de la « guerre d'indépendance ». A peine arrivé à Bologne, le 5 avril, le général Durando rendit public un « Ordre du jour au corps des opérations », rédigé en fait par Massimo D'Azeglio, qui appelait, au nom du pape, « à l'extermination des ennemis de Dieu et de l'Italie » et à la guerre contre l'Autriche aux côtés du Piémont.

Pie IX était trahi mais il réagit d'abord bien faiblement. La *Gazzetta di Roma*, organe officiel du gouvernement, publia, en date du 10 avril, un communiqué du gouvernement : « Un ordre du jour de Bologne aux soldats, en date du 5 avril, exprime des idées et des sentiments comme s'ils étaient dictés par la bouche de Sa Sainteté : le pape, quand il veut faire connaître ses sentiments, parle par lui-même et jamais par la bouche de quelque subalterne ». En même temps, il était demandé au général Durando de justifier sa conduite. Celui-ci, persistant dans sa désobéissance aux ordres du pape, faisait franchir le Pô à ses troupes le 21 avril. Les troupes pontificales se trouvaient, de fait, engagées dans la guerre.

La situation était dramatique. Déjà l'Autriche, par mesure de rétorsion, avait expulsé les Rédemptoristes de Vienne. On pouvait craindre aussi que la guerre ne rendît hostile au Saint-Siège toutes les populations de langue germanique, voire qu'un schisme n'éclatât. Le pape était pressé par la plupart de ses ministres de s'engager officiellement dans la guerre tandis que les cardinaux étaient divisés. Quoiqu'une commission cardinalice extraordinaire, convoquée par le pape le 17 avril, eût repoussé l'idée d'une guerre, le cardinal Antonelli, Secrétaire d'État et président du Conseil des ministres, adoptait une attitude hésitante si ce n'est équivoque [1].

Le 25 avril, Pie IX confiait son désarroi à un diplomate : « Mon autorité s'affaiblit chaque jour, le pouvoir que j'exerce, en ce qui concerne le temporel, n'est pour ainsi dire plus que nominal. Ne veulent-ils pas, ces hommes dont le patriotisme exalté ne connaît plus aucun frein, me faire déclarer la guerre, à moi chef d'une religion qui ne connaît que la paix et la concorde ? Eh bien ! je protesterai ; l'Europe saura la violence qu'on m'a faite, et si l'on veut continuer à exiger de moi des choses que ma conscience repousse, je me retirerai dans un couvent pour y pleurer sur les malheurs de Rome » [2].

La protestation annoncée eut lieu le 29 avril, dans une allocution au Consistoire qui dissipa définitivement les équivoques. Après avoir rappelé toutes les réformes temporelles qu'il avait accordées depuis le début de son pontificat, Pie IX protesta contre les mauvaises interprétations de ses actes et de ses paroles et déclara « ne pas pouvoir désirer la guerre ». Et pour montrer que sa charge spirituelle inspirait sa conduite il ajoutait : « Fidèle aux obligations de notre suprême apostolat, nous embrassons tous les pays, tous les peuples, toutes les nations, dans un égal sentiment de paternel amour ».

---

1 - MARTINA, t. I, pp. 240-241. POLVERARI, t. I, pp.198-199, fait une analyse plus favorable à Antonelli.

2 - Propos rapportés par Auguste de Liedekerke, ministre plénipotentiaire des Pays-Bas à Rome, cités in AUBERT, p. 31

Cette allocution provoqua la consternation parmi les interventionnistes. Les représentants diplomatiques du Piémont, de la Toscane, de Naples, de Milan, de Venise demandèrent audience au pape pour protester. A Rome, dans les cercles les plus radicaux, on cria à la trahison. Pour la première fois, ce n'étaient plus seulement les collaborateurs du pape et les cardinaux qui étaient attaqués mais Pie IX lui-même.

Le cardinal Antonelli démissionna de sa double charge de Secrétaire d'État et de président du Conseil des ministres, et tout le gouvernement à sa suite. La démission d'Antonelli doit être comprise non comme une désapprobation de l'allocution du 29 avril, contrairement à ce qu'affirment certains historiens, mais comme un changement clair de politique [1]. Il s'agissait pour lui, en accord avec Pie IX, de se dégager des affaires politiques intérieures et de rompre avec les libéraux pour sauvegarder sa liberté et son autorité dans les affaires extérieures et se mettre en réserve pour l'avenir. A l'inverse des précédents Secrétaires d'État démissionnaires, il ne fut pas renvoyé à des responsabilités spécifiquement religieuses mais se vit confier par le pape la responsabilité de la Congrégation pour les Affaires Extérieures Extraordinaires.

Pie IX, lui, devait continuer à composer avec les forces politiques existantes à Rome et à tenir compte de la situation de guerre qui lui avait été imposée. Il appela le comte Terenzio Mamiani à former un gouvernement. Mamiani avait été un des amnistiés de 1846, malgré son refus de prêter le serment de fidélité exigé, mais il passait pour un modéré. Même si, officiellement, le Secrétaire d'État prési-

---

1 - Analyses convaincantes in C. FALCONI, *op. cit.*, pp. 172-173 et in POLVERARI I, p. 198-199.

dait toujours le gouvernement, la direction en revenait en
fait, pour la première fois, à un laïc. Qui plus est, l'autorité
du Secrétaire d'État avait été dépréciée par les changements successifs de titulaire : le cardinal Orioli, successeur
d'Antonelli, ne resta en poste qu'un mois. En juin lui suc-
céda le cardinal Soglia [1].

Parallèlement, le pape déploya des efforts méritoires
pour ramener la paix en Italie. Le 3 mai, il écrivit à l'empereur d'Autriche, Ferdinand Ier, l'engageant à cesser la
guerre et à retirer ses troupes de Vénétie et de Lombardie
et en même temps il adressait au roi Charles-Albert une
lettre pour l'engager à des négociations avec l'Autriche.
Puis le 27 mai, il envoya un médiateur, Mgr Morichini, en
Autriche [2]. Mais les Autrichiens étaient déjà engagés avec
succès dans la reconquête de la Vénétie et de la Lombardie
et ils n'étaient pas disposés à un arrêt des combats qui les
priverait d'une victoire. Bientôt le Piémont-Sardaigne fut
contraint à signer un armistice.

L'Autriche en profita pour occuper le nord des États
pontificaux. En août, par l'intermédiaire de son Secrétaire
d'État Soglia, Pie IX protesta fermement et demanda le
départ des troupes autrichiennes [3].

Cet échec face à l'Autriche ne bouleversa pas les données politiques dans les États pontificaux. Si la croisade
contre les « Barbares » ne pouvait plus être à l'ordre du
jour, les revendications unitaires n'étaient pas, pour

---

1 - Carlo GRILLANTINI, « Il Cardinale Giovanni Soglia Ceroni », **Pio IX**, n° 1,
1974, pp. 144-156.

2 - Mgr Morichini, qui lui avait succédé avec succès à la tête de l'hospice Tata
Giovanni, bien des années plus tôt, avait toute la confiance du pape. Pie IX avait fait
appel à lui suite à la défection de Mgr Corboli Bussi qui, depuis l'allocution du
29 avril, ne voulait plus remplir de mission officielle.

3 - Lettre de Soglia en date du 8 août 1848, citée in C. GRILLANTINI, *op. cit.*, p. 152.

autant, devenues caduques. Les éléments modérés, tels Mgr Corboli Bussi et Rosmini, rêvaient encore d'une « Confédération italienne » où chacun des États eût renoncé à une part de sa souveraineté au profit d'une diète fédérale. Les éléments les plus radicaux attisaient toujours davantage les passions contre Pie IX, jugé, depuis l'allocution d'avril, traître à la cause italienne. A défaut d'avoir vaincu l'Autriche, ceux-là espéraient renverser le pouvoir pontifical. En septembre, la rumeur d'un soulèvement imminent, visant à proclamer la République, se répandit.

Le consul général du Wurtemberg à Rome a relaté dans un rapport au gouvernement comment la menace a, momentanément, été écartée : Pie IX « avait l'intention de franchir un pas énergique contre les agités, spécialement Sterbini, le prince de Canino, le comte Mariani, le docteur Pantaleoni et d'autres. (…) Le ministre de la police, Galletti, fut le premier à ne pas vouloir prendre de mesure contre les libéraux et finalement le ministère entier a démissionné »[1].

C'est dans ces circonstances que Pellegrino Rossi fut appelé à constituer un nouveau gouvernement. L'ancien ambassadeur de France à Rome sous Louis-Philippe n'avait pas quitté la Ville Éternelle après que la révolution de février 1848 l'eut privé de son poste. En tant qu'ambassadeur il avait été reçu très fréquemment par Pie IX et avait avec lui eu de longs entretiens qui, déjà, dépassaient le niveau habituel des relations diplomatiques. En faisant appel à lui dans ces heures difficiles, le pape souhaitait

---

1 - Rapport de Karl von Kolb, le 18 septembre 1848, cité par F. Leoni, « L'uccisione di Pellegrino Rossi nelle relazione dei diplomatici stranieri a Roma » in **Pio IX nel primo centenario…**, *op. cit.*, p. 264. L'appartenance à la franc-maçonnerie de Galletti, et sa conduite ultérieure, peuvent laisser supposer qu'il avait partie liée avec les comploteurs.

rompre avec la politique d'attente et de composition qui avait été la sienne depuis le retrait du cardinal Antonelli. L'arrêt de la guerre avec l'Autriche permettait de reprendre un projet intérieur cohérent. Dans le nouveau gouvernement constitué le 16 septembre, sous la présidence nominale du cardinal Secrétaire d'État Soglia, Rossi occupait les postes-clefs de l'Intérieur et des Finances, auxquels il adjoignit bientôt celui de chef de la police. Homme d'expérience, ses objectifs étaient bien déterminés : défendre « les droits du souverain et de la nation », dans les limites du Statut fondamental, « assurer… l'ordre public » et accroître la « prospérité » de tous [1].

Parmi ses premières initiatives on peut relever une nouvelle imposition sur les biens du clergé, pour remédier à la grave crise financière que connaissaient les États pontificaux, l'établissement de lignes télégraphiques entre Rome, Bologne et Ferrare, pour faciliter les communications entre la capitale et les Légations et pourvoir plus rapidement aux nécessités de l'ordre public. Rossi s'attacha aussi, dans des négociations avec les cours de Turin, Naples et Florence, à mettre sur pied une Confédération italienne. Ce projet différait de ceux de Corboli Bussi et de Rosmini en ce sens que chacun des États eût conservé intacte son autorité et n'aurait cherché qu'à harmoniser son administration et son économie avec celle de ses alliés.

La Révolution

Cette œuvre fut brutalement interrompue par l'assassinat de Rossi le 15 novembre. Ce jour-là s'ouvrait la session de la Chambre des députés. Le ministre devait y exposer en détail son programme de gouvernement. Lorsqu'il des-

---

1 - *Gazzetta di Roma*, 22 septembre 1848, cité in Martina, t. I, p. 281.

cendit de carrosse, il fut accueilli par des huées et des sifflets. A la faveur d'une bousculade, que les forces de l'ordre ne cherchèrent pas à maîtriser, des coups de couteau lui furent portés au flanc et à l'aorte. Cinq minutes plus tard il était mort. Au grand scandale des diplomates présents, qui quittèrent la salle aussitôt, le président de la Chambre, Sturbinetti, ouvrit quand même la séance.

A l'évidence, l'assassinat de l'homme en qui Pie IX avait placé tous ses espoirs n'était pas le fait de quelque forcené. Il y avait bien eu complot. Des historiens libéraux osèrent, pendant longtemps, affirmer que « l'assassinat de Rossi fut très probablement l'œuvre du parti clérical » [1].

En fait, bien des années plus tard, seront condamnés à mort, comme principaux auteurs de l'assassinat, Sante Costantini et Luigi Grandoni ; à la galère à perpétuité, comme complices, Ruggero Colonnello et Bernardino Facciotti ; et à vingt-deux années d'emprisonnement Francesco Costantini, Filippo Facciotti et Innocenzo Zappacori. Tous étaient plus ou moins liés au Cercle populaire de Sterbini mais, surtout, tous étaient franc-maçons.

Pellegrino Rossi, que l'on a dit avoir appartenu jadis à la franc-maçonnerie, a-t-il été assassiné par ses « frères » parce qu'il trahissait la cause ? Sterbini, président du Cercle populaire et auteur d'un article très hostile à Rossi quelques jours avant le crime, fut-il le donneur d'ordres ? C'est ce que laissait entendre, le lendemain même de l'assassinat, le chargé d'affaires belge à Rome dans un rapport à son gouvernement : « Il se murmure que dans un banquet organisé récemment à Florence et auquel assistaient les ministres toscans Montanelli et Guerrazzi et les dépu-

---

1 - Diego SORIA, **Histoire générale de l'Italie de 1815 à 1850**, Nîmes, s.n.e., 1860, t. I, p. 503.

tés romains Sterbini et Canino, il a été décidé de se débar-
rasser du comte Rossi » [1].

L'abomination, comme dans toute révolution, ne
connut plus de bornes. Un diplomate français, en poste à
Rome quelques années plus tard, a recueilli le récit de ce
qui se passa dans la soirée du 15 :

« Les gardes nationaux, les gendarmes eux-mêmes, qui
avaient laissé commettre le crime, permirent qu'on en
organisât publiquement l'apothéose. Pendant ce temps le
Père Vaure, l'ami le plus fidèle et le conseiller de Rossi,
transportait secrètement dans le caveau d'une chapelle le
cadavre qu'on allait venir enlever pour le promener
triomphalement dans Rome. La horde des assassins, après
avoir fraternisé avec les troupes, se répandit ensuite dans
toutes les rues, qu'une lâche terreur faisait pavoiser et illuminer sur son passage. Les misérables hurlaient un refrain
improvisé par Sterbini : " Béni soit le poignard, le poignard sacré qui a frappé le lâche ! " On promena toute la
soirée l'arme ensanglantée ornée de fleurs et attachée au
drapeau tricolore italien ; on l'exposa dans un café à la
vénération des Romains ; on vit même des fanatiques se
disputer pour baiser la main qui avait frappé : " Oh ! *la
santa mano* ! " Et pour que rien ne manquât à la glorifica-
tion du crime, on porta le hideux trophée devant la maison de Rossi et on l'éleva à la hauteur du premier étage,
sous les yeux de la veuve et des enfants de la victime,
comme autrefois la tête de la princesse de Lamballe » [2].

---

1 - Rapport d'Emile de Meester de Ravenstein, en date du 16 novembre 1848, cité
par F.Leoni, *op. cit.*, pp. 272-273. Dans une lettre au *Journal des Débats*, publiée le
13. 5. 1851, Sterbini se défendra d'être responsable de l'assassinat.

2 - Comte d'Ideville, **Pie IX. Sa vie, sa mort. Souvenirs personnels**, Victor
Palmé, Paris - J. Albanel, Bruxelles, 1878, pp. 33-34.

Le lendemain les révolutionnaires organisèrent une manifestation devant le palais du Quirinal pour exiger du pape un nouveau gouvernement, l'élection d'une Assemblée constituante, la reprise de la guerre contre l'Autriche et l'éloignement des Gardes suisses. Tandis que les manifestants fraternisaient avec la Garde civique et qu'un canon était braqué contre le palais, le Secrétaire d'État, pour éviter d'autres troubles, acceptait de recevoir une délégation des manifestants. Puis il communiqua la liste des revendications à Pie IX. Celui-ci, pour gagner du temps, déclara qu'il aviserait aux revendications qui lui étaient présentées. Lors de cette première manifestation, un prélat, Mgr Palma, secrétaire aux Brefs, fut tué d'un coup de fusil alors qu'il se présentait à une fenêtre du palais.

Pie IX se retrouvait bien seul, entouré seulement de quelques soldats restés fidèles, de prélats et de diplomates. Dans les jours qui suivirent l'assassinat de Rossi, les cardinaux, les uns après les autres, s'enfuirent de Rome tandis qu'au Quirinal, la noblesse romaine, qui devait tout aux Souverains Pontifes, brilla par son absence.

Le Cercle populaire forma un « Comité permanent de salut public » qui se rendit auprès de Pie IX le 17. Sous la menace, le pape laissa se former un gouvernement dirigé par Mgr Muzzarelli (qui, malgré son titre, n'était pas un prêtre mais un canoniste de la Rote, de tendance libérale) et où figuraient les éléments les plus extrémistes : Galletti à l'Intérieur, Sterbini au Commerce et aux Travaux publics.

Dès cette date, Pie IX ne gardait plus d'espoir de rétablir par lui-même la situation. Dans l'immédiat il se contenta de réunir les diplomates des grandes puissances et d'élever, devant eux, une protestation contre la violence qui lui était faite. Un fait, survenu dans cette journée du 17, l'incita à envisager la fuite de Rome comme la solution la meilleure pour le bien de l'Église.

Ce jour-là il reçut un petit paquet, envoyé par Mgr Chatrouse, évêque de Valence [1]. C'est dans cette ville, nous l'avons vu, que mourut Pie VI en 1799, après avoir été fait prisonnier par les révolutionnaires français. Pie VI, pendant tout son exode, avait pu garder en permanence la Sainte Eucharistie dans une petite custode. C'est cette custode que Mgr Chatrouse envoyait à Pie IX. Le pape y vit un signe de la Providence sur la conduite qu'il avait à tenir.

Il prépara en secret sa fuite de Rome, avec la complicité de quelques diplomates et officiers fidèles. Tout fut organisé par le comte Benedetto Filippani, lié au futur Pie IX dès les années 1820 et qui était devenu au lendemain de son élection *scalco segreto* [2].

Le soir du 24 novembre, le duc d'Harcourt, ambassadeur de France à Rome, se présenta au Quirinal pour être reçu en audience par le pape. Il fut introduit et, selon un plan préparé à l'avance, il aida Pie IX à quitter ses habits pontificaux blancs pour revêtir la simple soutane noire d'un prêtre. Puis le Souverain Pontife quitta le Quirinal à pied, avec Filippani, par une porte dérobée, et alla rejoindre le carrosse de l'ambassadeur de Bavière, le comte de Spaur, qui l'attendait sur une place éloignée. Quand le duc d'Harcourt sortit de son supposé « entretien » avec le pape, il recommanda au personnel de surveillance de ne pas déranger le Souverain Pontife,

---

1 - Témoignage circonstancié in *Summarium* § 402, pp. 118-119.

2 - Longue déposition de sa fille, Giulia Filippani, devenue religieuse, au procès de béatification : *Summarium* § 401-428.

celui-ci s'étant retiré dans ses appartements privés. Ce n'est que le lendemain que les révolutionnaires apprirent la fuite du pape : il était déjà loin, en territoire napolitain. Dans la journée du 25, il était arrivé au petit port de Gaète, à quelque soixante-dix kilomètres au nord de Naples. Le pape y avait loué incognito une chambre à l'auberge du *Giardinetto*, en attendant que le roi de Naples, qu'il avait fait prévenir de son arrivée, vînt à sa rencontre.

Plusieurs pays, notamment la France, espéraient que le Souverain Pontife allait chercher refuge chez eux. Finalement Pie IX resta en territoire napolitain, à Gaète puis à Portici. Cet exil allait durer près d'un an et demi.

Faut-il voir là le tournant du pontificat : Pie IX rejetant ses idées réformatrices passées pour s'engager dans une voie « réactionnaire » ? C'est ce que soutiendront les libéraux qui avaient d'abord placé ses espoirs en lui. Tel l'historien Charles de Mazade qui, au lendemain de la mort du pape, faisant le bilan de son pontificat, écrivait : « A partir de ce moment-là tout change, la réaction commence pour ne plus être interrompue. Le pape libéral de 1846 revient à l'inflexibilité du prêtre, du pontife. (...) Il y a dans sa vie deux parties qui se querellent et se contredisent, et le pontife du lendemain des révolutions semble faire pénitence des velléités libérales du pape de 1847 » [1].

Ce jugement nous semble démenti par les faits. Pie IX, avant son exil comme après son exil, n'a pas varié sur ses grands principes de politique temporelle : défense de la souveraineté des États pontificaux et hostilité à la séparation de l'Église et de l'État. Il n'a pas varié non plus, bien sûr, dans les grandes lignes de son action doctrinale et

---

1 - Charles de Mazade « Chronique de la Quinzaine », **Revue des Deux Mondes**, 14 mars 1878, pp. 955-956.

pastorale. L'exil napolitain sera sans doute l'occasion d'un examen de conscience et de déterminations nouvelles mais dans la continuité d'un pontificat dont les grandes lignes étaient déjà tracées.

Certains ouvrages consacrés à l'apparition de la Vierge Marie à La Salette, le 19 septembre 1846 — quelques mois, donc, après l'élection de Pie IX au souverain pontificat — veulent voir, dans cette fuite de Rome, le début de la réalisation des « secrets » qui auraient été révélés aux deux petits voyants, Mélanie et Maximin. Sans entrer dans le détail d'une question très controversée, signalons que si la première partie du message donné par la Vierge ce jour-là — message appelant à la pénitence, à la prière, à la sanctification du dimanche et menaçant de châtiments divins — a été reconnue comme d'origine surnaturelle par l'évêque de Grenoble, dès 1851, l'autre partie du message ne l'a pas été.

En 1851, Pie IX lira une première version des « secrets » mais les témoignages ne concordent pas sur l'importance qu'il leur accorda. Une version, beaucoup plus longue, au ton très apocalyptique, a été rédigée par Mélanie en 1878 et publiée l'année suivante, donc après la mort du pape. La version lue par Pie IX en 1851 n'a pas été retrouvée dans les Archives vaticanes. D'où des hypothèses contradictoires. Le P. Jean Stern, dans sa grande étude archivistique [1], estime que les secrets reçus en 1846 ne concernaient que les voyants. Fernand Corteville [2] considère que le secret révélé à Mélanie en 1846 doit être interprété

---

1 - **La Salette. Documents authentiques**, t. I, D.D.B., 1980 et t. II et III, Cerf, 1984 et 1991.

2 - Fernand CORTEVILLE, in **Pie IX, le P. Pierre Semenenko et les défenseurs du Message de N-D de La Salette**, diffusion Téqui, 1987.

comme une prophétie du règne tourmenté de Pie IX et l'annonce d'autres châtiments.

CHAPITRE HUITIÈME

LE PAPE EN EXIL

AUSSITÔT qu'il avait été averti de l'arrivée du pape en territoire napolitain, Ferdinand II s'était rendu avec la reine, le prince héritier et quelques troupes à Gaète. C'était un honneur pour lui de recevoir Pie IX et, souverain réputé pour son authentique piété, il mêlait quelque mysticisme à cet honneur. Pendant les dix-sept mois que dureront l'exil papal, les liens entre les deux souverains seront étroits.

Ferdinand II fit installer Pie IX dans la petite forteresse royale de Gaète. Il aurait souhaité que le pape s'établît à Naples ou à Portici, dans des palais plus prestigieux, mais le Souverain Pontife, en accord avec le cardinal Antonelli qui était déjà arrivé sur place, jugea préférable de rester à Gaète parce que la petite ville était plus proche de Rome et pour ne pas paraître subir l'influence politique du royaume de Naples.

Le 27 novembre, au surlendemain de son arrivée, Pie IX adressa un *motu proprio* aux Romains. Dans ce texte, longuement travaillé, le pape expliquait à ses sujets avoir dû fuir Rome pour conserver son indépendance. Il invoquait le pardon divin sur ceux qui s'étaient égarés de bonne foi et déniait « toute légalité » au gouvernement du 16 novembre qui lui avait été arraché par « une violence inouïe ». Il annonçait aussi la création d'une « Commission gouvernementale provisoire » destinée à gérer les affaires publiques à Rome en son absence. Présidée par le cardinal Castracane, elle comprenait Mgr Roberti, les princes Barberini et Roviano, les marquis Bevilacqua et Ricci et le général Zucchi.

Pie IX ne se faisait sans doute guère d'illusion sur les possibilités d'action de cette Commission, qui, de toute façon, ne put être mise en place, plusieurs membres pressentis ayant déjà fui Rome. Mais, du moins, le *motu proprio* marquait sa détermination à rompre tout lien avec les libéraux et les révolutionnaires maîtres de la Ville Éternelle. Ceux-ci, bien sûr, ne tinrent aucun compte des exhortations pontificales et ne reconnurent pas l'autorité de la Commission provisoire.

En décembre, les députés présents à Rome élirent une Junte provisoire de trois membres destinée à diriger l'État. Cette Junte prit un décret, le 29 décembre, qui annonçait l'élection au suffrage universel d'une Assemblée constituante le 21 janvier suivant. La rupture entre Gaète et Rome était consommée de façon irrémédiable.

Le 4 décembre, le pape avait appelé officiellement les nations catholiques d'Europe à l'aider à retrouver son pouvoir temporel. La France, avant même cet appel, s'était déclarée prête, par un vote de l'Assemblée législative, à envoyer des troupes au secours du pape. Ce n'est que par l'hostilité toute politicienne de Louis-Napoléon Bonaparte, élu Président de la République le 10 décembre, que l'expédition fut ajournée. Finalement, le Prince-Président la reprendra à son compte, quelques mois plus tard, et les troupes du général Oudinot libèreront Rome.

Retour au spirituel

Il serait erroné de dire que les affaires temporelles ne tinrent plus qu'une place secondaire dans l'esprit du pape pendant son exil à Gaète. Sa détermination à retrouver sa souveraineté sur les États pontificaux est restée entière et la présence à ses côtés du cardinal Antonelli permit que la question fût suivie de près, jour après jour. Antonelli qui, nous l'avons vu, était resté dans l'ombre de Pie IX depuis sa démission de la Secrétairerie d'État en avril 1848, retrouva, à Gaète, un rôle de premier plan. Le 6 décembre, il était nommé officiellement Pro-Secrétaire d'État, titre inférieur à celui qu'il avait auparavant, sans doute pour ménager les susceptibilités du cardinal Soglia qui n'avait pas démérité. Mais tout le monde comprenait que le cardinal Antonelli était rétabli dans toutes ses prérogatives de « bras droit » de Pie IX [1].

Si la politique, donc, ne perdit jamais ses droits pendant cet exil napolitain, les circonstances lui ôtèrent de son acuité. La cour et surtout l'administration pontificales ne se rétablirent que partiellement à Gaète. Si, à la fin de décembre 1848, quelque vingt-cinq cardinaux et une quinzaine de diplomates avaient rejoint le pape, l'essentiel du personnel des dicastères et de l'administration temporelle demeurait à Rome. Le règlement des affaires de tous ordres s'en trouva suspendu ou fortement ralenti.

Par la force des choses, mais aussi sans doute par nécessité intérieure, Pie IX se trouva davantage disponible que dans les deux années écoulées pour se consacrer aux affaires proprement spirituelles. Sa première sortie solennelle de la forteresse de Gaète fut, le 28 novembre, pour se rendre au sanctuaire de la Sainte-Trinité, non loin de là. En présence de la famille royale napolitaine, il célébra la messe puis, avant de donner la bénédiction du Saint-Sacrement, il prononça, avec beaucoup d'émotion et à genoux, une prière :

---

1 - Il retrouvera officiellement son titre de Secrétaire d'État le 18 mars 1852.

« Dieu éternel, notre auguste Père et Seigneur, voici à vos pieds votre Vicaire, qui, bien qu'indigne, vous supplie de toute son âme de verser sur lui, de la hauteur du trône resplendissant où vous êtes assis, votre large bénédiction. Dieu grand, dirigez ses pas, sanctifiez ses intentions, conduisez son esprit, gouvernez ses œuvres ; puisse-t-il ici où vous l'avez conduit dans vos voies admirables, et dans toute autre partie de votre bercail où il devra se trouver, puisse-t-il être un digne instrument de votre gloire et de celle de votre Église, en butte, hélas ! aux coups de vos ennemis !

« Si, pour apaiser votre colère justement soulevée à la suite de tant d'iniquités qui se commettent par la parole, par la presse, par les actions, la propre vie de votre dernier serviteur peut être un holocauste agréable à votre cœur, dès ce moment il vous la consacre : vous la lui avez donnée, à vous seul appartient le droit de la lui enlever quand il vous plaira. Mais, ô Dieu créateur, que votre gloire triomphe, que votre Église soit victorieuse ! Maintenez les bons, soutenez les faibles, et que le bras de votre toute-puissance réveille ceux qui demeurent plongés dans les ténèbres et les ombres de la mort.

« Bénissez, avec les cardinaux, tout l'épiscopat de l'univers, afin que tous accomplissent, dans les voies si douces de votre loi, l'œuvre salutaire de la sanctification des peuples. Alors nous pourrons espérer non seulement d'être sauvés, dans ce pèlerinage mortel, des embûches de l'impie et des pièges du tentateur, mais aussi de pouvoir mettre le pied dans l'asile de l'éternelle sécurité. *Ut hic et in æternum, te auxiliante, salvi et liberi esse mereamur* » [1].

---

1 - Cité in R.P. HUGUET, **L'Esprit de Pie IX**, Félix Girard Libraire Editeur, Lyon-Paris, 1866, pp. 10-11.

Cette longue prière n'avait rien de spontané, elle avait été rédigée par le pape dans les premiers jours de son arrivée. Elle reflète d'une manière émouvante les dispositions de l'âme de Pie IX à une heure particulièrement tragique pour sa personne et pour l'Église. En un demi-siècle il était le troisième pape contraint de quitter Rome. Combien de temps et où allait le conduire cet exil, il ne le savait pas (« ici... et dans toute autre partie de votre bercail où il devra se trouver », dit la prière). Sont notables le sacrifice de sa vie, qu'il est prêt à faire, en réparation de toutes les « iniquités » qui ont été commises, et son souci de l'Église universelle.

Cette première cérémonie religieuse solennelle à Gaète inaugurait une suite nombreuse de pèlerinages dans différents sanctuaires du royaume de Naples. Le pape exilé se faisait pape-pèlerin, selon un triple motif : en pénitence pour ses propres péchés et insuffisances, en réparation pour les erreurs et calamités qui se sont abattues sur l'Italie pendant l'année écoulée et, aussi bien sûr, par dévotion personnelle et désir de se tourner vers Dieu [1].

De Gaète, et plus tard de Portici, Pie IX multiplia les visites aux sanctuaires. Le 10 février 1849, il se rendit au grand sanctuaire marial du Monte Civita qui abrite une très ancienne icône attribuée à saint Luc (apportée de Constantinople lors de la persécution iconoclaste). Il se rendit aussi dans l'église de l'Annunziata, à Gaète, qui contient, dans une chapelle dite de la « Grotte d'Or », un tableau représentant l'Immaculée Conception, dû à un

---

1 - POLVERARI a consacré tout un chapitre à ces pèlerinages de l'exil, t. II, ch. II, pp. 34 à 48. Nombreux renseignements aussi in Rosario F. ESPOSITO, « Nell'esilio napoletano Pio IX maturo la proclamazione», **Osservatore Romano**, 7 décembre 1973.

peintre jésuite, le P. Scipione Pulzone. Pie IX pria devant ce tableau. Le 6 septembre, il se rendit dans la cathédrale de Naples, dans la fameuse chapelle de saint Janvier. Trois jours plus tard, dans la même ville, il se rendit dans l'église du Gesù Vecchio et alla faire ses dévotions à une petite chapelle dédiée à la Vierge Immaculée. Pie IX y récita les litanies de la Vierge et trois *Ave* et laissa un billet portant ces mots : « Pie IX déclare se mettre sous la protection de Marie Immaculée ».

Sont notables aussi, parmi de nombreuses autres visites de sanctuaires et de couvents, le double pèlerinage du 8 octobre, dans les environs de Naples. A Nocera de Pagani, Pie IX alla se recueillir sur la tombe de saint Alphonse de Liguori [1]. Puis il se rendit dans la cathédrale de Salerne, sur la tombe de Grégoire VII : pèlerinage particulièrement émouvant parce que ce grand pape réformateur et restaurateur, que l'Église a canonisé, est mort en exil, dans cette ville, en 1085.

On relève, à plusieurs reprises, dans ces pèlerinages, des dévotions à la Mère de Dieu sous le vocable de l'Immaculée Conception. Pie IX s'y attacha avec une ferveur particulière. On a déjà signalé, dans le passé, sa dévotion envers cette croyance fort répandue dans l'Église mais qui n'était pas encore devenue un dogme de foi. Dans les débuts de son pontificat, en 1847, un éminent théologien jésuite, le P. Perrone, avait publié un mémoire intitulé *L'Immaculée Conception de la Bienheureuse Vierge Marie peut-elle faire l'objet d'une définition dogmatique ?* Il avait répondu

---

1 - Les œuvres de théologie morale, ascétique et dogmatique d'Alphonse de Liguori (1696-1787), ont connu de nombreuses rééditions au XIXᵉ siècle, et ont exercé une influence considérable dans la lutte contre le rigorisme janséniste. Canonisé par Grégoire XVI en 1839, Pie IX le proclamera Docteur de l'Église en 1871.

affirmativement. Le mémoire avait été remarqué et le pape avait exprimé sa satisfaction par une lettre à l'auteur.

Puis, en juin 1848, en pleins troubles pré-révolutionnaires, Pie IX avait confié à une commission de vingt théologiens le soin d'étudier à nouveau la question. Cette commission, alors, avait été tenue secrète. C'est durant l'exil napolitain que le pape prit de manière officielle la décision d'engager la procédure visant à la proclamation de ce nouveau dogme.

Depuis plusieurs mois, des demandes lui avaient été faites en ce sens, émanant soit de congrégations religieuses, soit d'évêques. Il était encore à Rome quand il avait reçu du roi de Naples, en septembre 1848, une pétition de quarante évêques napolitains demandant la proclamation dogmatique de l'Immaculée Conception. Puis, à Gaète, en décembre suivant, il recevait de Ferdinand II une nouvelle pétition signée de quinze autres évêques.

Dès le 16 de ce mois, soit moins d'un mois après son arrivée à Gaète, Pie IX créait une commission cardinalice chargée d'examiner l'opportunité d'une telle définition dogmatique. Composée en fait de huit cardinaux, de deux évêques et de six théologiens, elle tint une première réunion à Naples le 22 décembre[1].

Les dix membres présents se prononcèrent tous sur la légitimité et l'opportunité d'une telle définition mais ils demandèrent aussi que le nombre des membres de la commission soit augmenté et que les évêques du monde entier soient consultés. Pie IX allait suivre cette recommandation.

---

1 - Bernardo GIULIANI, « Gli atti di Pio IX per la definizione dommatica dell'Immacolata Concezione», l'**Osservatore Romano**, 8 décembre 1988.

On doit aussi signaler l'influence, parallèle, qu'a pu exercer sur Pie IX une âme mystique, bénéficiaire de nombreuses révélations : sœur Maria Luisa Ascione (1799-1875). Mgr Stella, secrétaire de Pie IX, la connaissait depuis 1842. Elle résidait dans un couvent de Naples. Pie IX la rencontra lors de son séjour à Gaète. Elle sera présente à Rome lors de la définition du dogme. Sa cause de béatification a été introduite [1]. Le 2 février 1849, après avoir célébré la messe de la fête de la Purification de la Vierge en la cathédrale de Gaète, il lisait l'encyclique *Ubi Primum* qu'il adressait aux évêques du monde entier [2]. Il demandait aux évêques de faire « connaître le plus promptement possible de quelle dévotion votre clergé et le peuple fidèle sont animés envers la Conception de la Vierge Immaculée, et quel est leur désir de voir le Siège apostolique porter un décret sur cette matière » et de communiquer leurs propres « vœux » et « sentiments » à ce sujet. D'ores et déjà il accordait à tous les évêques la liberté de faire adopter par le clergé de leur diocèse, dans la récitation du bréviaire, l'office canonique particulier en l'honneur de l'Immaculée Conception qu'il avait déjà lui-même accordé à son clergé de Rome.

Une telle requête, et des études ultérieures, aboutiront à la proclamation solennelle du nouveau dogme marial en 1854.

Il n'est pas indifférent que le processus qui a abouti à un tel résultat éclatant ait pris naissance pendant l'exil de

---

1 - Cf. Giuseppe M. BESUTTI, « Pio IX e la Serva di Dio Maria Luisa Ascione, fondatrice delle Suore di Maria SS. Addolorata» in **Pio IX nel primo centenario della sua morte**, Editrice la Postulazione della causa di Pio IX/Libreria Editrice Vaticana, Cité du Vatican, 1978, pp. 120-136. D'autres renseignements m'ont été fournis par Joachim BOUFLET.

2 - Texte intégral in ANNALES I, pp. 69-71

Gaète. Face aux maux qu'avait subis l'Église pendant l'année 1848, le pape cherchait secours dans la Sainte Vierge Marie. Il le dit explicitement dans l'encyclique :

« Nous nous confions surtout dans cette espérance que la Bienheureuse Vierge, qui a été élevée par la grandeur de ses mérites au-dessus de tous les chœurs des anges jusqu'au trône de Dieu (saint Grégoire), qui a brisé sous le pied de sa vertu la tête de l'antique serpent, et qui, placée entre le Christ et l'Église (saint Bernard), toute pleine de grâce et de suavité, a toujours arraché le peuple chrétien aux plus grandes calamités, aux embûches et aux attaques de tous ses ennemis, et l'a sauvé de la ruine, daignera également, nous prenant en pitié avec cette immense tendresse qui est l'effusion habituelle de son cœur maternel, écarter de nous par son instante et toute-puissante protection auprès de Dieu les tristes et lamentables infortunes, les cruelles angoisses, les peines et les nécessités dont nous souffrons, détourner les fléaux du courroux divin qui nous affligent à cause de nos péchés, apaiser et dissiper les effroyables tempêtes de maux dont l'Église est assaillie de toutes parts, à l'immense douleur de notre âme, et changer enfin notre deuil en joie ».

Examen de conscience

Les nouvelles qui lui parvenaient de Rome ne manquaient pas d'inquiéter Pie IX. A l'annonce que la Junte suprême allait organiser l'élection d'une Assemblée constituante, il avait réagi, le 1er janvier 1849, par le *motu proprio Da questa pacifica stazione* qui dénonçait une telle élection comme un « acte de rébellion et attentat sacrilège » et il menaçait d'excommunication les sujets de ses États qui y participeraient. Son admonestation fut en partie écoutée puisque, malgré les pressions des Cercles, un tiers seulement des électeurs potentiels se rendirent aux urnes [1].

Les 200 députés élus, malgré quelques notables exceptions, étaient en majorité favorables au nouveau pouvoir. Cette Assemblée adopta le 9 février un décret en quatre articles qui déclarait le pape « déchu de fait et de droit du gouvernement temporel de l'État romain » et qui proclamait la « République romaine ». Bientôt Mazzini se voyait octroyer la citoyenneté romaine et était choisi pour figurer dans le triumvirat qui dirigerait la nouvelle république.

Pie IX éleva à nouveau une protestation solennelle devant le corps diplomatique qui se trouvait à Gaète et le 18 février était rendue publique une note diplomatique du cardinal Antonelli, adressée respectivement aux gouvernements français, autrichien, espagnol et napolitain et demandant leur aide militaire pour rétablir le Souverain Pontife dans ses droits.

La République romaine ne se contenta pas d'usurper le pouvoir temporel du pape. Pendant les cent trente-huit jours de son existence, elle a laissé l'anarchie s'installer et a mené, malgré quelques apparences de religiosité (telle la célébration d'un *Te Deum* à la basilique Saint-Pierre au lendemain de la proclamation de la République), une politique violemment anticléricale. Imitant les actes de la Révolution française, elle a proclamé « Biens nationaux » tous les biens de l'Église et toutes les propriétés ecclésiastiques. De nombreux monastères et couvents ont été occu-

---

1 - MARTINA I, p. 328, estime au contraire qu'il s'agit là d'une participation « notable pour l'époque ». La comparaison avec le résultat des élections françaises sous la Révolution de 1789 ou celle de 1848 ne permet pas de soutenir ce préjugé favorable. On doit plutôt reconnaître la justesse de l'observation de Pie IX : « L'immense majorité du peuple romain et des autres sujets pontificaux nous est restée fidèlement attachée », allocution du 20 avril 1849, in ENCYCLIQUES, t. I, p. 129.

pés par la troupe. Des destructions et profanations nombreuses ont été tolérées. Des prêtres, des religieux nombreux ont été arrêtés, certains assassinés, et le cardinal De Angelis a été enfermé dans la citadelle d'Ancône.

Les provinces, elles aussi, ont connu des troubles nombreux : pillages, arrestations arbitraires, assassinats. A Senigallia, la famille du pape a été maltraitée : son frère aîné Giuseppe a été arrêté, sa sœur Virginia et son neveu Filippo Giraldi ont été pris en otage, avec d'autres personnalités de la ville, et emmenés à Ancône.

Dans quelle proportion Pie IX fut-il responsable des maux qui en 1848 et 1849 s'abattirent sur les États pontificaux ? Les historiens ont donné des réponses diverses, contradictoires. Il est remarquable que lui-même se soit posé la question et ait voulu se livrer à une sorte d'examen de conscience public dans une très longue allocution prononcée en consistoire, à Gaète, le 20 avril 1849 [1]. Cette allocution est à la fois un bilan de l'œuvre accomplie dans le domaine temporel depuis son élévation au pontificat, une justification contre certaines accusations portées à son encontre et une fine analyse du processus révolutionnaire, avec mention de plusieurs faits que l'historien se doit de prendre en compte.

Pie IX rappelle comment les concessions faites (amnistie, liberté de la presse, etc.) « ne purent ni produire les fruits que nous avions désirés, ni même jeter aucune racine, puisque ces habiles artisans (les révolutionnaires) n'en usèrent que pour exciter de nouvelles agitations ». Il reconnaît que la Garde civique fut « proposée et réalisée avec tant de précipitation qu'il ne fut pas possible de lui

---

1 - Allocution *Quibus quantisque*, publiée in ENCYCLIQUES, t. I, pp. 109-154.

donner une forme et une discipline régulières ». Il stigmatise aussi les trahisons de certains de ses ministres et celle aussi, en janvier 1849, du général de ses Gardes suisses[1].

L'allocution contient aussi une justification du pouvoir temporel de la papauté : « Ce fut par un dessein singulier de la Providence divine que, dans le partage de l'Empire romain en plusieurs royaumes et en diverses puissances, le Pontife de Rome, auquel Notre Seigneur Jésus-Christ a confié le gouvernement et la conduite de toute l'Église, eut un pouvoir civil. C'était sans doute afin que, pour gouverner l'Église et protéger son unité, il pût jouir de cette plénitude de liberté nécessaire à l'accomplissement de son ministère apostolique. Car tous le savent, les peuples fidèles, les nations, les royaumes n'auraient jamais une pleine confiance, une entière obéissance envers le Pontife romain, s'il se voyait soumis à la domination d'un prince d'un gouvernement étranger et privé de sa liberté ».

Même si cette allocution ne l'exprimait pas en termes clairs, Pie IX, dès cette époque, était disposé à ne pas maintenir le Statut fondamental qui avait fait des États pontificaux un régime constitutionnel. Plusieurs témoignages circontanciés attestent que le pape se déclarait désormais « anticonstitutionnel ».

Dans une lettre au cardinal Dupont, archevêque de Bourges, en date du 10 juin, il exprimait clairement les raisons de cette détermination : un gouvernement parlementaire entraîne « la faiblesse de ceux qui se disent amis de

---

1 - « Nous ordonnâmes de nouveau à nos troupes suisses de venir à Rome ; nous ne fûmes point obéi, et leur chef, dans cette circonstance, manqua à son devoir et à l'honneur ». Des journaux suisses, en réponse à cette accusation du pape, ont fait valoir à l'époque que la responsabilité en imputait à l'envoyé pontifical à Bologne, Mgr Bedini, et au ministre des armées Zucchi ; cf. POLVERARI, t. II, p. 27.

l'ordre » et « la liberté d'opinion, celle de la presse, celle d'association, etc. sont intrinsèquement mauvaises, et destructrices de la religion comme de l'ordre public. Comment donc le pape pourrait-il les admettre en conscience ? » [1].

Pie IX, nous l'avons vu, n'avait accepté dans ses États la liberté de la presse et un gouvernement constitutionnel qu'avec d'importantes restrictions formelles qui en limiteraient, espérait-il, les effets négatifs.

Expérience faite, il rejetait désormais ces deux principes des démocraties modernes. Aussi n'est-il pas incohérent qu'il sanctionne, le 6 juin 1849, une quadruple condamnation émise par la Congrégation de l'Index le 30 mai précédent.

Étaient désormais inscrits à l'Index des livres interdits : *La Constitution selon la justice sociale* et les *Cinq plaies de l'Église* de Rosmini, le *Jésuite moderne* de Gioberti et le *Discours funèbre pour les morts de Vienne prononcé le 29 novembre 1848* de Ventura. Trois auteurs ecclésiastiques dont l'influence avait été grande dans l'année fatidique écoulée.

Il n'était pas surprenant que l'ouvrage de Gioberti, très hostile aux Jésuites, soit condamné. Le Père Ventura, malgré ses affirmations [2], n'avait jamais exercé d'influence profonde sur Pie IX, et son « Discours » de commémoration des morts de la révolution autrichienne, comparés à des martyrs de la foi, ne pouvait qu'être condamné.

---

1 - Lettre citée in MARTINA, t. I, p. 365.

2 - Le 26 février 1848, dans une lettre au cardinal Lambruschini, il prétendait : « Je suis le seul à avoir placé dans l'esprit de Pie (IX) des idées de réforme politique, alors que lui n'avait l'idée que de réformes administratives. Je peux sans vanité m'attribuer le mérite d'avoir, avec Pie IX, contribué plus que tout autre Italien à la renaissance (*risorgimento*) de l'Italie », cité par MARTINA, t. I, p. 119, n. 44.

Le cas de Rosmini était moins simple [1]. L'abbé Rosmini avait été consulté à plusieurs reprises par Pie IX, à Rome, à partir d'août 1848, puis à Gaète en 1849. Il était estimé par celui-ci qui l'avait nommé, à Rome, consulteur de la Congrégation de l'Index et de celle du Saint-Office, et qui lui avait même demandé de se préparer au cardinalat. Mais les cardinaux des congrégations ci-dessus mentionnées avaient fait remarquer que certains ouvrages récents de Rosmini, que Pie IX ne connaissait pas encore, contenaient des propositions hétérodoxes. Pie IX avait alors suspendu l'annonce officielle de l'élévation au cardinalat et avait fait examiner de manière approfondie les ouvrages suspects. D'où la double condamnation de juin 1849.

A la vérité les deux ouvrages contenaient des idées que Pie IX ne pouvait admettre. Dans la *Constitution*, Rosmini se prononçait contre le principe de la « religion d'État » et se déclarait favorable à la liberté religieuse comme à l'élection des évêques par le clergé et les fidèles. Dans les *Cinq Plaies*, Rosmini appelait l'Église à recouvrer les cinq attributs qu'elle avait perdus : l'unité, la vérité, la charité, la liberté, la pauvreté. Quand Rosmini reçut la nouvelle de la condamnation, il écrivit aussitôt au Maître du Sacré Palais Apostolique son entière soumission [2].

---

1 - Cf. R. P. Giovanni Pusineri, « Notice biographique » in Antonio ROSMINI, **Anthologie philosophique**, Emmanuel Vitte éditeur, Lyon, 1954, pp. 55-71 ; Gianfranco RADICE, « Pio IX e la condanna de " Le cinque piaghe della Chiesa " di Antonio Rosmini », **Pio IX**, 2, pp. 207-294, 1972 ; Alfredo VALLE, « Il Cristianesimo è la storia dell'amore », **L'Osservatore Romano**, 4 juin 1982 et Carlo FALCONI, **Il Cardinale Antonelli**, Arnoldo Mondadori Editore, 1983, p. 179 sq.

2 - L'affaire Rosmini connut d'autres développements de sens opposé : en 1854, sous la présidence effective de Pie IX, la Congrégation de l'Index publia un décret qui déclara « Antonii Rosmini-Servati *opera omnia... esse dimittenda* », c'est-à-dire « acquittées »; mais en 1888, sous Léon XIII, fut publié un nouveau décret qui portait condamnation de quarante propositions tirées de plusieurs ouvrages.

La reconquête de Rome

L'appel du pape aux nations catholiques européennes pour le rétablir dans ses droits fut entendu. Chacun des quatre pays sollicités (France, Espagne, Autriche et royaume de Naples) envoya un représentant officiel à Gaète.

Plusieurs réunions de cette conférence internationale eurent lieu sans résultat, les 30 mars, 14 et 15 avril 1849. Mais la défaite décisive des Piémontais à Novare (23 mars), qui entraîna l'abdication de Charles-Albert en faveur de son fils Victor-Emmanuel II, puis l'occupation de Parme (6 avril) et de Florence (12 avril) par les Autrichiens, incitèrent la France à ne pas laisser l'Autriche seule rétablir le pape dans ses États. Le 22 avril, sous le commandement du général Oudinot, un corps d'armée de 9 000 hommes quitta Marseille et arriva à Civita Vecchia le 25. Un corps expéditionnaire espagnol de 6 000 hommes, sous le commandement du général Fernando Fernandez de Cordoba, débarquait à son tour le 27 mai.

La République romaine était disposée à résister. Elle recruta des volontaires dans toute l'Italie et même à l'étranger, notamment 200 Polonais qui avaient fui leur pays après l'échec de la révolution de l'année précédente. Garibaldi et sa Légion italienne arrivèrent en urgence à Rome. La première rencontre entre troupes françaises et troupes « romaines » eut lieu sous les murs de la Ville Éternelle, le 30 avril, et se solda par un échec pour les premières.

Louis-Napoléon Bonaparte envoya alors un médiateur, en la personne de Ferdinand de Lesseps. Celui-ci, peu de temps après son arrivée, se hâta de conclure un armistice, de reconnaître la République romaine et de l'assurer de la protection de la France ! C'était aller à l'encontre de l'appel du pape et du souhait des députés français qui avaient finalement approuvé l'envoi d'un corps expéditionnaire. Le retournement français était d'autant plus mal venu que les Napolitains avaient déjà libéré le sud des États pontificaux, qu'ils s'approchaient d'Albano et que les Autrichiens rétablissaient les autorités pontificales dans les Légations de Bologne et d'Ancône.

Le général Oudinot contesta l'armistice conclu par Lesseps et, finalement, le 25 mai, le gouvernement français dénonça cet accord. Lesseps fut rappelé à Paris et remplacé par Claude de Corcelle qui avait mission de rendre à l'opération son but initial. Les combats reprirent le 3 juin et durèrent presque un mois. Le 30 juin, Mazzini quittait Rome, Garibaldi à son tour le 2 juillet et le 3, le général Oudinot faisait son entrée dans la ville libérée. Une administration provisoire était mise en place, sous l'autorité du général de Rostolan, nommé gouverneur de la cité. Le jour même Oudinot envoyait à Pie IX un messager porteur des clefs de Rome et d'une lettre annonçant la cessation des hostilités.

Le pouvoir temporel du pape fut déclaré officiellement rétabli le 15 juillet et un *Te Deum* fut célébré à Saint-Pierre par le cardinal Castracane. Le 17, dans une adresse aux Romains, Pie IX se réjouissait de l'événement et nommait une commission de trois cardinaux (Altieri, Vannicelli Casoni et della Genga Sermattei), chargée d'administrer la ville jusqu'à son retour. Ces trois cardinaux publièrent, le 1er août, un manifeste dans lequel ils remerciaient les « troupes chrétiennes » qui avaient permis de libérer Rome et annonçaient la création d'une commission d'enquête chargée d'épurer l'administration.

Ce manifeste déplut fortement à Louis-Napoléon Bonaparte qui y vit une « insulte faite à notre drapeau » (parce que les troupes françaises n'avaient pas été spécifiquement citées) et une tentative « d'étouffer la liberté italienne ». Il rappela le général Oudinot en France, confiant ses attributions à Rostolan. Et, le 18 août, il répliqua au manifeste des trois cardinaux par une lettre au colonel Ney, un de ses aides de camp à Rome, qui était chargé d'en transmettre les consignes à Rostolan [1]. Le Prince-Président y dictait, en fait, les conditions du retour du pape dans ses États : « Je résume ainsi, écrivait-il, le devoir temporel du pape : amnistie générale, sécularisation de l'administration, code Napoléon et gouvernement libéral ».

Cette lettre, rendue publique, allait à l'encontre des dispositions politiques du pape. Après « l'incident Lesseps », cet « incident Ney » montrait ce qu'avait d'ambiguë l'intervention française et quels dangers elle pouvait présenter. Les tergiversations futures de Napoléon III montreront que ces craintes étaient fondées.

Pie IX n'accepta pas de se laisser dicter sa conduite par le président de la République française. Par un important *motu proprio*, en date du 12 septembre, il définissait les nouvelles institutions qu'il entendait donner à ses États [2]. Après avoir remercié à nouveau les « vaillantes armées des puissances catholiques » qui avaient libéré les Romains de la « tyrannie » — encore une fois, sans faire référence explicite à la France —, il traçait, en six articles, les bases institutionnelles, « pour la consolation des bons, qui ont si bien mérité notre bienveillance et notre attention

---

1 - Lettre publiée in E. de Saint-Hermel, **Pie IX**, L. Hachette et Cie, 1854, pp. 195-196.

2 - Texte intégral in Annales, I, pp. 84-85.

spéciales, pour le désappointement des méchants et des aveugles, qui se prévalurent de nos concessions pour renverser l'ordre social » : création d'un Conseil d'État destiné à donner « son avis sur les projets de loi avant qu'ils ne soient soumis à la sanction souveraine », création d'une Consulte d'État pour les finances destinée à examiner les dépenses de l'État et à donner son avis « sur l'imposition de nouvelles taxes ou la diminution des taxes existantes », confirmation de conseils provinciaux dont « les conseillers seront choisis par nous sur des listes présentées par les conseils communaux », création d'une commission destinée à introduire des réformes et des améliorations dans « la législation civile, criminelle et administrative ».

Enfin, « toujours porté à l'indulgence et au pardon » le pape accordait une nouvelle amnistie pour « les hommes égarés qui ont été entraînés à la trahison et à la révolte par les séductions, l'hésitation, et peut-être aussi par la faiblesse d'autrui » [1]. On remarquera que si, fidèle aux leçons tirées de l'expérience de 1847-1848, Pie IX ne rétablissait pas un système constitutionnel et un gouvernement parlementaire, il continuait à accorder une certaine représentation, avec voix consultative. C'est à tort donc que certains historiens y voient « un gouvernement central absolu » [2]. Qui plus est, Pie IX ne renonçait pas aux « réformes » et « améliorations » qui lui semblaient toujours nécessaires pour assurer la prospérité de ses États.

---

1 - Une ordonnance publiée parallèlement excluait du bénéfice de l'amnistie les membres de l'Assemblée constituante élue en janvier 1849, les ministres et les militaires qui avaient participé à l'établissement de la République et les prisonniers de droit commun.

2 - Expression employée par MARTINA, t. I, p. 392, pour définir les nouvelles institutions.

Pie IX ne rentra pas immédiatement dans les États pontificaux qui lui étaient rendus. Le 4 septembre il avait quitté Gaète pour s'installer au palais royal de Portici, dans la baie de Naples, où des appartements lui avaient été préparés par Ferdinand II. Il y resta sept mois, jusqu'en avril 1850.

A la vérité, Rome n'était pas encore prête à l'accueillir. L'administration était complètement désorganisée, les finances dans un état pitoyable. On pouvait craindre aussi de nouveaux troubles, et effectivement plusieurs incidents graves se produiront les mois suivants dans la capitale et les provinces. Enfin, Pie IX craignait de se trouver soumis aux pressions des autorités françaises d'occupation.

Les finances des États pontificaux, déjà en déficit structurel avant la révolution, avaient été mises à mal par la République romaine. Celle-ci avait dépensé sans compter, s'était endettée et avait procédé à des émissions monétaires excessives, créant notamment un papier-monnaie qui, comme les assignats sous la Révolution française, n'avait pas tardé à se dévaluer.

C'est vers la France que l'on se tourna pour trouver les sommes nécessaires au renflouement des caisses pontificales. Mgr Fornari, nonce à Paris, fut chargé de consulter les représentants de la haute finance susceptibles de prêter les sommes nécessaires. Les Rothschild, qui comptaient parmi les banquiers du Saint-Siège depuis 1831, firent les offres les plus intéressantes [1]. Ils posèrent comme condition à leurs prêts l'amélioration du sort des Juifs de Rome : que disparaisse le ghetto où, traditionnellement, ils se

---

1 - C. FALCONI, *op. cit.*, pp. 233-236, p. 65 et Herbert R. LOTTMAN, **La Dynastie Rothschild**, Seuil, 1995, p. 58.

confinaient et que les Juifs soient admis à témoigner devant les tribunaux romains. Finalement cette condition ne fut pas évoquée spécifiquement dans le contrat de prêt signé en janvier 1850 à Paris.

Par la suite, Pie IX réussira à éponger les dettes laissées par la République romaine, à retirer de la circulation le papier-monnaie en le rachetant à ceux qui en détenaient et à rembourser les prêts consentis par l'étranger.

On doit relever aussi que c'est durant son exil à Gaète, et grâce au prêt Rothschild, que Pie IX favorisa la création d'une revue destinée à devenir une des plus célèbres revues religieuses du XIXᵉ siècle et du nôtre : la *Civiltà cattolica* [1]. Le Père jésuite Curci, qui avait eu l'idée d'une revue d'études catholiques pour lutter, par les moyens de la presse, contre l'irréligion grandissante, soumit son projet au cardinal Antonelli en décembre 1849. Celui-ci se montra très intéressé. Le Général des Jésuites, le P. Roothan, lui, ne s'y montrait guère favorable mais Pie IX, informé du projet, y prêta beaucoup d'attention et demanda, en janvier 1850, que la revue parût le plus tôt possible. Il avança l'argent nécessaire pour réaliser les premiers numéros. Le P. Curci réunit plusieurs collaborateurs, tous jésuites : le P. Bresciani, le P. Taparelli D'Azeglio, juriste, le P. Piancini, professeur de mathématiques, le P. Liberatore, philosophe, le P. Piccirillo, professeur de physique. La revue entendait, dans tout le domaine des connaissances, apporter une réponse catholique aux erreurs modernes.

---

1 - L. MERKLEN, « Civilta cattolica », **Catholicisme**, Letouzey et Ané, 1950, t. II, col. 1153-1154 ; MARTINA, t. I, pp. 424-434 ; Mgr A. PIOLANTI, **Pio IX e la rinascita del tomismo**, Libreria Editrice Vaticana, 1974, pp. 36-37 ; C. FALCONI, *op. cit.*, p. 245 sq.

Elle fut aussi, avec les P. Taparelli D'Azeglio, Curci, Liberatore et Cornoldi un des artisans du renouveau thomiste
dans la deuxième moitié du XIXe siècle.

Le 3 mars, le P. Curci pouvait envoyer dans toute l'Italie
120 000 prospectus qui présentaient le programme de la
revue et le 6 avril 1850 paraissait le premier numéro. Elle
fut publiée d'abord à Naples puis, quelques mois plus
tard, à Rome.

Pendant le pontificat de Pie IX, elle a été, tous les quinze
jours, un de ses soutiens les plus fervents et, sur des sujets
sensibles, bien souvent elle a publié des articles qui
avaient été inspirés par le pape lui-même.

Retour à Rome

La signature du contrat financier avec les Rothschild
coïncida avec l'annonce, début février, que les troupes
françaises allaient être considérablement réduites, passant
de 80 000 à 10 000 hommes. Pie IX pouvait envisager de
rentrer à Rome.

L'envoyé extraordinaire de la France à Rome décrivait
ainsi à son ministre la situation dans la Ville Éternelle :
« Est fort et nombreux le parti qui s'oppose au retour du
pape. Le clergé est hostile au Saint-Père, il ne lui pardonne
pas d'avoir compromis la Papauté par ses concessions et
ses faiblesses ; déjà deux fois il lui a fait des ouvertures
pour l'engager à se retirer dans un couvent. (...) Les cardinaux sont à la tête de ce parti » [1].

Décrire cette hostilité comme générale dans le clergé et

---

1 - Dépêche de Baraguay d'Hilliers au ministre, le 5 février 1850, A.M.A.E., C. P.,
Rome, 994, ff. 76-77.

parmi les cardinaux est plus qu'exagéré, même si elle a pu être le fait de quelques clercs et prélats. L'accueil chaleureux que reçut Pie IX tout au long du trajet de son retour montre que le sentiment prédominant était tout autre.

Le 4 avril, Pie IX quitta Portici. Le roi de Naples et sa cour l'accompagnèrent jusqu'à la frontière. Le voyage dura plusieurs jours. A Velletri, le pape fut accueili par des représentants des trois grandes basiliques romaines (Saint-Jean du Latran, Saint-Pierre du Vatican, Sainte-Marie-Majeure) et par l'envoyé extraordinaire français, le général Baraguey d'Hilliers. Celui-ci avait reçu de son ministre des Affaires Étrangères avis qu'un complot se préparait contre le pape, complot préparé de l'étranger par Mazzini [1]. Des mesures de sécurité particulières avaient été prises.

Les rapports de Baraguey d'Hilliers à son ministre, rendant compte de la suite du voyage, décrivent l'accueil très favorable reçu par Pie IX à Genzano, à Albano, à Rome [2]. Arrivé à Rome, le 12 avril, le pape reçut dans Saint-Jean du Latran l'hommage des cardinaux, du corps diplomatique et de la commission municipale. En même temps cent un coups de canon étaient tirés de Castel Sant'Angelo où le drapeau pontifical était hissé.

Puis le pape se rendit de Saint-Jean du Latran à Saint-Pierre au milieu d'une foule enthousiaste. Le soir, et pendant trois jours, la ville connut des illuminations qui rappelaient les grandes heures de 1846. Cette fête populaire fut répétée chaque année, le 12 avril, même après l'annexion de 1870. Le 15 avril, Pie IX reçut officiellement le corps diplo-

---

1 - Télégramme en date du 7 avril 1850, A.M.A.E., C. P., Rome 994, ff. 155 et 157-158.

2 - Dépêches des 12 et 13 avril 1850, A.M.A.E., C. P., Rome 994.

matique, lui aussi entièrement réinstallé à Rome, et il alla visiter et remercier les soldats français qui étaient soignés à l'hôpital Saint-André du Quirinal (il fera de même le lendemain aux hôpitaux Saint-Dominique et Saint-Sixte).

Dans les mois suivants, furent mises successivement en place les institutions annoncées dans l'allocution du 12 septembre 1849. Comme l'a justement remarqué Alberto Polverari, cette réorganisation institutionnelle de 1850 « représente un changement par rapport à la constitution de 1848 et en même temps une continuité par rapport au programme originel défini dans les *Pensieri* de l'évêque d'Imola » [1].

Le 12 septembre 1850 un édit du cardinal Antonelli créait un Conseil d'État, organe consultatif dont nous avons déjà vu les attributions, et un autre édit réorganisait le gouvernement. Celui-ci, présidé par le Secrétaire d'État, qui avait en charge les rapports du Saint-Siège avec les gouvernements étrangers, était composé de cinq ministères : Intérieur, Grâce et justice, Finances, Commerce, agriculture, industrie, beaux-arts et travaux publics et Armées. Ces cinq ministères pouvaient être confiés à des laïcs.

Le 28 octobre était créée la Consulte d'État pour les finances, présidée par le Secrétaire d'État et composée de vingt membres, nommés par le pape d'après les propositions des conseils provinciaux, et de cinq autres membres choisis par la Chambre apostolique.

Le 22 novembre un nouvel édit réorganisait administrativement les vingt et une provinces des États pontificaux, les répartissant entre quatre Légations et Rome : la

---

1 - POLVERARI, t. II, p. 69.

Légation de Bologne avec les provinces de Ferrare, Forli et Ravenne ; la Légation d'Urbino et Pesaro avec les provinces de Macerata et Lorette, Ancône, Fermo, Ascoli et Camerino ; la Légation de Pérouse avec les provinces de Spolète et de Rieti ; la Légation de Velletri avec les provinces de Frosinone et de Benevento ; enfin Rome avec les provinces de Viterbe, Civita Vecchia et Orvieto.

Chaque province était administrée par un conseil composé de membres désignés par le pape d'après des listes établies par les conseils communaux.

Le 24 novembre, enfin, un dernier édit définissait la composition et les compétences des conseils communaux. Selon le nombre d'habitants de la commune, le conseil compterait de dix à trente-six conseillers élus, pour les deux tiers, par les propriétaires terriens qui payaient les impôts les plus lourds, les marchands, les professeurs et les artistes ; chaque conseil communal comprendrait aussi un ou deux ecclésiastiques désignés par l'évêque. Ces conseils auraient compétence sur toutes les questions d'administration locale (commerce, taxes, hygiène et sécurité publiques).

Toutes ces institutions faisaient du régime pontifical un régime à part parmi les grands États européens : ni parlementaire (comme en France ou en Angleterre), ni autocratique (comme en Russie), il refusait absolument le principe de la souveraineté populaire tout en concédant une réelle représentation à la population par des instances consultatives. Après les soubresauts de l'année 1848, le régime pontifical retrouvait sa nature de monarchie absolue. Absolue, c'est-à-dire indépendante de tout autre pouvoir, mais non pas dépendante du seul bon vouloir du prince. Ces institutions fonctionneront jusqu'à la chute des États pontificaux, en 1870.

L'Italie en 1815-1848

CHAPITRE NEUVIÈME

RÉSISTANCES ET RENOUVEAUX

L A PROCLAMATION du dogme de l'Immaculée Conception, en 1854, va être l'acte le plus éclatant des années qui suivent le rétablissement du pape dans ses États. Mais si Pie IX suit de près les consultations et études successives qui, au fil des années, vont aboutir à cet acte solennel, d'autres questions importantes vont le préoccuper et faire l'objet de déclarations et de décisions significatives dans le début des années 1850.

La laïcisation en Piémont-Sardaigne

Le nouveau roi de Piémont-Sardaigne, Victor-Emmanuel II, n'avait pas renoncé, au lendemain de la défaite face à l'Autriche, à se poser en champion de l'indépendance italienne. « Libérer » la Lombardie et la Vénétie de la tutelle autrichienne restait toujours son objectif, mais dès ces années 1850, sous l'influence de personnalités telles que Cavour, il poursuivait un but plus ambitieux : « Mettre le Piémont à la tête du mouvement national italien pour constituer au moins un royaume de Haute-Italie »[1].

Parallèlement il voulait réduire l'influence de l'Église dans l'État et la société. Des concordats signés entre le Saint-Siège et le royaume de Piémont-Sardaigne en 1828 puis en 1841 avaient confirmé certains droits particuliers

---

(1) Luigi SALVATORELLI, **Histoire de l'Italie**, Éditions Horvath, 1973, p. 500.

de l'Église et surtout avaient assuré son indépendance :
« Possession de biens-fonds considérables, qui continuaient à s'accroître par des dons et legs (autorisés à partir
de 16 ans) ; maintien du système de la dîme en Sardaigne ;
droit, pour les évêques dont les ressources étaient insuffisantes, d'imposer des charges supplémentaires à leurs
diocésains ; sanctions légales contre ceux qui ne respec-
taient pas le repos dominical ou offensaient la religion de
quelque façon que ce fût ; inspection des écoles par le clergé ; reconnaissance légale du seul mariage religieux, les
curés étant chargés des registres de l'état civil ; atténuation
du code pénal en faveur des prêtres et des religieux ; enfin
privilège du for ecclésiastique, les curies épiscopales étant
seules compétentes pour les causes relatives aux outrages
à la religion, aux dîmes, aux mariages et pour toutes celles
où un clerc se trouvait impliqué » [1].

Les libéraux et les anticléricaux voyaient là une suite de
« privilèges » hérités de l'Ancien Régime qu'il fallait faire
disparaître pour accroître la liberté de tous et réduire l'influence de l'Église dans la société.

L'Église, elle, par fidélité à la doctrine traditionnelle de
non-séparation entre l'Église et l'État, considérait qu'il
s'agissait de moyens, garantis par la loi, d'accomplir sa
mission et de préserver son indépendance. D'où un conflit
qui ne va pas cesser jusqu'à la fin du pontificat de Pie IX.

Dès 1848, sous la pression de l'aile gauche de sa
Chambre des députés, et comme pour se racheter de ses
échecs face à l'Autriche, le gouvernement de Piémont-Sardaigne était décidé à mettre en œuvre un programme de
laïcisation visant à limiter l'action de l'Église dans la socié-

1 - AUBERT, p. 76.

té [1]. Après avoir expulsé les Jésuites du royaume, en août 1848, en octobre suivant une loi sur l'enseignement avait abouti à placer sous le contrôle de l'État tout l'enseignement ; désormais la nomination des maîtres, des professeurs et des directeurs des écoles catholiques, et même le choix des aumôniers se feraient sous le contrôle du gouvernement. Pie IX avait protesté, mais la situation difficile qui était la sienne dans ses États avait rendu sa protestation de peu de poids.

L'année suivante, Victor-Emmanuel II avait envoyé en mission à Portici le comte Siccardi, chargé d'obtenir du pape la démission ou la destitution de deux évêques jugés trop hostiles au gouvernement (dont l'archevêque de Turin, Mgr Fransoni) et l'abolition du for ecclésiastique. Pie IX vit là une remise en cause du concordat et, le comte Siccardi refusant de faire la preuve des accusations avancées contre les deux évêques, les discussions n'aboutirent pas. Le pape, pourtant, craignant les conséquences néfastes que pourraient avoir des décisions prises unilatéralement par le gouvernement de Piémont-Sardaigne, chargea Mgr Charvaz, qui avait été jadis le précepteur de Victor-Emmanuel II, d'une mission de conciliation à Turin [2]. Le pape était même prêt à envisager la négociation d'un nouveau concordat. Mais cette mission fut un échec. Dans un de ses rapports, Mgr Charvaz soulignait à juste titre la faiblesse de Victor-Emmanuel : « Ce souverain, dont les intentions seraient bonnes d'ailleurs, se fait très vraisemblablement illusion sur les dangers qui menacent l'Église et la monarchie dans ses États. Je vois qu'il est

---

1 - Pie IX a rappelé toutes les étapes de cette politique et ses réactions dans une allocution prononcée en consistoire le 1ᵉʳ novembre 1850, ENCYCLIQUES, t. I, pp. 217-233.

2 - MARTINA, t. I, pp. 445-446 présente en détail les missions Siccardi et Charvaz.

totalement sous la dépendance de ses ministres, qui font avorter ses meilleurs dispositions. Il promet, il veut bien, mais il a les bras liés... ». L'observation vaudra encore pour les années à venir, qu'il s'agisse de la politique de laïcisation ou de celle visant à unifier l'Italie.

Pie IX était encore à Portici quand il eut connaissance d'un projet de loi déposé par Siccardi, devenu ministre de la Justice. Cette loi visait à retirer au clergé ses immunités, à abolir le droit d'asile ecclésiastique, à limiter le nombre des jours de fête religieuse et à priver l'Église de la faculté d'acquérir des biens, l'autorisation du mariage civil devant faire l'objet d'un autre projet de loi.

Le cardinal Antonelli fut chargé de protester contre ces dispositions par une lettre au chargé d'affaires du Saint-Siège à Turin, le 9 février 1850. Cette lettre n'eut aucun effet puisque, alors que Pie IX était sur le chemin du retour vers Rome, la loi Siccardi fut promulguée le 9 avril. C'était une rupture unilatérale du concordat. Le nonce en poste à Turin fut rappelé et les relations diplomatiques entre le Saint-Siège et le Piémont-Sardaigne, devenu royaume d'Italie, ne reprendront un cours normal qu'en 1929, après la signature des accords du Latran !

A cette violation du concordat s'ajouta, en mai, l'arrestation de Mgr Fransoni, coupable d'avoir dénoncé une loi qui allait aboutir notamment, dans les faits, à la confiscation de biens ecclésiastiques. Il fut conduit à la citadelle de Turin et, en septembre, fut condamné à l'exil et les biens de l'archevêché mis sous séquestre. La situation était grave.

A la fin de l'année le Piémont-Sardaigne envoya à Rome le comte Manfredo Bertone di Sambuy, avec une mission ambiguë : rétablir de bonnes relations avec le Saint-Siège mais sans revenir sur les lois adoptées. Dans une lettre à Pie IX, en date du 2 novembre, pour accréditer la mission Sambuy, Victor-Emmanuel II demandait « l'oubli du passé et une bénédiction pour le présent et pour l'avenir » [1].

Pie IX répondit le 13 décembre : « Oubli du passé. De tout cœur mais avec les manières qui conviennent. (...) Bénédiction pour le présent. Abondante et avec toute l'effusion du cœur ; mais de cette bénédiction il est impossible que participent un certain nombre de vos sujets. (...) Bénédiction pour le futur. Dieu m'est témoin des prières que je fais pour le Piémont, offrant même souvent le sacrifice de l'autel pour Votre Majesté, son auguste famille et tous ses sujets. (...) Mais en même temps je vois que les ministres en personne de Votre Majesté ont encore exprimé lors de la dernière séance de la Chambre des sentiments qui me donnent peu d'espérance de voir parvenir jusqu'à eux la bénédiction du Seigneur ».

Par cette réponse, bien dans son tempérament empli de générosité mais non dénué de ferme détermination, Pie IX montrait bien qu'il restait vigilant face au courant laïciste dominant dans le Parlement et le gouvernement de Piémont-Sardaigne [2]. De fait, les années suivantes allaient voir le gouvernement de Turin poursuivre une politique hostile à l'Église en usant toujours de la même tactique : « Mettre le Saint-Siège devant le fait accompli, et lui

---

1 - Lettre de Victor-Emmanuel II et réponse de Pie IX citées in F. DELLA ROCCA, « Pio IX e Cavour » in **Pio IX nel primo centenario della sua morte**, Editrice la Postulazione della causa di Pio IX/Libreria Editrice Vaticana, 1978, p. 387.

2 - Le 22 août 1851, par la lettre apostolique *Ad Apostolicæ Sedis fastigium*, ENCYCLIQUES, t. I, pp. 243-254, seront condamnés deux ouvrages de droit canon de Jean-Népomucène Nuytz, *Cours de droit ecclésiastique* et *Traité sur le droit ecclésiastique universel*, qui faisaient la théorie de la politique laïciste en affirmant que l'Église n'a pas le pouvoir de contraindre, que le droit civil doit prévaloir sur le droit ecclésiastique, que la primauté de l'évêque de Rome n'est que de circonstance, que le mariage est un simple contrat civil, etc.

demander de l'accepter purement et simplement » [1]. Ainsi le projet de loi sur le mariage civil présenté à la Chambre des députés le 12 juin 1852. Si, dans ce projet, le mariage civil restait facultatif, la validité du mariage même religieux dépendait entièrement de sa reconnaissance par une juridiction civile.

Pie IX, le 2 juillet, protesta contre ce projet de loi qui mettait en péril la doctrine catholique du mariage en le réduisant à un simple contrat civil. Ce projet de loi « n'est pas catholique », dit clairement Pie IX à Victor-Emmanuel et dans une nouvelle lettre, en date du 19 septembre, il réaffirmait le caractère sacramentel du mariage et le droit de l'Église seule à définir sa validité : « Que le pouvoir civil dispose des effets civils résultant du mariage, mais laisse à l'Église le soin d'en régler la validité entre chrétiens. Que la loi civile ne dispose des effets civils qu'en prenant pour point de départ la validité ou la non-validité du mariage telle que l'aura déterminée l'Église, puisque ce fait sort de sa sphère » [2].

Dans cette même lettre au souverain de Piémont-Sardaigne on relève cette demande, qui reviendra souvent sous la plume de Pie IX s'adressant à des chefs d'État : « Nous vous prions aussi de faire mettre un frein à la presse qui ne cesse de vomir le blasphème et de propager l'immoralité. Les péchés qu'engendre la licence de parler et d'écrire sont sans nombre ».

La protestation de Pie IX fut-elle, pour une fois, écoutée ou doit-on voir là quelque manœuvre politique ? Toujours est-il que la loi sur le mariage adoptée par la Chambre des

_____

1 - MARTINA, t. I, p. 449.

2 - Lettre de Pie IX à Victor-Emmanuel II, le 19 septembre 1852, publiée — avec la date erronée de 9 septembre — in ENCYCLIQUES, t. I, pp. 271-283.

députés fut repoussée, en décembre, par la majorité du Sénat de Piémont-Sardaigne. Mais, un mois plus tôt, Cavour, jusque-là plusieurs fois ministre, était devenu Président du Conseil. A la tête du gouvernement de Piémont-Sardaigne jusqu'à sa mort, il va mener, avec l'appui de la gauche anticléricale, une politique de plus en plus hostile à l'Église.

Comme l'a noté Roger Aubert, « ses relations de famille avec les protestants de "l'Église libre" fondée par Vinet en Suisse romande, puis ses contacts avec des catholiques libéraux français avaient fait de Cavour un adepte de la formule : l'Église libre dans l'État libre, et un adversaire des concordats, qui lui paraissaient une entrave à la pleine liberté de l'Église et supposent par ailleurs que l'Église est une "société parfaite" comme l'État, négociant avec celui-ci un partage d'influence sur un terrain commun, alors que, selon lui, le spirituel et le temporel appartenant à des domaines tout à fait distincts, il importait de séparer nettement les compétences civiles et politiques d'avec les compétences religieuses » [1].

Cette séparation de l'Église et de l'État soutenue par Cavour allait à l'encontre de la doctrine catholique et ne pouvait rencontrer l'assentiment de Pie IX. Celui-ci, prêt à renégocier un concordat avec le Piémont-Sardaigne, dut bien se rendre à l'évidence que, sous l'influence de Cavour, Victor-Emmanuel II s'éloignait toujours davantage d'une conciliation.

La politique laïciste du Piémont-Sardaigne s'aggrava encore, en mai 1855, avec la « loi des couvents » qui retirait toute reconnaissance juridique aux congrégations reli-

---

1 - Aubert, pp.79-80.

gieuses qui ne s'adonnaient pas à la prédication, à l'éducation ou à l'assistance des infirmes. Cette loi entraîna la fermeture de plus de six cents monastères et couvents appartenant notamment aux ordres contemplatifs. Leurs biens furent confisqués et leurs religieux contraints de se disperser.

Pie IX, qui avait demandé le gouvernement Cavour, en janvier précédent, de renoncer à son projet, réagit avec sévérité à l'annonce du vote et de la promulgation. Dans une allocution prononcée en consistoire, le 26 juillet, il prononçait l'excommunication majeure contre « tous ceux qui en Piémont n'ont pas craint de proposer, d'approuver et de sanctionner ces mesures, ces lois contre l'Église et les droits du Saint-Siège » et contre « tous ceux qui leur ont donné ordre, appui, conseils, adhésion, et se sont faits les exécuteurs de leurs volontés » [1].

La politique de laïcisation menée en Piémont-Sardaigne était la conséquence de l'arrivée au pouvoir de personnalités libérales ou anticléricales qui voulaient rompre « l'alliance du Trône et de l'Autel ». Il ne s'agissait pas d'un cas isolé. D'autres pays d'Europe, et des pays d'Amérique latine jadis liés à l'Europe, connaissaient des évolutions similaires. Ainsi la république de Nouvelle-Grenade (aujourd'hui Colombie) avait été, sous le pontificat de Grégoire XVI, la première des jeunes républiques issues du domaine colonial espagnol à être reconnue par le Saint-Siège. Le nouveau pouvoir, où, comme dans nombre de pays de l'Amérique espagnole devenus indépendants, l'influence de la franc-maçonnerie était prépondérante, adopta successivement des lois visant à laïciser l'État et la société et à réduire l'influence de l'Église : fin de

---

1 - Texte de l'allocution du 26 juillet 1855, in ENCYCLIQUES, t. I, pp. 335-342.

l'immunité ecclésiastique, abolition des dîmes, autorisation de tous les cultes religieux.

En mai 1851, trois lois aggravèrent encore la situation de l'Église en Nouvelle-Grenade : expulsion des Jésuites et interdiction de tout ordre religieux qui professe « l'obéissance passive », suppression du for ecclésiastique et nomination des curés réservée à des « assemblées paroissiales » et non plus à l'évêque. Nombreux furent les clercs qui protestèrent contre ces lois. Plusieurs furent arrêtés et emprisonnés. Le vicaire général de la capitale, Santa Fe de Bogotà, fut incarcéré et son archevêque, Mgr de Mosquera, fut expulsé de son diocèse et tous les biens de l'archevêché furent placés sous séquestre.

Cette triple loi et ses conséquences provoquèrent une protestation solennelle du pape en consistoire, le 27 septembre 1852 [1]. Dans cette allocution, Pie IX dénonçait comme la racine de tous les maux les principes de liberté de pensée et de liberté religieuse inscrits dans la constitution de la jeune république : « Elle accorde à tous liberté pleine et entière de publier leurs pensées et jusqu'aux opinions les plus monstrueuses, en même temps que la liberté de professer soit en public, soit en particulier, le culte qu'on voudra ».

La politique de Pie IX dans les relations avec les États et les régimes, quels qu'ils soient, a été constante du début de son pontificat à la fin : la doctrine qui veut séparer l'Église et l'État est erronée. L'État ne bénéficie pas de droits sans limite et l'Église possède des droits propres qui ne dépendent pas de l'autorité civile. Celle-ci, dans son gouvernement et dans l'élaboration des lois, doit se confor-

---

1 - ENCYCLIQUES, t. I, pp.285-306.

mer au droit naturel [1]. Comme ses prédécesseurs, il s'efforça de signer des concordats avec les jeunes États devenus indépendants ou avec des pays plus anciens où des conflits entre l'Église et l'État avaient surgi. C'était, aux yeux de Pie IX, le moyen le plus sûr de garantir les droits de l'Église. Dans ces années furent ainsi successivement signés, après des négociations parfois difficiles, des concordats avec le grand-duché de Toscane, l'Espagne et la Bolivie, en 1851 ; avec le Costa-Rica et le Guatemala en 1852 ; avec l'Autriche en 1855. Nous reviendrons sur celui-ci, assez emblématique, ultérieurement [2].

Réforme de la vie religieuse

Ces concordats favorisèrent souvent le renouveau de la vie religieuse, même si, dans le cas espagnol par exemple, l'hostilité des libéraux et des radicaux allait bientôt remettre en cause, en partie, l'accord conclu. De bonnes relations avec l'État, et un État chrétien ne pouvaient suffire à l'Église pour remplir sa mission. Aussi Pie IX se consacra-t-il parallèlement à promouvoir dans l'Église entière un renouveau par d'autres moyens. Dès sa première encyclique, nous l'avons vu, le pape avait exhorté les évêques à se montrer, par la prédication, de vrais défenseurs de la foi face au « déluge général des erreurs » et à la « licence effré-

---

1 - Ces principes, avec d'autres, seront rappelés de manière lapidaire et négative, dans le fameux *Syllabus* (1864).

2 - Les conséquences des concordats ne furent pas toutes bénéfiques. Ainsi, en Espagne, l'application du concordat entraîna la disparition des facultés de théologie et de droit canonique, l'enseignement de ces matières étant réservé aux séminaires. Cela occasionna un affaiblissement de la formation intellectuelle du clergé espagnol. Léon XIII réagira à cette situation en érigeant dix universités pontificales en Espagne entre 1896 et 1897. Cf. Vicente CARCEL ORTI, « Le cardinal Mercier et les études ecclésiastiques en Espagne », **Revue d'Histoire ecclésiastique**, janvier-juin 1995, pp. 104-112.

née dans les pensées, dans les discours et dans les écrits ».
Il les avait appelés aussi à veiller avec soin à la formation
et à la discipline du clergé.

Le renouveau des ordres religieux fut un autre objectif
que se fixa Pie IX dès les premiers temps de son pontificat
et dont la réalisation, engagée avant l'exil de Gaète, se
poursuivit dans les années 1850. Cette vaste réforme des
ordres religieux est un des aspects les moins connus de
l'action de Pie IX.

Après les décennies de l'époque des Lumières et de la
Révolution qui avaient vu, à travers toute l'Europe,
nombre de couvents être fermés et même certains ordres
religieux disparaître complétement, dans la première moitié du XIXe siècle les couvents s'étaient à nouveau remplis.
Mais, au début du pontificat de Pie IX, dans de nombreux
cas, « les instituts religieux se trouvaient dans une crise
notable, due essentiellement à une sélection et à une préparation théologique insuffisantes, à l'inobservance de la
vie commune, aux dissensions internes pour des motifs
politiques, régionaux ou familiaux, au régalisme qui para-
lysait l'action des supérieurs en protégeant des sujets into-
lérants et rebelles »[1].

Pie IX s'attacha à remédier en profondeur à cette situation dès les premiers mois de son pontificat.

Les religieux, jusqu'alors, relevaient de deux congrégations différentes, celle des Evêques et des Réguliers et celle
de la Discipline régulière, ce qui facilitait les rivalités de
compétences. Le 7 octobre 1846 était créée une congrégation spéciale, Congrégation pour le statut des Réguliers,
destinée spécifiquement à proposer au Souverain Pontife

---

1 - MARTINA, t. I, p. 507.

les mesures aptes à susciter un renouveau de la discipline des religieux et de la vie conventuelle [1].

Même si plusieurs cardinaux faisaient partie de cette Congrégation (notamment le cardinal Polidori, très lié à Pie IX), le pape s'en était réservé la présidence, signe de l'importance qu'il attachait au travail qu'elle allait être amenée à accomplir. Mgr Andrea Bizzarri, déjà assesseur à la Congrégation des Evêques et des Réguliers, fut nommé secrétaire de cette nouvelle Congrégation. Il en sera l'âme et le très actif maître d'œuvre [2]. Peu de temps après sa nomination, il présenta un long rapport sur la réforme de la vie religieuse, suggérant une série de moyens propres à favoriser une meilleure observance de la règle dans les couvents et monastères : modifications dans l'admission au noviciat et à la profession religieuse, meilleure sélection des candidats, vie commune imposée à tous dès le début du noviciat (pour les autres religieux, « prudente introduction de la vie commune »), révision et mise à jour des constitutions des ordres religieux, plus grande participation des religieux à l'activité pastorale des diocèses.

Le rapport de Mgr Bizzarri fut agréé par Pie IX qui suivit aussi son conseil de s'adresser à tous les supérieurs religieux par une encyclique. Revêtue de l'autorité pontificale, une telle exhortation solennelle produirait plus d'effet que les circulaires de Congrégation qui, dans le passé — sous le pontificat de Pie VII, en particulier — avaient appelé à un renouveau. Datée du 17 juin 1847,

---

1 - Étude détaillée de la question, fondée sur de nombreux documents d'archives, in Paolo GAVAZZI, « Pio IX e la Riforma degli Ordini Religiosi (1846-1857) » in **Atti del II° Convegno di ricerca storica sulla figura e sull'opera di papa Pio IX**, 9-10-11 octobre 1977, Centro Studi Pio IX, Senigallia, pp. 203-242.

2 - Dom Guéranger se plaindra de sa toute-puissance, cf. Dom L. ROBERT, **Dom Guéranger chez Pie IX**, Association des Amis de Solesmes, 1960.

l'encyclique *Ubi primum* était adressée à « tous les généraux, abbés, provinciaux et autres supérieurs des ordres
religieux », mais elle fut communiquée aussi à tous les
évêques[1].

Pie IX leur faisait part de sa détermination à « raffermir
ce qu'il pourrait y avoir de faible, de guérir ce qu'il pourrait y avoir de malade, de réduire ce qu'il pourrait y avoir
de brisé, de remettre dans la voie ce qui pourrait s'être
égaré, de relever ce qui pourrait être tombé, de manière à
faire revivre partout, à faire fleurir et prospérer de jour en
jour l'intégrité des mœurs, la sainteté de la vie, l'observance de la discipline régulière, les lettres, les sciences sacrées
surtout, et les lois propres de chaque ordre ». Il annonçait
la création d'une Congrégation toute dévouée à « restaurer la discipline religieuse » et demandait à tous les supérieurs religieux de « prendre part à cette grande œuvre »
en faisant preuve de prudence dans l'admission des
novices, en les formant avec soin (« de leur parfaite formation dépendent entièrement la stabilité et la splendeur de
chaque famille sacrée ») et en œuvrant avec les évêques et
le clergé séculier « à l'édification du Corps du Christ ». Un
bref accompagnait l'encyclique, invitant tous les destina-
taires à faire des propositions relatives à la réforme en
cours.

Des réponses reçues de supérieurs religieux et
d'évêques du monde entier, se dégageaient trois demandes
principales : une plus grande sévérité dans l'admission au
noviciat et à la profession religieuse, une réintroduction
progressive de la vie commune dans tous les couvents et
la possibilité, dans tous les ordres religieux, de prononcer
des vœux simples avant de faire la profession solennelle.

---

1 - Texte in Annales, t. I, pp. 7-10.

La Congrégation se trouvait confortée dans ses premières orientations et put poursuivre ses travaux.

Bientôt elle soumit au pape deux décrets qui furent approuvés le 29 décembre 1847. Le premier, *Romani Pontifices*, imposait à tous les couvents et monastères de n'admettre un candidat à la vie religieuse que s'il présentait une lettre testimoniale de l'évêque de son diocèse d'origine. Le second décret, *Regulari disciplina*, stipulait que l'admission et la formation des novices ne dépendaient plus seulement du supérieur local mais devaient aussi être contrôlées par les supérieurs provinciaux et généraux.

La révolution romaine de 1848 ralentit fortement l'activité de la Congrégation pour le statut des Réguliers. Après son retour d'exil, elle put reprendre à un rythme soutenu ses travaux et Pie IX l'encouragea. Le 12 janvier 1851, s'adressant à tous les supérieurs généraux d'ordres religieux convoqués à Rome, il les invita énergiquement à coopérer à la réforme en cours et à faire appliquer scrupuleusement dans leurs couvents les constitutions propres à leur ordre. Les supérieurs généraux étaient bien conscients de la nécessité d'une restauration générale. En leur nom, le Père Venanzio de Celano, ministre général des Frères Mineurs franciscains, demanda à ce que le pape intervînt directement à nouveau par une circulaire ou un bref.

Pie IX accéda à leur demande et, le 12 avril de cette même année, une circulaire préparée par la Congrégation demandait à tous les supérieurs des noviciats d'imposer la « vie commune parfaite » dans leur couvent, aux supérieurs des couvents d'études d'imposer « l'observance parfaite des constitutions » et à tous les supérieurs, sans distinction, de réintroduire le *deposito* (c'est-à-dire le fonctionnement contrôlé d'une caisse commune) et de ne plus tolérer la pratique du pécule individuel qui avait conduit à bien des abus.

L'application de cette circulaire ne fut pas sans rencontrer certains obstacles. Ainsi le Père Jandel, vicaire général de l'ordre dominicain, fut confronté à l'opposition de toutes les provinces italiennes de son ordre. Il fallut la menace de sa démission et l'intervention du pape pour que la stricte observance fut réintroduite pleinement dans les couvents dominicains d'Italie [1].

La réforme religieuse suivit son cours avec d'autant plus de continuité que Mgr Bizzari, à partir de 1852, cumula sa charge de secrétaire de la Congrégation pour le statut des Réguliers avec la charge de secrétaire de la Congrégation des Évêques et des Réguliers. Exerça aussi une grande influence le Père Giusto de Camerino, capucin, consulteur de la Congrégation dès l'origine, créé cardinal en 1853.

Pie IX suivit de près les travaux des commissions de la Congrégation et intervint personnellement, soit auprès de supérieurs, de couvents ou généraux, soit par des actes plus solennels. Ainsi, le 5 mars 1854, aux supérieurs généraux d'ordres une nouvelle fois convoqués à Rome, il fit part de sa résolution d'admettre, dans tous les ordres religieux, une période de vœux simples avant la profession solennelle. Il s'agissait non encore d'une obligation mais d'une autorisation et le pape souhaitait connaître l'avis des supérieurs d'ordre. Finalement, trois ans plus tard, la circulaire *Nemina latet* prescrivait une durée d'un an pour le noviciat, une période de vœux simples de trois ans avant la profession religieuse, avec faculté pour les supé-

---

1 - Cf. les pages 287-306 du « Mémoire » qu'il a rédigé et qui a été édité in Bernard BONVIN, **Lacordaire Jandel**, Cerf, 1989.

rieurs généraux de porter le noviciat jusqu'à l'âge de vingt-cinq ans.

Sans entrer dans l'histoire de tous les ordres religieux, on peut souligner que cette restauration de la discipline religieuse eut, à long terme, des conséquences heureuses. Par exemple, l'ordre dominicain qui comptait onze provinces en 1844, en compterait vingt-cinq en 1872 [1] ; les Jésuites passèrent de 5 209 en 1853 à 11 480 en 1884 [2].

Mais l'essor fut inégal selon les régions du monde : « Les efforts de réforme provoqués ou encouragés par Pie IX aboutirent assez vite à d'heureux résultats dans les ordres centralisés, mais ils se heurtèrent à une grande force d'inertie dans les abbayes, restées très indépendantes, de l'Europe centrale et méridionale. Dans les pays du Sud, la vie religieuse fut en outre durement éprouvée par les révolutions espagnoles et par l'extension à toute l'Italie, après 1860, des mesures piémontaises de sécularisation. Dans les pays d'Europe occidentale par contre, ainsi qu'en Amérique du Nord, les progrès furent vraiment remarquables, tant par le nombre des membres que par la qualité de la vie religieuse, et les congrégations y devinrent un facteur essentiel de l'efflorescence des œuvres et de l'intensité de la vie spirituelle » [3].

On doit ajouter que les efforts de Pie IX et de la Congrégation furent appuyés par des religieux déterminés. Souvent ils avaient été placés à la tête de leur ordre par Pie IX lui-même qui n'avait pas craint, en l'occurrence, de bousculer les règles canoniques de nomination.

―――――

1 - B. Bonvin, *op. cit.*, p. 133.
2 - Aubert, p. 458.
3 - Aubert, p. 457.

Ainsi, en 1850, le pape marqua sa préférence pour le P. Venanzio de Celano comme Ministre général des Frères Mineurs, passant outre l'avis négatif du Ministre général sortant dont le mandat arrivait à expiration.

En 1850 aussi, par crainte que ne soit élu un Italien, Pie IX décida de supprimer le chapitre général qui devait désigner le nouveau maître général de l'ordre dominicain. Il nomma « Vicaire général de l'Ordre *ad beneplacitum Sanctæ Sedis* » le P. Jandel, lié au P. Lacordaire, restaurateur de l'ordre dominicain en France.

En 1855, Pie IX interviendra à nouveau dans l'ordre dominicain en imposant le P. Jandel comme Maître général, passant outre les constitutions de l'ordre qui prévoyaient l'élection de tous les supérieurs. Le pape agit de même envers les Augustins, désignant en 1850 un vicaire général, le Père Giuseppe Palermo da Salemi, et lui donnant le titre de Général l'année suivante.

En revanche, en 1853, il laissera la Compagnie de Jésus désigner selon ses constitutions un nouveau Supérieur général, le Père Pierre Beckx ; sans doute parce que les Jésuites étaient alors un ordre très florissant et respectueux de ses constitutions.

On retiendra aussi, parmi d'autres interventions, la nomination, en 1850, de dom Casaretto comme abbé du célèbre monastère bénédictin de Subiaco pour y rétablir l'observance. Il sera à l'origine d'une nouvelle congrégation bénédictine, la congrégation de Subiaco. Deux ans plus tard, c'est sur les instances pressantes du pape que la vieille congrégation du Mont-Cassin revint à l'observance de la vie commune et de la clôture ainsi qu'à la pratique de l'oraison. On ne saurait oublier les liens étroits qui unirent dom Guéranger, restaurateur de l'ordre bénédictin en

France et fondateur de la Congrégation de Solesmes, à Pie IX. Outre la question de la liturgie romaine, il fut consulté par le pape sur diverses questions doctrinales [1].

Le clergé séculier

Le clergé séculier, tout autant que le clergé régulier, fut l'objet d'une attention particulière. Là encore, l'encyclique programmatique de 1846 avait tracé les grandes lignes de ce que devait être la sollicitude des évêques pour leur clergé : « Vous ne sauriez, avait écrit Pie IX, travailler avec trop de zèle à faire briller dans le clergé la gravité des mœurs, la pureté de vie, la sainteté et la science, à maintenir l'exacte observation de la discipline ecclésiastique établie par les saints canons, et à lui rendre sa vigueur, partout où elle serait tombée. (...) En vous gardant d'imposer trop tôt les mains à qui que ce soit, selon le précepte de l'Apôtre, n'initiez aux saints ordres et n'appliquez aux fonctions saintes que ceux qui, après d'exactes et rigoureuses épreuves, vous paraîtront ornés de toutes les vertus, recommandables par leur sagesse, propres à servir et à honorer vos diocèses, éloignés de tout ce qui est interdit aux clercs, appliqués à l'étude, à la prédication, à l'instruction... » [2].

La formation du clergé séculier et la bonne discipline ecclésiastique ne pouvaient dépendre, comme dans le cas des ordres religieux, de la restauration d'une règle valable dans le monde entier et de la nomination d'un supérieur général ayant autorité sur tous les couvents de l'ordre. Pour le clergé séculier, l'autorité première était l'évêque

---

1 - Cf. Dom DELATTE, **Dom Guéranger, abbé de Solesmes**, Solesmes, 1984, édition revue et augmentée et Dom Cuthbert JOHNSON, **Dom Guéranger et le Renouveau liturgique**, Téqui, 1988.

2 - ENCYCLIQUES, t. I, p. 69.

du diocèse. Aussi du zèle de celui-ci et de son esprit ecclésiastique dépendait en partie la qualité du clergé.

C'est un des traits remarquables du pontificat de Pie IX que d'avoir favorisé la tenue de conciles locaux et la constitution d'assemblées épiscopales régulières pour renforcer la cohésion des évêques d'un même pays et favoriser des mesures et des décisions communes. Il était ainsi tout à fait fidèle au concile de Trente qui, dans ses canons, avait prescrit, « au moins tous les trois ans », la tenue de conciles dans chaque province ecclésiastique « pour régler les mœurs, corriger les excès, accommoder les différends et pour toutes les autres choses permises par les saints canons » [1]. On a dit parfois que Pie IX avait encouragé ces conciles provinciaux (qui seront effectivement très nombreux, sur tous les continents) pour mieux empêcher la tenue de conciles nationaux jugés dangereux. Le reproche est infondé. Outre la constitution d'assemblées plénières épiscopales annuelles (telle celle des évêques allemands, dès 1848), il laissa l'Église irlandaise, en 1850 et en 1875, et l'Église américaine, en 1852, se réunir en conciles nationaux. Mais il est vrai qu'en 1849 il avait repoussé la demande de treize évêques français de réunir un concile national, sans doute par crainte d'un réveil du gallicanisme [2].

Dans la suite de son pontificat, Pie IX, au vu des rapports qui lui étaient faits, n'a pas hésité pas à admonester les évêques qui se montraient défaillants dans la formation de leur clergé et inaptes à faire respecter la discipline ecclésiastique. Ainsi, en 1853, il adressa une circulaire très

---

1 - Concile de Trente, Session XXIV, canon II in **Les Conciles Œcuméniques**, Cerf, 1994, t. II, vol. 2, p. 1 547.

2 - Dom DELATTE, *op. cit.*, p. 440.

sévère aux sept évêques du grand-duché de Toscane : « Le clergé n'a pas l'esprit ecclésiastique, et de différents prêtres toscans venus à Rome ces derniers temps, j'ai appris, à ma grande douleur, comment une partie de ce clergé par son ignorance et par son immoralité loin d'édifier scandalise immensément et détruit l'œuvre de Dieu qu'il a pour vocation et obligation de soutenir, défendre, propager… » [1].

On doit aussi signaler, dans cet esprit, une de ses initiatives les plus marquantes : la fondation à Rome du *Pontificio Seminario Pio*. Il existait déjà un Séminaire romain destiné à former le clergé de Rome. Alors qu'il était encore en exil, Pie IX avait eu l'idée de fonder dans la Ville Éternelle un autre séminaire destiné à recevoir les meilleurs candidats qu'enverraient les diocèses des États pontificaux. Placé sous la protection de la Vierge Immaculée et de saint Pie V (d'où son nom de « Séminaire Pie »), il devait compter au maximum soixante-dix élèves : chacun des soixante-neuf diocèses des États pontificaux envoyant un séminariste mais le diocèse de Senigallia (diocèse d'où était originaire Pie IX) ayant le privilège d'en envoyer deux.

Le but de ce séminaire était de former de bons prêtres, à la doctrine solide, qui en aucun cas ne devaient rester à Rome après leur ordination mais retourner dans leur diocèse d'origine et servir de modèle. Ce séminaire ouvrit ses portes en octobre 1853. Il est significatif que Pie IX choisit pour le diriger un dominicain : le Père Francesco Gaude, Procurateur général de son ordre, thomiste convaincu. Quand, élevé au cardinalat deux ans plus tard il abandonnera sa charge, Pie IX nommera un autre dominicain, le P. Giovanni Tommaso Tosa, pour lui succéder. Le P. Tosa était lui aussi thomiste, auteur de plusieurs traités de théo-

1 - Circulaire du 25 novembre 1853 citée in MARTINA, t. II, p. 247.

logie dogmatique inspirés de l'Aquinate [1]. Ces nominations ne sont que deux illustrations de différentes initiatives prises par Pie IX pour favoriser la renaissance du
thomisme.

Ce même mois d'octobre 1853, par une lettre apostolique, *Ad piam doctamque*, le pape définissait le règlement
et le programme d'études qui devaient s'appliquer dans le
nouveau séminaire mais aussi dans les autres séminaires
existant déjà à Rome [2]. La philosophie occupait les deux
premières années et la théologie les quatre suivantes, à
quoi s'ajoutaient trois années de droit civil et canonique.
L'étude des Saintes Écritures, de l'histoire ecclésiastique,
du grec et de l'hébreu étaient aussi obligatoires. Ces
normes fixées pour les séminaires romains devaient, dans
l'esprit du pape, sinon être appliquées dans les séminaires
diocésains, du moins inspirer leur règlement.

On relèvera aussi les encouragements prodigués par
Pie IX aux fondations de séminaires étrangers à Rome.
Aux XVIe et XVIIe siècles, le protestantisme ayant fait fer-
mer les séminaires dans plusieurs pays, des séminaires
avaient été fondés dans la Ville Éternelle pour accueillir
les futurs prêtres de ces pays : avaient été successivement
fondés les Collèges germanique, hongrois, anglais, polonais, écossais et irlandais.

Sous le pontificat de Pie IX, les fondations de séminaires étrangers reprirent mais, cette fois, dans un autre
esprit. Il ne s'agissait plus de faire perdurer un clergé
catholique qui ne pouvait pas être formé dans le pays
d'origine mais de rassembler dans la capitale de la chré-

---

1 - Mgr PIOLANTI, **Pio IX e la rinascita del tomismo**, Libreria Editrice Vaticana,
1974, pp. 42-43.
2 - ANNALES I, p. 152 et POLVERARI, t. II, p. 97.

tienté des candidats choisis pour les former dans un esprit « romain ».

Cela apparaît clairement dans la fondation du Séminaire français, un des premiers séminaires étrangers créés sous le pontificat de Pie IX. L'initiative en revient à quelques évêques ultramontains, le cardinal Gousset, archevêque de Reims, Mgr Parisis, évêque d'Arras, Mgr Pie, évêque de Poitiers. Ils demandèrent à la Congrégation du Saint-Esprit de créer un séminaire à Rome pour y envoyer « quelques-uns de leurs sujets, dans l'espoir d'accélérer le mouvement qui se fait en France vers les doctrines pures de l'Église romaine et vers l'union la plus intime avec le Saint-Siège » [1]. Le Séminaire français sera fondé en 1853 et aura pour premier supérieur le Père Lannurien. Nombre de ses élèves, dans les décennies à venir, deviendront évêques.

Dans le même esprit seront créés le Collège latino-américain, en 1858, et le Collège américain du nord, en 1859. Le premier est dû à l'initiative d'un prêtre chilien, Mgr Eyzaguirre, que Pie IX encouragea, y comprit matériellement [2].

Le second, en revanche, est une initiative strictement romaine [3]. Mgr Gaetano Bedini avait été chargé par Pie IX, en 1853, d'une mission auprès des catholiques des États-Unis. C'est lui qui suggéra la création d'un Séminaire américain à Rome. Les évêques des Etats-Unis se montrèrent très réticents, mais la Congrégation de la Propagande,

---

1 - Lettre du Supérieur général de la Congrégation du Saint-Esprit présentant au cardinal Fransoni le futur supérieur du Séminaire français, citée par Joseph LÉCUYER, « Le Père Lannurien » in **Libermann 1802-1852** (Ouvrage collectif), Cerf, 1988, p. 771.

2 - Le Collège latino-américain devint en 1867 le *Collegio Pio latino americano* en hommage à l'aide financière que lui avait apportée Pie IX.

3 - POLVERARI, t. II, pp. 97-101.

soutenue par le pape, passa outre et donna les autorisations nécessaires.

Rétablissements de hiérarchie

Le rétablissement de la hiérarchie épiscopale en Angleterre et aux Pays-Bas fut un des événements majeurs de ce début des années 1850. Dans ces deux pays, l'Église avait été victime au XVIe siècle de la Réforme protestante : la hiérarchie épiscopale, notamment, avait été officiellement interdite. Au début du XIXe siècle les catholiques, nombreux quoique non majoritaires, subsistaient dans ces pays comme dans une terre de mission, sans diocèses canoniquement organisés. La détermination de Pie IX autant que les circonstances permirent de mettre fin à une situation qui plaçait les catholiques anglais et hollandais dans une condition inférieure.

En Angleterre, en 1829, le gouvernement avait promulgué une « loi d'émancipation » qui rendait aux catholiques leurs droits civiques essentiels, après plusieurs siècles où ils avaient été traités en parias. Des personnalités d'envergure s'activèrent pour rendre éclat et audience au catholicisme, notamment Nicolas Wiseman, formé à Rome, qui donna à partir de 1836 à Londres des « Conférences sur les doctrines de l'Église catholique » et qui, cette même année, fonda la *Revue de Dublin*.

Deux autres faits favorisèrent l'augmentation du nombre des catholiques en Angleterre. Dans les années 1845-1850 l'Irlande connut une affreuse famine, due à une maladie qui affecta les cultures de pommes de terre, base de l'alimentation de la population irlandaise à cette époque. La population passa de 8 à 5 millions de personnes : des centaines de milliers d'Irlandais moururent de faim et du typhus et des centaines de milliers d'autres émigrèrent, surtout vers les États-Unis, l'Angleterre et le Pays de Galles.

Cette vague soudaine de catholiques irlandais s'ajouta au mouvement de conversion qui traversait l'Église anglicane. La figure la plus éminente de ce que l'on appelait le « Mouvement d'Oxford » fut le pasteur anglican Newman : il se convertit en 1845 [1]. Il fut reçu ensuite par Pie IX à Rome et encouragé par celui-ci à établir en Angleterre une Congrégation de prêtres très directement inspirée de l'Oratoire de saint Philippe Néri [2]. Plusieurs pasteurs protestants entreront dans cette Congrégation. La conversion de Newman avait été précédée de celle de trois de ses amis, mais on a évalué à « plus de trois cents les conversions qui furent la suite immédiate de celle de Newman, et le mouvement ne devait plus s'arrêter désormais » [3].

L'Angleterre en vint à compter, au milieu du XIXᵉ siècle, 700 000 catholiques sur une population de 18 millions d'habitants. Les églises et le clergé étaient en nombre insuffisant et la situation nouvelle rendait anachronique le régime de pays de mission auquel était réduite l'Église anglaise, régie par huit vicaires apostoliques. Ceux-ci jugèrent opportun que fût rétablie en Angleterre une hiérarchie régulière : des évêques résidents auraient plus

---

1 - Il expliquait ainsi les raisons de sa conversion : « Elle se fonde sur mon étude de l'histoire de l'Église primitive. Je crois que l'Église de Rome est en tous points la continuation de l'Église primitive. (...) Elles diffèrent en doctrine et en discipline comme l'enfant diffère de l'adulte, pas autrement. Je ne vois pas de milieu entre renier le christianisme et embrasser l'Église de Rome », Lettre à Richard Westmacoo, le 11 juillet 1845, publiée in Cardinal NEWMAN, **Choix de lettres,** Téqui, 1990, p. 101.

2 - Lettre à Mrs Bodwen, les 21 et 23 février 1847, in **Choix de lettres**, *op. cit.*, pp. 112-113.

3 - Fernand MOURRET, **Histoire générale de l'Église**, t. VIII, « L'Église contemporaine », Bloud et Gay, 1922, p. 230.

d'autorité sur des fidèles et un clergé parfois divisés, et pourraient poursuivre plus efficacement le grand mouvement d'apostolat et de conversion engagé depuis quelques décennies. En 1847, ils chargèrent le plus influent d'entre eux, Wiseman, de négocier l'affaire à Rome [1]. Les objections faites par certains catholiques anglais, soutenus par un prélat anglais de la Curie, le cardinal Acton, et surtout la révolution de 1848 et l'exil napolitain retardèrent l'annonce de la décision.

Finalement, le 29 septembre 1850, par la lettre apostolique *Universalis Ecclesiæ regendæ*, Pie IX rétablissait la hiérarchie épiscopale en Angleterre en instituant un archevêché (à Westminster) et huit évêchés. Le 30, Wiseman était créé cardinal en consistoire secret et, peu de temps après, nommé archevêque de Westminster. Le 7 octobre, le nouveau cardinal adressa aux fidèles anglais un mandement où il laissait éclater sa joie : « Le grand œuvre est accompli, écrivait-il. L'Angleterre catholique a retrouvé son orbite dans le firmament religieux d'où sa lumière avait longtemps disparu ».

La décision du pape et le triomphalisme de Wiseman furent mal accueillis par l'opinion protestante anglaise. Le *Times* parla de « l'impudence de Pie IX » et le premier ministre, Lord Russell, dénonça « l'agression du pape contre le protestantisme anglais ». Dans les rues de Londres, des effigies de Pie IX et de Wiseman furent brûlées. De retour en Angleterre, Wiseman, par un éloquent *Appel au peuple anglais* et par une série de conférences, sut calmer l'opinion publique.

Une des conséquences de cette agitation fut de hâter la

---

1 - Le rétablissement de la hiérarchie en Angleterre est traité par F. MOURRET, *op. cit.*, pp. 432-436 ; AUBERT, pp. 70-71 ; MARTINA, t. I, pp. 463-465.

conversion au catholicisme d'un pasteur anglican qui allait devenir une des figures éminentes du catholicisme anglais : Henry Manning. Converti en 1850, il fut, à partir de 1854, le très efficace auxiliaire du cardinal Wiseman à Westminster. Pie IX, pour manifester son soutien et son admiration au catholicisme anglais qui connaissait, selon l'expression de Newman, un « second printemps », confèrera à Manning le chapeau de cardinal. Manning sera, en Angleterre, le fervent défenseur de la cause ultramontaine et, au concile Vatican I, un ardent défenseur de l'infaillibilité pontificale.

Le rétablissement de la hiérarchie catholique aux Pays-Bas obéit à des objectifs identiques mais se produisit dans des circonstances toutes différentes. Dans ce pays, les catholiques représentaient le tiers de la population, soit plus d'un million de fidèles [1].

Présents surtout dans les deux provinces méridionales du Limbourg et du Brabant, ils étaient minoritaires dans les autres provinces. Alors que les catholiques n'étaient régis que par des vicaires apostoliques, les jansénistes, constitués en Église parallèle au début du XVIIIe siècle, possédaient deux évêchés, bien qu'ils fussent cent fois moins nombreux. Un concordat signé entre le Saint-Siège et le gouvernement hollandais en 1827 avait prévu la création de deux évêchés, l'un à Amsterdam, l'autre à Bois-le-Duc. Mais il était resté lettre morte. A la faveur de la révision de la constitution dans un sens libéral lancée par le roi Guillaume II en 1848, les catholiques hollandais réclamèrent plus de libertés.

---

1 - Étude de la question, d'après sources hollandaises, in AUBERT, pp. 63-67 et d'après archives du Saint-Siège in MARTINA, t. II, pp. 693-698.

La nouvelle constitution exauça partiellement leur vœu puisque, pour la première fois dans l'histoire du pays, il était reconnu que « tous les groupes religieux sont égaux devant la loi » et que « toute société religieuse doit régler elle-même ses affaires intérieures ». Aux yeux de nombre de catholiques et de la plus grande partie du clergé, le rétablissement des diocèses aux Pays-Bas devait être le prolongement normal de cette émancipation légale. Le chef des catholiques belges, le cardinal Sterckx, archevêque de Malines, appuya auprès de Rome cette revendication

Certains responsables de la Curie se montrèrent hésitants : se souvenant de la crise janséniste qui avait trouvé de forts appuis dans ces régions aux XVIIe et XVIIIe siècles, ils craignaient une trop grande indépendance des évêques qu'on remettrait en place ; mais le pape accéda à la demande qui lui était faite.

Pie IX, comme dans le cas anglais précédent, fit preuve de détermination et même d'audace. Souhaitant un rétablissement complet de la hiérarchie épiscopale hollandaise, il n'hésita pas à dénoncer le concordat de 1827, le considérant caduc puisqu'il n'avait pas été appliqué. Après des tentatives infructueuses de négociations avec le gouvernement, la Congrégation de la Propagande et Pie IX prirent la décision d'agir unilatéralement. Le 4 mars 1853, le pape signait la lettre apostolique *Ex qua die* qui érigeait un archevêché, à Utrecht, et quatre autres évêchés. On renouait ainsi explicitement avec le passé historique du catholicisme hollandais puisque l'ancien siège métropolitain d'Utrecht, fondé par saint Willibrord, retrouvait sa primauté bien que les catholiques y fussent très minoritaires.

Le mois suivant, les titulaires des nouveaux diocèses étaient désignés. La décision fut très mal accueillie par les protestants de Hollande ainsi que par les jansénistes. Cette vague de protestations contre la décision romaine et contre le gouvernement accusé de faiblesse est restée dans l'histoire sous le nom « d'agitation d'avril » : réunions publiques, articles de presse, prédications dans les temples contre le catholicisme, pétitions au roi et au Parlement en vue d'empêcher l'érection des diocèses. A Utrecht, capitale du jansénisme hollandais et foyer protestant ardent, la pétition recueillit 200 000 signatures.

Mais le gouvernement hollandais, après avoir tergiversé, reconnut officiellement, en septembre, les nouveaux évêques. Il avait obtenu quelques concessions : que les titulaires des diocèses prêtent un serment de fidélité au roi et que les évêques d'Utrecht et de Harlem ne résident pas en permanence dans leur ville. La restauration de la hiérarchie catholique aux Pays-Bas ouvrit une nouvelle ère dans l'histoire de l'Église hollandaise. Parmi les zouaves pontificaux on comptera de nombreux Hollandais.

CHAPITRE DIXIÈME

LE PAPE DE L'IMMACULÉE CONCEPTION

L'ANNÉE 1854 fut, par la proclamation du dogme de l'Immaculée Conception, une des années les plus fastes du pontificat de Pie IX.

Certes, les signes d'inquiétude ne manquaient pas. Nombre d'États entravaient la mission de l'Église, en ne respectant pas les concordats signés ou en adoptant des législations ou règlements administratifs hostiles. Pie IX, dans une allocution prononcée à la veille de cette année si importante dans l'histoire du dogme et de la piété catholiques, passait en revue les « cruels malheurs » qui frappaient l'Église en différents pays : le grand-duché allemand de Bade, Haïti, le Piémont-Sardaigne [1].

Dans le royaume de Piémont-Sardaigne, le pape déplorait la politique laïciste que nous avons déjà évoquée.

En Haïti, les prétentions des nouvelles autorités politiques, inexpérimentées, avec à leur tête l'empereur Faustin Ier, comme l'incurie et l'immoralité d'une grande partie du clergé indigène (« ne pouvant supporter qu'on le rappelât à un genre de vie plus sévère et digne du saint ministère ») avaient contraint le représentant du Saint-Siège à quitter l'île. Mais quelques années plus tard, suite à un changement de gouvernement et de régime, la situation se

---

1 - Allocution *In apostolicæ sedis fastigio* du 19 décembre 1853, in ANNALES I, pp. 153-156.

rétablira et un concordat pourra être utilement signé avec le Saint-Siège.

Les incidents survenus dans le grand-duché de Bade et qu'avait à déplorer le pape étaient l'amorce d'un mouvement de plus grande ampleur. En décembre 1853, Pie IX n'avait encore en face de lui que le refus des quatre États rhénans allemands (grand-duché de Hesse-Darmstadt, duché de Nassau, royaume de Wurtemberg et grand-duché de Bade) d'accorder ce que les évêques catholiques de cette province ecclésiastique avaient demandé collectivement : liberté de créer des séminaires et des écoles catholiques, administration sans entraves des biens de l'Église.

Après que leurs gouvernements respectifs aient repoussé leurs demandes, Mgr Ketteler, évêque de Mayence, et Mgr Vicari, archevêque de Fribourg, protestèrent et décidèrent de passer outre les interdictions administratives. Le gouvernement badois essaya d'intimider les fidèles en procédant à des arrestations, y compris parmi le clergé.

D'où l'encouragement public donné par Pie IX dans l'allocution mentionnée : « Tout en exaltant avec de justes louanges cette admirable constance à soutenir la cause de l'Église, nous exhortons notre vénérable frère l'archevêque de Fribourg et les compagnons de son courage à ne point se laisser abattre, mais à puiser de nouvelles forces dans la vertu du Seigneur, qui a promis à son Église de l'assister en tout temps, et qui a préparé la palme et la couronne pour ceux qui combattent le bon combat ».

Peu de mois après cet encouragement papal, l'affaire s'envenima sous l'influence de Bismarck. Celui-ci, devenu chef du gouvernement prussien depuis quelques années, menait une politique visant à unifier les différents États allemands sous la domination de la Prusse. Or, pour lui, « catholicisme et ennemi de la Prusse sont des termes synonymes » [1].

A la diète de Francfort, dans les premiers mois de l'année 1854, Bismarck réussit à imposer ses vues aux autres États allemands : l'agitation catholique était une menace, il ne fallait tolérer aucune manifestation jugée hostile aux autorités civiles. Aussi, le 19 mai de cette année, des mesures frappèrent l'archevêque de Fribourg : Mgr Vicari, accusé d'avoir incité à la désobéissance, était mis en état d'arrestation, assigné à résidence et interdit de communication avec son clergé.

A la même époque, Bismarck faisait rompre les négociations engagées en vue d'un concordat entre la Prusse et le Saint-Siège. Même si des concordats avec certains petits États allemands furent signés dans les années suivantes et même si le grand combat du protestantisme allemand contre le catholicisme n'intervint que près de deux décennies plus tard, on peut véritablement considérer ces faits de l'année 1854 comme une sorte de prélude lointain au *Kulturkampf*.

Pie IX, lorsqu'il définit dogmatiquement, le 8 décembre de cette année-là, l'Immaculée Conception de la Vierge, avait à l'esprit les circonstances temporelles d'une telle définition. Par cette définition dogmatique, ce n'était pas simplement une très ancienne croyance qu'il sanctionnait de son autorité comme article de foi, mais il dotait également l'Église d'une arme supplémentaire. Dans la lutte

---

1 - Lettre de Bismarck à Leopold von Gerlach, le 20 janvier 1854, cité in Fernand MOURRET **Histoire générale de l'Église**, Bloud et Gay, t. VIII, « L'Église contemporaine », 1922, p. 411.

spirituelle qu'il avait à conduire, lui et toute l'Église, contre les erreurs philosophiques et théologiques, contre le laïcisme et l'anticléricalisme, l'invocation de la Vierge Marie était d'un puissant secours.

Dans la bulle de définition dogmatique, Pie IX plaçait explicitement sa confiance dans la Mère de Dieu pour écarter « tous les obstacles » et vaincre « toutes les erreurs » :

« Nous nous reposons avec une confiance entière et absolue dans la certitude de nos espérances : la Bienheureuse Vierge, qui, toute belle et immaculée, a brisé la tête venimeuse du cruel serpent et a apporté le salut au monde, qui est la louange des prophètes et des apôtres, l'honneur des martyrs, la joie et la couronne de tous les saints, qui, refuge assuré et auxiliatrice invincible de quiconque est en péril, médiatrice et conciliatrice toute-puissante de la terre auprès de son Fils unique, gloire, splendeur et sauvegarde de la sainte Église, a toujours détruit toutes les hérésies ; qui a arraché aux calamités les plus grandes et aux maux de toute espèce les peuples fidèles et les nations, et qui nous a délivrés nous-mêmes des périls sans nombre dont nous étions assaillis.

« La Bienheureuse Vierge fera par son puissant patronage que, tous les obstacles étant écartés, toutes les erreurs vaincues, la sainte Église catholique, notre mère, se fortifie et fleurisse chaque jour davantage chez tous les peuples et dans toutes les contrées, qu'elle règne d'une mer à l'autre, des rives du fleuve aux extrémités de la terre, qu'elle jouisse pleinement de la paix, de la tranquillité, de la liberté, afin que les coupables obtiennent le pardon, les malades le remède, les faibles la force de l'âme, les affligés la consolation, ceux qui sont en péril le secours ; afin que tous ceux qui errent, voyant se dissiper les ténèbres de leur esprit,

reviennent au sentier de la vérité et de la justice, et qu'il
n'y ait qu'un troupeau et qu'un pasteur » [1].

Vers la définition

Nous avons vu comment, alors qu'il était en exil à
Gaète, Pie IX avait engagé officiellement le processus
visant à la définition dogmatique de l'Immaculée Conception de la Vierge Marie.

Après avoir pris l'avis d'une première commission de
cardinaux et de théologiens sur l'opportunité et la légitimité d'une telle définition dogmatique, par l'encyclique
Ubi primum il avait demandé aux évêques du monde
entier leur avis. Le résultat de cette première grande
consultation de l'épiscopat mondial est connu [2]. Les
réponses parvenues à Rome furent éditées en dix
volumes : sur 593 évêques qui avaient répondu par écrit
au pape, 8 seulement estimaient qu'une telle croyance ne
pouvait pas être définie théologiquement (parmi lesquels
Mgr Sibour, archevêque de Paris) et 2 étaient incertains.
Plus nombreux étaient ceux qui, quoique accordant foi à
cette croyance, jugeaient inopportune sa définition dogmatique (35 évêques, dont le cardinal Pecci, archevêque
de Pérouse, le futur Léon XIII) ou se montraient incertains
(48 évêques).

L'immense majorité des évêques était donc favorable à
la proclamation du dogme. Une telle quasi-unanimité n'a
rien de surprenant. En effet, la croyance selon laquelle la
Vierge Marie fut, dès sa conception, absolument préservée

---

1 - Texte intégral de la bulle *Ineffabilis Deus* in ANNALES I, pp. 172-180.

2 - Bernardo GIULIANI, « La definizione dogmatica », **L'Osservatore romano**,
5 décembre 1873 et « Gli atti di Pio IX per la definizione dommatica dell'Immacolata
Concezione », **L'Osservatore romano**, 8 décembre 1888.

de tout péché, est très ancienne. Elle s'est exprimée d'abord à travers la liturgie. Dès le VIIIᵉ siècle, l'Orient célébrait l'Immaculée Conception [1]. En Occident, à Rome et dans de nombreux monastères européens, une telle célébration est attestée peu de temps après, vers 750-800 ; même si la date traditionnelle de célébration, le 8 décembre, ne se fixe qu'à la fin du XIᵉ siècle, en Angleterre [2].

Si cette croyance a rencontré par la suite une sorte d'opposition de certains grands docteurs de l'Église, tels saint Bernard et saint Thomas d'Aquin, elle a connu d'illustres défenseurs dans toute la chrétienté.

L'ordre franciscain, dès ses débuts, a été de ceux-ci. Sixte IV, pape d'origine franciscaine, approuvait en 1477 la composition d'un office et d'une messe en l'honneur de l'Immaculée Conception.

Vingt ans plus tard, Robert Gaguin, ministre général de l'ordre des Trinitaires, faisait adopter par les quatre-vingt-deux docteurs en théologie de la Sorbonne que « personne ne pourra dorénavant s'inscrire à l'Université s'il ne s'engage pas, par serment, à croire et défendre l'Immaculée Conception » [3]. En 1617, Paul V faisait interdiction aux adversaires de l'Immaculée Conception de défendre publiquement leurs théories. Grégoire XV, étendait cinq ans plus tard l'interdiction aux discussions privées.

---

1 - Gerardo CARDAROPOLI, « L'elaborazione teologica», **L'Osservatore romano**, 7 décembre 1973.

2 - Dom Bernard BILLET, « Culte et dévotion à la Vierge Marie dans l'ordre monastique aux VIIIᵉ-IXᵉ siècles », **Esprit et Vie**, 11 mai 1972, pp. 299-303.

3 - Charles MOLETTE, « Une enquête sur la dévotion à Marie en France dans les Congrégations féminines aux XVIIᵉ et XVIIIᵉ s. », **De Cultu mariano sæculis XVII et XVIII**, Pontificia Academia Mariana Internationalis, Rome, 1988, vol. VI, pp. 264-265.

Enfin, quelques décennies avant la définition dogmatique faite par Pie IX, un fait était venu jeter une lumière
surnaturelle sur cette croyance. A Paris, une religieuse des
Filles de la Charité, Catherine Labouré, bénéficia en 1830
de trois apparitions de la Vierge Marie [1]. Lors de la deuxième, le 27 novembre, la Vierge Marie apparut écrasant un
serpent sous ses pieds. Elle portait un globe terrestre doré
surmonté d'une petite croix et de ses mains partaient des
rayons de lumière. Autour d'elle une inscription : « Ô
Marie conçue sans péché, priez pour nous qui avons
recours à vous ». Quelques instants après, comme un
tableau qui se retourne, Catherine Labouré vit la lettre M
surmontée d'une petite croix et, au bas, les Cœurs de Jésus
et de Marie. La Vierge dit alors : « Il faut faire frapper une
médaille sur ce modèle, et les personnes qui la porteront
indulgenciée et qui feront avec piété cette courte prière
jouiront d'une protection toute spéciale de la Mère de
Dieu ».

Après la fin des apparitions, l'archevêque de Paris,
Mgr de Quélen, autorisa la frappe de la médaille demandée par la Vierge mais sans préjuger de la nature de la
vision. Les premières médailles furent frappées en juin
1832. Sous l'invocation de la Vierge « conçue sans péché »
de nombreux miracles de guérison et de conversion furent
signalés. A la mort de Catherine Labouré, en 1876, un mil-
liard de médailles miraculeuses avait été répandu dans
tous les pays.

La proclamation du dogme faite par Pie IX est ainsi
encadrée par deux apparitions de la Vierge où l'article de
foi est expressément rappelé : l'apparition de « Marie

---

1 - René LAURENTIN, **Vie authentique de Catherine Labouré**, Desclée De Brouwer, 1980, 2 vol.

conçue sans péché » à Paris en 1830, suivie de l'apparition de « l'Immaculée Conception » à Lourdes en 1858.

La réponse quasi-unanime des évêques du monde entier avait conforté Pie IX dans sa détermination à définir enfin une telle croyance si universellement répandue. Pour autant, selon un trait constant de son tempérament, il n'a pas agi avec précipitation. Entre l'institution de la première commission théologique consultative sur la question et la promulgation de la bulle de définition dogmatique il s'est passé six ans et six mois. Rien moins que quatre commissions différentes, cardinalices et théologiques, ont examiné la question selon un triple point de vue : la définibilité de la croyance, l'opportunité d'une telle définition et la rédaction de la définition dogmatique [1].

Dès 1850 un premier projet de définition était rédigé, à la demande du pape, par le père jésuite Giovanni Perrone. Ce premier texte fut soumis à seize théologiens consulteurs, sept autres rédactions suivront. Pie IX était convaincu du caractère révélé de la doctrine de l'Immaculée Conception parce qu'elle était devenue, depuis plusieurs siècles, un objet de foi dans l'Église universelle. Mais il souhaitait aussi que la définition répondît précisément aux objections théologiques des adversaires de la doctrine.

Ces objections, depuis longtemps, étaient de deux ordres [2]. Premièrement, dans le Nouveau Testament, il n'y a pas d'affirmation explicite que la Vierge Marie ait été exempte du péché originel. Deuxièmement, accorder un tel privilège individuel à la Vierge Marie est en contradic-

---

1 - B. GIULIANI, « **Gli atti di Pio IX...** », *op. cit.*
2 - G. CARDAROPOLI, « **L'elaborazione teologica** », *op. cit.*

tion avec la doctrine qui veut que l'universalité du salut apporté par Jésus-Christ réponde à une universalité du péché des hommes depuis Adam.

Dom Guéranger prit une part importante dans ce travail préparatoire. Le restaurateur de l'abbaye de Solesmes était apprécié de Pie IX comme un des propagateurs les plus ardents du retour des diocèses de France à la liturgie romaine. Il lui fit demander d'étudier la question. En avril 1850, dom Guéranger avait achevé un important *Mémoire sur l'Immaculée Conception*, qui fut fort apprécié du pape [1]. Puis, à la fin de l'année 1851, Pie IX fit venir dom Guéranger à Rome [2]. Il était décidé à le nommer consulteur de la Congrégation des Rites, mais aussi consulteur de la Congrégation de l'Index parce qu'il estimait ses qualités intellectuelles et sa sûreté doctrinale.

Pendant son séjour romain, dom Guéranger fut reçu à plusieurs reprises par le pape et on le sollicita pour divers travaux doctrinaux. On lui demanda de réviser son *Mémoire* puis, en janvier 1852, on lui confia la rédaction de la bulle de définition dogmatique. Le Père Perrone, nous l'avons vu, puis le Père Passaglia, un autre jésuite, avaient déjà rédigé des projets jugés insatisfaisants. Cette fois-ci c'était un bénédictin qui était sollicité. Il œuvra avec son prédécesseur immédiat et le 30 janvier un nouveau projet de bulle était présenté au pape. Pie IX était satisfait de l'ensemble du texte mais demanda de nombreuses retouches. Puis, le 27 février, il demanda finalement une refonte complète du projet. Il souhaitait désormais que la

---

1 - Dom DELATTE, **Dom Guéranger, abbé de Solesmes**, Solesmes, 1984, p. 456.

2 - Récit de ce long séjour in Dom Léon ROBERT, **Dom Guéranger chez Pie IX 1851-1852**, Association des Amis de Solesmes, 1960. Projet in Dom Georges FRÉNAUD, « Dom Guéranger et le projet de bulle « Quamadmodum Ecclesia », **Virgo Immaculata**, Academia Mariana Internationalis, Rome, 1956, vol. II, pp. 337-386.

bulle de définition dogmatique condamnât aussi de manière solennelle les grandes erreurs théologiques et philosophiques contemporaines. Un article de la *Civiltà cattolica* venait de paraître qui suggérait de lier proclamation du dogme et condamnation des erreurs.

Dom Guéranger fut reçu par le pape le 29. Il exposa avec véhémence son hostilité à un tel projet et suggéra que deux textes séparés soient rédigés. Il ignorait que c'était le pape lui-même qui avait préparé avec les Jésuites l'article de la *Civiltà cattolica*. Pie IX expliqua à dom Guéranger qu'il tenait beaucoup à « lier la proclamation du privilège de l'Immaculée Conception à cette autre proclamation de la puissance de Celle qui a terrassé toutes les hérésies : *Gaude, Maria Virgo : cunctas hæreses* SOLA *interemisti in universo mundo !* » Il répéta aussi que depuis plusieurs jours, « une sorte de mouvement intérieur » le poussait à lier les deux proclamations. Dom Guéranger s'inclina.

Finalement, après que l'abbé de Solesmes eut quitté Rome, son idée de séparer les deux choses en rédigeant deux constitutions séparées fut retenue. On reporta à plus tard la condamnation solennelle des erreurs (ce sera le *Syllabus*, dix ans, jour pour jour, après la proclamation du dogme de l'Immaculée Conception) et on travailla à un nouveau projet de définition dogmatique. Le texte définitif de la bulle ne fut établi que quatre jours avant la définition solennelle et après que Pie IX fut intervenu personnellement pour faire corriger certaines expressions.

La proclamation

Pie IX avait voulu qu'une telle proclamation se fît avec une solennité éclatante, en présence du plus grand nombre possible d'évêques pour bien marquer l'assentiment de l'Église universelle. Le 8 décembre 1854, 53 cardinaux, 43 archevêques et 99 évêques participèrent à l'impressionnante cérémonie de proclamation. C'était la première fois, depuis le concile de Trente, au XVIe siècle, que tant d'évêques, venus de différents continents, étaient rassemblés autour du pape.

Pie IX renouvellera à plusieurs reprises dans les années à venir ces réunions de l'épiscopat mondial autour du trône pontifical pour bien marquer l'autorité du Souverain Pontife et raffermir l'unité de l'Église.

La proclamation du nouveau dogme eut lieu au cours d'une messe solennelle célébrée dans la basilique Saint-Pierre en présence de 50 000 fidèles.

Après la lecture de l'Évangile, le *Veni Creator* fut chanté pour invoquer l'assistance du Saint-Esprit puis le pape lut, non sans émotion, le décret de définition :

« ...par l'autorité de Notre Seigneur Jésus-Christ, des bienheureux apôtres Pierre et Paul, et par la nôtre, nous déclarons, prononçons et définissons que la doctrine selon laquelle la Bienheureuse Vierge Marie fut, dès le premier instant de sa conception, par une grâce et un privilège spécial de Dieu tout-puissant, en vue des mérites de Jésus-Christ, Sauveur du genre humain, préservée et exempte de toute souillure de la faute originelle, est révélée de Dieu, et que, par conséquent, elle doit être crue fermement et constamment par tous les fidèles.

« Si donc quelques-uns, ce qu'à Dieu ne plaise, avaient la présomption de penser dans leur cœur autrement qu'il n'a été défini par nous, qu'ils apprennent et sachent que, condamnés par leur propre jugement, ils ont fait naufrage hors de la foi et quitté l'unité de l'Église ; et de plus que si, par l'écriture ou par toute autre voie extérieure, ils osaient exprimer ces sentiments de leur cœur, ils encourraient *ipso facto* les peines portées par le droit »[1].

Les assistants remarquèrent combien, en lisant ce décret, Pie IX parut ému. Lui-même, trois ans plus tard, en a fait la confidence à des religieuses : « Quand j'ai commencé à lire le décret dogmatique, j'ai senti ma voix incapable de se faire entendre de l'immense multitude qui remplissait la basilique vaticane ; mais quand je suis arrivé à la formule de définition, Dieu a donné à la voix de son Vicaire une telle force et une telle vigueur surnaturelle, qu'elle a résonné dans toute la basilique. Et moi j'ai été si impressionné d'un tel secours divin que j'ai été obligé un moment de m'interrompre pour donner libre cours à mes larmes. De plus, alors que Dieu proclamait le dogme par la bouche de son Vicaire, Dieu lui-même donnait à mon esprit une connaissance si claire et si large de l'incomparable pureté de la Très Sainte Vierge… qu'aucun langage ne peut la décrire. Mon âme est restée inondée de délices inénarrables qui ne sont pas terrestres, qui ne peuvent se trouver que dans le ciel… »[2].

Aussitôt après la lecture du décret dogmatique, Pie IX autorisa que fût rendue publique la bulle *Ineffabilis Deus* qui reprenait la définition dogmatique et la présentait avec une argumentation théologique très développée.

---

1 - Texte original latin in H. DENZINGER - H. SHÖNMETZER, **Enchiridion symbolorum definitionum et declarationum de rebus fidei et morum, Herder**, XXXVIᶜ édition, pp. 561-562, 1976, Fribourg. Nous utilisons ici la traduction de J. CHANTREL, ANNALES, *op. cit.*, de préférence aux traductions fautives que l'on trouve dans certaines biographies anciennes qui, à la suite d'Alexandre de SAINT-ALBIN, **Histoire de Pie IX et de son pontificat**, Victor Palmé, Paris/Joseph Albanel, Bruxelles, 1878, t. I, p. 292, commettent la grave erreur de traduire « *præservatam immunem* » par « préservée et affranchie », ce qui est une contradiction théologique.

2 - *Summarium* § 79.

Le soir de ce jour mémorable, Rome connut les illuminations des grands jours : « La ville est littéralement une ville de feu, racontera un témoin : pas un balcon, pas une fenêtre, pas une lucarne qui n'ait ses lampions. Les grandes artères de la ville, le Corso, la Voie papale, Ripetto, sont des fleuves lumineux ; les places publiques, les monuments et les églises portent des édifices de feu. Le Capitole étincelle, et les orchestres en plein air saluent, au nom du peuple romain, le triomphe de la Reine des cieux, qui est aussi la Reine de l'Église et de Rome. Partout des transparents, des images de Marie, des inscriptions en son honneur ; partout la devise : *Maria, sine labe originali concepta*. Une foule immense sillonne la ville ; toute la population est dans les rues, sur les places, à Saint-Pierre surtout, dont la coupole élève dans les airs un diadème étincelant » [1].

Bientôt, sur la place d'Espagne, une immense colonne sera élevée pour commémorer cette proclamation dogmatique. Quatre statues colossales de Moïse, David, Ezéchiel et Isaïe entourent le piédestal et ce piédestal est orné de deux bas-reliefs, l'un représente Joseph averti par un ange, pendant son sommeil, du mystère de l'Incarnation ; l'autre représente Pie IX proclamant le dogme de l'Immaculée Conception.

Ailleurs, dans le monde, d'autres monuments seront élevés en l'honneur de l'événement : des églises dédiées à l'Immaculée, des statues (l'immense statue de la Vierge érigée au sommet du Puy), des plaques commémoratives.

Un drame, survenu quelques mois plus tard, le 12 avril 1855, est apparu à Pie IX comme une confirmation surna-

---

1 - R. P. HUGUET, **L'Esprit de Pie IX,** Félix Girard, Lyon-Paris, 1866, p. 45.

turelle de la toute-puissance de l'Immaculée : alors qu'il recevait dans le monastère Sainte-Agnès l'hommage des 110 séminaristes du collège de la *Propaganda Fide,* le pavement de la salle dans laquelle tous se trouvaient céda et précipita dans le vide plusieurs cardinaux, des prélats et des dizaines de jeunes clercs. Pie IX invoqua la Madone avec ce cri : « Vierge immaculée, venez à leur secours ». Contre toute attente, malgré l'enchevêtrement de poutres et de pierres sous lequel certains étaient ensevelis, tous furent sains et saufs hormis quelques-uns blessés légèrement. Le pape se rendit aussitôt à la basilique voisine pour chanter un *Te Deum* de remerciements. Par la suite, il rappellera souvent cet épisode comme un authentique miracle [1].

Il est à noter que ceux qui étaient opposés à la définition du dogme ne firent plus entendre leur voix après la proclamation. Mgr Sibour était parmi les vingt évêques français présents à Rome le 8 décembre et à son retour à Paris il prit des mesures contre les quelques théologiens gallicans qui s'obstinaient à refuser le nouveau dogme [2].

Quant à Döllinger et à d'autres théologiens de Munich, ils ne feront connaître publiquement leur opposition qu'après que le concile du Vatican aura abouti à la définition d'un nouveau dogme, celui de l'infaillibilité pontificale, qu'ils refusèrent aussi.

Enfin on doit relever que cette proclamation dogmatique faite par Pie IX a reçu, quatre ans plus tard, comme

---

1 - Cf. *Summarium* § 81 et Polverari, t. II, p. 129-131.

2 - Dom Delatte rapporte : « Le Souverain Pontife avait exercé contre l'archevêque de Paris, Mgr Sibour, une petite vengeance assaisonnée de malice : l'insigne honneur de tenir le bougeoir durant la messe pontificale... » **Dom Guéranger**, *op. cit.*, p. 554.

une confirmation céleste lors de l'apparition de la Vierge Marie à Lourdes [1].

Pendant l'année 1858, la Vierge Marie apparut dix-huit fois à une adolescente analphabète, Bernadette Soubirous. Ce n'est que lors de la quatorzième apparition, le 25 mars, que la « Demoiselle », comme l'appelait Bernadette, révéla son identité. Elle le fit en patois lourdais : « *Que soy era Immaculada Councepciou* » (Je suis l'Immaculée Conception). Bernadette ne connaissait pas ce terme, elle ne pouvait l'avoir inventé. Pour le curé Peyramale, ce titre si dogmatique (malgré sa formulation inhabituelle) fut l'assurance que c'était bien la Vierge Marie qui apparaissait à Bernadette. Après qu'une enquête rigoureuse eut été menée, en 1862 Mgr Laurence, évêque de Tarbes, publierait un mandement qui affirmait le caractère surnaturel des apparitions survenues à Lourdes.

Ombres et lumières

Pie IX voulut profiter de la présence si nombreuse à Rome d'évêques venus du monde entier pour rappeler quelques erreurs à combattre. A défaut de la condamnation solennelle qu'il avait envisagée un moment, il prononça en consistoire, le 9 décembre, en présence des cardinaux et des quelque cent cinquante évêques présents à Rome, une importante allocution, *Singulari quidam*, qui rappelle, par bien des points, sa première encyclique [2]. Le pape désignait comme ennemis principaux de l'Église « ces affiliés des sociétés secrètes qui, liés entre eux par un pacte criminel, ne négligent aucun moyen pour essayer de

---

1- Cf., outre les nombreux travaux de René LAURENTIN, Anne BERNET, **Bernadette Soubirous**, Perrin, 1994.

2 - Texte complet, latin-français, in ANNALES I, 307-326.

bouleverser, de détruire l'Église et l'État, même au mépris et par la violation de tous les droits ». Le pape relevait aussi les trois graves erreurs qui étaient principalement à combattre : les gouvernements qui veulent soumettre l'Église à l'État, les auteurs qui veulent soumettre la religion à la raison et enfin l'affirmation selon laquelle toutes les religions mènent au salut.

Sur ce dernier point, Pie IX rappelait la doctrine de l'Église et le sens à donner à la sentence traditionnelle « Hors de l'Église point de salut » : « La foi nous ordonne de tenir que hors de l'Église apostolique romaine personne ne peut être sauvé ; elle est la seule arche du salut, et quiconque n'y sera pas entré périra dans les eaux du déluge. D'un autre côté, il faut également tenir pour certain que l'ignorance de la véritable religion, si elle est invincible, n'est pas une faute aux yeux de Dieu. Mais qui osera s'arroger le droit de marquer les limites d'une telle ignorance, en tenant compte des conditions diverses des peuples, des pays, des esprits, et de l'infinie multiplicité des choses humaines ? »

On relève aussi dans cette allocution quelques jugements nettement plus positifs : « La perversité des incrédules inspire généralement de l'horreur et il y a dans les esprits une certaine disposition à se rapprocher de la religion et de la foi » et le pape notait « une sorte de progrès vers la vérité ». Quand l'on considère les décennies à venir, les « progrès » qu'y feront non seulement l'incroyance et le matérialisme mais aussi les critiques rationalistes du christianisme qui vont se multiplier, on peut estimer que Pie IX se montrait exagérément optimiste.

Certains faits pourtant semblaient donner raison au pape. Même si l'année 1855 fut marquée, dans le royaume de Piémont-Sardaigne par la fameuse « loi des couvents », déjà évoquée, qui montrait que Cavour entendait poursuivre sa politique de laïcisation et de sécularisation hostile à l'Église [1], d'autres événements pouvaient réconforter le pape : notamment, le 18 août de cette année-là, la signature d'un concordat avec l'Autriche.

L'empire des Habsbourg s'était signalé depuis le XVIIIe siècle par une politique de soumission de l'Église à l'État (connue sous le nom de « joséphisme », du nom de l'empereur Joseph II qui en avait été l'instigateur). Cette politique avait abouti, à partir de 1780, à la fermeture de centaines de couvents, à l'instauration du mariage civil et à une mise sous tutelle administrative de l'Église. François-Joseph, empereur depuis 1848, était décidé à rompre avec cette politique. En 1853, il accepta que des négociations s'ouvrissent avec le Saint-Siège.

Pie IX se réjouit de cette heureuse disposition de l'empereur et il voulut faire du concordat autrichien un concordat modèle, fidèle aux exigences de la doctrine catholique en la matière. Le Père Rauscher, Rédemptoriste, ancien précepteur de l'Empereur, fut l'âme de ces négociations. Sa nomination comme archevêque de Vienne, en 1853, laissa présager une entente satisfaisante pour les deux parties. De fait, après deux ans et demi de négociations, le 18 août 1855, quelques mois après les propos optimistes de Pie IX en consistoire cités ci-dessus, le concordat signé entre Rome et l'Autriche lui apportait toute satisfaction en reconnaissant « les grands principes défendus par l'école ultramontaine : la primauté de juridiction du pape

---

1 - Pendant la discussion parlementaire de cette loi, Victor-Emmanuel II fut atteint par des deuils successifs : en janvier 1855 moururent sa mère, Maria Teresa, et son épouse, Maria-Adelaïde ; en février son frère Ferdinando et en mai son dernier-né. Les catholiques virent là des avertissements célestes contre la loi finalement adoptée le 29 mai.

et la valeur autonome du droit ecclésiastique admis comme ayant force de loi ; il soulignait la position nettement privilégiée de l'Église dans l'État, confirmant entre autres la surveillance par les évêques de l'enseignement à tous les degrés, déclarant les tribunaux ecclésiastiques seuls compétents pour toutes les affaires matrimoniales, et limitant assez sensiblement les droits des non-catholiques » [1].

Ce concordat libéra l'Église autrichienne de la bureaucratie gouvernementale et permit un nouvel épanouissement de la vie catholique. Au lendemain de la signature, Rauscher fut élevé au cardinalat et allait devenir, jusqu'à sa mort, en 1875, la figure dominante de l'épiscopat autrichien.

A la suite de ce concordat, le pape adressa, le 17 mars 1856, aux évêques autrichiens réunis en assemblée générale, une encyclique pour les exhorter à la vigilance pastorale [2]. Il leur recommandait de réunir des conciles provinciaux pour traiter des affaires ecclésiastiques locales et des synodes diocésains pour entretenir le zèle de leur clergé, de créer des petits séminaires, d'organiser des conférences de théologie et de liturgie pour répandre la bonne doctrine parmi les prêtres et des visites épiscopales pour veiller à la bonne marche des paroisses, enfin il rappelait l'obligation d'informer la Congrégation du Concile par des rapports diocésains. Autant de directives que Pie IX rappelait régulièrement aux évêques du monde entier.

Le pape voulut aussi mettre en garde contre deux maux « que l'on peut, écrivait-il, à bon droit, considérer comme la source de tous les autres » : l'indifférence en matière de

---

1 - AUBERT, p. 133.
2 - *Singulari quidem*, texte latin-français in ENCYCLIQUES, t. I, pp. 353-385.

religion et l'indifférentisme. L'indifférence en matière de religion fait « qu'on néglige complètement tout devoir envers Dieu... on met tout à fait de côté notre sainte religion ; on ébranle, on renverse presque entièrement les fondements du droit, de la justice et de la vertu ». L'indifférentisme « détourne ses adeptes de la vérité, les rend hostiles à la pratique de la vraie croyance, oublieux de leur salut ; avec lui on enseigne des principes contradictoires, on n'a point de doctrine arrêtée, on n'admet aucune différence entre les professions de foi les plus divergentes, on vit en paix avec toutes, et l'on prétend que toutes, à quelque religion qu'elles appartiennent, conduisent au port de l'éternelle vie ».

L'Autriche subissait l'influence intellectuelle de l'Allemagne où des tendances libérales et rationalistes se développaient chez certains catholiques. Aussi Pie IX consacrat-il un long passage de son encyclique à mettre en garde aussi contre cette autre source de maux « fruit de l'orgueil, elle fait en quelque sorte parade de la raison et s'intitule rationalisme ». Il rappela quels rapports la raison doit entretenir avec la foi. « L'Église ne blâme certainement pas l'ardeur qui veut savoir la vérité, car c'est Dieu lui-même qui a mis au cœur de l'homme la passion du vrai ». Néanmoins « le fondement de la foi n'est pas la raison mais l'autorité ». Et le pape concluait par un bel éloge du progrès conçu dans un esprit catholique : « Il n'en faut pas néanmoins conclure que, dans l'Église du Christ, la religion ne fait aucun progrès, elle en fait certainement, et de très considérables : mais il est nécessaire que ce soient des progrès et non des changements dans la foi. Faites donc croître, il le faut, faites progresser énergiquement et le plus possible, pendant le cours des siècles et des âges, l'intelligence, la science, la sagesse, de tous, de chacun, et de toute l'Eglise ; que l'on voie plus clairement ce que l'on croyait sans voir ; que la postérité soit heureuse de comprendre ce que l'antiquité vénérait seulement par la foi ; que l'on polisse les pierres précieuses du dogme, qu'on les adapte avec fidélité, qu'on les monte avec sagesse, qu'on y ajoute l'éclat, la grâce et la beauté, sans toutefois rien changer, c'est-à-dire sans rien changer au dogme, au sens, à la pensée, en variant la forme non le fond ».

En ce sens, la proclamation du dogme de l'Immaculée Conception avait constitué un réel « progrès ». Le pontificat entier de Pie IX atteste qu'il ne fut pas un ennemi du « progrès » intellectuel. Sans avoir reçu lui-même dans sa jeunesse une solide formation thomiste, par une multitude d'initiatives et par des nominations bien choisies, il favorisa la renaissance du thomisme et des études scolastiques. A un pionnier français de ce renouveau, l'abbé Frédéric Lebreton, auteur d'une *Petite somme théologique de saint Thomas à l'usage des ecclésiastiques et des gens du monde*, Pie IX adressait une lettre d'éloge présentant l'œuvre de saint Thomas d'Aquin et la méthode scolastique comme le meilleur « remède au mal » du rationalisme et des opinions religieuses erronées [1].

---

1 - Lettre du 30 avril 1864, citée in Mgr PIOLANTI, **Pio IX e la rinascita del tomismo**, Libreria Editrice Vaticana, 1974, p. 57, qui contient de très nombreux autres faits et documents. Mgr Piolanti démontre que, contrairement à une opinion largement répandue, le renouveau du thomisme n'a pas commencé sous le pontificat de Léon XIII.

CHAPITRE ONZIÈME

PIE IX FACE À L'ITALIE

P ENDANT que Pie IX se réjouissait de la proclamation dogmatique de l'Immaculée Conception et du concordat signé avec l'Autriche, les affaires temporelles des grandes puissances européennes prenaient une tournure qui allait causer la perte d'une grande partie des États pontificaux.

En 1853, la France et l'Angleterre avaient conclu une entente pour soutenir l'Empire ottoman en crise avec la Russie. Le 27 mars 1854, après que la guerre eut éclaté entre ces deux derniers pays, la France et l'Angleterre déclaraient la guerre à la Russie [1].

Cette « guerre de Crimée » ou « guerre d'Orient » allait favoriser les desseins du Piémont-Sardaigne. Pour complaire à Napoléon III, le Piémont-Sardaigne prit part, lui aussi, à la guerre contre l'Empire des tsars. Elle fut marquée principalement par le long siège de Sébastopol, le plus important port militaire russe sur la Mer Noire, d'octobre 1854 à septembre 1855.

La prise de Sébastopol, la médiation de l'Autriche et l'avènement d'un nouveau tsar en Russie, Alexandre II, mirent fin à cette guerre. Du 25 février au 8 avril 1856 se tint le Congrès de Paris destiné à conclure un traité de paix

---

1 - Alain PLESSIS, **Nouvelle Histoire de la France contemporaine**, vol. 9, « De la fête impériale au mur des Fédérés 1852-1871 », Éditions du Seuil, 1973, pp. 187-189.

entre les belligérants. Y étaient représentés l'Angleterre, l'Autriche, la France, le Piémont-Sardaigne, la Prusse, la Russie et la Turquie.

Mais on y traita aussi, à la demande expresse de Cavour, qui représentait le Piémont-Sardaigne, la situation des États pontificaux et du royaume de Naples. Pour la première fois, ce qu'on appellera désormais « la question italienne » était évoquée dans une réunion diplomatique internationale. « Ce fut, comme l'a écrit un chroniqueur, comme l'avant-coureur des graves événements qui devaient éclater plus tard, et amener l'une des plus grandes épreuves de l'Église » [1].

La question italienne

Le Congrès n'avait été réuni que pour signer un traité de paix. Aucune question étrangère à la guerre d'Orient ne devait être évoquée. Aussi, au terme de sa séance du 18 mars, le Congrès pouvait affirmer qu'aucune des puissances contractantes n'a « le droit de s'immiscer ni collectivement ni individuellement dans les rapports d'un souverain avec ses sujets ».

Cette affirmation du principe de non-ingérence ne pouvait satisfaire Cavour qui entendait bien mettre en accusation les États pontificaux et le royaume de Naples. En Italie, il effectuait un travail de sape visant à discréditer les gouvernements, réactionnaires à ses yeux, du pape et du roi de Naples. Il soutenait secrètement la Société nationale italienne, fondée par un exilé, La Farina, et destinée à promouvoir l'unité italienne autour de Victor-Emmanuel II. « Par des tracts et des réunions clandestines, cette nouvel-

---

1 - J. Chantrel, in Annales, t. I, p. 204.

le organisation acheva de miner l'autorité des gouvernements de l'Italie centrale et méridionale ; dans les Marches et la Romagne en particulier, elle supplanta rapidement les doctrines républicaines de Mazzini en ralliant à son programme l'ensemble des libéraux, radicaux et modérés » [1].

Aussi Cavour entendait-il se servir du Congrès de Paris comme d'une tribune pour faire avancer son projet d'unité italienne. Le 27 mars, il remettait une note verbale au comte Waleski, ministre des Affaires Étrangères français et représentant de Napoléon III au Congrès, et à lord Clarendon, un des deux représentants anglais [2]. Dans cette note, il suggérait de séparer administrativement et politiquement les Légations — « les provinces... situées entre le Pô, l'Adriatique et les Apennins » — des États pontificaux. Ces provinces, « toujours soumises à la haute domination du Saint-Siège, précisait Cavour, seraient complètement sécularisées et organisées, sous le rapport administratif, judiciaire, militaire et financier, d'une manière tout à fait distincte et indépendante du reste de l'État ».

Adopter une telle solution, c'était commencer le démembrement des États pontificaux avec, à terme — même si Cavour ne le disait pas explicitement — le rattachement des Légations au Piémont-Sardaigne.

Cette note verbale, qui ne fut connue que plus tard, n'était pas un document officiel. Le but de Cavour en la diffusant était de faire pression sur les représentants français et anglais pour que la question italienne fût officiellement posée au Congrès.

———

1 - Aubert, p. 83.
2 - Texte intégral de la note in Annales, t. I, pp. 209-212.

C'est ce qui advint lors de la séance, devenue historique, du 8 avril [1]. Le représentant anglais déclara que « l'administration des États romains offre des inconvénients d'où peuvent naître des dangers que le Congrès a le droit de chercher à conjurer » et il recommandait au pape « la sécularisation du gouvernement et l'organisation d'un système administratif en harmonie avec l'esprit du siècle et ayant pour but le bonheur du peuple ». Cavour pouvait être satisfait et se contentait, dans le langage diplomatique qui convenait, de « signaler à l'attention de l'Europe un état de choses aussi anormal que celui qui résulte de l'occupation indéfinie d'une grande partie de l'Italie par les troupes autrichiennes ».

Quand le protocole de cette séance du 8 avril fut connu du public, il fut salué par *Il Risorgimento*, le journal de Cavour, comme « l'étincelle d'un irrésistible incendie » ; Lamartine y vit « une déclaration de guerre sous une signature de paix » [2]. Il émut les catholiques de l'Europe entière parce qu'il était lourd de menaces pour le pouvoir temporel du pape. Certes, et le fait fut remarqué, les représentants russe et autrichien avaient explicitement refusé d'aborder la question italienne dans leurs interventions à cette séance, mais le Piémont-Sardaigne avait été, pour la première fois, officiellement soutenu dans ses ambitions par l'Angleterre. La France, présidente de fait du Congrès, avait couvert de son autorité les déclarations des représentants de ces deux pays. Comme le dira Louis Veuillot, dans l'immédiat, « elles n'eurent aucune suite officielle, mais le signal était donné » [3].

---

1 - Texte complet du protocole de la séance in ANNALES, t. I, pp. 204-207.
2 - Cités par Mgr DUPANLOUP, **Lettre à M. le Vte de La Guéronnière**, Charles Douniol, Paris, 1861, p. 17.
3 - Louis VEUILLOT, **Pie IX,** in **Œuvres Complètes**, Lethielleux, 1929, t. X, p. 399.

Il est intéressant de mettre en parallèle à ces récrimina-
tions anglaises et piémontaises contre les États pontificaux, un long document diplomatique, le « Mémoire Rayneval », qui offre une description précise des États du
pape à cette même époque. Le comte de Rayneval, envoyé
extraordinaire puis ambassadeur de France à Rome
depuis 1850, adressa, un peu plus d'un mois après la
fameuse séance du 8 avril, une longue dépêche à son
Ministre des Affaires Étrangères, le comte Waleski. Pour
l'histoire c'est un document important, souvent pillé et
rarement cité. Il offre un tableau, nuancé et sans parti-
pris [1].

Le comte de Rayneval y fait d'abord justice d'une accusation fréquemment portée alors par les adversaires du
pouvoir temporel des papes : les États pontificaux sont
une théocratie dirigée par les prêtres. On dit fréquemment, écrit Rayneval, que « trois mille prêtres » sont
employés dans l'administration des États pontificaux : en
fait moins de 200 ecclésiastiques sont au service de l'État
(et encore sont comptés des prélats qui ne sont pas
prêtres). On se souvient que les représentants anglais et
piémontais au Congrès de Paris avaient réclamé la sécularisation de l'administration pontificale. Rayneval, sans
faire référence explicite à cette revendication, conclut
néanmoins : « La sécularisation indiquée comme un remède n'est qu'un prétexte pour introduire des opérations
étrangères et attaquer le gouvernement pontifical ». Les

---

1 - Texte intégral de la dépêche, datée du 14 mai 1856, in ANNALES, t. I, pp. 216-
229. Ce Mémoire, mentionné en quelques lignes par AUBERT, p. 83, est passé sous
silence par MARTINA. Aubert précise que le Mémoire Rayneval fut « peut-être » rédigé à la demande du cardinal Antonelli, Secrétaire d'État. Le plus récent biographe de
celui-ci estime que « manquent encore les preuves » d'une telle demande, C. FALCONI,
Il Cardinale Antonelli, Arnoldo Mondadori Editore, 1983, p. 291.

institutions mises en place en 1850 (Conseil d'Etat, Conseil des finances, conseils provinciaux et communaux) fonctionnent de manière satisfaisante, et les laïcs y ont une part nettement prépondérante.

Autre accusation faite au pape, celle de laisser ses États dans « une situation déplorable ». Rayneval répond que les finances ont été rétablies, que tout le papier-monnaie émis pendant la République romaine a été retiré de la circulation, que le budget de l'État est presque équilibré et que les habitants des États pontificaux sont, entre les Européens, parmi les moins imposés (22 francs d'impôts par an contre 45 francs en France). Rayneval souligne aussi que Pie IX ne s'est pas montré ennemi du progrès matériel et, qu'en ce sens, on peut le qualifier de souverain moderne :

« Un grand nombre de routes ont été ouvertes sur divers points du pays ; le port de Terracine a été élargi ; des travaux de drainage ont été exécutés dans les marais Pontins. Le marais d'Ostia est en train d'être drainé et des viaducs d'une remarquable importance ont été construits en divers lieux.

« La navigation à vapeur a été introduite sur le Tibre et, grâce à un bon système de remorquage, le port de Rome a été visité par un plus grand nombre de navires que précédemment. La ville a été éclairée au gaz, des télégraphes électriques ont été établis, des concessions de chemins de fer ont été faites. Celui de Frascati, qui doit s'étendre jusqu'à Naples, ne tardera pas à être livré à la circulation. Des négociations sont entamées pour une ligne importante qui doit relier Rome à Ancône et à Bologne. La construction du Railway de Civita-Vecchia a été concédée à une compagnie qui commencera immédiatement ses travaux.

« L'agriculture a été également l'objet des encouragements du gouvernement. Des prix ont été institués pour
l'encouragement du jardinage et l'élevage du bétail.
Enfin, une commission composée des principaux propriétaires fonciers s'occupe en ce moment de l'étude du problème, resté irrésolu jusqu'à ce jour, du drainage de la
campagne de Rome et du moyen de peupler cette campagne ».

Rayneval, pour autant, ne masquait pas les faiblesses
des États pontificaux. Il décrit le peuple romain comme
peu « actif au travail », reculant « devant la fatigue et l'emploi de son énergie et de ses ressources pécuniaires pour
tirer parti, comme on fait ailleurs, des facultés qui lui sont
données ». Et il présente le gouvernement pontifical (non
le gouvernement personnel de Pie IX mais son administration) comme « défiant, méticuleux, hésitant, il recule
devant la responsabilité ; il a plus l'esprit d'examen que
l'esprit de décision. Il aime les tergiversations et les accom-
modements. Il manque d'énergie, d'activité, d'initiative,
de fermeté, semblable en cela à la nation elle-même ».

Rayneval concluait sa présentation, nettement positive,
de la situation des États pontificaux, par une mise en
garde : « En présence de l'agitation qui existe dans les
esprits en Italie, et de la vive émotion causée par la publication des protocoles, il est impossible de se défendre d'un
profond sentiment d'inquiétude au sujet de l'avenir de la
Papauté. Si l'on n'y prend garde, l'Europe verra le problème se présenter sous une face terrible, parce qu'il se rat-
tache aux passions les plus profondes et les plus ardentes
du cœur humain ».

Ce mémoire détaillé, qui contrastait tant avec les critiques anglaises et piémontaises, ne fut connu du public
qu'un an après le Congrès de Paris par sa publication dans

plusieurs journaux européens [1]. On peut supposer que cette publication fut la cause du rappel de Rayneval à Paris et de son remplacement, à l'ambassade de France à Rome, par le duc de Gramont. Celui-ci allait être chargé de défendre la politique de Napoléon III, désormais beaucoup plus favorable au Piémont-Sardaigne comme la suite des événements allait le montrer.

Pie IX en voyage apostolique

Le protocole du 8 avril n'avait pas manqué d'inquiéter le Saint-Siège. Les critiques anglaises et piémontaises apparaissaient comme injustifiées. Aussi Pie IX chargea-t-il un prêtre qu'il estimait et avec lequel il entretenait des relations suivies, le chanoine Giacomo Margotti, directeur du grand journal catholique de Turin, l'*Armonia*, de rédiger une défense de son pontificat [2].

L'ouvrage parut au début de l'année 1857, quelques mois après le Congrès de Paris, sous le titre *Le vittorie della Chiesa sotto il pontificato di Pio IX*. L'auteur présentait les dix années écoulées du pontificat de Pie IX comme une succession de quatre victoires. Il y eut d'abord, pendant les deux premières années, « Pie IX victorieux de l'hypocrisie libertine » ; puis, évoquant l'exil de Gaète et le retour à Rome, l'auteur dépeignait un « Pie IX victorieux de la démagogie » ; les années suivantes avaient vu un « Pie IX victorieux de l'hérésie », par le rétablissement des hiérarchies épiscopales en Angleterre et en Hollande, par la défaite du « joséphisme » en Autriche et par la proclamation du dogme de l'Immaculée Conception face au ratio-

---

1 - Le bilan positif qu'il établissait a été confirmé par les historiens sérieux, cf. Paolo DALLA TORRE, « L'opera riformatrice e amministrativa di Pio IX fra il 1850 e il 1870 », **Pio IX**, XIV, 1985, pp. 114-164.

2 - C. FALCONI, *op. cit.*, pp. 292-293.

nalisme du siècle ; enfin était advenu un « Pie IX victorieux de la diplomatie » dont le gouvernement heureux des États pontificaux était une réfutation manifeste des critiques anglaises et piémontaises émises au Congrès de Paris.

Ce livre, de ton très apologétique, connut en quelques semaines un grand succès. Mais, aux yeux du cardinal Antonelli, il ne pouvait suffire à lui seul à éclairer l'opinion publique et la diplomatie européenne sur les sentiments d'affection et de loyauté que portaient l'immense majorité des sujets des États pontificaux à leur souverain. Aussi suggéra-t-il au pape d'effectuer un voyage à travers ses États. Ce serait l'occasion pour Pie IX d'aller à la rencontre de ses sujets, d'affirmer, face au Piémont-Sardaigne, ses droits souverains sur les Légations et aussi, en tant que Souverain Pontife, d'effectuer une visite pastorale de certains de ses diocèses.

L'idée agréa au pape qui, depuis le début de son pontificat, avait le désir de se rendre au sanctuaire de Notre-Dame de Lorette, en pèlerin, comme il l'avait fait à plusieurs reprises dans sa jeunesse. De Lorette on pourrait aller dans les Légations. Le voyage fut préparé par le cardinal Antonelli. Roger Aubert, qui ne mentionne le voyage qu'en quelques lignes, précise : « Antonelli régla tout minutieusement à l'avance, interdisant aux municipalités de présenter au pape des revendications d'ordre administratif ou politique et filtrant soigneusement ceux qui seraient admis en sa présence » [1]. Si l'on en croit les récits existants, l'affirmation est exagérée. Certes, le pape ne rencontra pas de ces révolutionnaires ou affiliés des sociétés secrètes qui lui étaient foncièrement hostiles et qui, de toutes façons, n'auraient pas souhaité lui rendre les hom-

----

1 - AUBERT, p. 84, n. 1.

mages qui lui étaient dûs, mais il reçut plusieurs personnalités libérales et écouta, en plusieurs endroits, les demandes d'intérêt local qu'on lui présentait. La mainmise du Secrétaire d'État sur ce voyage fut, d'ailleurs, toute relative puisqu'il n'accompagna pas le pape, étant chargé d'assurer les affaires courantes durant les quatre mois que durerait le déplacement.

Visite officielle d'un souverain dans ses États autant que visite pastorale du Souverain Pontife, ce voyage de 1857, par le succès qu'il remporta, restera dans l'histoire du pontificat de Pie IX comme une embellie avant la tempête.

Le pape partit de Rome le 4 mai après avoir célébré la messe à la basilique Saint-Pierre [1]. Il était accompagné du cardinal Macchi, de Mgr Berardi, substitut à la Secrétairerie d'État, de Mgr Ferrari, préfet des cérémonies, et de quelques prélats et camériers secrets.

La première étape importante fut Viterbe où, selon un cérémonial qui se répétera dans les autres villes visitées, l'accueil civil — les clefs de la ville présentées au pape — était immédiatement suivi d'une cérémonie religieuse — ici, une adoration eucharistique dans la cathédrale — puis d'une réception au palais épiscopal qui commençait par le traditionnel baisement des pieds. On relève aussi, comme une coutume qui sera à chaque fois respectée, le don, fait par le pape, de quelques objets précieux sacrés et d'une somme d'argent, assez importante, à distribuer aux pauvres. La halte du soir, à Civita Castellana, se fit avec le joyeux concours de la population qui illumina la ville, fit retentir des sonneries et put assister à un feu d'artifice. Les mêmes scènes se répétèrent les jours suivants à Narni, Terni, Spolète, Foligno, Assise, Pérouse, Camerino, Tolen-

---

1 - ANNALES, t. I, pp. 282-286 et surtout POLVERARI, t. II, pp. 136-179.

tino, Macerata et Recanati. A plusieurs reprises, le pape visita des couvents, des écoles, des hôpitaux, des édifices renommés et, à Assise, il se recueillit sur la tombe de saint François puis sur celle de sainte Claire [1].

Le pape arriva à Lorette le 14 mai, il y resta deux jours. Cette étape fut, sans doute, celle qui lui était la plus chère. Il revenait en pèlerinage au sanctuaire où, dans sa jeunesse, il avait déposé ses espoirs de guérison et invoqué des lumières sur sa vocation sacerdotale. Il s'agenouilla dans la « Santa Casa » pour une longue et silencieuse prière puis il entama les litanies de Notre-Dame de Lorette auxquelles la foule répondit. Il y revint deux fois pendant son séjour pour célébrer la messe et distribuer lui-même la communion et une autre fois pour visiter le « Trésor » où sont rassemblés d'innombrables objets précieux, symboles de foi et de reconnaissance laissés par les pèlerins au cours des siècles. Après des visites à Fermo et à Ascoli, Pie IX revint à Lorette le 20 mai. Il avait tenu à célébrer la fête de l'Ascension, le 21 mai, dans ce sanctuaire.

Le voyage se poursuivit à Osimo et à Ancône. Cette dernière ville représentait une étape politiquement importante puisqu'elle abritait une importante garnison autrichienne. Au Congrès de Paris, la France, l'Angleterre et le Piémont-Sardaigne avaient présenté cette présence autrichienne dans les États pontificaux — suite de la révolution de 1848 — comme une « situation anormale ». Pie IX, en visitant l'arsenal de la ville puis la forteresse, voulut rendre hommage aux troupes qui avaient contribué à lui rendre sa souveraineté temporelle et à assurer la sécurité de ses États.

---

1 - Qui avait été découverte sept ans auparavant.

Le 26 mai le pape arriva dans sa ville natale, il y resta trois jours [1]. Depuis le début de son pontificat il avait doté Senigallia de diverses institutions : un collège dont il avait confié la direction aux Jésuites (le Ginnasio Pio), deux églises et un asile pour les invalides et les enfants abandonnés (le Stabilimento Pio). Un mois encore avant sa venue, par la bulle *Gravissimas*, il avait fondé, sur ses propres revenus, l'Opera Pia Mastai-Ferretti destinée à doter d'une bourse annuelle douze séminaristes de la ville et qui s'occupera de nombreuses œuvres sociales [2].

La municipalité voulut faire honneur à l'enfant du pays devenu pape. Ornements, musique, illuminations, rien ne manqua pour accueillir le pape au milieu des acclamations d'une population nombreuse. Le 27 mai, Pie IX célébra la messe dans la cathédrale, à l'autel où il avait reçu la première communion près d'un demi-siècle plus tôt. Le lendemain il célébra la messe à l'église Sainte-Madeleine, où étaient enterrés ses parents, puis visita l'hôpital proche, s'entretenant avec des malades et distribuant des aumônes. Le soir il alla sur le port s'entretenir avec des pêcheurs. Pendant son séjour, il résida dans le palais familial.

Après des visites à Fano et à Pesaro, le pape entra dans la Romagne, la province la plus agitée des États pontificaux, celle aussi où les troupes autrichiennes étaient les plus nombreuses. Rimini, Cesena, Forli, Faenza accueillirent tour à tour le pape. A Faenza, d'après les témoins de l'époque, l'accueil fut d'abord assez froid. Puis après que

---

1 - Des précisions supplémentaires par rapport aux sources citées sont apportées par Angelo MENCUCCI, **Pio IX e Senigallia**, éditions Adriatica, Senigallia, 1987.

2 - Mario GREGORI FERRI, **L'Opera Pia Mastai Ferretti : bilancio di un secolo**, Edizioni dell'Opera Pia Mastai Ferretti, Senigallia, 1992, pp. 131-171.

le pape eut reçu les représentants de la municipalité, béni la foule sur le seuil de la cathédrale et visité le monastère Santa Chiara où s'étaient rassemblées des religieuses venues de différents couvents de la ville, les démonstrations de la foule se firent plus chaleureuses. Le 6 juin il se rendit à Imola, son ancienne cité épiscopale. Il y resta trois jours, retrouvant de nombreux ecclésiastiques et fidèles dont il avait été le pasteur. Il visita plusieurs couvents de la ville, notamment celui du Bon Pasteur dont il était le fondateur. Là il s'arrêta longuement, accomplissant comme une visite canonique, inspectant tous les locaux, jusqu'à la cuisine où il goûta le pain qu'y fabriquaient les sœurs. Il célébra la messe dans le sanctuaire marial du Piratello qu'il avait tant contribué, jadis, à faire revivre. Il retrouvait nombre de chers souvenirs de son long épiscopat.

Le 9 juin il arriva à Bologne. Il y résida jusqu'au 19 août. Ce séjour de deux mois dans la ville principale de la Romagne fut entrecoupé de brèves visites à Modène, Ferrare et Ravenne. Cette longue halte ne fut pas une villégiature mais une suite de réceptions de divers visiteurs, de visites de couvents, d'instituts de bienfaisance, d'écoles et aussi l'occasion de nombreux discours où le pape, souverain temporel en visite dans la Légation la plus turbulente de son royaume, réaffirmait ses droits.

On doit relever aussi, daté de Bologne, un acte plus strictement pontifical : la condamnation des thèses de Anton Günther. Günther, théologien et philosophe autrichien, influent dans les pays de langue germanique, avait vu ses ouvrages mis à l'Index par un décret daté du 8 janvier précédent. Mais une telle mise à l'Index ne portait qu'une condamnation générale sans citer de propositions particulières. Günther, par une lettre à Pie IX, le 10 février, se soumit à la sentence [1]. Mais nombre de ses disciples, professeurs de philosophie, de théologie, d'histoire ecclésiastique ou de droit canon à Vienne, à Bonn, à Breslau, arguèrent que l'essentiel de son système théologico-philosophique restait valable [2].

Aussi, Mgr Geissel, archevêque de Cologne, écrivit-il au pape, le 16 avril suivant, pour se plaindre que les erreurs de Günther continuaient à être professées par certains de ses disciples. Sans doute une réponse à l'archevêque de Bologne était-elle déjà envisagée quand Pie IX partit de Rome début mai. Mais il fallait la rédiger en des termes suffisamment précis pour réfuter les erreurs reprochées à Günther. On peut penser que le texte définitif fut envoyé au pape pendant son voyage. Pie IX ne voulut pas tarder à le rendre public, pour ne pas laisser la controverse s'enfler, et aussi, secondairement, parce que c'était l'occasion de poser un acte d'autorité depuis une Légation. D'où, daté de Bologne, le 15 juin, ce bref *Eximiam tuam* à l'archevêque de Cologne [3]. Le pape y développait les motifs de la condamnation de Günther : son système aboutissait au rationalisme et il professait des erreurs sur la Trinité, l'Incarnation et la conception de la nature humaine. Roger Aubert estime que cette condamnation de

---

1 - H. DENZINGER-A. SCHÖNMETZER, **Enchiridion symbolorum**, Herder, 1986, p. 564.

2 - Mourret le résume ainsi : « Il soutenait, dans son **Introduction à la théologie spéculative**, parue en 1828, et dans de nombreuses autres publications subséquentes, que " l'âme raisonnable est tout à fait distincte du principe de la vie corporelle et de la connaissance sensible " ; il détruisait tout lien entre les formules de foi catholique et l'aristotélisme du Moyen Age ; il encadrait le dogme dans un nouveau système philosophique créé par lui ; il prétendait expliquer les mystères de la Trinité par des faits de conscience de la Divinité ; il concevait le mystère de la Rédemption comme une conséquence nécessaire de la Création... » F. MOURRET, **Histoire générale de l'Eglise**, Bloud et Gay, t. VIII, « L'Église contemporaine », 1922, p. 90.

3 - Texte latin-français in ENCYCLIQUES, t. I, pp. 405-413.

1857 fut « le premier grand succès de la réaction scolastique » [1]. On peut y voir plutôt un coup d'arrêt donné à un
système aventureux déjà fort répandu dans les facultés de
langue germanique. Le même auteur signale d'ailleurs :
« Les plus modérés s'inclinèrent, tandis que les radicaux,
comme Baltzer, Knoodt ou son élève Reinkens, se raidi-
rent, estimant leur honneur scientifique en jeu, et finirent
par quitter l'Église. C'est parmi eux que le vieux catholicisme devait recruter par la suite ses adhérents les plus
actifs » [2].

A vrai dire, si cette condamnation fit grand bruit en
Allemagne et en Autriche, elle passa sans doute inaperçue
des sujets pontificaux tout à la joie de voir leur souverain
et de l'animation qu'occasionnait sa visite. Pendant son
séjour à Bologne, Pie IX reçut la visite de plusieurs
princes : l'infant d'Espagne, le roi Louis de Bavière, la
duchesse de Berry, la duchesse de Parme, le duc de Modène, le grand-duc de Toscane. Ces deux derniers souverains
invitèrent le pape à se rendre dans leurs États, qui étaient
proches. Pie IX promit qu'il viendrait.

Bologne fut le théâtre d'un second acte pontifical solennel : le 3 août, Pie IX tint un consistoire dans le palais apostolique qu'il occupait. Il procéda à quatre nominations
épiscopales, dans des diocèses de Toscane. Fut imposé
aussi le *pallium* aux procurateurs de cinq métropolitains
étrangers (ceux de Tolède, Séville, Taragon, Valladolid et
Cashel) nommés archevêques lors de consistoires précédents. Dans la capitale romagnole, le pape visita aussi de
nombreux couvents et monastères, des églises, des hôpitaux, des écoles, des manufactures. Ceux qui avaient pré-

---

1 - Aubert, p. 200.
2 - Aubert, p. 202.

dit un séjour agité — des cartes de menaces avaient été diffusées parmi la population — furent contredits par les faits.

Revenu à Rome, Pie IX dira son contentement : « Partout où nous sommes passé, tous les individus de tous les lieux, de toutes les conditions et de tous les âges, se pressant à l'envi sur les chemins, se livraient à de telles démonstrations de joie et de piété filiale pour honorer, dans notre humble personne, le Vicaire de Jésus-Christ en terre, et pour exprimer autant qu'ils le pouvaient l'amour qu'ils portent à leur souverain et la confiance qu'ils ont en lui, que bien des fois nous n'avons pu retenir nos larmes » [1].

Après avoir quitté Bologne, comme il l'avait promis, Pie IX se rendit dans le grand-duché de Toscane. Du 17 au 31 août il visita Florence, Pistoia, Prato, Pise, Livourne, Lucca, Volterra et Sienne. Un des moments importants de ce séjour toscan fut la consécration des quatre évêques préconisés au consistoire de Bologne : l'archevêque de Florence et les évêques de Volterra, Fiesole et Montepulciano. On relève aussi la visite du collège Saint-Michel, à Volterra, où il avait effectué ses études [2]. Il accomplit sa visite en compagnie du grand-duc Léopold II. Le 27 août, fête de saint Giuseppe Calasanz, fondateur des Scolopes, il célébra la messe dans l'église de son ancien collège. Puis il voulut revoir les lieux où il avait vécu. Passant devant le salon du Père Ministre, il fit une confidence, désormais bien connue, au grand-duc : « C'est là que je fus pris pour la première fois de convulsions épileptiques ; tout sem-

_____

1 - Allocution *Cum primum in hanc almam*, 25 septembre 1857, in ANNALES, t. I, pp.283-286.

2 - Outre les sources déjà citées, on trouve des précisions supplémentaires in G. AUSENDA et C. VILA PILA, **Pio IX y las escuelas Pias**, Editiones Calasanctianæ, Rome, 1979, pp. 94-95.

blait fini pour moi ; mais la Providence... » Puis, dans une salle où un trône avait été préparé, il reçut l'hommage de différentes personnes, d'abord quatre de ses anciens condisciples puis les professeurs religieux de l'école et les élèves. A tous il remit une médaille ou un anneau.

Dans les jours suivants il visita diverses églises de la ville, l'hôpital, la prison et différents établissements scolaires. La municipalité voulait, en souvenir de cette visite pontificale, ériger un monument commémoratif. Les plans en furent présentés au pape. Pie IX demanda que les sommes déjà recueillies soient affectées à un établissement de charité. Le monument projeté fut donc abandonné.

Après des visites à Pieve, Orvieto et Viterbe, le 5 septembre Pie IX était de retour à Rome. Dans une allocution prononcée quelques semaines après en consistoire, il fit un bilan de ce long voyage [1]. Il dit sa satisfaction de l'accueil qui lui avait été fait. Il évoqua aussi les nombreux entretiens qu'il avait eus avec les autorités civiles des différentes villes visitées : « Nous avons été heureux de parler selon l'affection de notre cœur paternel à tous les magistrats de chaque localité et de tout rang, qui nous ont présenté quelques demandes particulières et des pétitions relatives seulement aux besoins spéciaux des localités et aux intérêts du commerce, en nous exposant leurs désirs avec ce respect et cette mesure qui conviennent aux sujets les plus fidèles et les plus dévoués au Saint-Siège. Aussi est-ce avec empressement et avec joie qu'en bien des lieux nous avons aussitôt pris et arrêté les mesures qui nous ont paru les plus propres à réveiller toujours davantage et à entretenir la religion et la piété des populations, comme

---

1 - Allocution *Cum primum in hanc almam*, 25 septembre 1857, ANNALES, t. I, pp. 283-286.

aussi à leur procurer de nouveaux avantages temporels et ajouter à leur bien-être ».

Ce voyage n'avait donc pas été seulement une suite de manifestations honorifiques et de rencontres formelles.

Dans une lettre écrite de Bologne à son frère Giuseppe, Pie IX s'était montré plus précis : « A Ravenne et à Lugo tout s'est passé non pas bien, mais très bien. Comme à Bologne, à Ravenne aussi j'ai eu un long entretien avec les magistratures respectives. Aucune n'a demandé quelque chose qu'elle n'avait pas le droit de demander, et moi j'ai accepté les demandes, me réservant seulement de voir si les fonds du Trésor public peuvent suffire à couvrir les dépenses », et le pape ajoutait que les différentes demandes qui lui avaient été faites s'élevaient à un million et demi d'écus [1]. Chiffre non négligeable si on le rapporte au total des recettes des États pontificaux pour cette année-là : 12 millions d'écus. Le pape avait donc été attentif aux besoins de la population de ses États.

On a écrit que Pie IX laissa passer l'occasion, lors de ce voyage, de rallier à lui « des modérés qui n'auraient pas demandé mieux que d'unir leur patriotisme et leur libéralisme avec leur foi catholique et leur dévouement au pontife romain » [2]. L'appréciation est bien trop générale et basée sur les écrits de deux libéraux, Pasolini et Minghetti, que Pie IX avait rencontrés l'un à Imola, l'autre à Bologne. Il est évident que le libéralisme de ces deux interlocuteurs ne pouvait s'accorder avec la politique menée par le pape. Celui-ci avait sous les yeux, dans le Piémont-Sardaigne, les résultats désastreux pour l'Église d'une politique « libérale » et aussi le souvenir de la révolution de 1848. A

──────

1 - Lettre du 29 juillet 1857 citée in POLVERARI, t. II, p. 177.
2 - AUBERT, p. 84.

Minghetti il déclara : « Les peuples sont insatiables. J'ai fait une expérience par trop douloureuse ».

On ne saurait négliger non plus de rappeler que le pape n'acceptait la présence de troupes autrichiennes dans ses États que pour garantir la paix publique, tâche à laquelle les maigres troupes pontificales ne pouvaient suffire. Il savait néanmoins que cette présence de troupes étrangères était souvent mal acceptée de la population. Aussi, de Bologne, le 18 juin, il avait écrit à l'empereur François-Joseph pour lui demander de réduire les troupes autrichiennes en garnison à Bologne et à Ancône.

Tous ces faits montrent que ce voyage de 1857 ne fut pas une parade inutile. On ne saurait dire de Pie IX ce que, dans un de ses ouvrage, Saint-Exupéry a raconté d'une reine « qui désira visiter ses sujets et connaître s'ils se réjouissaient de son règne. Ses courtisans, afin de l'abuser, dressèrent sur son chemin quelques heureux décors et payèrent des figurants pour y danser. Hors du mince fil conducteur, elle n'entrevit rien de son royaume, et ne sut point qu'au large des campagnes ceux qui mouraient de faim la maudissaient »[1].

Ici point de figurants, points de décors en carton-pâte, point non plus de paysans mourant de faim ; seulement des États, au statut unique dans l'histoire du monde, en butte à l'hostilité de libéraux et d'anticléricaux, qui estimaient un tel régime anachronique, ainsi qu'aux convoitises du royaume de Piémont-Sardaigne qui, sous l'impulsion vigoureuse de Cavour, poursuivait son ambition d'unifier l'Italie.

---

1 - A. de Saint-Exupéry, **Terre des hommes**, Gallimard.

D'Orsini à Mortara

L'année 1857 avait été dominée par cette longue visite apostolique, l'année 1858 fut celle où le destin de l'Italie bascula par l'accord, alors secret, entre Napoléon III et Cavour.

Tout commença le 14 janvier par un attentat contre l'empereur [1]. Alors qu'il se rendait à l'Opéra, quatre républicains italiens, menés par Orsini, ancien membre de la Constituante de la République romaine, lancèrent des bombes contre le cortège impérial. Orsini, manipulé par un républicain français en exil, croyait que Napoléon III mort, la République serait restaurée en France et qu'elle aiderait l'Italie à s'unifier et à devenir, elle aussi, une république. L'Empereur sortit indemne de l'attentat mais cent cinquante-six personnes furent blessées, plus ou moins grièvement, dont huit mourront.

Outre l'évolution vers un régime plus autoritaire, l'attentat d'Orsini décida Napoléon III à mener une politique plus déterminée en faveur du Piémont-Sardaigne. Si la France aidait le Piémont-Sardaigne à chasser les Autrichiens d'Italie, elle s'acquerrait les bonnes grâces des partisans de l'unité italienne mais aussi des républicains français hostiles jusqu'à maintenant à l'Empire. Napoléon III, bien sûr, escomptait tirer des profits territoriaux de cette intervention militaire en Italie. Ce fut l'objet de l'entrevue de Plombières. Napoléon III et l'impératrice Eugénie venaient l'été, depuis plusieurs années, prendre les eaux dans cette station thermale perdue dans le massif vosgien.

---

1 - Louis GIRARD, **Napoléon III**, Fayard, 1989, pp. 271-272.

Le 21 juillet, Cavour s'y rendit discrètement et eut deux longs entretiens en tête-à-tête avec l'Empereur [1]. Il fut convenu que la France aiderait le Piémont-Sardaigne à chasser les Autrichiens du nord de l'Italie. Après la victoire, le Piémont-Sardaigne annexerait la Lombardie et la Vénétie libérées, mais aussi l'Émilie et la Romagne, deux régions des États pontificaux. En échange de son aide, la France recevrait la Savoie et Nice qui, suite au traité de Vienne de 1815, étaient retournées sous la souveraineté du royaume de Piémont-Sardaigne.

Le contenu de cet accord resta secret. Cavour voyait dans les annexions prévues le premier pas vers une unification complète de l'Italie. Napoléon III, en revanche, n'envisageait pas du tout, à cette époque, une Italie unifiée. Certes, lui qui avait envoyé des troupes rétablir le pape dans sa souveraineté temporelle en 1849, acceptait aujourd'hui de lui retirer une partie de ses États. Mais il croyait que l'Italie pourrait devenir une confédération et que le pape, toujours souverain des États pontificaux, même réduits, pourrait assurer la présidence de la future confédération italienne.

A bien des égards, cette entrevue de Plombières fut, pour Napoléon III, un marché de dupes : par habileté politique, Cavour laissa croire qu'il se contenterait de créer un royaume d'Italie du nord, alors que son dessein était depuis longtemps beaucoup plus vaste ; quant à Napoléon III, il prêtait son concours à une entreprise qui, dans l'immédiat, allait rapporter à la France la Savoie et Nice, mais qui allait lui aliéner la sympathie des catholiques et faire disparaître la totalité des États pontificaux.

---

1 - Leur contenu n'est connu que par la relation écrite qu'en fit Cavour à Victor-Emmanuel II, cf. L. GIRARD, *op. cit.*, pp. 280-281.

Sous couvert d'une guerre de libération contre l'Autriche, le Piémont-Sardaigne préparait bel et bien une agression et une spoliation des États pontificaux. Doit-on voir une coïncidence dans le fait que « l'affaire Mortara » éclata quelques mois après l'entrevue de Plombières ? Cette affaire, mise à jour par un journal de Bologne le 1ᵉʳ octobre 1858, allait occuper pendant plusieurs mois tous les grands journaux d'Europe. Les libéraux et les anticléricaux y virent l'occasion de mener une campagne de dénonciation de « l'obscurantisme » de l'Église. Par l'ampleur des controverses qu'elle suscita, on a pu comparer cette « affaire Mortara » à « l'affaire Dreyfus » qui déchira la France quelques décennies plus tard [1].

Edgardo Levi-Mortara, fils d'une riche famille juive de Bologne, né en 1851, tomba gravement malade à l'âge de dix-sept mois. La servante catholique de la famille, Anna Morisi, le croyant à l'article de la mort, décida de le baptiser secrètement elle-même, en l'aspergeant d'eau et en récitant la formule sacramentelle. L'enfant guérit contre toute attente et la servante garda le secret. En 1858, le frère d'Edgardo, Aristide, tomba lui aussi gravement malade. Une amie d'Anna Morisi lui prescrivit de le baptiser. La servante refusa, arguant qu'elle avait déjà baptisé quelques années auparavant Edgardo, qu'il avait survécu et que, depuis, ses parents l'avaient élevé selon la loi juive. Elle ne voulait pas qu'une situation semblable se reproduise pour Aristide. La nouvelle fut connue des autorités ecclésiastiques de Bologne qui, jugeant le cas trop grave, en référèrent à Rome.

------

1 - La *Civiltà cattolica*, le 6 novembre 1858, a publié un long article sur cette affaire, traduit in ANNALES, t. I, p. 303 et sq. ; Mortara lui-même a fait une longue déposition, sur cette affaire et sur d'autres sujets, au procès de béatification, *Summarium* § 1 653-1 695. Cf. aussi l'analyse de l'affaire in MARTINA, t. II, pp. 31-35.

La Congrégation de l'Inquisition, avec l'accord de Pie IX, décida de retirer le jeune Edgardo de sa famille pour l'élever chrétiennement. C'était le 24 juin 1858, l'enfant allait avoir sept ans [1]. « Je fus conduit par les gendarmes à Rome, racontera plus tard Mortara, et présenté à Sa Sainteté Pie IX qui m'a accueilli avec la plus grande bonté et se déclara mon père adoptif, ce qu'il fut en effet ». L'enfant fut confié à l'Institut des Catéchumènes, dirigé par la congrégation des Filles du Sacré-Cœur.

Ses parents vinrent à Rome pour le reprendre, on le leur refusa mais on les laissa le voir tous les jours. Le jeune Mortara lui-même ayant déclaré qu'il ne souhaitait pas retourner chez ses parents, ceux-ci rentrèrent à Bologne. Sans doute est-ce eux qui avertirent la presse de ce qu'ils considéraient comme un « enlèvement ». Les journaux italiens, puis ceux de toute l'Europe, s'emparèrent de cette malheureuse affaire.

A la vérité, en agissant ainsi, Pie IX ne faisait que se conformer aux règles canoniques en vigueur [2]. L'Église, depuis des siècles, prohibait sévèrement le baptême des enfants juifs sans le consentement de leurs parents, sauf dans deux circonstances précises : lors d'abandon par les parents ou si l'enfant, confié à la responsabilité d'un chrétien, était à l'article de la mort. Dans ce deuxième cas, si l'enfant baptisé survivait, il pouvait alors être retiré de sa famille, pour le protéger d'une apostasie. Afin d'éviter ces situations dramatiques, la loi des États pontificaux interdisait aux familles juives d'avoir à leur service des domestiques chrétiens, susceptibles de baptiser en danger de

----

1 - AUBERT, qui évoque l'affaire en quelques lignes, p. 87, le présente, par erreur, comme « un enfant de trois ans ».

2 - Elles sont rappelées dans une note par F. MOURRET, *op. cit.*, p. 545.

mort. La famille Mortara, employant Anne Morisi, était donc en infraction vis-à-vis de cette prudente mesure.

Il faut d'ailleurs préciser, dans le cas de Mortara, qu'il fut tout à fait satisfait de sa nouvelle condition. Pie IX avait d'abord songé à le placer dans un collège dirigé par les Jésuites, mais, par crainte que dans la polémique naissante les Jésuites ne soient à nouveau en butte aux attaques de la presse libérale et anticléricale, en décembre, il confia l'enfant à un collège dirigé par les Chanoines réguliers du Latran. Chaque mois, le pape versa la pension correspondante et suivit attentivement la scolarité de son protégé. Plus tard, Mortara fit son noviciat chez les Chanoines réguliers et fut ordonné prêtre [1].

Cette affaire Mortara occupa la presse européenne pendant plusieurs mois. En France, l'*Univers* fut un des seuls journaux à défendre la décision du pape. Louis Veuillot fit appel à dom Guéranger pour rappeler la doctrine en la matière. L'abbé de Solesmes écrivit notamment : « Deux droits distincts se trouvent ici en présence, celui des parents sur l'éducation de leur enfant, et celui de l'enfant lui-même à jouir des avantages qu'il a obtenus dans son baptême et à être préservé du péril auquel l'exposerait l'infraction des devoirs qui lui incombent. De ces deux droits, l'un appartient à l'ordre de la nature, l'autre à l'ordre surnaturel : tous deux viennent de Dieu. Dans le conflit, lequel devra l'emporter ? Le droit surnaturel, sans aucun doute. Dieu ne peut être contraire à lui-même... » [2].

------

1 - « Mortara sera ordonné prêtre par Mgr Pie en 1875, pour la communauté de Notre-Dame de Beauchesne, au diocèse de Poitiers. En février de la même année, il sera présent aux obsèques de dom Guéranger », Dom DELATTE, **Dom Guéranger, abbé de Solesmes**, Solesmes, 1984, p. 904.

2 - Article du 24 octobre 1858 cité in Dom DELATTE, *op. cit.*, p. 634.

Mais le plus grand nombre des journaux dénoncèrent les « lois surannées » de l'Église, « l'oppression du droit naturel par le droit théologique ». Comme l'a écrit Louis Veuillot : « Cette application de la loi parut un trait de cruauté, une injure à l'esprit généreux du siècle, un crime contre nature, et la preuve enfin que le gouvernement pontifical doit être balayé du monde comme la dernière souillure qui reste encore des âges de la barbarie. La clameur ou plutôt le rugissement devint universel »[1].

La communauté israélite d'Allesandria, en Piémont-Sardaigne, fit appel à toutes les synagogues du monde pour qu'elles protestent publiquement, et demanda aux gouvernements d'intervenir diplomatiquement. La France, par l'intermédiaire de son ambassadeur à Rome, le duc de Gramont, adressa d'abord une note très sévère au cardinal Antonelli, puis demanda à Pie IX lui-même la « restitution » de Mortara. Le pape répondit qu'en « conscience » il ne pouvait consentir à ce « qu'un chrétien soit élevé dans la religion hébraïque ».

Cette affaire Mortara fut, par bien des côtés, une machine de guerre contre l'Église, l'occasion de dénoncer « le gouvernement des prêtres ». Cavour, dans une correspondance privée de cette époque, le reconnaissait non sans un certain cynisme : « L'Empereur a été enchanté de l'affaire Mortara comme de tout ce qui peut compromettre le pape aux yeux de l'Europe et des catholiques modérés. Plus il aura de griefs à faire valoir contre lui, plus il lui sera facile de lui imposer les sacrifices que la réorganisation de l'Italie réclame... Nous devons faire ressortir de toutes les façons les efforts de l'Empereur pour amener le pape à suivre une ligne politique plus raisonnable... en déplorant

---

1 - Louis VEUILLOT, **Pie IX**, *op. cit.*, pp. 399-400.

que la conduite du pape démontre l'impossibilité absolue de lui conserver le pouvoir temporel au delà des murs de Rome » [1].

Les premières spoliations

La « réorganisation de l'Italie » souhaitée par Cavour intervint à partir de 1859. Le 1ᵉʳ janvier, à l'occasion de la réception traditionnelle du Jour de l'an, Napoléon III dit à l'ambassadeur autrichien : « Je suis désolé que nos relations avec votre gouvernement ne soient plus aussi bonnes que dans le passé » [2]. Le propos, qui n'était pas encore une menace, fut remarqué.

Le 10 janvier suivant, dans le discours d'ouverture du parlement de Piémont-Sardaigne, Victor-Emmanuel II déclara : « Tout en respectant les traités, nous ne sommes pas insensibles au cri de douleur qui de tant de régions d'Italie monte vers nous ». Ce propos-là, convenu d'avance avec l'empereur français [3], provoqua l'inquiétude en Autriche et un véritable délire d'enthousiasme parmi les partisans de l'unité italienne. On s'acheminait vers la guerre.

Le 28 janvier était officiellement signé le traité d'alliance entre la France et le Piémont-Sardaigne, prévoyant la libération de la Lombardie et de la Vénétie (était laissée dans l'ombre l'autre partie des accords de Plombières : la conquête de l'Émilie et de la Romagne au détriment du pape), la constitution d'un royaume de Haute-Italie autour du Piémont et la cession de la Savoie et de Nice à la

---

1 - Lettre de Cavour à Villamarina, le 25 novembre 1858, citée in MARTINA, t. II, p. 35, n. 54.

2 - Luigi SALVOTERELLI, **Histoire de l'Italie**, Éditions Horvath, 1973, p. 503.

3 - L. SALVATORELLI, *op. cit.*, p. 504 et L. GIRARD, *op. cit.*, p. 282.

France. Le 30 janvier, dans la grande tradition des mariages princiers de convenance et d'intérêt politique, le prince Jérôme, cousin de Napoléon III, épousait la princesse Clotilde de Savoie, fille de Victor-Emmanuel II.

Le 4 février, La Guéronnière, lié à l'Empereur, faisait paraître une brochure sans la signer : *Napoléon III et l'Italie*. Cette brochure était destinée à préparer les esprits à la guerre. La Guéronnière, dont le texte avait été relu et corrigé par l'Empereur, y défendait le principe des nationalités et prônait une « union fédérative » en Italie. La guerre en Italie « n'aurait d'autre but, le jour où elle serait nécessaire, que de prévenir les révolutions par des satisfactions légitimes données aux besoins des peuples » [1]. Le royaume de Piémont-Sardaigne enrôlait déjà des volontaires dans son armée et concluait un accord avec Garibaldi pour que lui et ses troupes prissent part à la « guerre de libération » [2].

Après que l'Angleterre eut tenté une médiation et que la Russie eut proposé de réunir un congrès pour résoudre pacifiquement le différend, l'Autriche adressa un ultimatum au Piémont le 23 avril, demandant son désarmement unilatéral. Le Piémont refusa, les troupes autrichiennes, parties de Lombardie, passèrent à l'attaque le 29.

Le 3 mai la France déclarait la guerre à l'Autriche. Napoléon III se montrait rassurant : « Nous n'allons pas en Italie fomenter le désordre, ni déposséder les souverains, ni ébranler le pouvoir du Saint-Père, que nous avons replacé sur son trône ». Et son ministre des Cultes, Rouland, adressait une circulaire à tous les évêques français pour assurer que l'Empereur « veut que le chef suprê-

---

1 - Cité par L. GIRARD, *op. cit.*, p. 283.
2 - Garibaldi sera bientôt intégré dans l'armée sarde comme général.

me de l'Église soit respecté dans tous ses droits de souverain temporel » [1].

Le pape était hostile à cette guerre. Deux jours avant le début du conflit, il publia une encyclique exhortant à la paix et dans laquelle il demandait à tous les évêques d'organiser des prières publiques dans leurs diocèses pour obtenir « le bienfait d'une paix féconde en fruit de salut avec Dieu, avec eux-mêmes, avec les autres hommes » [2]. Pie IX, s'il ne pouvait bénir les troupes du Piémont-Sardaigne, qui s'était montré persécuteur de l'Église ces dernières années, se refusait aussi à prendre le parti de l'Autriche. Quand, début mai, les Autrichiens mettront Ancône et sa région en état de siège, le pape protestera contre cette violation des conventions d'occupation.

Les Autrichiens espéraient écraser le Piémont avant l'arrivée des Français. Mais ils n'y parvinrent pas, leur progression ayant été retardée par l'inondation artificielle provoquée par les paysans piémontais qui ouvrirent les vannes des nombreux canaux d'irrigation de la large plaine du Pô. Napoléon III arriva en Italie à la tête d'une armée de 100 000 hommes. Les Autrichiens furent successivement battus à Montebello (20 mai), à Palestro (30-31 mai) et à Magenta (4 juin). Victor-Emmanuel II et Napoléon III pouvaient entrer en libérateurs à Milan, capitale de la Lombardie, le 8 juin. Pendant ce temps Garibaldi occupait Côme, Bergame et Brescia.

Ces victoires françaises et piémontaises ne furent pas sans effet sur les petites principautés de l'Italie centrale. Habilement manœuvrée par les sociétés secrètes patrio-

---

1 - Déclaration et circulaire citées par Mgr DUPANLOUP, **Lettre à La Guéronniè-re**, *op. cit.*, p. 11.
2 - Texte in ANNALES, t. I, pp. 331-332.

tiques, une partie de la population de ces États se souleva : fin avril, le grand-duc de Toscane était contraint d'abandonner Florence ; début juin, après la bataille de Magenta, le duché de Modène et le duché de Parme, dont les princes étaient en fuite, proclamaient leur annexion au royaume de Piémont-Sardaigne.

Les États pontificaux non plus n'échappèrent pas à l'exaltation qu'entraînèrent les victoires militaires. A Bologne, le 12 juin, une manifestation organisée par la Société nationale italienne chassa le légat du pape, le cardinal Milesi, et une commission de gouvernement fut mise en place qui offrit la ville à Victor-Emmanuel. Le 14 juin un gouvernement provisoire se constitua à Pérouse mais la ville fut reprise, le 20, par les Gardes suisses.

Les troupes autrichiennes ne s'estimaient pas battues. L'empereur François-Joseph vint lui-même assumer le commandement des troupes. Après un dur combat, les Français furent vainqueurs à Solférino (24 juin). Napoléon III jugea alors préférable d'arrêter la guerre. D'une part il craignait une intervention de la Prusse et de la Confédération germanique aux côtés des Autrichiens, d'autre part il se rendait compte que cette guerre n'était pas populaire en France, notamment auprès des catholiques qui voyaient les États pontificaux à nouveau en proie à des mouvements révolutionnaires qui menaçaient la souveraineté temporelle de Pie IX.

Au grand déplaisir du Piémont, les deux empereurs signèrent à Villafranca, le 11 juillet, des préliminaires de paix qui prévoyaient la cession de la Lombardie à Napoléon III (qui la rétrocèdera ensuite à Victor-Emmanuel). L'Autriche conservait la Vénétie et les souverains de Toscane et de Modène seraient rétablis dans leurs possessions.

Cet accord de Villafranca suscita l'indignation des patriotes italiens. En signe de protestation Cavour démissionna de son poste de chef de gouvernement. Mais Napoléon III n'intervint pas militairement pour rétablir les autorités légitimes dans les duchés et en Romagne. Les gouvernements provisoires révolutionnaires y furent maintenus.

L'opinion catholique était inquiète du sort qui allait être réservé aux États pontificaux. En France, des libéraux, comme Montalembert, aux plus intransigeants, tel Veuillot, on s'alarmait. Le premier, dans un long article du *Correspondant* [1], se fit l'interprète du plus grand nombre des catholiques en déplorant l'attitude de l'Europe « indifférente, distraite ou complice de l'ennemi » et en stigmatisant la politique versatile de Napoléon III : « C'est la France qui a sauvé l'indépendance temporelle du Saint-Siège en 1849, et c'est elle qui la laisse ébranler et amoindrir en 1859 ». Il faisait aussi une belle apologie de Pie IX : « De tous les griefs que les Italiens ont élevés contre d'autres princes, en est-il un seul qu'on puisse, avec une ombre même de justice, imputer à Pie IX ? Pas un. Est-ce un tyran ? Non. Personne, parmi ses plus forcenés adversaires, n'oserait l'affirmer. Est-il en fuite ? Non. Est-il usurpateur ? Non. Est-il étranger ? Non. Il est le plus italien, le seul tout à fait italien des princes de la Péninsule ; bien autrement italien, au moins d'origine, que cette maison de Savoie qui le dépouille au nom de l'Italie. Quel est donc son crime ? Il y en a un, un seul : il est prêtre. Tout est là. (...) Les fiers Romagnols (...) ne veulent plus obéir à la souveraineté la plus ancienne, la plus vénérable et la plus italienne de

---

1 - En date du 25 octobre 1859, repris en brochure sous le titre **Pie IX et la France en 1849 et 1859**, J. Lecoffre et Cie, 1859.

toute l'Europe, parce que ce souverain est un prêtre. C'est leur idée, leur fantaisie, leur façon d'entendre les droits de l'homme et du peuple ».

A juste titre il remarquait : « Y a-t-il un homme sérieux qui se figure que des réformes quelconques contenteront ou désarmeront un seul des ennemis du Saint-Siège, à l'intérieur comme à l'extérieur ? » Et il concluait son propos en craignant que la France ne devienne « le Pilate de la papauté ».

L'analyse de Montalembert n'était pas injuste puisque, quelque temps après son article retentissant, la position officielle française allait briser les derniers espoirs du pape. Un Congrès était envisagé qui aurait réuni les représentants des grandes puissances européennes pour aboutir à une paix définitive en Italie. En vue de ce Congrès, Pie IX adressa une lettre personnelle à chacun des souverains qui y seraient représentés. A Napoléon III, le 2 décembre, il demandait d'intervenir en sa faveur au Congrès afin que les territoires conquis par le Piémont lui fussent rendus. La réponse française se fit en deux temps. Le 22 décembre, paraissait une brochure anonyme (œuvre en fait, une nouvelle fois, de La Guéronnière) intitulée *Le Pape et le Congrès*. Le porte-parole officieux de Napoléon III, sans nier la légitimité du pouvoir temporel du pape, y expliquait que Pie IX devait se contenter d'un petit territoire autour de Rome et accepter la perte de la plus grande partie de ses États. Pie IX qualifiera cette brochure de « monument insigne d'hypocrisie » et « d'ignoble tissu de contradictions » [1]. Mais l'auteur de la brochure

---

1 - Dans son discours du Nouvel An aux troupes françaises de Rome, reproduit in ANNALES, t. I, pp.385-386. De nombreux évêques français avaient déjà protesté ou allaient protester par des brochures, mandements ou déclarations.

n'avait fait qu'exprimer la position de l'empereur. Napoléon III lui-même, le 31 décembre, écrivit à Pie IX pour l'inviter à « faire le sacrifice de ses provinces révoltées » [1]. L'idée d'un Congrès était abandonnée.

Cette position française, en contradiction avec les déclarations officielles faites jusque-là, permettait à Cavour, le 21 janvier 1860, de revenir à la tête du gouvernement piémontais. Par des plébiscites, organisés dans le climat que l'on devine, il entérinait l'annexion au royaume de Piémont-Sardaigne des territoires déjà conquis : Toscane, Parme, Modène, Romagne. Napoléon III, en échange de son consentement, recevait la Savoie et Nice le 24 mars.

Le pape se trouvait ainsi spolié des provinces du nord de ses Etats. Il avait été abandonné par toutes les puissances européennes. Le 19 janvier, par l'encyclique *Nullis certe verbis* [2], il avait expliqué qu'il ne pouvait sacrifier des territoires « qui n'appartiennent pas à la dynastie de quelque famille royale, mais à tous les catholiques » [3]. Le 26 mars, dans une lettre apostolique très sévère [4], il dénonça les manœuvres employées par le Piémont-Sardaigne pour fomenter l'agitation dans la Romagne et lui retirer ce territoire : « Aucune fraude, aucun crime n'a été épargné pour pousser de toute manière à une révolte criminelle les peuples de notre domination pontificale. De là, des émissaires envoyés, de l'argent largement répandu, des armes fournies, des excitations au moyen de brochures et de journaux corrompus, toutes sortes de fraudes employées, même par ceux qui se trouvaient à Rome en qualité d'am-

---

1 - Lettre publiée in ANNALES, t. I, p. 384.

2 - ANNALES, t. I, pp. 388-390.

3 - L'*Univers* ayant publié cette encyclique, le gouvernement impérial saisit ce prétexte pour supprimer le journal.

4 - *Cum catholica Ecclesia*, texte latin-français in ENCYCLIQUES, t. I, pp. 415-431.

bassadeurs de ce royaume ». Et il prononçait une excommunication majeure contre ceux, ordonnants ou exécutants, « qui ont pris part à la rébellion, à l'usurpation, à l'occupation et à l'invasion criminelle des provinces susdites de nos États ». Même si Victor-Emmanuel II n'était pas explicitement nommé, il était frappé au premier chef par cette sentence. Pie IX ordonna que le texte de cette lettre apostolique fût affiché aux portes des basiliques Saint-Jean du Latran et Saint-Pierre, de la chancellerie apostolique, de la Cour générale au Monte Citorio et à l'entrée du Campo di Fiori pour que tout un chacun en eût connaissance.

Les Zouaves pontificaux

Cette première spoliation des États pontificaux suscita, dans tous les pays catholiques, une vague de protestations. Rares étaient ceux qui trouvaient légitimes le soulèvement des populations de Romagne « régies par le droit d'un autre âge », selon l'expression employée alors par Mgr Maret, grande figure libérale du clergé français [1]. L'immense majorité des catholiques soutenaient la cause pontificale. De différents pays, des pétitions de soutien et de fidélité au Saint-Siège furent envoyées à Rome. De nombreux évêques, en France et dans toute l'Europe, intervinrent de différentes manières pour défendre la souveraineté temporelle. Fut particulièrement remarqué l'ouvrage de Mgr Dupanloup, *La Souveraineté pontificale*, qui connut rapidement trois éditions, et valut à son auteur un bref très laudateur de Pie IX [2]. A l'initiative de fidèles, en Autriche et en Allemagne, l'*Œuvre Saint-Michel* fut créée

---

1 - Note personnelle de janvier 1860, citée par AUBERT, p. 89.

2 - « Nul ne paraît devoir vous être comparé » écrivait Pie IX, cf. F. LAGRANGE, **Vie de Mgr Dupanloup**, Libr. Poussielgue Frères, 1884, pp. 317-323.

pour procurer une aide matérielle au pape et prier à ses intentions. En Belgique fut fondé le *Denier de Saint-Pierre*, destiné à recueillir des fonds pour le Saint-Siège ; les quêtes seront bientôt étendues à d'autres pays et permettront d'envoyer, jusqu'en 1870, des fonds très importants au pape.

Ces fonds permirent notamment d'entretenir les troupes étrangères (les fameux « Zouaves pontificaux ») que Pie IX se décida à recruter dans les premiers mois de 1860. Les troupes pontificales existantes étaient peu nombreuses — onze bataillons de 600 hommes — et mal équipées. La France, depuis 1849, avait conservé des troupes dans Rome mais la politique adoptée par Napoléon III dans les mois précédents rendait incertaine une intervention française en cas de nouvelle attaque.

Mgr de Mérode, un ancien officier belge au service de Pie IX depuis dix ans, suggéra de recruter des volontaires étrangers pour organiser une véritable armée de défense des États pontificaux. Le Secrétaire d'État Antonelli se montra hostile au projet, car il craignait d'indisposer les puissances étrangères, notamment la France. Pie IX passa outre. En février il nomma Mgr de Mérode prominstre des armes et lui confia le soin de recruter les hommes adéquats. Mgr de Mérode fit appel à un militaire prestigieux, le général de La Moricière, qui avait été emprisonné puis exilé pour son hostilité au Second Empire. Le général de La Moricière arriva à Rome le 1ᵉʳ avril. Pie IX lui confia le commandement en chef des troupes existantes. La Moricière porta à la connaissance des troupes pontificales un vibrant ordre du jour qui se terminait ainsi : « La révolution, comme autrefois l'islamisme, menace aujourd'hui l'Europe, et aujourd'hui comme alors, la cause de la Papauté est la cause de la civilisation et de la liberté du monde. Soldats ! ayez confiance, et soyez certains que Dieu soutiendra votre courage et l'élevera à la hauteur de la cause dont il a confié la défense à nos armes » [1].

Quelques jours plus tard il adressait un appel aux catholiques du monde entier pour l'envoi de volontaires à Rome. Dans les semaines suivantes arrivèrent des Autrichiens, des Belges, des Irlandais, des Français (souvent issus de familles légitimistes), des Italiens aussi. Les Autrichiens étaient particulièrement nombreux : 5 000 hommes ; il s'agissait en fait, dans la plupart des cas, de soldats et officiers issus de troupes régulières dont le gouvernement autrichien avait organisé le départ collectif. On note aussi un fort contingent irlandais (800 hommes) qui put s'organiser de manière autonome sous le nom de bataillon de Saint-Patrick. Les quelque 70 volontaires français et belges furent organisés en mai en une compagnie des Tirailleurs franco-belges. Les effectifs augmentant, la compagnie deviendra un bataillon puis, quelques mois plus tard, le bataillon prendra le nom sous lequel il est entré dans l'histoire : le bataillon des Zouaves pontificaux.

Ces volontaires connurent leur premier grand combat à Castelfidardo et ce fut un désastre. En mai avait eu lieu l'Expédition des Mille menée par Garibaldi. Partis de Gênes, avec l'assentiment de Victor-Emmanuel, Garibaldi et ses mille volontaires débarquèrent en Sicile pour soulever les populations contre leur jeune souverain, François II — âgé de vingt-trois ans, il avait succédé à son père, Ferdinand II, décédé l'année précédente. Ce n'est qu'au terme de difficiles combats, et en faisant appel à des renforts, que Garibaldi réussit à se rendre maître de toute

---

1 - Cité in G. Cerbelaud-Salagnac, **Les Zouaves pontificaux**, France-Empire, 1963, p. 18.

la Sicile fin juillet. En août il passait le détroit de Messine pour conquérir le reste du royaume de Naples. Sous le prétexte d'empêcher Garibaldi de marcher sur Rome, Cavour obtint l'accord de Napoléon III pour occuper les Marches et l'Ombrie, territoires pontificaux.

Le 7 septembre il adressait une lettre au cardinal Antonelli dans laquelle il déplorait « la formation et l'existence des corps de troupes mercenaires étrangères au service du gouvernement pontifical », « ce corps étranger, qui injurie le sentiment national et empêche la manifestation des vœux du peuple, produira infailliblement des soulèvements qui se propageront dans les provinces voisines ». En conséquence il adressait un ultimatum : le pape devait donner « l'ordre immédiat de désarmer et de dissoudre ces corps dont l'existence est une continuelle menace pour la tranquillité de l'Italie ».

Le 11 septembre, le cardinal Antonelli, au nom du pape, repoussait cet ultimatum, mais le jour même, alors que la réponse négative n'était pas encore parvenue à Cavour, les troupes piémontaises passaient la frontière et occupaient les Marches et l'Ombrie.

Le 18 septembre, à Castelfidardo, les troupes pontificales, malgré la grande bravoure dont fit preuve le général de Pimodan, étaient battues. Le général de La Moricière, qui s'était replié avec ses troupes dans la citadelle d'Ancône, cédait le 29 septembre, après que la flotte sarde eut bombardé la place [1].

---

1 - Sur toutes ces opérations militaires, on peut lire le long rapport du général La Moricière à Mgr de Mérode, en date du 3 novembre 1860, reproduit in Alex. de SAINT-ALBIN, **Histoire de Pie IX et de son pontificat**, Victor Palmé, Paris/Joseph Albanel, Bruxelles, 1878, t. II, pp. 355-403. Voir aussi l'ouvrage du marquis de SÉGUR, **Les Martyrs de Castelfidardo**, Tolra, 1891, qui montre les sentiments spirituels animant nombre de combattants.

Un plébiscite fut organisé dans les Marches et en Ombrie pour sanctionner leur annexion au Piémont-Sardaigne. Dans le royaume de Naples, les combats furent plus longs et ne s'achevèrent qu'en février 1861 avec la prise de Gaète. Déjà un référendum, truqué, avait annexé l'ancien royaume au Piémont-Sardaigne et le jeune roi François II s'était réfugié à Rome. Aussi, le 17 mars, Victor-Emmanuel pouvait-il être proclamé « roi d'Italie ». Rome restait l'objectif ultime. Le Parlement « italien » vota le 27 mars suivant une motion : « Que Rome, capitale acclamée par l'opinion nationale, soit réunie à l'Italie ».

Toutes les provinces de la Péninsule étaient désormais sous le sceptre du nouveau roi d'Italie, sauf la Vénétie — que les Autrichiens cédèrent au terme de la guerre qui les opposa à la Prusse et à l'Italie en 1866 — et Rome et sa région, le Latium. Cavour essaya d'obtenir par la négociation ce qui n'avait pu être pris par les combats. Dès le mois de décembre 1860, il avait chargé deux de ses hommes de confiance à Rome, le docteur Pantaleoni et l'ex-jésuite Passaglia, théologien renommé, de présenter un mémoire au Saint-Siège [1]. Le mémoire, officiellement rédigé par Pantaleoni, reflétait en fait directement la pensée de Cavour. Celui-ci, fidèle à sa devise « Une Église libre dans un État libre », proposait au pape de renoncer à ses dernières possessions temporelles, en échange de quoi on promettait à l'Église une pleine liberté dans le domaine ecclésiastique. Il était précisé que seraient garanties au pape les prérogatives de sa souveraineté (notamment celle d'entretenir des relations diplomatiques avec les États) et son autorité entière sur le clergé et les évêques, que l'État italien renon-

---

1 - Sur ces négociations, dont plusieurs points restent obscurs, cf. Carlo FALCONI, **Il Cardinale Antonelli**, Arnoldo Mondadori Editore, 1983, pp. 388-395.

cerait à son droit de nommer les évêques, que l'Église serait libre dans sa prédication, son enseignement, sa presse et ses associations et qu'elle pourrait compter sur l'intervention du bras séculier pour faire respecter la législation et les jugements en matière religieuse.

Pie IX fut impressionné par de telles assurances et accepta que des discussions s'engagent. Mais au fil des semaines, les nouvelles en provenance des provinces pontificales annexées montraient que le gouvernement de Cavour était toujours hostile à l'Église : des évêques étaient arrêtés et exilés, des couvents étaient fermés, des biens ecclésiastiques confisqués. Pie IX et le cardinal Antonelli furent convaincus que Cavour, même s'il était honnête dans ses propositions, ne pouvait se soustraire à la pression des partis de gauche qui voulaient la poursuite d'une politique anticléricale. La mort inopinée de Cavour, le 6 juin 1861, et son remplacement à la tête du gouvernement italien par Bettino Ricasoli, mirent fin, pour plusieurs années, aux négociations [1].

----

1 - Ricasoli élabora un projet de conciliation, en douze articles, moins généreux que celui de Cavour, mais il dut démissionner dès mars 1862.

CHAPITRE DOUZIÈME

LE PAPE DU *SYLLABUS*

P IE IX NE pouvait accepter les spoliations accomplies en 1859 et 1860. En ce début d'année 1861, l'immense majorité des catholiques en était d'accord. On le vit bien lorsque La Guéronnière, devenu conseiller d'État, fit paraître le 15 février, une troisième brochure : *La France, Rome et l'Italie* (cette fois il signa de son nom son nouvel écrit). Il reprochait au pape de ne pas avoir accompli de réformes politiques depuis l'intervention française en 1849, il regrettait son ingratitude envers la France, il accusait les catholiques d'avoir trahi « le parti de l'Ordre » et il justifiait la politique de Napoléon III.

Mgr Pie, évêque de Poitiers, répliqua aussitôt à cette brochure par un mandement « Au sujet des accusations portées contre le Souverain Pontife et contre le clergé français » [1]. Il dénonça les « oublis de respect » et les « dénis de justice » de la brochure et, établissant une analogie entre le sort fait au pape et la Passion du Christ, il concluait par une claire allusion à Napoléon : « Hérode, Caïphe, Judas et les autres ont eu leur part dans le crime, mais enfin rien n'eût abouti sans Pilate. Pilate pouvait sauver le Christ ; et sans Pilate on ne pouvait mettre le Christ à mort. (...) Lave tes mains, ô Pilate ; déclare-toi innocent de la mort du

---

1 - **Œuvres de Mgr l'Evêque de Poitiers**, H. Oudin, Paris-Poitiers, t. IV, pp. 145-165. Ce mandement valut à Mgr Pie d'être déféré comme d'abus au Conseil d'É-tat.

Christ ». Mgr Dupanloup réfuta aussi la nouvelle brochure par une *Lettre à M. le Vte. de la Guéronnière*, où il rappelait les changements successifs de la politique française et
en montrait les contradictions [1].

D'autres évêques, après eux, répliquèrent à La Guéronnière. Louis Veuillot, qui ne pouvait toujours pas faire
reparaître l'*Univers* et qui avait sollicité, en vain, l'autorisation de fonder un nouveau journal, publia lui aussi une
brochure en réponse à La Guéronnière. Intitulée *Le Pape et
la diplomatie*, elle défendait les droits temporels du pape
avec fougue : « Accepter l'insurrection à Bologne, c'était la
provoquer partout, la ratifier partout ; c'était abdiquer.
Accepter un gouvernement laïque pour certaines provinces, c'était condamner... partout le gouvernement
pontifical, l'avouer incapable, indigne ; c'était abdiquer ».
Veuillot développait aussi un argument qu'un Dupanloup, plus libéral, ne mettait pas en avant : « Une religion
quelle qu'elle soit n'embrasse pas une partie de l'homme ;
elle embrasse l'homme tout entier. Les mœurs, la législation, la vie sociale et la vie politique de toutes les nations, à
toutes les époques, n'ont été que le miroir fidèle de leur
vie religieuse ». Or les États pontificaux permettent au
catholicisme de « se manifester aux yeux du monde dans
son ensemble religieux, social, politique ». En « réclamant
Rome, l'Italie révolutionnaire réclame plus qu'une tête
pour elle-même : elle veut décapiter la vieille humanité
chrétienne » [2].

Veuillot exprimait là une pensée que Pie IX partageait
en tous points. Le pape ne pouvait opposer qu'un *Non pos-*

---

1 - Mgr DUPANLOUP, **Lettre à M. le Vte. de la Guéronnière**, Charles Douniol,
Paris, 1861.

2 - Louis VEUILLOT, **Le Pape et la diplomatie**, Gaume Frères et J. Duprey, Paris,
1861.

sumus au principe même de l'invasion et de la spoliation, il le rappelera clairement dans une allocution prononcée en consistoire, le 18 mars 1861 : le Saint-Siège ne peut « sanctionner ce principe, qu'une chose injustement et violemment enlevée peut être tranquillement possédée par l'injuste agresseur ; c'est demander d'établir aussi cette fausse maxime, qu'une injustice qui réussit n'enlève rien à la sainteté du droit »[1].

Mais Pie IX ne réduisait pas la spoliation d'une partie de ses États à une question de souveraineté violée. Les événements de ces dix dernières années avaient montré que les partisans de l'unité italienne ne souhaitaient pas simplement unifier politiquement les États de la péninsule mais entendaient établir une société fondée sur de nouveaux principes : la sécularisation, la séparation de l'Église et de l'État. Ces principes, Pie IX les avait déjà dénoncés dans le passé.

Dans les années 1860, il va renouveler et amplifier ces condamnations de la « civilisation moderne » ; le *Syllabus* en sera comme le point d'orgue.

La politique anticléricale du royaume d'Italie n'était pas un cas isolé. D'autres pays, par des manœuvres plus ou moins violentes, entravaient l'action de l'Église, cherchaient à la soumettre à l'État. En ce début d'année 1861, un pays, le Mexique, où le révolutionnaire Benito Juarez venait de triompher, donnait l'exemple d'une persécution sanglante qui allait durer de nombreuses années. Le Portugal prenait des mesures visant à disperser les congrégations religieuses et à confisquer leurs biens. On pourrait multiplier les exemples.

---

1 - Allocution *Jamdudum cernimus*, ENCYCLIQUES, t. I, pp. 473-490.

Aussi, au-delà du cas italien, Pie IX affirmait, dans l'allocution citée, son opposition à la « civilisation moderne » : « Cette civilisation moderne d'un côté s'attache à favoriser tout culte non catholique, n'écarte même pas les infidèles des emplois publics, ouvre les écoles catholiques à leurs enfants ; et d'autre part elle se déchaîne contre les communautés religieuses, contre les instituts fondés pour diriger les écoles catholiques, contre les personnes ecclésiastiques de tout rang, contre celles même qui sont revêtues des plus hautes dignités, et dont plusieurs souffrent aujourd'hui dans les anxiétés de l'exil ou dans les fers, enfin contre les laïcs distingués qui, dévoués à notre personne et à ce Saint-Siège, défendent courageusement la cause de la religion et de la justice.

« Cette civilisation prodigue ses subsides aux instituts et aux personnes non catholiques ; en même temps elle dépouille l'Église catholique de ses possessions légitimes, et s'applique par tous les moyens, avec le plus grand zèle, à affaiblir sa salutaire influence. Elle laisse toute liberté à ceux qui, par leur parole ou par leurs écrits, attaquent l'Église et les hommes dévoués à sa cause ; elle inspire, entretient et fomente la licence, elle se montre, aussi, pleine de modération et de réserve dans la répression des attaques violentes et odieuses dirigées contre ceux qui publient de bons écrits, tandis qu'elle traite ces derniers avec une extrême sévérité dès qu'elle croit qu'ils ont dépassé tant soit peu les bornes de la modération. Est-ce donc à cette civilisation que le Pontife romain pourrait jamais tendre une main amie ? »

Autour de la Chaire de Pierre

La fondation de l'*Osservatore romano*, en juin suivant, destiné à devenir en quelque sorte le journal du pape, témoigne de cette volonté de défendre l'Église avec des armes « modernes », une presse quotidienne combative, sans céder aux principes de la « civilisation moderne ». A l'origine, l'*Osservatore romano* n'était pas la propriété du Saint-Siège — il ne sera racheté par Léon XIII qu'en 1890 — mais dès son premier numéro, daté du 1er juillet 1861, il fut l'interprète fidèle de la pensée du pape. Le premier directeur en fut le marquis Augusto Baviera. Originaire de Senigallia, il s'était établi à Rome après l'annexion des Marches par le Piémont-Sardaigne.

Pie IX voulut aussi resserrer les liens des évêques et des fidèles avec le Saint-Siège. Face à la situation qui lui était faite en Italie, face aux doctrines erronées qui se répandaient en différents domaines, il souhaitait manifester aux yeux du monde l'unité de l'Église catholique. Dans les années 1860, à trois reprises, les évêques du monde entier vont être invités à venir à Rome : à l'occasion de la canonisation de martyrs japonais, à l'occasion du XVIIIe centenaire du martyre de saint Pierre et saint Paul et, enfin, pour un concile œcuménique.

C'est le 18 janvier 1862, en la fête de la Chaire de saint Pierre, que le cardinal Caterini, préfet de la Congrégation du Concile, adressa, au nom du pape, une lettre à tous les évêques « du monde catholique » les invitant à venir à Rome en mai suivant pour la cérémonie de canonisation de vingt-six martyrs japonais, tués *in odium fidei* le 5 février 1597, et d'un religieux trinitaire, le bienheureux Michel De Sanctis. Cette convocation inquiéta certains gouvernements. L'ambassadeur de France à Rome, le marquis de La Valette, s'étonna auprès du cardinal Antonelli de n'avoir pas été informé officiellement d'une telle réunion. Il craignait que ce ne fût l'occasion d'une condamnation solennelle de la politique française. Le

Secrétaire d'État le rassura en disant que cette réunion des évêques autour du pape n'aurait qu'un caractère religieux [1]. Le gouvernement français laissa donc les évêques français qui le souhaitaient se rendre à Rome, mais exigea d'eux qu'ils sollicitent un passeport de sortie, ce qui empêcha certains, qui n'avaient pas fait les démarches à temps, de partir. En revanche, les gouvernements italien et portugais interdirent à leurs évêques de se rendre à Rome.

Malgré ces obstacles, les cérémonies furent grandioses. La *Civiltà cattolica* dénombra 43 cardinaux, 5 patriarches, 52 archevêques et 186 évêques (dont une cinquantaine venus de France), soit 286 membres de la hiérarchie épiscopale. C'était beaucoup plus que lors de la promulgation du dogme de l'Immaculée Conception. Un tiers de l'épiscopat mondial était présent à Rome, auquel il faut ajouter environ 4 000 prêtres et 100 000 fidèles venus de nombreux pays. Après des consistoires, publics ou semi-publics, tenus fin mai pour préparer l'acte solennel de canonisation, celui-ci intervint le 8 juin. De retour à Paris, le libéral Augustin Cochin résumait l'impression générale en disant : « Cette démonstration de la puissance, de l'union, de l'étendue de l'Église, a beaucoup frappé. On sent que l'heure des funérailles d'un vivant si vivant et si colossal n'est pas venue. Les événements suivront leur cours ; mais Dieu vient d'illuminer le pouvoir spirituel d'un rayon qui éblouit les plus malveillants » [2].

Mais cette cérémonie de canonisations n'avait pas été simplement une démonstration de puissance, elle fut

---

1 - Carlo Falconi, **Il Cardinale Antonelli**, Arnoldo Mondadori, 1983, pp. 400-401.

2 - Lettre à Mgr Dupanloup citée in F. Lagrange, **Vie de Mgr Dupanloup**, Libr. Poussielgue Frères, Paris, 1884, t. II, pp. 367-368.

aussi l'occasion, le lendemain de la cérémonie, d'une réunion de tous les évêques autour du pape. Dans une longue allocution, le pape rappela solennellement la condamnation des « maux terribles et à jamais déplorables, dont l'Église catholique et la société civile elle-même sont misérablement tourmentées et opprimées, pour le malheur des âmes » [1].

Le pape dénonça les erreurs du rationalisme, du panthéisme et de ce qu'on appellera plus tard le modernisme. L'expression n'était pas employée par Pie IX mais elle correspond à ce qu'il stigmatisait. Il dénonçait ceux qui considèrent que la révélation divine « est elle-même imparfaite et par conséquent soumise à un progrès continu et indéfini, qui doit répondre au développement progressif de la raison humaine. Aussi osent-ils prétendre que les prophéties et les miracles exposés et rapportés dans les Livres sacrés sont des fables de poètes ; que les saints mystères de notre foi sont le résultat d'investigations philosophiques ; que les livres divins de l'Ancien et du Nouveau Testament ne contiennent que des mythes, et que, chose horrible à dire ! Notre-Seigneur Jésus-Christ lui-même n'est qu'un mythe et une fiction ».

Pie IX visait ici les théologiens et exégètes qui, en Allemagne surtout, à la suite de David Friedrich Strauss, développaient une exégèse rationaliste. Strauss, dans *La Vie de Jésus examinée critiquement* (parue en 1835-1836) avait réduit les Évangiles à l'expression de mythes collectifs [2]. Mais le pape pouvait aussi avoir à l'esprit la provocation d'Ernest Renan quelques mois plus tôt. Nommé par

---

1 - Allocution *Maxima quidem*, texte latin-français in ENCYCLIQUES, t. I, pp. 503-520.

2 - René ZAPATA « Strauss », **Dictionnaire des Philosophes,** sous la direction de Denis Huisman, P.U.F, 1984, t. II, pp. 2448-2449.

l'Empereur à la chaire d'hébreu du Collège de France, dans son cours d'ouverture il avait qualifié Jésus « d'homme incomparable, si grand que je ne voudrais pas contredire ceux qui, frappés du caractère exceptionnel de son œuvre, l'appellent Dieu ». L'année suivante, il fera paraître une *Vie de Jésus* qui rencontrera un énorme succès de scandale (douze éditions françaises en deux ans et dix-huit traductions allemandes différentes). Il y niera, notamment, la divinité du Christ et ses miracles [1]. L'ouvrage sera condamné par plusieurs évêques dans des mandements et Louis Veuillot y répondra par une *Vie de Notre-Seigneur Jésus-Christ* que Pie IX louera par un bref.

Le pape, par cette allocution aux centaines d'évêques venus à Rome, mettait l'accent sur ce qui allait être son combat principal dans les années à venir : la défense de la doctrine catholique. Tout le monde, d'ailleurs, comprit bien l'importance de cette allocution. Après que le pape eut fini de parler, le cardinal Mattei, doyen du Sacré-Collège, entouré de plusieurs évêques, lut une « Adresse des évêques » au pape. Mgr Dupanloup, qui était considéré parmi les évêques, à sa profonde satisfaction, comme un des grands champions de la puissance temporelle du pape, avait préparé un projet de texte qui insistait sur cette question ; le cardinal Wiseman avait préparé un autre projet qui défendait lui aussi le pouvoir temporel mais qui dénonçait également les principes révolutionnaires et libéraux, notamment « ces libertés ridicules dont se glorifient les nations modernes » [2].

---

1 - Cf. Ernest RENAN, **Histoire et parole**, Œuvres diverses, éditées et présentées par Laudyce Rétat, Robert Laffont, collection « Bouquins », 1984 et Y. CHIRON « La religion d'Ernest Renan », **Itinéraires**, janvier 1985, pp. 105-115.

2 - F. LAGRANGE, *op. cit.*, pp. 359-361 et précisions in U. MAYNARD, **Monseigneur Dupanloup et M. Lagrange son historien**, Société générale de Librairie catholique, 1884, pp. 130-131 et AUBERT, p. 248-249.

Une commission, finalement, avait fondu ensemble ces deux projets et abouti à « l'Adresse » que lut le cardinal Mattei [1]. Les évêques y manifestaient, avec une certaine emphase, leur attachement et leur fidélité au « Pontife-Roi libre » : « ...Vous êtes pour nous le maître de la sainte doctrine, vous êtes le centre de l'unité, vous êtes pour les peuples la lumière indéfectible préparée par la Sagesse divine, vous êtes la pierre, vous êtes le fondement de l'Église elle-même, contre laquelle les portes de l'Enfer ne prévaudront jamais ; quand vous parlez, c'est Pierre que nous entendons ; quand vous décrétez, c'est à Jésus-Christ que nous obéissons ; nous vous admirons au milieu de tant d'épreuves et de tempêtes, le front serein, le cœur imperturbable, accomplissant votre ministère sacré, invincible et debout ».

Les évêques y approuvaient aussi les condamnations doctrinales et temporelles faites par le pape dans son allocution :

« Nous condamnons, nous évêques, les erreurs que vous avez condamnées ;

« Nous rejetons et détestons les doctrines nouvelles et étrangères qui se propagent partout au détriment de l'Église de Jésus-Christ ;

« Nous condamnons, réprouvons les sacrilèges, les rapines, les violations de l'immunité ecclésiastique, et les autres forfaits commis contre l'Église et le Siège de Pierre ».

Un épiscopat si soumis au pape et en accord avec ses positions temporelles et doctrinales ne pourra qu'accepter, dans son immense majorité, le *Syllabus* et le dogme de l'infaillibilité pontificale qui seront les deux grands actes doctrinaux de Pie IX dans les années suivantes.

---

1 - Texte latin-français in ENCYCLIQUES, t. II, pp. 550-561.

Origines du Syllabus

Aucun acte de l'Église, du moins au XIXᵉ siècle, n'a suscité autant de controverses, chez les catholiques comme
chez les non-catholiques, que le *Syllabus* (ou « Recueil renfermant les principales erreurs de notre temps ») qui fut
publié, le 8 décembre 1864, en annexe de l'encyclique
Quanta cura.

L'origine de ce *Syllabus* est ancienne et son histoire est
longue et compliquée [1]. C'est le cardinal Pecci (futur
Léon XIII) qui suggéra le premier, sans doute, au pape
d'établir un tel catalogue des erreurs modernes. C'était en
1849, au lendemain de la révolution romaine. Les évêques
de la province de Spolète étaient réunis en concile provincial et, à l'issue de leurs travaux, à la suggestion du cardinal Pecci, ils adressèrent à Pie IX une supplique lui
demandant de « grouper en tableau, sous les formes
qu'elles ont revêtues de nos jours, toutes les erreurs contre
l'Église, l'autorité et la propriété et de les condamner en
leur infligeant la note spécifique ».

En 1851 un laïc, Emiliano Avogadro della Motta, dans
un ouvrage publié à Turin, *Saggio intorno al socialismo e alle
dottrine e tendenze socialistiche* (Essai sur le socialisme et sur
les doctrines et tendances socialistes), demanda lui aussi
une condamnation globale des « erreurs vastes et souverainement pernicieuses » des sociétés modernes. Nous
avons vu comment, en février 1852, lors de la préparation
du dogme de l'Immaculée Conception, le directeur de la

---

1 - Cf. principalement E. AMANN « Syllabus », **Dictionnaire de Théologie
Catholique**, t. 14, col. 2877-2925 ; AUBERT, pp. 248-254 ; MARTINA, t. II, pp. 287-347
et des sources secondaires que nous citerons en note.

Civiltà cattolica, avec le plein accord du pape, suggéra d'introduire dans la bulle de définition dogmatique une condamnation solennelle des erreurs du temps [1].

En mai suivant, sur ordre du pape, le cardinal Fornari adressa à diverses personnalités un questionnaire relatif à ces erreurs.

« Le Saint-Père, écrivait-il, a donné l'ordre d'entreprendre des études sur l'état intellectuel de la société moderne, par rapport aux erreurs généralement répandues relativement au dogme et à ses points de contact avec les sciences morales, politiques et sociales ». La lettre était accompagnée d'un premier « recueil » (*syllabus*) de vingt-neuf erreurs dont ses correspondants pouvaient s'inspirer dans leur réponse. Le questionnaire fut adressé à plusieurs évêques (parmi lesquels Mgr Pie, évêque de Poitiers, et Mgr Geissel, archevêque de Cologne), à différents théologiens (parmi lesquels dom Guéranger) mais aussi à des laïcs, signe que le cléricalisme n'était pas aussi absolu que les détracteurs le disaient. Parmi ces laïcs consultés, il y eut Louis Veuillot, directeur de l'*Univers* ; le comte Avogrado della Rotta, déjà évoqué, et Donoso Cortès, un des plus importants philosophes catholiques espagnols du siècle, qui venait de publier son œuvre principale, *Essai sur le catholicisme, le libéralisme et le socialisme*, et qui était ambassadeur d'Espagne à Paris [2]. La réponse de Louis Veuillot n'est pas connue, celle de Donoso Cortès a fait l'objet d'un livre [3].

1 - P. CALVETTI, « Congruenze sociale di una definizione dogmatica sull' Immacolata Concepimento della B. V. Maria », **Civilta Cattolica**, février 1852.

2 - Cf. Jules CHAIX-RUY, **Donoso Cortès. Théologien de l'Histoire et prophète**, Beauchesne, 1956.

3 - **Lettre au cardinal Fornari**, réédité aux éditions L'Age d'Homme en 1989.

Avogrado della Rotta fit remarquer que « l'Immaculée Conception était un privilège tel qu'il paraissait exiger une bulle spéciale » et qu'il valait mieux séparer la définition dogmatique de la condamnation systématique des erreurs. Cette opinion rejoignait celle déjà exprimée — nous l'avons vu — par dom Guéranger lors de son séjour à Rome. Pie IX s'y rallia. Et quand la commission chargée de préparer la bulle dogmatique eut terminé ses travaux, le pape la chargea de préparer le futur *Syllabus*.

De nouvelles consultations eurent lieu. Le R. P. Smith, bénédictin, consulteur de plusieurs Congrégations romaines, se rendit à Solesmes, le 11 octobre 1859, demander à dom Guéranger un rapport sur les principales erreurs contemporaines [1]. Puis le R. P. Smith se rendit à Louvain, avec la même requête, auprès du recteur de l'Université catholique, Mgr de Ram. A la même époque, au nom du pape, Mgr Fioramonti demanda à Mgr Pie de préparer des notes sur deux erreurs répandues : « L'ordre de la foi et du surnaturel sacrifié à la nature, et la séparation pratique et absolue de l'ordre religieux et de l'ordre civil, érigée en dogme et proclamée comme un progrès » [2].

Chacune des trois personnalités consultées adressa un long mémoire. Ces travaux furent lus attentivement et annotés par le pape. On sait aussi que l'archevêque de Cologne, le cardinal Geissel, fut à nouveau consulté au début de l'année 1860, mais la nature de sa réponse est inconnue.

De toutes ces consultations, la commission tira, en janvier 1860, un recueil de 79 thèses condamnées sous le titre *Syllabus errorum in Europa vigentium*.

---

1 - Dom DELATTE, **Dom Guéranger, abbé de Solesmes**, Solesmes, 1984, p. 648.
2 - U. MAYNARD, *op. cit.*, p. 128.

Quelques mois plus tard, le 23 juillet, de sa propre initiative, Mgr Gerbet, évêque de Perpignan, publiait une *Instruction pastorale sur diverses erreurs du temps présent*. Il y joignait un catalogue de quatre-vingt-cinq propositions erronées à condamner. Mgr Gerbet, ancien disciple de Lamennais, s'était soumis aux décisions romaines après la condamnation de celui-ci. Auteur de plusieurs ouvrages apologétiques, longtemps professeur à Rome et à Paris, il était une des figures marquantes de l'épiscopat français. Le nonce à Paris, Mgr Sacconi, envoya un exemplaire de l'instruction pastorale et de son annexe au pape.

Pie IX en fut satisfait et décida que le recueil des erreurs modernes établi par Mgr Gerbet devait être utilisé pour préparer le *Syllabus*. Selon une méthode de travail déjà usitée lors de la préparation du dogme de l'Immaculée Conception, une autre commission fut créée, en mai 1861, chargée plus particulièrement d'examiner les quatre-vingt-cinq propositions retenues par Mgr Gerbet. Cette nouvelle commission, présidée par le cardinal Caterini, préfet de la Congrégation du Concile, comptait trois théologiens consulteurs, Mgr Delicati, le Père De Ferrari, Dominicain, et le Père Perrone, Jésuite, que l'on retrouve à chaque grande étape doctrinale du pontificat de Pie IX. Neuf autres consulteurs leur seront adjoints par la suite.

Cette commission, après plusieurs dizaines de séances de travail, établit une liste de soixante et une propositions doctrinales à condamner et, pour chacune d'elles, était déterminé quel type de censure il fallait porter. Lors de la réunion des évêques à Rome pour la canonisation des martyrs japonais, en juin 1862, Pie IX fit distribuer à chacun d'eux, sous le sceau du secret, un exemplaire de ce recueil. Il leur demanda d'examiner attentivement les erreurs condamnées, de faire connaître dans les deux mois leurs observations et de suggérer, éventuellement, d'autres propositions à condamner. Le plus grand nombre des évêques approuvèrent le texte proposé, certains indiquèrent d'autres erreurs à condamner. Mais environ un tiers des évêques consultés jugèrent une telle condamnation inopportune ou exprimèrent leur désaccord sur la censure dont il fallait frapper telle ou telle erreur.

Le vicaire général de Mgr Dupanloup nous apprend que ce dernier se montra beaucoup plus critique : il fit part de « sa surprise de ce que, ayant sous sa main, à Rome, tant et de si savants théologiens, le pape, au lieu d'un projet d'origine romaine, avait soumis aux évêques un catalogue emprunté presque mot à mot au mandement d'un évêque français » [1]. Le reproche — inspiré sans doute par le dépit de n'avoir pas été consulté auparavant — était plus qu'exagéré puisque la commission, toute romaine, avait longuement travaillé et remanié le catalogue établi par Mgr Gerbet. Mgr Dupanloup redoutait aussi « l'orage que ne manquerait pas de soulever un tel acte ». Cette fois, il n'avait pas tort, mais Pie IX ne redoutait pas les « orages ».

Le secret qu'avait demandé Pie IX sur ce *Syllabus* ne fut pas respecté par tous. Dès le 19 juillet, informé sans doute par quelque évêque, l'ambassadeur de France à Rome communiquait la liste des propositions condamnées à son ministre. Les catholiques libéraux commencèrent à s'inquiéter, tout en étant sûrs de leur victoire : « Le temps travaille visiblement pour nous, écrit Léopold de Gaillard, collaborateur du *Correspondant* ; ne brusquons rien, mais ne reculons pas. Condamnés ou non, les principes de 89 seront, avant vingt-cinq ans, l'esprit et la loi de tous les peuples civilisés. Cet avenir assuré nous conseille à la fois

---

1 - Mgr LAGRANGE, *op. cit.*, t. II, p. 455.

la prudence et la fermeté » [1]. Montalembert, à la même époque, exprimait le même dédain : « J'apprends que nous sommes menacés d'une avalanche de propositions condamnées pour faire plaisir à messeigneurs Gousset, Pie, Gerbet et autres qui ont si bien compris la situation réciproque de l'Église et de l'Empire. Rome ne saurait rien faire de plus propre à embarrasser ses amis, à réjouir ses ennemis, et à hâter son malheur » [2].

Les principaux collaborateurs du *Correspondant* se réunirent le 9 octobre suivant dans la propriété de Montalembert à la Roche-en-Brény. Autour du maître de maison, il y avait Augustin Cochin, le comte de Falloux, Théophile Foisset et Mgr Dupanloup. Plus tard, leurs adversaires parleront d'un « complot » des libéraux [3]. Le vicaire général de Mgr Dupanloup, présent à la réunion, s'en est défendu et a publié la « pieuse allocution » que fit l'évêque d'Orléans en distribuant la communion à ses amis [4]. L'évêque avait prêché la patience : Dieu vous dit « d'être fidèles et charitables ; d'être patients envers les hommes, patients envers les événements, parce que les uns et les autres sont dans ses mains, qu'il atteint son but avec force et suavité, mais par des voies qui ne sont pas les nôtres, et avec des délais qui ne sont pas à la mesure de notre si courte vie ! » En d'autres termes, même si leurs idées libérales devaient être condamnées bientôt, à terme Dieu leur donnerait raison...

---

1 - Lettre de Léopold de Gaillard à la marquise de Forbin d'Oppède, en date du 29 juillet 1862, citée par Jean-Rémy PALANQUE, **Catholiques libéraux et gallicans en France face au concile du Vatican 1867-1870**, Publication des Annales de la Faculté des Lettres, Aix-en-Provence/Editions Ophrys, 1962, p. 57.

2 - Lettre de Charles de Montalembert à Mgr de Mérode, le 13 septembre 1862, in **Correspondance inédite 1852-1870**, Cerf, 1970, p. 278.

3 - Cf. Dom DELATTE, **Dom Guéranger**, *op. cit.*, pp. 700-701 et 863-867.

4 - F. LAGRANGE, *op. cit.*, t. II, pp. 394-395.

328   *LE PAPE DU SYLLABUS*

Hormis ce sermon improvisé, l'abbé Lagrange ne dit rien des autres conversations qui eurent lieu lors de cette rencontre que Montalembert considéra comme historique[1].

A défaut de documents attestant d'un lien entre l'un et l'autre événement, on ne peut que noter une coïncidence de dates : le 9 octobre 1862 a lieu la réunion autour de Dupanloup et Montalembert, en ce même mois, un hebdomadaire de Turin, le *Mediatore*, fondé par l'ex-jésuite Passaglia, publie dans ses colonnes le document distribué aux évêques et le critique vivement en plusieurs articles. La polémique s'étendit à de nombreuses publications anticléricales. Cette divulgation inattendue incita peut-être le pape à modifier une nouvelle fois la présentation du *Syllabus*. Une nouvelle version fut préparée.

Dans l'intervalle, ce catalogue des erreurs condamnées put s'enrichir, si l'on peut dire, de nouvelles condamnations. En décembre 1862, par un bref à l'archevêque de Munich et Freisingen, Pie IX condamnait les thèses de l'abbé Jakob Frohschammer, professeur de philosophie à l'université de Munich[2]. Le pape citait deux de ses livres récents[3] et y dénonçait deux erreurs majeures : « Premièrement l'auteur accorde à la raison humaine des forces qui ne lui appartiennent nullement ; secondement en

---

1 - Après cette réunion, Montalembert fera placer dans sa chapelle une plaque commémorative où il rappellera sa devise : « L'Église libre dans la Patrie libre », presque identique à celle de Cavour, même s'il prétendait lui donner un sens tout différent.

2 - Bref *Gravissimas inter*, 11 décembre 62, texte latin-français in Encycliques, t. I, pp. 521-535 et extraits latins et note in Denzinger-Schönmetzer, **Enchiridion symbolorum**, Herder, 1976, pp. 567-570.

3 - **Introduction à la philosophie et fondement de la métaphysique**, 1858 ; **De l'Indépendance de la science**, 1861 et une revue qu'il dirigeait depuis 1858, **Athenaeum**.

octroyant à cette même raison la liberté de tout penser et de toujours tout oser, il supprime entièrement les droits, les fonctions et l'autorité de l'Église ». Frohschammer, poursuivait le pape, « peu content d'affirmer que l'Église ne doit jamais sévir contre la philosophie, ajoute que son devoir est d'en tolérer les erreurs, de lui laisser le soin de se corriger elle-même... »

C'était là une dérive de la philosophie qui accordait un primat absolu à la raison humaine et rejoignait les thèses du protestantisme libéral. Dans ce même bref, Pie IX s'inquiétait que nombreux soient en Allemagne les philosophes et théologiens catholiques qui revendiquent « une liberté d'enseigner et d'écrire inconnue jusqu'à présent dans l'Église ». De fait, dans les années précédentes, plusieurs ouvrages allemands avaient été mis à l'Index : en 1857 un livre du même Frohschammer *Sur l'origine des âmes* ; en 1858 et 1859 des ouvrages de Trebisch, Knoodt et Batzer, tous disciples de Günther, condamné en 1857 ; en 1859 une critique de la théologie thomiste par Oischinger ; en 1860, un ouvrage d'Huber, disciple de l'historien Döllinger ; en 1861 un ouvrage de Lassaulx, théologien de Munich. Frohschammer refusant de se soumettre à cette nouvelle condamnation, l'archevêque de Munich lui retira ses pouvoirs sacerdotaux et bientôt Frohschammer quittait l'Église.

Après cette condamnation de toute une tendance de la philosophie et de la théologie allemandes, la réunion, en septembre 1863, à l'initiative de Döllinger, de plus de quatre-vingt « savants catholiques » d'Allemagne, d'Autriche et de Suisse, apparut, aux yeux de certains, comme une provocation. Certains évêques s'étaient montrés hostiles au principe même de la réunion, organisée sans leur autorisation, d'autres y avaient été plus favorables après que Rome, mis devant le fait accompli, n'eut pas osé l'interdire mais eut demandé que la teneur des discours fût surveillée de près [1].

Döllinger, qui prononça une conférence remarquée sur « Le passé et l'avenir de la théologie », se montra, dans certains passages, très audacieux, réclamant, pour le théologien, une totale « liberté de mouvement », dénonçant la décadence des sciences ecclésiastiques dans les pays latins et considérant que seule l'Allemagne possédait pleinement « les deux yeux de la théologie, à savoir la philosophie et l'histoire » et pouvait prétendre à être « l'institutrice des nations ». Ce discours, non seulement revendiquait pour le théologien une liberté inacceptable aux yeux du pape, mais il était profondément méprisant pour les théologiens et philosophes catholiques des pays latins où la renaissance thomiste commençait à porter des fruits [2]. Une partie de l'assistance exprima d'ailleurs son désaccord avec les positions de Döllinger ; en Allemagne aussi existait une école « romaine » d'inspiration thomiste [3].

Le pape, mal informé de la teneur exacte des propos de Döllinger et satisfait de la conclusion du congrès qui exprimait une pleine fidélité au Saint-Siège, fit d'abord adresser ses félicitations à la conférence, l'engageant à poursuivre « son œuvre vraiment catholique » puis, suite aux doléances que lui exprimèrent son nonce à Munich et des évêques allemands, il adressa une lettre beaucoup plus réservée à l'archevêque de Munich [4]. Il disait sa surprise que, dans ce congrès de philosophes, de théologiens

---

1 - AUBERT, pp. 205-209, MARTINA, t. II, pp. 316-319.
2 - Cf. Mgr Antonio PIOLANTI, **Pio IX e la rinascita del tomismo**, Libreria Editrice Vaticana, 1974.
3 - Cf. AUBERT, pp. 209-210.
4 - Bref *Tuas libenter*, en date du 21 déc. 1963, in ENCYCLIQUES, t. I, pp. 569-585.

et d'historiens catholiques, rien ne soit venu « de l'impulsion, de l'autorité et de la mission du pouvoir ecclésiastique ». Il rappelait aussi qu'il ne suffit pas de se soumettre « aux dogmes expressément définis par l'Église » mais il faut aussi « se soumettre soit aux décisions doctrinales qui émanent des congrégations pontificales, soit aux points de doctrine qui, d'un consentement commun et constant, sont tenus dans l'Église comme des vérités et des conclusions théologiques tellement certaines, que les opinions opposées, bien qu'elles ne puissent être qualifiées d'hérétiques, méritent cependant quelque autre censure théologique ». C'était là répondre, sans les nommer, à Döllinger et autres « savants catholiques » allemands qui réclamaient la « liberté de mouvement » pour la théologie.

Un mois avant cette conférence des savants catholiques à Munich, s'était tenu, à Malines, le premier « Congrès des catholiques belges » qui, lui aussi, avait donné quelque alarme à Pie IX. Plusieurs cardinaux, dont le cardinal Ledochowski, nonce à Bruxelles, des évêques et des délégations étrangères étaient présents à cette réunion qui devait être une occasion pour l'Église catholique belge d'affirmer son unité face à une politique gouvernementale aux orientations toujours plus laïcisantes et anticléricales [1]. Mais un des orateurs invités, Montalembert, voulut y faire son « testament politique » [2].

Les deux discours qu'il fit, les 20 et 21 août, furent l'événement du Congrès [3]. Il fit l'éloge de la Belgique « catho-

---

1 - Dès le 20 mai 1850, par l'allocution *Si semper antea*, Pie IX avait protesté contre une loi scolaire que le gouvernement belge venait d'adopter, texte latin-français in ENCYCLIQUES, t. I, pp. 197-215.

2 - Lettre de Montalembert à Foisset, août 1863, citée par AUBERT, p. 251.

3 - Extraits in Philippe TOLLU, **Montalembert. Les libertés sous le Second Empire**, Albatros, 1987, pp. 443-453.

lique et libérale » qui l'accueillait. Il regretta que trop de catholiques, en Europe, n'aient pas « encore pris leur parti de la grande révolution qui a enfanté la société nouvelle, la vie moderne des peuples » et conservent une mentalité « de l'ancien régime, c'est-à-dire du régime qui n'admettait ni l'égalité, ni la liberté politique, ni la liberté de conscience ». Il exaltait les « immortelles ressources de la liberté » et, favorable à la séparation de l'Église et de l'État, il estimait que « la simple apparence d'une alliance trop intime de l'Eglise avec le trône suffit pour la compromettre et l'affaiblir ». Enfin, tout en repoussant « la ridicule et coupable doctrine que toutes les religions sont également bonnes » [1], il faisait l'éloge de la liberté de culte et de la liberté de conscience, « la plus précieuse, la plus sacrée, la plus légitime, la plus nécessaire ».

Ces discours scandalisèrent certains assistants, notamment le cardinal Wiseman et le nonce à Bruxelles. Bientôt Montalembert les publia sous un titre, *L'Église libre dans l'État libre*, qui parut une provocation. Un ami belge de Veuillot, le comte du Val de Beaulieu, répliqua par une brochure intitulée *L'Erreur libre dans l'État libre*. Plusieurs évêques, dont Mgr Pie et Mgr Gerbet, demandèrent une condamnation officielle des discours de Montalembert.

Mgr Dupanloup alla à Rome plaider la cause de son ami et fit remettre au cardinal Antonelli une longue note, tandis que Montalembert adressait un mémoire où il se déclarait soumis d'avance aux décisions du Saint-Siège [2].

---

1 - Peut-être avait-il à l'esprit une encyclique que venait de publier Pie IX, *Quanto conficiamur*, en date du 10 août 1863, ENCYCLIQUES, t. I, pp. 537-556, dans laquelle le pape rappelait une fois encore le sens exact de l'axiome « Hors de l'Église point de salut ».

2 - F. LAGRANGE, *op. cit.*, t. II, pp. 437-438. Le vicaire général de Mgr Dupanloup n'évoque toutefois pas la condamnation.

Pie IX avait estimé les combats passés de Montalembert en faveur de la liberté d'enseignement en France et ses écrits récents en faveur de la souveraineté temporelle ; jadis, dans une lettre, il l'avait appelé « bon soldat de Jésus-Christ ». Aussi, quoique ses discours de Malines méritent condamnation, le pape ne voulut pas qu'elle fût publique.

Il fit adresser par le cardinal Antonelli une lettre privée à Montalembert qui contenait un désaveu de ses propos, « en contradiction avec les enseignements de l'Église catholique, avec les actes émanés de divers Souverains Pontifes ». Le Secrétaire d'État avertissait aussi que « le chef de l'Église ne pourra se taire sur le mérite de certaines doctrines que l'on répand au préjudice de la religion catholique et de la société » [1]. C'était annoncer le prochain *Syllabus*.

Cette condamnation solennelle, les libéraux la redoutaient beaucoup, même si, nombre d'entre eux, nous l'avons vu, pensaient que l'avenir leur donnerait finalement raison.

Adolphe Dechamps, un des chefs du parti catholique en Belgique, ami de Montalembert, adressa un mémoire à Pie IX où il expliquait que condamner la base des constitutions modernes présentait, pour l'Église, un danger de se voir combattue davantage.

Le roi de Belgique, Léopold Ier, intervint aussi en ce sens par une lettre au pape.

De son côté, le gouvernement français demanda à son ambassadeur à Rome de faire une démarche auprès du

---

1 - Lettre du 5 mars 1864, citée par P. Tollu, *op. cit.*, p. 451.

cardinal Antonelli [1]. A Rome, en revanche, d'autres incitaient le pape à agir rapidement et solennellement :
notamment dom Pitra, créé récemment cardinal [2]. Dans un
mémoire remis à Pie IX pendant l'année 1863, le cardinal
Pitra présentait les libéraux comme un « parti » qui
« prend de plus en plus les allures de Port-Royal, tantôt
timides, tantôt audacieuses, jamais franches. Comme une
secte, ce parti connaît la science des subterfuges, des
demi-rétractations, des réclames, des fausses nouvelles et
des rectifications de gazette, des interventions officielles
et officieuses, et des manœuvres diplomatiques ». Et il
souhaitait une condamnation claire et forte : « Des motifs
infiniment respectables ont amené des hésitations, des
temporisations analogues à celle dont on se servit pour
l'école janséniste. Il y aurait à craindre que l'Église eût
pour longtemps un nouveau chancre attaché à son flanc, si
un remède énergique ne conjure le danger » [3]. Plutôt
qu'une nouvelle encyclique ou allocution, le cardinal souhaitait « que le Saint-Siège parle dans la clarté magistrale
d'une constitution dogmatique ».

Par une ironie de l'histoire, on peut dire que c'est finalement au libéral Montalembert que l'on doit, indirectement, le *Syllabus* tel qu'il fut publié en 1864. En effet, l'auteur de la version finale de ce document célèbre est un religieux barnabite, le Père Luigi Bilio [4]. Il avait enseigné la

---

1 - AUBERT, p. 254.

2 - Dom Pitra, moine de Solesmes, auteur de travaux historiques de grande valeur,
avait été appelé à Rome en 1858. Il fut créé cardinal en 1863. Pie IX souhaitait créer
cardinal Dom Guéranger, mais cela aurait privé l'abbaye de Solesmes de son Père
abbé. Aussi, Pie IX choisit-il Dom Pitra, « le plus savant des moines de Solesmes »
(Dom Léon ROBERT, **Dom Guéranger chez Pie IX**, Association des Amis de
Solesmes, 1960).

3 - Mémoire cité par Albert BATTANDIER, **Le cardinal Jean-Baptiste Pitra**, Sau-
vaitre, Paris, 1893, p. 490.

4 - MARTINA, t. II, p. 321 s. q.

philosophie, la théologie et le droit canon dans plusieurs établissements de son ordre, quand il fut nommé, à la fin de 1863, consulteur de la Congrégation du Saint-Office. La première tâche qu'on lui confia fut d'examiner les deux discours de Montalembert déjà évoqués. Il fit part de ses observations dans un long écrit de quarante-deux pages, concluant que l'orateur avait erré. Cette analyse aboutit à la condamnation, non publique, du 5 mars 1864 que nous avons déjà citée.

Le Père Bilio, dont la clarté et l'érudition des analyses avaient été appréciées dans l'affaire Montalembert, fut chargé de mettre au point la condamnation générale dont on parlait maintenant depuis plus de dix ans. De France arrivaient, dans le même temps, comme des encouragements à publier enfin la condamnation tant attendue : Mgr Pie adressait à Pie IX la troisième instruction synodale qu'il venait de donner à son clergé et qui portait sur les erreurs modernes ; deux évêques, Mgr Doney, de Montauban, et Mgr de la Bouillerie, de Carcassonne, envoyaient au pape une longue lettre commune demandant avec instance une condamnation du libéralisme [1].

Le P. Bilio remania profondément et à plusieurs reprises le recueil déjà existant. En six mois, de juin à novembre 1864, il rédigea rien moins que trois projets, très différents, qui venaient après les autres projets antérieurs rédigés depuis 1860.

Son dernier projet rompait radicalement avec le critère de sélection des projets précédents. Au lieu d'établir un catalogue d'erreurs condamnées ou à condamner, il avait

---

1 - Cela vaudra à Mgr de la Bouillerie un bel éloge de la part de Pie IX, quelques années plus tard : Mgr RICARD, **François de la Bouillerie**, Maison Saint-Joseph, Lille/Œuvre de Saint-Charles, B-Grammont, s. d., p. 259.

extrait de l'enseignement de Pie IX, depuis sa première encyclique de 1846, une liste de 84 propositions que le pape avait explicitement réprouvées. C'était en somme un rappel solennel de citations, avec références, relatives aux questions philosophiques, théologiques et aux relations entre l'Église et l'État. Cette liste fut un peu modifiée. Certaines citations furent retirées, parce que faisant double emploi, d'autres furent ajoutées, tirées de deux actes récents de Pie IX.

Le premier était une lettre à l'archevêque de Fribourg-en-Brisgau, dans le grand-duché de Bade. Le gouvernement badois avait adopté le 29 juin 1864 une loi visant à soustraire du contrôle de l'Église l'instruction publique. Très rapidement, par ce bref, en date du 14 juillet, Pie IX avait protesté [1]. Le deuxième acte était une lettre à l'évêque de Mondovi, en date du 29 septembre, pour le louer d'avoir protesté contre un projet de loi du gouvernement italien qui prévoyait de supprimer l'exemption du service militaire dont bénéficiaient jusque-là les clercs [2].

Le *Syllabus* contenait finalement 82 propositions condamnées et le document, daté officiellement du 8 décembre comme l'encyclique qui l'accompagnait, était déjà distribué aux cardinaux quand, chargé de faire imprimer le document dans sa forme définitive, le Père Bilio, de son propre chef, jugea opportun de retirer deux propositions susceptibles d'être mal comprises, l'une relative aux constitutions, l'autre relative à l'Italie [3]. C'est ainsi que la version définitive du *Syllabus*, après douze ans de travaux

---

1 - Bref *Quum non sine*, ENCYCLIQUES, t. I, pp. 587-597.

2 - Lettre *Singularis nobisque*, publiée in ENCYCLIQUES, t. I, pp. 599-602.

3 - MARTINA, t. II, pp. 344-346. Pie IX ne désavoua pas cet ultime retrait et conserva une grande confiance au P. Bilio. Il le créera cardinal en 1866 et en fera un des présidents du concile Vatican I.

et huit versions différentes, contient 80 propositions condamnées, tirées de trente-deux encycliques, allocutions ou lettres de Pie IX.

Quanta cura et Syllabus

Le *Syllabus*, formellement sans signature ni date, fut envoyé en fait aux évêques du monde entier en même temps qu'une nouvelle encyclique datée du 8 décembre 1864 et intitulée *Quanta cura*. Il n'en était pas une annexe proprement dite, quoique les deux textes combattent des erreurs similaires.

Dans l'encyclique [1], Pie IX, après avoir rappelé qu'à de nombreuses reprises ses prédécesseurs et lui-même ont « constamment opposé la fermeté apostolique aux machinations criminelles d'hommes iniques, qui projettent l'écume de leurs désordres comme les vagues d'une mer en furie et promettent la liberté, eux, les esclaves de la corruption » , expliquait qu'il lui fallait dénoncer « d'autres idées fausses ». C'est le « naturalisme » qui veut que les sociétés soient constituées et gouvernées sans tenir compte de la religion ; c'est « la liberté de conscience et des cultes » qui n'est qu'une « liberté de perdition », selon l'expression de saint Augustin ; c'est l'instruction et l'éducation de la jeunesse soustraites à l'autorité de l'Église ; c'est la négation des droits temporels de l'Église et sa soumission à l'État ; ce sont enfin ceux qui « mûs et stimulés par l'esprit de Satan, en sont arrivés à cette impiété de nier Notre Seigneur et Maître Jésus-Christ, et ne craignent pas d'attaquer sa divinité avec une insolence criminelle ». Aussi, « en présence d'une si vaste conspiration d'adversaires et d'un tel amas d'erreurs contre le catholicisme et le

---

1 - Texte latin-français in Encycliques, t. I, pp. 1-23.

Siège apostolique », Pie IX exhortait les évêques à prêcher pour défendre la vraie doctrine, à prier et à faire prier leurs fidèles. Et afin d'inciter à la vraie piété et à la pénitence il accordait, pour l'année 1865 à venir, une indulgence plénière en forme de jubilé. Enfin, l'encyclique étant datée du 8 décembre 1864, c'est-à-dire dix ans, jour pour jour après la définition du dogme de l'Immaculée Conception, le pape invoquait « l'immaculée et très sainte Mère de Dieu, la Vierge Marie qui a détruit toutes les hérésies dans le monde entier... »

Le « *Syllabus* ou recueil renfermant les principales erreurs de notre temps qui sont signalées dans les allocutions consistoriales, encycliques et autres lettres apostoliques de Notre Très Saint-Père le pape Pie IX » se présentait sous la forme de quatre-vingt propositions condamnées, classées en dix parties [1]. Étaient d'abord condamnées les propositions du « panthéisme », du « naturalisme » et du « rationalisme absolu » : celles qui affirment que « Dieu est la même chose que la nature », que « tous les êtres sont Dieu », « qu'il n'y a pas de différence entre l'esprit et la matière, la nécessité et la liberté, le vrai et le faux, le bien et le mal, le juste et l'injuste » (prop. 1) ; celle qui nie « toute action de Dieu sur les hommes et sur le monde » (prop. 2) ; celles qui affirment que la raison « est à elle-même sa loi et qu'elle suffit, par ses forces naturelles, pour procurer le bien des hommes et des peuples » (prop. 3) et que « la foi du Christ est en opposition avec la raison humaine » (prop. 6).

Une deuxième série d'erreurs condamnées relevait du « rationalisme modéré ». Étaient particulièrement visées les théories de Günther et de Frohschammer ainsi que les

---

1 - Texte latin-français in Encycliques, t. I, pp. 24-50.

positions de Döllinger, quoique aucun d'entre eux ne fût nommé. Ceux qui affirment que « les disciplines théologiques doivent être traitées de la même manière que les disciplines philosophiques » (prop. 8) ; que « les décrets du Siège apostolique et des Congrégations empêchent le libre progrès de la science » (prop. 12) et que « l'on doit s'occuper de philosophie sans tenir compte de la révélation surnaturelle » (prop. 14).

« L'indifférentisme » et le « latitudinarisme » étaient résumés en quatre propositions condamnées. Notamment : « Il est loisible à chaque homme d'embrasser et de professer la religion qu'il aura réputée vraie, d'après la lumière de sa raison » (prop. 15) et « les hommes peuvent trouver le chemin du salut éternel et obtenir ce salut éternel dans la pratique de n'importe quelle religion » (prop. 16).

Étaient données ensuite les références des textes de Pie IX où avaient déjà été condamnés « socialisme, communisme, sociétés secrètes, sociétés bibliques, sociétés clérico-libérales ».

Pas moins de vingt propositions signalaient les « Erreurs sur l'Église et ses droits ». Il est faux d'affirmer que « c'est au pouvoir civil qu'il appartient de définir quels sont les droits de l'Église et les limites dans lesquelles elle peut les exercer » (prop. 19). Il est faux de prétendre que « l'obligation de se soumettre qui lie strictement les maîtres et les écrivains catholiques se borne aux choses qui ont été proposées par le jugement infaillible de l'Eglise que tous doivent croire » (prop. 22). Erroné aussi de dire que l'Église « n'a aucun pouvoir temporel, direct ou indirect » (prop. 24), ou encore « qu'on peut instituer des Églises nationales soustraites à l'autorité du pontife romain et pleinement séparées de lui » (prop. 37).

Une sixième partie réprouvait les « Erreurs touchant la société civile considérée soit en elle-même, soit dans ses rapports avec l'Église ». Les erreurs selon lesquelles, « dans un conflit légal entre les deux pouvoirs, le droit civil l'emporte » (prop. 42) ; « l'autorité civile peut s'immiscer dans les choses qui regardent la religion, les mœurs et le régime spirituel » (prop. 44) ; « l'autorité laïque a par elle-même le droit de présenter les évêques » (prop. 50) ; « il faut abroger les lois qui concernent l'existence des familles religieuses, leurs droits et leurs fonctions » (prop. 53).

Était relevée ensuite une série de neuf propositions qui répandent des « Erreurs sur la morale naturelle et chrétienne ». Celles qui affirment que « les sciences philosophiques et morales, de même que les lois civiles, peuvent et doivent être soustraites à l'autorité divine et ecclésiastique » (prop. 57) ; que « l'autorité n'est pas autre chose que la somme du nombre et des forces matérielles » (prop. 60) ; « qu'il est permis de refuser l'obéissance aux princes légitimes, et même de se révolter contre eux » (prop. 63).

Une série de dix propositions résumait les « Erreurs sur le mariage chrétien », notamment celles qui affirment « qu'on ne peut établir par aucune preuve que le Christ ait élevé le mariage à la dignité de sacrement » (prop. 65) ; « qu'en différents cas, le divorce proprement dit peut être sanctionné par l'autorité civile » (prop. 67) ou que « par la force du contrat civil, un vrai mariage peut exister entre chrétiens » (prop. 73).

Les « Erreurs sur le pouvoir temporel du pontife romain » étaient contenues en deux propositions, dont la deuxième affirmait : « l'abrogation du pouvoir temporel dont jouit le Saint-Siège procurerait au plus haut point la liberté et le bonheur de l'Église » (prop. 76).

Enfin une dixième partie relevait quatre « Erreurs qui se rapportent au libéralisme moderne ». La dernière est, sans doute, la plus célèbre du recueil : « Le pontife romain peut et doit se réconcilier et transiger avec le progrès, le libéralisme et la civilisation moderne » (prop. 80).

Lors du procès de béatification de Pie IX, le Promoteur général de la Foi, en 1974, évoquera le *Syllabus* parmi les « difficultés » que posait l'examen de la cause : « difficulté… relative à l'opportunité de quelques propositions, qui par la suite seront critiquées, même par des auteurs catholiques » [1]. De fait, les critiques furent vives, y compris dans certains milieux catholiques.

Les réactions

L'encyclique, datée du 8 décembre, et le *Syllabus* furent envoyés aux évêques dans la semaine suivante et rendus publics le 21 décembre. Déjà le comte de Sartiges, ambassadeur de France à Rome, avait envoyé une dépêche à son ministre des Affaires Étrangères pour signaler l'envoi de l'encyclique : « On la dit plus doctrinale que politique, quoi qu'elle touche indirectement toutes les grandes questions. Elle frapperait plus particulièrement les doctrines de l'*Avenir* et de Falloux et Montalembert » [2].

Il est vrai que l'encyclique et le *Syllabus* heurtaient de plein fouet non seulement les anticléricaux, les agnostiques et les athées, mais aussi les catholiques libéraux.

---

1 - P. R. Pérez « Alcune difficolta emerse nelle discussioni " super virtutibus " del Servo di Dio Pio Papa IX », in Carlo Snider, **Pio IX nella luce dei processi canonici**, Editrice la Postulazione della Causa di Pio IX/Libreria Editrice Vaticana, 1992, p. 237. C. Snider a répondu à cette difficulté dans les ch. VII, VIII et IX de l'ouvrage cité.

2 - Dépêche du 15 décembre 1864 à Edouard Drouyn de Lhuys, A.M.A.E., C.P., Rome, vol. 1 028, fol. 276.

Comme le dira Mgr Pie, commentateur autorisé, dans un entretien avec son clergé : « L'acte du huit décembre... a une portée considérable. Il est dirigé contre les adversaires, contre ceux du dehors : c'est vrai ; mais il s'adresse encore plus, s'il est possible, à ceux de la maison » [1].

Les libéraux furent catastrophés. Alors qu'il ne connaissait pas encore le contenu des deux actes romains, Alfred de Falloux dit son désarroi à Montalembert : « Voilà donc l'Église conduite enfin à l'une des épreuves les plus formidables qu'elle ait encore traversées. J'avoue ma surprise ou, pour parler plus exactement, ma profonde erreur. Je m'étais toujours refusé à croire que la Providence laissât cette dernière catastrophe s'accomplir et se joindre à tant d'autres ! » [2]. Montalembert envisagea de se retirer de la rédaction du *Correspondant*, avec ses amis libéraux les plus affichés (Falloux, Broglie, Cochin), pour laisser « place à des gens moins compromis et moins désarmés » [3]. Finalement le groupe ne protesta pas publiquement, comme certains les incitaient à le faire, laissant à Mgr Dupanloup le soin de diffuser une interprétation minimaliste.

En France, la presse gouvernementale et anticléricale manifesta une grande hostilité aux condamnations pontificales. Le *Siècle* stigmatisait le « suprême défi jeté au monde moderne par la papauté expirante » ; la *Revue des Deux-Mondes* protestait : « Est-il possible de placer un tel anathème, dernier cri d'une ambition politique si étrangère aux origines du christianisme, sous l'invocation du

---

1 - Mgr Pie, « Entretien avec le clergé », juillet 1865, publié in **Œuvres de Mgr l'Evêque de Poitiers**, *op. cit.*, t. V, p. 436.

2 - Lettre du 25 décembre 1864 in Montalembert **Correspondance inédite**, *op. cit.*, p. 313.

3 - Lettre de Montalembert à Falloux, en date du 30 décembre 1864, in **Correspondance inédite**, op. cit., pp. 314-315.

pêcheur de Galilée, et du grand Paul qui convertissait le monde en travaillant de ses mains ? » (1. 1. 65) ; le *Journal des Débats* s'inquiétait : « Ce pape qui parle si haut à l'univers, qui, dans ses bulles, traite en latin les rois comme ses lieutenants, évoque le songe d'un pouvoir pontifical dévorateur de la société civile » (1. 1. 65). Et alors que tous ces journaux publiaient de larges extraits du *Syllabus* et le commentaient, le 1er janvier 1865, Napoléon III, par l'intermédiaire de son ministre de la Justice et des Cultes, Baroche, envoyait une circulaire aux évêques de France leur interdisant « la publication de ces actes qui contiennent des propositions contraires aux principes sur lesquels repose la constitution de l'Empire » et leur enjoignant de faire au clergé de leur diocèse « les recommandations nécessaires pour qu'il s'abstienne en cette circonstance de tout discours qui prêterait à des interprétations regrettables » [1].

Les réactions des évêques furent diverses. Quelque quatre-vingt évêques réagirent d'une manière ou d'une autre. Une trentaine se contentèrent d'écrire une lettre de protestation au ministre (il se trouva néanmoins un, celui de Montpellier, pour approuver l'interdiction). D'autres préférèrent les formes plus classiques du mandement, de l'adresse au clergé ou de l'instruction pastorale qui leur permettaient de commenter l'encyclique et le catalogue des erreurs condamnées. Les deux premiers évêques français à protester auprès du ministre, dès le 2 janvier, furent Mgr Pie, évêque de Poitiers et Mgr Doney, évêque de Montauban, qui avaient été parmi les plus ardents à

1 - Circulaire de Baroche publiée in ENCYCLIQUES, t. II, p. 219. Sont publiées ensuite, pp. 220-549, les réactions des évêques à cette circulaire et les commentaires du *Syllabus* qu'ils firent. On trouvera aussi ces réactions, et quelques autres documents, dans le recueil **L'Encyclique et les Evêques de France**, E. Dentu, 1865.

demander au pape la condamnation. Tous deux aussi commenteront les documents pontificaux à leur clergé dans un mandement ou une adresse.

Deux évêques transgressèrent l'interdiction gouvernementale: Mgr de Dreux-Brézé, évêque de Moulins, et le cardinal Mathieu, archevêque de Besançon. Tous deux, le 8 janvier, célébrant la solennité de l'Épiphanie dans leur cathédrale, lurent intégralement l'encyclique et le *Syllabus*. Ils furent traduits devant le Conseil d'État et condamnés comme d'abus [1]. Mais la réaction épiscopale la plus célèbre fut celle de Mgr Dupanloup. Il tira prétexte d'un accord diplomatique important, signé entre la France et l'Italie le 15 septembre précédent — et dont nous reparlerons au chapitre suivant — pour réfuter les attaques des journaux gouvernementaux et anticléricaux et pour commenter l'encyclique et le *Syllabus*. Il le fit dans une épaisse brochure où il expliquait que « l'encyclique n'a pas été interprétée, elle a été dénaturée. Et le gouvernement lui-même s'y est étrangement mépris » [2].

Il fallait appliquer aux documents romains, expliquait-il, les « règles élémentaires d'interprétation » : la condamnation d'une proposition « n'implique pas nécessairement l'affirmation de sa contraire » ni non plus qu'il faille considérer qu'elle est « universelle et absolue ». Une lecture honnête se devait de prêter attention à « tous les termes, toutes les plus légères nuances ». Mgr Dupanloup en arrivait ainsi à dire que le pape n'avait condamné que la « liberté illimitée » et non pas ce « qu'il peut y avoir de bon

1 - Paul PELLETIER, **Pierre Simon de Dreux-Brézé**, Éditions des Cahiers Bourbonnais, Charroux, 1994, pp. 303-304.

2 - Mgr DUPANLOUP, **La Convention du 15 septembre et l'encyclique du 8 décembre**, Charles Douniol, Paris, 1865.

dans le progrès, de vraiment utile dans la civilisation moderne, de vraiment libéral et chrétien dans le libéralisme ! ». L'Église n'est pas l'ennemie de la « liberté politique », affirmait l'évêque d'Orléans, au contraire « j'ose dire qu'il n'y a pas à cet égard d'esprit plus libéral que le sien ».

Annoncée le 23 janvier, mise en vente le 26, la brochure de Mgr Dupanloup fut aussitôt un immense succès. En trois semaines, elle fut tirée à 100 000 exemplaires. Les catholiques libéraux y virent une réhabilitation de leur combat, les catholiques fidèles au pape une justification habile. Le premier biographe de Dupanloup, et quasiment tous les historiens à sa suite, signale que le pape, par un bref, et rien moins que 630 évêques de tous les continents félicitèrent l'évêque d'Orléans de son écrit[1].

Si l'on est attentif, on remarquera en fait que le bref de Pie IX adressé à l'évêque d'Orléans en date du 4 février, et que celui-ci fit figurer aussitôt en tête des rééditions de sa brochure, contenait certes des éloges de la manière avec laquelle Mgr Dupanloup avait réfuté « les calomnies et les erreurs des journaux qui avaient si misérablement défiguré le sens de la doctrine proposée par nous ». Mais une formule laissait voir l'insatisfaction du pape : « Nous vous adressons donc le présent témoignage de notre gratitude, certain que... vous enseignerez et ferez comprendre à votre peuple le vrai sens de nos Lettres avec d'autant plus de zèle et de soin que vous avez réfuté plus vigoureusement les calomnieuses interprétations qu'on leur infligeait ». C'est donc que la brochure célèbre n'avait pas encore donné « le vrai sens » de l'encyclique et du *Syllabus*...

---

1 - F. LAGRANGE, *op. cit.*, t. II, p. 471-473.

Quant aux lettres des 630 évêques, à défaut d'une analyse systématique qui manque encore, il est évident
qu'elles n'étaient pas toutes, loin de là, un ralliement au
libéralisme de Mgr Dupanloup : « Le plus grand nombre,
sans doute, simples accusés polis et reconnaissants de
réception ; beaucoup peut-être faisant des réserves ;
d'autres, il est vrai, plus pleinement élogieuses, quoique
les éloges ne puissent porter que sur les points loués par le
pape ; quelques-unes, si l'on veut, louant principalement
le commentaire à l'usage des catholiques libéraux » [1].

Tout à l'opposé de l'interprétation de Mgr Dupanloup
fut celle faite par Louis Veuillot. Toujours privé de journal
et hostile à la brochure de l'évêque d'Orléans, il en publia
une autre, de présentation exactement identique, intitulée
L'Illusion libérale [2].

En trente-neuf courts chapitres, il y expliquait que « le
catholique libéral n'est ni catholique, ni libéral. Je veux
dire par là, sans douter encore de sa sincérité, qu'il n'a pas
plus la notion vraie de la liberté que la notion vraie de l'É-
glise. Catholique libéral tant qu'il voudra ! Il porte un
caractère plus connu, et tous ses traits font également
reconnaître un personnage trop fréquent dans l'histoire de
l'Église : SECTAIRE, voilà son vrai nom ». Il disait encore :
« Le libéralisme catholique et l'esprit du monde sont
consanguins ; ils vont l'un à l'autre par mille pentes. (...)
L'hérésie, qui ne nie pas tout à fait la vérité, qui n'affirme
pas tout à fait l'erreur, ouvre un lit à ces eaux vaines ; elles
s'y précipitent des deux versants opposés, et ainsi s'enfle
le torrent. Si l'hérésie déborde, il n'y a qu'un terrain insub-

---

1 - U. MAYNARD, *op. cit.*, p. 140.

2 - L'ouvrage, paru en 1866, a été réédité en 1989, complété d'une bibliographie,
par les éditions Dismas, Haut-le-Wastia, Belgique.

mersible, il n'y a qu'un refuge : c'est la PIERRE... *Tu es Petrus... et non prævalebunt* ».

L'ouvrage n'était ni un commentaire de l'encyclique et du *Syllabus*, ni une réfutation de la brochure de Dupanloup en tant que telle, mais un écrit de combat contre les catholiques libéraux et un appel à « se serrer autour du Souverain Pontife, suivre inébranlablement ses directives inspirées, affirmer avec lui les vérités qui seules sauveront et nos âmes et le monde ». Pie IX goûta fort cet écrit : « Ce sont absolument mes idées » [1].

En France, d'autres écrits furent publiés pour défendre l'encyclique, notamment *L'Encyclique du 8 décembre 1864 et les principes de 1789, ou l'Église, l'État et la liberté* de l'ancien député alsacien Keller et *La doctrine de l'encyclique du 8 décembre 1864, conforme à l'enseignement catholique* du chanoine Peltier, de Reims.

A l'étranger, les polémiques furent moins vives. Si la presse anticléricale en profita pour discréditer l'Église, si à Naples et à Palerme on vit des francs-maçons brûler en place publique les deux documents pontificaux, l'hostilité des opposants, de quelque bord qu'ils fussent, fut moins manifeste. Les gouvernements autrichien et italien cherchèrent d'abord à interdire la publication des textes pontificaux, puis y renoncèrent. Un homme comme Döllinger se sentit visé par certaines des propositions du *Syllabus* mais le violent pamphlet qu'il rédigea alors ne fut publié qu'après sa mort.

Dans les pays de langue germanique ce furent surtout les partisans du *Syllabus* qui firent entendre leur voix. Le cardinal Rauscher, archevêque de Vienne, dans *Der State*

---

1 - Propos cité par AUBERT, p. 25.

ohne Gott (l'État sans Dieu) loua le pape de s'être dressé contre la séparation de l'Église et de l'État. Les Jésuites fondèrent une revue, *Stimmen aus Maria Laach*, pour commenter la doctrine du *Syllabus*, et un autre jésuite, le P. Clemens Schrader, professeur à Rome puis à Vienne, un des artisans du renouveau thomiste en Autriche, fit publier une série de brochures, *Der Papst und die modernen Ideen* (le pape et les idées modernes).

Le *Syllabus* fut, avec le dogme de l'Immaculée Conception et le concile Vatican I, une des trois pierres milliaires du pontificat de Pie IX. Le pape a d'ailleurs marqué la continuité entre les trois événements. Le dogme fut proclamé le 8 décembre 1854, symboliquement le pape data le *Syllabus* du 8 décembre 1864 et fit ouvrir le concile le 8 décembre 1869.

Et de la même manière que la commission préparatoire du dogme fut la première commission préparatoire du *Syllabus*, l'avant-veille de la publication de l'encyclique *Quanta cura* et de son annexe célèbre, Pie IX, pour la première fois, à l'occasion d'une séance solennelle de la Congrégation des Rites, avait fait part de son intention de convoquer un concile général de l'Église.

Propaganda Fide

Ce serait une erreur d'interpréter le *Syllabus* seulement comme le signe d'une autorité pontificale qui veut faire l'unité autour d'elle en fixant de manière ferme et solennelle les bornes de la doctrine catholique.

Certes, à tous les niveaux (doctrinal et liturgique), Pie IX a encouragé ce « mouvement vers Rome », que l'on voit se dessiner sur la longue durée depuis les premières décennies du XIXᵉ siècle, mais en même temps il a œuvré à une expansion de l'Église sur tous les continents qui est une des caractéristiques de son pontificat [1].

Le souci missionnaire de Pie IX s'est exprimé dans une double direction : envers les chrétiens non catholiques (particulièrement orientaux) qu'il fallait ramener au Siège de Pierre et envers les populations non encore christianisées. L'histoire de ce double mouvement missionnaire relève d'une histoire générale de l'Église et dépasserait le cadre étroit de cette biographie. Aussi nous contenterons-nous de signaler quelques faits significatifs, souvent contemporains de ces années où s'est préparé activement le *Syllabus*.

Nous avons déjà signalé la préoccupation de Pie IX, manifestée dès les premiers temps de son pontificat, pour les Églises orientales, catholiques ou non. « L'union » des Églises orientales à Rome lui tenait à coeur et il y travaillera tout au long de son pontificat. Cette question relevait plus particulièrement de la Congrégation de la Propagande de la Foi. A partir de 1856, et pendant près de vingt ans, elle sera dirigée par un homme très actif, le cardinal Barnabo. Ses initiatives conjuguées à celles du pape aboutiront à des résultats, dont quelques-uns furent durables.

Ce souci du retour des Églises orthodoxes au sein du catholicisme se réveilla notamment lorsqu'en 1858, sous l'impulsion du nouveau tsar de Russie, Alexandre II, il fut question d'abolir le servage — qui concernait plus de 22 millions de Russes [2]. Pie IX vit là un événement de nature à changer la situation religieuse en Russie et il y envoya

---

1 - Philippe Boutry a magistralement exposé, pour le cas français, ce double mouvement : « Le mouvement vers Rome et le renouveau missionnaire » in **Histoire de la France religieuse**, sous la direction de Jacques LE GOFF et de René RÉMOND, Seuil, 1991, t. 3, p. 423-463.

2 - L'abolition effective n'aura lieu qu'en 1861.

en mission dom Pitra. Il lui dit : « Nous ne pouvons perdre de vue que nous sommes à la veille de grands événements. Je ne partage point les illusions de beaucoup de gens qui n'ont, comme on dit, que les pensées couleur de rose. Surtout je me rassure assez peu à l'égard de la Russie et de son empereur Alexandre. Cependant le seul affranchissement des serfs est un très grand événement, même pour la religion. Cela entraîne en Russie toutes sortes de mouvements où il semble que Dieu veuille faire sa part. Il faut donc aviser à seconder les vues de la Providence et nous y préparer »[1].

La mission de dom Pitra était toute d'érudition, il s'agissait d'aller étudier et d'éditer les sources canoniques des orthodoxes. « Après de longues études, nous dit un de ses biographes, il arrivera à cette conclusion que jusqu'au schisme de Photius ou aux tentatives qui l'ont amené, l'Eglise orientale, notamment l'Église de Constantinople, a été étroitement unie à l'Eglise romaine »[2]. Mais c'est d'hors de Russie que vinrent, au début des années 1860, les conversions les plus significatives au catholicisme. En janvier 1861, la communauté orthodoxe bulgare de Contantinople fit connaître son intention de faire « l'union avec la sainte Église romaine »[3]. Pie IX, aussitôt, par un bref à Mgr Brunoni, vicaire apostolique à Constantinople, fit savoir qu'il les accueillait avec joie et qu'il leur concédait ce qu'il avait promis dans l'encyclique aux Orientaux de 1848, à savoir le maintien de leurs coutumes religieuses et de leur clergé. En avril, une délégation bulgare vint à

---

1 - Cité par Dom Fernand CABROL, **Histoire du cardinal Pitra**, Victor Retaux et Fils, Paris, 1893, p. 223.

2 - Dom F. CABROL *op. cit.*, p. 225.

3 - Lettre du 23 décembre 1860 — calendrier julien — et documents ultérieurs in ANNALES, t. I, p. 438 s. q.

Rome et le vieil higoumène Sokolski, après avoir prononcé la profession de foi catholique imposée aux anciens
schismatiques orientaux, fut consacré archevêque par le
pape lui-même. Le gouvernement turc reconnut son autorité et bientôt les conversions au catholicisme se multiplè-
rent (on en comptera jusqu'à 60 000). Mais, quelques mois
plus tard, Mgr Sokolski disparut en Russie, dans des
conditions troubles, sans doute circonvenu par les autorités orthodoxes. Bien que Pie IX leur eût donné un nouvel
archevêque en 1865, Mgr Popoff, le nombre des uniates
bulgares baissa beaucoup.

En novembre 1861, une autre conversion suscita beaucoup d'espoir chez Pie IX. Un archevêque grec, Mgr Mele-
thios, se convertit au catholicisme. Le pape crut y voir
l'annonce d'un vaste mouvement de conversion en Grèce.
Aussi, en janvier 1862, par la lettre apostolique *Romani
pontifices*, il annonça la création, au sein de la Congrégation de la Propagande de la Foi, d'une Congrégation pour
les affaires du Rit oriental [1]. Particulièrement chargée de
« l'examen des canons de l'Église orientale, des livres
orientaux de toute nature, des versions de la Bible et de la
discipline », cette nouvelle Congrégation devait préserver
les traditions existantes dans chaque Église orientale unie
à Rome (chaque cardinal membre de la Congrégation était
affecté à un rite déterminé) et se préparer à accueillir de
nouvelles communautés orientales.

Mais il n'y eut pas de vastes retours à l'Église catholique comme l'avait espéré Pie IX. Il faut considérer que
les Églises orientales non catholiques se trouvaient
presque toutes situées dans deux empires antagonistes :
l'Empire russe et l'Empire turc. Nombres de communau-

---

1 - Texte de la lettre in ANNALES, t. I, pp. 467-470.

tés orthodoxes qui se trouvaient sous le joug des Turcs voyaient dans l'Empire russe leur futur libérateur et n'entendaient pas s'aliéner sa protection et sa sympathie en ralliant Rome. On doit noter aussi l'exemple négatif que pouvaient donner à ces Églises orthodoxes certains de leurs voisins catholiques orientaux. Sous le pontificat de Pie IX, plusieurs schismes locaux éphémères affectèrent les turbulentes Églises catholiques orientales : en 1860, le patriarcat d'Antioche (catholiques de Terre Sainte de rite grec) ; à la fin des années 1860, plusieurs évêques catholiques arméniens, etc.

Les missions vers les païens ne furent pas empreintes des mêmes difficultés. Le cardinal Barnabo « présida avec compétence, prudence et énergie à la merveilleuse expansion missionnaire qui caractérisa le pontificat de Pie IX »[1].

On ne peut raconter ici l'histoire de ces missions sur tous les continents. Tous les historiens s'accordent pour dire que le pape favorisa, sans hésitation, toutes les initiatives et les congrégations nouvelles. Ses rêves missionnaires de jeune prêtre trouvaient là l'occasion de se réaliser par fondateurs interposés. Sans entrer dans le détail des appuis apportés aux uns et aux autres, on ne signalera que celui apporté, en 1864 — l'année du *Syllabus* — au P. Daniel Comboni venu lui présenter un ambitieux « Plan pour la régénération de l'Afrique ». Projet missionnaire grandiose qui prévoyait de lutter contre l'esclavage et de susciter un clergé africain[2]. Le P. Comboni, missionnaire de l'Institut Mazza, pourra fonder en 1867 l'Institut des

---

1 - AUBERT, p. 283.

2 - P. Pietro CHIOCCHETTA « Pio IX e le Missioni » in **Atti del II - Convegno di ricerca storica sulla figura e sull'opera di papa Pio IX**, 9-10-11 octobre 1977, Centro Studi Pio IX, Senigallia, pp. 51-68 et Domenico AGESSO, **Un Prophète pour l'Afrique. Daniel Comboni**, Médiaspaul, 1994, pp. 37-47.

Missionnaires pour l'Afrique Noire (appelés plus usuellement « comboniens ») et en 1872 l'Institut des Pieuses Mères de l'Afrique Noire. Il est considéré comme celui qui a réimplanté l'Église catholique au Soudan.

La part de la France dans cette expansion missionnaire de la deuxième moitié du XIXe siècle a été considérable : « A la mort de Pie IX, plus des trois quarts des prêtres, religieux et religieuses exerçant des activités missionnaires dans le monde sont français »[1].

---

1 - P. BOUTRY, *op. cit.*, pp. 445-446.

CHAPITRE TREIZIÈME

LA QUESTION ROMAINE

L E *SYLLABUS* et les débats qu'il a suscités ont mis au second plan, pour un temps, la « question romaine », c'est-à-dire le sort à réserver à Rome et au restant des États pontificaux dans le royaume d'Italie désormais bien installé et reconnu par la plupart des pays du monde.

Cette « question romaine », Pie IX ne l'avait jamais perdue de vue. Même lors de la préparation, laborieuse, du *Syllabus*, il avait saisi toutes les occasions de rappeler la légitimité de sa puissance temporelle et son refus absolu de se voir déposséder de Rome et du Latium. En mai 1863, il avait effectué un voyage dans les provinces du sud du Latium, appelées aussi la Ciociaria. Il s'agissait à la fois de compléter son grand voyage de 1857 par des visites à des villes qui n'avaient pas reçu, alors, le Souverain Pontife, et de soutenir une population en butte à ce qu'on appelait alors le « brigandage napolitain ».

Située à la frontière de l'ancien royaume de Naples (intégré désormais au royaume d'Italie), la Ciociaria avait servi de refuge à des troupes restées fidèles aux Bourbons de Naples. La guérilla de ces troupes, d'abord encouragée par François II en exil à Rome, était devenue un véritable brigandage au détriment des populations du sud des États pontificaux. Par ailleurs le gouvernement italien prenait prétexte des incursions de ces « brigands napolitains » pour accuser le pape de soutenir les troubles et pour le menacer d'intervenir militairement.

Pie IX fit donc entrer en lice les troupes pontificales avec les troupes françaises stationnées à Rome pour réprimer ce brigandage et décida de se rendre lui-même dans les principales villes de la région. En dix jours il visita successivement Velletri, Valvisciolo, Frosinone, Veroli, Casamari, Alatri, Ceprano, Ferentino et Anagni. Outre les cérémonies officielles d'usage, et les nombreux offices liturgiques qu'il tint à célébrer, le pape reçut les délégations des villes qu'il visitait mais aussi des petites communes alentours. Ce voyage fut un moyen pour rassurer des populations inquiètes et réaffirmer ses droits temporels sur des territoires convoités par l'Italie.

La Convention de Septembre et la mission Vegezzi

Trois mois avant la publication du *Syllabus*, un acte diplomatique était venu rappeler au monde que la question romaine restait irrésolue. Napoléon III espérait toujours qu'un congrès des grandes puissances européennes, auquel aurait pris part le Saint-Siège, pourrait résoudre de manière pacifique la question. Mais les principales puissances ne s'intéressaient guère à ce projet de congrès, depuis trop longtemps évoqué, et certaines (l'Angleterre notamment) y étaient catégoriquement hostiles.

Aussi Napoléon III décida-t-il de négocier directement, et secrètement, un accord avec le royaume d'Italie. Le 15 septembre 1864, le gouvernement français et le gouvernement italien concluaient une « convention » pour le règlement de la question romaine. Les deux gouvernements avaient négocié sans même en informer le principal intéressé, Pie IX. Ce qu'on appela désormais la « Convention de septembre » stipulait que l'Italie s'engageait « à ne pas attaquer le territoire actuel du Saint-Père, et à empêcher, même par la force, toute attaque venant de l'exté-

rieur contre ledit territoire », s'interdisait « toute réclama-
tion contre l'organisation d'une armée papale, composée
même de volontaires catholiques étrangers » et se déclarait prête à « prendre à sa charge une part proportionnelle
de la dette des anciens États de l'Église ». Tandis que la
France, de son côté, retirerait progressivement ses troupes
des États pontificaux dans un délai de deux ans.

Le pape, quand il apprit le contenu de l'accord, fut
consterné. Si la France retirait ses troupes stationnées à
Rome, le sort des États pontificaux serait bien précaire.
Que pourraient faire les 8 000 soldats des armées pontificales face aux dizaines de milliers d'hommes que l'Italie
pourrait enrôler ? Recevant l'ambassadeur de France, le
comte de Sartiges, Pie IX lui fit part de sa défiance envers
les promesses italiennes : « Les soldats français n'auront
pas passé la frontière que l'État pontifical sera aussitôt
assailli, par des forces irrégulières d'abord, puis régulières
ensuite » [1].

Néanmoins Pie IX devait reconnaître, en privé : « Il y a
du bon dans cette Convention ». En effet, à défaut de lui
rendre les provinces dont ses États avaient été spoliés, la
Convention semblait garantir l'intangibilité des frontières
existantes. Même si la plus grande prudence s'imposait
toujours à l'égard de gouvernements italiens qui dans le
passé avaient fait preuve de tant d'hostilité envers l'Église, le pape voulut voir dans cette Convention un geste de
bonne volonté de Victor-Emmanuel II.

Par ailleurs, Pie IX était préoccupé de la situation dramatique dans laquelle se trouvaient la plupart des dio-

---

1 - Cité par Pietro Pirri, **Pio IX e Vittorio Emanuele II dal loro Carteggio privato**, t. III « La Questione Romana (1864-1870) », Pontificia Università Gregoriana,
1961, parte I, pp. 23-24.

cèses d'Italie. Depuis les différentes annexions, neuf évêques ou archevêques avaient été traînés en justice et condamnés, treize autres étaient passés en jugement mais avaient été acquittés, cinq autres encore avaient été chassés de leurs diocèses et retenus à Turin, quarante-et-un avaient choisi le chemin de l'exil, à quoi s'ajoutaient des dizaines de diocèses sans titulaires soit parce que le gouvernement italien refusait aux évêques consacrés de prendre possession de leurs sièges soit parce que les nominations, qui dépendaient d'abord des autorités civiles, n'étaient pas faites [1].

Dans tous ces diocèses sans évêques, la vie religieuse était forcément perturbée, sans parler des dysfonctionnements dûs aux nouvelles lois appliquées par le gouvernement italien. Pie IX essayait d'intervenir dans les cas les plus urgents, ainsi qu'en témoigneà cette époque, une lettre à son frère Gaetano : il lui expliquait qu'il versait 300 écus par mois à l'Institut Gualandi de Bologne, un hospice pour sourds et muets créé en 1850 par deux frères prêtres, « parce que les communes de l'État ne paient plus pour leurs citoyens et provinciaux. Je n'ai pas le courage de mettre à la rue tant de pauvres créatures… », précisait le pape [2].

En mars 1865, chacun de leur côté, deux hommes que Pie IX estimait, don Bosco et Mgr Ghilardi, évêque de Mondovi, un des plus intransigeants d'Italie, lui suggérè-

---

1 - Liste complète établi par l'abbé MARGOTTI dans l'*Unità Cattolica* du 4 avril 1865, traduite dans *Le Monde* du 13 novembre 1865 sous le titre « Martyrologe de l'épiscopat italien » et reproduite in ANNALES, t. I, pp. 602-606.

2 - Lettre de Pie IX à Gaetano Mastai le 14 novembre 1862 publiée par POLVERARI, « Lettere di Pio IX ai familiari » in **Pio IX nel primo centenario della sua morte**, Editrice la Postulazione della causa di Pio IX/Libreria Editrice Vaticana, 1978, pp. 55-56.

rent de renouer contact avec Victor-Emmanuel dans la perspective de mettre fin, au moins, à cette situation désastreuse des diocèses italiens.

Le pape suivit ces recommandations. Le 10 mars, il adressa à Victor-Emmanuel une lettre lui indiquant qu'il avait « à cœur de pourvoir à la vacance de tant de sièges épiscopaux en Italie » et lui suggérant d'envoyer à Rome une « personne de confiance » : « Je préférerais qu'il soit un bon et honnête laïc, précisait le pape, plutôt qu'un ecclésiastique de faible caractère » [1].

La demande du pape était limitée aux seules nominations épiscopales, sans référence aux autres questions religieuses et à la question romaine. C'était, selon le pape, le moyen le meilleur d'arriver à un accord. Les besoins spirituels des fidèles requéraient des nominations rapides. Le roi répondit à la lettre pontificale, heureux de renouer des relations interrompues depuis cinq ans, en annnonçant l'envoi d'un négociateur, Francesco Saverio Vegezzi, avocat de formation, « mon ami personnel » précisait le roi.

Vegezzi, et un autre envoyé, avocat lui aussi, Giovanni Maurizio, arrivèrent à Rome en avril. Ils furent reçus par le pape mais les négociations véritables eurent lieu avec le Secrétaire d'État, pour commencer les 21 et 23 avril et le 3 mai. A lire la longue relation qu'en fit le cardinal Antonelli, on voit que ses interlocuteurs se montrèrent à ce moment-là assez conciliants, laissant entendre qu'il ne serait pas difficile de réintégrer dans leurs diocèses nombre d'évêques chassés ou exilés (hormis deux ou trois cas difficiles), que les nominations aux sièges vacants pourraient être faites par le pape lui-même après accord

---

1 - Lettre de Pie IX et réponse de Victor-Emmanuel publiées in P. Pirri, *op. cit.*, t. III, partie II, pp. 51-53.

des autorités italiennes et que tous seraient dispensés de prêter le serment au roi [1]. Mais en mai, en pleine négociation, Vegezzi fut convoqué à Turin. Sous la pression des députés anticléricaux, hostiles à la tournure que prenaient ces entretiens qui allaient permettre le retour ou la nomination de dizaines d'évêques, le gouvernement donna aux négociateurs de nouvelles instructions. De retour à Rome en juin, Vegezzi fit valoir que les évêques nommés ou réintégrés devraient prêter un serment de fidélité au roi — exigence à laquelle il avait renoncé un mois auparavant —, ce à quoi ne pouvait se résoudre le Saint-Siège qui ne reconnaissait pas la légitimité du royaume d'Italie. D'autres difficultés apparurent qui témoignaient d'un soudain durcissement de la part du gouvernement italien. C'était l'échec d'une mission voulue par Pie IX et qui s'était avérée d'abord si prometteuse.

Contre la franc-maçonnerie

Aucun historien, à notre connaissance, n'a fait le lien entre cet échec de la mission Vegezzi, en juin 1865, et la solennelle condamnation de la franc-maçonnerie que fit Pie IX en septembre suivant. Pourtant, de l'un à l'autre, il semble qu'il y ait eu non peut-être une conséquence directe mais du moins quelque rapport. En effet, si ces négociations aboutirent à un échec, c'est que la frange anticléricale du Parlement italien fut assez puissante pour imposer ses vues au gouvernement et au faible Victor-Emmanuel.

L'anticléricalisme, en Italie comme ailleurs en Europe, trouvait son origine dans la franc-maçonnerie, nombreuse et puissante. Par ailleurs, les grands artisans de l'unité ita-

---

1 - Texte complet de la relation du cardinal Antonelli in P. PIRRI, *op. cit.*, t. III, partie II, pp. 59-66

lienne (Mazzini, Cavour, Garibaldi) étaient francs-maçons [1]. Et dans les années que nous évoquons, la franc-maçonnerie italienne, divisée en obédiences rivales, cherchait à réaliser son unité. « Un congrès de tous les maçons d'Italie eut lieu en 1864 à Florence, écrit l'historien franc-maçon Naudon, où étaient représentées soixante-dix loges et cinq obédiences (les quatre Suprêmes Conseils — Naples, Sicile, Turin et Livourne — et le Grand Orient de Turin). Ce convent réussit en partie à remédier au mal dont souffrait la maçonnerie italienne et à établir une certaine unité. La direction en fut confiée au Grand Orient. Turin devint le siège de la nouvelle obédience et Garibaldi en fut pour un temps assez bref le Grand Maître » [2].

Cette tentative d'union maçonnique puis l'échec de la mission Vegezzi purent conduire Pie IX à considérer que la franc-maçonnerie constituait un danger plus grand que jamais ; sans parler de la puissance de la franc-maçonnerie dans d'autres pays d'Europe ou d'Amérique, notamment en Prusse où les princes royaux dirigeaient la Grande Loge des Francs-Maçons d'Allemagne.

Aussi le 25 septembre 1865 le pape prononça-t-il, en consistoire, une allocution entièrement consacrée à dénoncer la franc-maçonnerie [3]. Certes, dès sa première encyclique en 1846, puis deux fois par la suite (dans les allocutions consistoriales des 20 avril 1849 et 9 décembre 1854), il avait dénoncé les agissements des « sociétés secrètes ». Mais c'était en passant, au milieu d'autres

---

1 - Paul NAUDON, **Histoire générale de la Franc-maçonnerie**, Office du Livre (2ᵉ édition), 1987, pp. 170-173 et EPIPHANIUS, **Massoneria e sette segrete : la faccia occulta della storia**, s.l.n.d., p. 131 s. q.

2 - P. NAUDON, *op. cit.*, pp. 171 et 173.

3 - Allocution *Multiplices inter machinationes*, traduction in ANNALES, t. I, pp.594-595.

sujets de préoccupation. Cette fois l'allocution complète traitait de « cette société perverse d'hommes, vulgairement appelée maçonnique, qui, contenue d'abord dans les ténèbres et l'obscurité, a fini par se faire jour ensuite, pour la ruine commune de la religion et de la société humaine ».

Le pape rappelait les condamnations de ses prédécesseurs. Il regrettait que les souverains catholiques en aient si peu tenu compte. « Plût au Ciel que, dans une affaire aussi grave, ils eussent agi avec moins de mollesse ! » Il n'y aurait pas eu « tant de mouvements séditieux, tant de guerres incendiaires qui mirent l'Europe entière en feu, ni tant de maux amers qui ont affligé et qui affligent encore aujourd'hui l'Église ».

Aujourd'hui « la secte maçonnique… s'est tellement développée, qu'en ces jours si difficiles elle se montre partout avec impunité, et lève le front plus audacieusement que jamais ». Certains esprits se trompent encore sur la nature de cette société secrète et croient que « cette institution n'a d'autre but que de secourir les hommes et de leur venir en aide dans l'adversité ». C'est une grave erreur. « Que prétend donc cette association d'hommes de toute religion et de toute croyance ? A quoi bon ces réunions clandestines et ce serment si rigoureux exigé des initiés, qui s'engagent à ne jamais rien dévoiler de ce qui peut y avoir trait ? Et pourquoi cette effrayante sévérité de châtiments auxquels se vouent les initiés, dans le cas où ils viendraient à manquer à la foi du serment ? A coup sûr, elle doit être impie et criminelle, une société qui fuit ainsi le jour et la lumière : car celui qui fait le mal, a dit l'Apôtre, hait la lumière ». Pie IX rappelait solennellement l'interdiction faite aux catholiques de participer à ces « funestes conciliabules », sous peine d'excommunication. Dans les mois qui suivirent cette condamnation publique de la franc-maçonnerie, plusieurs publications maçonniques, en France et en Italie, comme pour se venger, répandirent le bruit que Pie IX lui-même, dans sa jeunesse, avait été franc-maçon.

C'est la loge de Palerme qui, la première, semble-t-il, lança l'accusation : « Il fut un homme nommé Mastai-Ferretti qui reçut le baptême maçonnique et qui jura fraternité et amour pour ses frères. Ce même homme fut plus tard créé pape-roi sous le nom de Pie IX, et le voilà qui lance la malédiction et l'excommunication contre tous les affiliés de la Franc-maçonnerie ! La malédiction et l'excommunication retombent donc sur sa propre tête ; il est de plus, par l'acte même, devenu parjure. Le pape est donc excommunié par lui-même ». En France, le *Monde maçonnique* publia aussitôt l'information [1]. Cette revue maçonnique et d'autres reviendront à plusieurs reprises sur le sujet par la suite.

En février 1868, le *Monde maçonnique* se référait à nouveau à une publication italienne, *L'Umanitario*, organe du Suprême Conseil de Palerme, pour maintenir son accusation et promettait de mettre « tous les documents sous les yeux de nos lecteurs » [2]. Quelques mois plus tard, la revue publiait une lettre de la loge maçonnique de Messine qui affirmait que le futur Pie IX avait été initié à Philadelphie, lors de son voyage de retour après son séjour au Chili [3]. Ces accusations avaient suscité, bien sûr, la réprobation indignée des journaux catholiques. Aussi la revue maçonnique chercha-t-elle à obtenir de la loge de Philadelphie

---

1 - CAUBET, « Revue des journaux », **Le Monde maçonnique**, décembre 1865, p. 466-467.

2 - **Le Monde maçonnique**, février 1868, p. 617.

3 - **Le Monde maçonnique,** août 1868, pp. 224-226.

des documents attestant ses affirmations. Elle dut bientôt reconnaître qu'on ne trouvait nulle trace d'une initiation d'un Mastai-Ferretti à Philadelphie et que « le nom le plus approchant qui se trouvait dans les registres du Grand Orient de Pennsylvanie était celui de Martin Ferretty, reçu maçon en l'an 1849 à la Loge numéro 187, tenue à Cuba (Havane) »[1].

La question semblait close. Pourtant, quelques semaines après la mort de Pie IX, une autre publication maçonnique relancera l'accusation mais en y ajoutant quelques anecdotes dans un registre où s'illustrera le faussaire Léo Taxil[2].

On y affirmait cette fois que l'initiation avait eu lieu non à Philadelphie mais en France, à Thionville, alors que le futur Pie IX n'était pas encore prêtre et servait dans les armées de Napoléon. Et l'on y ajoutait le récit de quelques-unes de ses « amours »[3]. C'est l'histoire invraisemblable que nous avons rapportée dans les années de jeunesse du futur pape.

Quelques décennies plus tard, la plupart des publications maçonniques renonceront elles-mêmes au mythe de « Pie IX franc-maçon »[4]. Mais certaines d'entre elles ont soutenu longtemps des affirmations historiquement indéfendables. Ainsi en 1925 encore, dans l'*Acacia*, « Revue mensuelle d'études et d'action maçonniques et sociales » du Grand-Orient de France, un grand article sur Pie IX signalait : « On disait même qu'il avait été affilié à une loge

---

1 - **Le Monde maçonnique**, janvier 1869, pp. 536-537.

2 - Léo TAXIL, **Les amours secrètes de Pie IX, par un ancien camérier secret du pape**, Librairie Anticléricale, 1881.

3 - **La Chaîne d'Union**, avril 1878, p. 138-139.

4 - Voir notamment CH.-M. L., « Pie IX ne fut pas franc-maçon », **L'Acacia**, janvier-juin 1904, pp. 54-60.

de Carbonari, ce qui est vraisemblable » [1]. Dire de Pie IX qu'il avait été « carbonaro » c'était affirmer implicitement qu'il avait été franc-maçon puisque les deux organisations furent très proches. Le mythe renaissait de ses cendres...

Naissance de l'Action Catholique

L'allocution antimaçonnique que vous venons d'évoquer contenait aussi un passage où Pie IX opposait à la franc-maçonnerie, « société qui fuit le jour et la lumière », « les pieuses sociétés de fidèles qui fleurissent dans l'Église catholique » . Il en faisait un bref éloge : « Chez elles, rien de caché ; pas de secret. Les règles qui les régissent sont sous les yeux de tous ; et tous peuvent voir aussi les œuvres de charité pratiquées selon la doctrine de l'Évangile ».

Il rendait ainsi hommage, discrètement, à des organisations catholiques apparues récemment et qui furent le noyau de qu'en Italie on appelle le « Mouvement catholique » et dont les diverses organisations d'Action catholique allaient être l'illustration. Si Pie XI a donné une grande impulsion, dans toute l'Église, aux mouvements d'Action catholique, on peut dire que l'initiateur en fut Pie IX.

La question de la participation des catholiques à la vie politique italienne se posa d'une manière particulièrement aiguë après que la Romagne, les Marches et l'Ombrie furent retirées au pape et annexées. Les catholiques devaient-ils se faire élire au Parlement italien pour essayer de contrebalancer l'influence des anticléricaux ou, tant que la « question romaine » n'aurait pas été résolue, devaient-ils s'abstenir de toute participation à la vie poli-

---

1 - « Les quatre derniers papes et la France », **L'Acacia**, septembre 1925, pp. 65-66.

tique ? C'est cette dernière attitude que prôna Pie IX. Participer aux élections, c'eût été reconnaître la légitimité des institutions de l'État « usurpateur ».

Don Giacomo Margotti, directeur du grand journal catholique *L'Armonia*, estimé de Pie IX et en relations régulières avec lui, trouva la formule de cette résistance en titrant le 8 janvier 1861 : « *Né eletti né elettori* ». Les catholiques ne doivent ni être candidats aux élections ni participer aux élections [1].

Cette abstention de la vie politique ne pouvait signifier restreindre le catholicisme au domaine privé. Aussi, à défaut de pouvoir défendre ses idées au Parlement, les laïcs catholiques, en accord avec la hiérarchie ecclésiastique, mirent sur pied des associations destinées à défendre l'Église et les intérêts des catholiques dans tous les domaines (social, économique, culturel, éducatif). D'autant plus que les ordres religieux, qui depuis des siècles se dévouaient de manière habituelle à des tâches caritatives et éducatives, voyaient leurs œuvres interdites ou entravées par la fameuse « loi sur les couvents » déjà évoquée. C'est dans ces années 1860 que nacquirent les premières organisations.

En 1865, un journaliste, Gianbattista Casoni — qui, d'ailleurs, avait participé au Congrès de Malines de 1863 et avait été choqué par les propos de Montalembert —, et un avocat, Cesare Fangarezzi, créèrent l'Association catholique italienne pour la défense de la liberté de l'Église en Italie. Le 4 avril 1866, Pie IX adressa un bref d'approbation à l'organisation, recommandant de défendre « la

---

1 - La formule de sens identique *Non expedit*, « il ne convient pas » ou « il n'est pas avantageux », sera employée pour la première fois en 1866, par la Sacrée Pénitencerie.

liberté de l'Église et de résister aux efforts des impies selon ce que requièrent la prudence et la charité ». Le gouvernement italien, à l'occasion de la guerre contre l'Autriche qui éclata bientôt, interdit l'association et obligea ses dirigeants à se cacher.

En mai 1867, une autre association vit le jour, beaucoup plus durable : la Société de la jeunesse catholique. Les deux fondateurs, Mario Fani, de Viterbe, et Giovanni Acquaderni, de Bologne, avaient été les animateurs dans leurs villes d'associations catholiques locales, de ces « sociétés catholiques » que Pie IX dans l'allocution anti-maçonnique de 1865 avaient signalées comme « si salutaires, si bien faites pour exciter la piété et venir en aide aux pauvres ». Pour éviter de s'attirer les foudres du gouvernement italien, le mouvement, qui souhaitait être présent dans toutes les villes d'Italie, se donna une devise qui disait bien ses motivations strictement religieuses : « Prière, action et sacrifice ». Le pape approuva la nouvelle organisation par le bref *Dum filii Belial*, le 2 mai 1868. Une fois encore, il opposa les mouvements catholiques aux « fils de Belial qui mettent tous leurs efforts à propager spécialement dans la jeunesse leurs ténébreuses assemblées » et loua cette « union des jeunes qui brandit la bannière de la religion, l'opposant à l'impétueuse impiété et en en freinant le cours... » L'esprit nettement antimaçonnique des débuts de l'Action catholique a été bien oublié par ses membres actuels…

La mission Tonello

La fin des années 1860 fut une des périodes du pontificat de Pie IX où les motifs de satisfaction alternèrent avec les signes d'inquiétude. La Convention de septembre 1864 était, nous l'avons vu, aussi inquiétante que porteuse d'un certain espoir. L'échec de la mission Vegezzi avait montré que la méfiance de Pie IX envers les autorités italiennes était toujours justifiée. La situation des États pontificaux était plus délicate que jamais.

En octobre 1865, prenant prétexte d'une grave maladie de son pro-ministre de la Guerre, le fidèle Mgr de Mérode, Pie IX le destitua. La nouvelle donna lieu à diverses interprétations et fut commentée par toute la presse européenne. Certains accusèrent le prélat d'avoir eu des rêves de grandeur en faisant « hausmaniser » la vieille Rome et en utilisant, pour cela, les troupes pontificales. D'autres virent dans sa « chute » une vengeance du Secrétaire d'État. Lors du procès de béatification, le Promoteur de la Foi citera cette destitution parmi les « difficultés » qui font obstacle à la cause de Pie IX [1].

En réalité, Mgr de Mérode n'avait pas démérité mais, en le destituant, Pie IX faisait un choix politique. Depuis son entrée au gouvernement, Mgr de Mérode s'était fréquemment heurté au Secrétaire d'État. Leurs tempéraments et leurs analyses de la situation étaient contraires [2]. L'un était resté un soldat dans l'âme, l'autre un diplomate. De Mérode on disait qu'il était « plus pétillant que juste » et ses ennemis, au regard de son ardeur et de son intransigeance l'avaient surnommé *il matto* (le fou, l'écervelé).

Alors que, en application de la Convention de septembre, les troupes françaises allaient quitter Rome et la

---

1 - P. R. Pérez, « Alcune difficolta' emerse nelle discussioni " Super Virtutibus " del Servo di Dio papa Pio IX », in Carlo Snider, **Pio IX nella luce dei processi canonici**, Editrice la Postulazione della Causa di Pio IX/ Libreria Editrice Vaticana, 1992, p. 237.

2 - Mgr Besson, **Frédéric-François-Xavier de Mérode. Sa vie et ses œuvres**, Desclée, De Brouwer et Cie, 1898, pp. 164-165 ; Aubert, pp. 102-103 et p. 284 ; C. Falconi, **Il Cardinale Antonelli**, Arnoldo Mondadori Editore,1983, p. 413 sq.

laisser affaiblie face à l'Italie, le cardinal Antonelli jugeait préférable d'adopter un « profil bas » et de ne pas aggraver la situation existante en renforçant inconsidérément les troupes pontificales. Mieux valait user de la diplomatie que renforcer les armes.

Pie IX se rendit à ces vues. Il demanda à Mgr de Mérode de démissionner, celui-ci refusa. Le pape alors le releva de ses fonctions et nomma, pour le remplacer au ministère de la guerre, un civil, le général Kanzler. Pour montrer qu'il lui gardait toute sa confiance, Pie IX conserva Mgr de Mérode comme camérier puis en fit son aumônier et le nomma archevêque de Mélitène *in partibus infidelium*.

Les événements amenèrent Pie IX à suivre une nouvelle fois la voie des négociations préconisée par son Secrétaire d'État. En 1866, la Prusse et l'Italie s'allièrent dans une guerre contre l'Autriche. Celle-ci fut défaite à Sadowa. Le royaume d'Italie put annexer la Vénétie et la Prusse poursuivit son hégémonie en prenant la tête d'une Confédération de l'Allemagne du Nord. Pendant ce temps, la France poursuivait le retrait de ses troupes de Rome, ce qui fut effectif en décembre de cette année.

Cette situation nouvelle mettait l'Italie en position de force. Sur les instances de Napoléon III, les autorités italiennes envoyèrent à nouveau des négociateurs à Rome [1]. Les deux envoyés italiens, Michelangelo Tonello, professeur de droit romain (et ancien professeur de droit canon), assisté de l'avocat Callegaris, arrivèrent à Rome le 10 décembre 1866, la veille même du départ des dernières troupes françaises. Outre deux audiences accordées par le pape, ils eurent de nombreuses discussions, jusqu'en mars

---

1 - P. Pirri, *op. cit.*, t. III, parte prima, pp. 144-165 et nombreux documents publiés dans part. sec. ; C. Falconi, *op. cit.*, pp. 424-427.

suivant, avec le cardinal Antonelli. Tonello, dans ces entretiens, eut l'habileté de ne pas poser la question des sièges épiscopaux vacants sur le plan des principes mais de procéder au cas par cas. Si bien qu'en février et en mars, Pie IX put procéder en consistoire à la nomination de trente-sept évêques et archevêques : vingt dans différentes provinces d'Italie, dont les sièges de Turin et de Milan, et dix-sept dans des diocèses des États pontificaux. Les conversations permirent aussi de régler diverses questions non proprement religieuses, telle la prise en charge par l'État italien d'une partie des dettes publiques contractées par le Saint-Siège pour les territoires désormais annexés ou l'amélioration du trafic ferroviaire entre les deux États.

Le XVIIIᵉ centenaire de S. Pierre et S. Paul

Ces accords, pour limités qu'ils fussent — une demande de Tonello de reconnaître la légitimité des annexions avait été fermement repoussée par Antonelli — permirent de remédier, en partie, à la grande détresse de certains diocèses italiens.

Aussi c'est dans un relatif optimisme que se déroula la célébration du XVIIIᵉ centenaire du martyre des Apôtres Pierre et Paul, en juin suivant.

Pie IX avait voulu que cette commémoration donna lieu, une fois encore, à une grande manifestation de l'union de l'Église autour de la Chaire de Pierre. En décembre précédent il avait invité tous les évêques du monde à venir à Rome pour cette célébration et il avait annoncé qu'il procèderait aussi, en cette circonstance, à la canonisation de plusieurs martyrs, confesseurs et vierges. Les Bienheureux canonisés appartenaient à des époques différentes mais la plupart d'entre eux avaient en commun d'avoir été persécutés ou d'avoir subi des tribulations à cause de leur foi. En les donnant en exemple à l'Église toute entière, Pie IX avait à l'esprit les vicissitudes que connaissaient les fidèles et le clergé en Italie et dans de nombreux pays.

Cette deuxième et dernière cérémonie de canonisation de son pontificat allait honorer le bienheureux Pierre d'Arbues, premier inquisiteur de la foi dans le royaume d'Aragon, tué par des Juifs relaps en 1485 ; dix-neuf prêtres et religieux de Gorcum, en Hollande, étranglés et dépecés par des calvinistes en 1572 ; le bienheureux Josaphat, archevêque de Polotsk, massacré par des orthodoxes en 1623 ; la bienheureuse Germaine de Pibrac, humble bergère, morte à vingt-deux ans en 1601 ; le bienheureux Paul de la Croix, fondateur, au XVIIIe siècle, des Passionistes (congrégation religieuse avec laquelle Pie IX avait été très lié dans sa jeunesse, nous l'avons vu) ; le bienheureux Léonard de Port-Maurice, franciscain réformé, mort en 1751, un des grands apôtres de la dévotion à l'Immaculée Conception ; enfin, la bienheureuse Marie-Françoise des Cinq Plaies, tertiaire franciscaine, morte en 1791.

A l'annonce de cette nouvelle réunion des évêques à Rome, certains s'inquiétèrent : le pape n'allait-il pas profiter de cette occasion solennelle pour définir un nouveau dogme, celui de son infaillibilité ?

Cette inquiétude transparaît dans les lettres pastorales écrites, à l'occasion de leur départ pour Rome, par quelques rares évêques (Dupanloup, Ginoulhiac, Ketteler). Mais elle est exprimée beaucoup plus clairement dans une lettre de Mgr Ginoulhiac à Mgr Dupanloup, rapportant, en avril 1867, la rumeur qui court :

« Il s'agirait donc d'obtenir préalablement des évêques réunis à Rome un témoignage d'adhésion, l'expression d'un vœu qui autoriserait ou immédiatement ou un peu plus tard cette définition » [1]. La rumeur était infondée mais on la verra rebondir, à Rome, deux mois plus tard.

Les célébrations de juin 1867 virent une affluence encore supérieure aux rassemblements de 1854 et de 1862. De tous les continents arrivèrent des évêques. Les récents accords avec le gouvernement de Victor-Emmanuel permirent à de nombreux évêques, prêtres et fidèles italiens de venir à Rome.

Seuls les évêques catholiques de Russie (surtout nombreux en territoires polonais et ukrainien) furent empêchés par leur gouvernement de se rendre auprès du pape. La canonisation du bienheureux Josaphat était considérée par l'Église orthodoxe comme un affront.

Mais surtout, depuis plusieurs années, le gouvernement russe cherchait à attirer à l'orthodoxie les catholiques russes — au cours des seules années 1865-1866, 50 000 fidèles catholiques passèrent à l'orthodoxie — et à placer sous son entier contrôle la hiérarchie et le clergé polonais [2].

En juin, se pressèrent donc autour du pape quarante-six cardinaux, tous les patriarches orientaux, près de cinq cents archevêques et évêques, vingt mille prêtres et environ cent cinquante mille fidèles. Le bruit, nous l'avons dit, courait depuis plusieurs mois que lors de cette réunion solennelle allait être proclamé le dogme de l'infaillibilité

---

1 - Lettre inédite du 25 avril 1867, Archives de Saint-Sulpice, Paris.

2 - Le gouvernement russe avait dénoncé, en décembre 1866, le concordat signé vingt ans plus tôt. D'autres décisions et des arrestations d'évêques et de prêtres amèneront Pie IX à protester, dans l'encyclique *Levate* du 17 octobre 1867, ANNALES, t. II, pp. 673-678, contre les « calamités » qui s'abattent sur les catholiques russes et polonais.

pontificale [1]. Bruit sans fondement, puisqu'aucune commission préparatoire n'avait été réunie pour élaborer un projet de décret. Mais le bruit était révélateur du souhait de beaucoup et de la crainte de quelques-uns.

Un fait a pu accréditer cette rumeur. Le 3 juin, alors que la plupart des évêques et des fidèles n'étaient pas encore arrivés à Rome, la *Civiltà cattolica* proposa à ses lecteurs et aux fidèles de s'engager, par un vœu, à défendre l'infaillibilité pontificale. Le vœu contenait la définition suivante de cette doctrine : « Que le pape définissant par voie d'autorité et en sa qualité de Maître universel, et, comme l'on dit, EX CATHEDRA, ce qui doit être cru en matière de foi et de morale, est infaillible ; et que par conséquent ses décrets dogmatiques sont irréformables et obligent en conscience, même avant qu'ils aient été suivis de l'assentiment de l'Église » [2].

Une telle suggestion, dans une telle circonstance, émanant d'une revue réputée exprimer la pensée du pape, apparut à ceux qui redoutaient cette définition dogmatique comme le signe qu'on allait bien leur imposer un nouveau dogme. Il n'en était rien.

Les cérémonies furent inaugurées par la célébration de la Fête-Dieu où l'on vit le pape lui-même porter le Saint-Sacrement. La cérémonie de canonisation eut lieu le 29 juin.

Le 1er juillet, Pie IX, en réponse aux évêques qui venaient de lui présenter une adresse où était exaltés l'au-

---

1 - F. LAGRANGE, **Vie de Mgr Dupanloup**, Libr. Poussielgue Frères, Paris, 1884, t. III, pp. 48-49, cite trois lettres d'évêques s'inquiétant que ce dogme y soit déterminé « tout à coup et pour ainsi dire en passant » (lettre de Mgr Ketteler, év. de Mayence).

2 - Traduction intégrale du vœu in ANNALES, t. II, pp. 560-561.

torité et le magistère du Souverain Pontife [1], annonça officiellement la convocation d'un concile œcuménique, sans
néanmoins en fixer la date. C'était la confirmation de l'annonce, moins solennelle, faite en décembre 1864. Les fêtes
religieuses se terminèrent le dimanche 7 juillet par la béatification de 205 martyrs du Japon, morts pour leur foi
entre 1517 et 1632.

Dans ces journées furent aussi offerts au pape de très
nombreux cadeaux (le plus souvent des objets précieux) et
des dons financiers destinés à renflouer les caisses pontificales. Dans l'*Univers*, qu'il avait pu faire reparaître deux
mois plus tôt, après sept années d'interruption, Louis
Veuillot avait rapporté à ses lecteurs la magnificence des
cérémonies et la soumission au pape — même si le mot
« infaillibilité » ne fut pas prononcé — de l'épiscopat
entier.

Mentana

Les cérémonies romaines étaient terminées depuis à
peine deux mois, symbole de l'universalité de l'Église et
de son unité autour du pape, qu'à Genève se réunissait un
« Congrès de la Paix » à l'instigation de différents mouvements révolutionnaires européens. Garibaldi en fut l'invité d'honneur. Il fit une série de douze propositions [2].

Le pacifisme apparent — « Toutes les nations sont
sœurs » — s'y mêlait à un rêve de gouvernement mondia-
liste — « Chaque nation nommera un membre du Congrès »
et « Il faut que le Congrès soit permanent, central, universel ». En fait, ce Congrès de la Paix était une menace de

---

1 - On lira dans F. LAGRANGE, *op. cit.*, .t. III, pp. 57-60, la part importante que prit,
une fois encore, Mgr Dupanloup dans la rédaction de cette adresse.
2 - Texte in ANNALES, t. II, p. 639.

guerre. En effet, une des propositions disait : « L'esclave a le droit de faire la guerre aux tyrans » . Et surtout Garibaldi manifestait une grande hostilité à l'Église, en faisant adopter les propositions suivantes : « La Papauté, comme la plus nuisible des sectes, est déclarée déchue », « Il faut substituer au sacerdoce de l'ignorance et des révélations le sacerdoce de la lumière, de la vérité et de la justice ». Et il avait conclu son discours en disant : « On ne peut rien guérir sans combattre la prêtraille ».

Ces propos et la présence à Genève de tant de représentants d'organisations hostiles aux gouvernements suscitèrent les protestations de certains journaux et, finalement, le 12 septembre les autorités helvétiques interdisaient la poursuite du Congrès, après que Garibaldi eût quitté précipitamment Genève.

Mais Garibaldi, depuis plusieurs mois déjà, recrutait des volontaires dans différentes villes proches des États pontificaux. Le gouvernement italien, dirigé par Urbano Rattazzi, laissa faire d'abord. Puis quand, à la fin de septembre, les bandes garibaldiennes firent leurs premières incursions en territoire pontifical, leur chef fut arrêté et assigné à résidence sur l'île de Caprera, au large de la Toscane. Aussitôt un certain nombre de députés protestèrent contre l'illégalité de cette arrestation, des troubles surgirent dans différentes villes d'Italie. En fait, l'attitude de Rattazzi était plus qu'ambiguë. On pouvait redouter qu'il ne répète la manœuvre employée jadis par Cavour pour s'emparer des Marches et de l'Ombrie : laisser les garibaldiens susciter des troubles dans les États pontificaux et à Rome, puis intervenir sous le prétexte de rétablir l'ordre.

Les premières incursions garibaldiennes furent repoussées par les troupes pontificales, et ne rencontrèrent d'ailleurs aucun soutien de la part de la population. Début octobre, le *Giornale di Roma* pouvait publier la liste de 115 prisonniers garibaldiens. Mais les troubles se poursuivaient.

La France, qui n'était pas dupe des manœuvres du gouvernement Rattazzi, décida, le 16 octobre, d'envoyer des troupes au secours du pape. Cette intervention était justifiée par l'incapacité du gouvernement italien à respecter la Convention de septembre. Pourtant les troupes françaises ne partirent de Toulon que le 27 octobre. Entre temps, à la faveur d'un changement de gouvernement en Italie, Garibaldi avait réussi à s'enfuir de Caprera. Il rassembla des volontaires à Florence, fit incursion dans les États pontificaux et s'empara, le 26 octobre, de Monte Rotondo. Le télégraphe et le courrier étaient interrompus, de prétendus « déserteurs » de l'armée régulière italienne se joignaient aux garibaldiens.

A Rome, les garibaldiens suscitèrent des troubles et firent exploser dans une caserne de Zouaves pontificaux une bombe de forte puissance qui causa vingt-sept morts[1].

Le 29 octobre, le corps expéditionnaire français, commandé par le général de Failly, débarqua à Civita Vecchia et entra à Rome le 31. Les troupes garibaldiennes avaient progressé. Elles s'étaient emparé de Viterbe et menaçaient

---

1 - Les auteurs de l'attentat, Giuseppe Monti et Gaetano Tognetti, furent arrêtés et, en octobre 1868, condamnés à mort. Malgré les pressions exercées sur Pie IX, de la part du gouvernement et du parlement italiens, pour qu'il grâcie les deux condamnés ou commue leur peine, ils furent exécutés le 24 novembre. Cette double exécution figurera, en 1974, parmi les « difficultés » que le Promoteur de la Foi avancera dans le procès de béatification de Pie IX. Cf. P. R. PÉREZ, « Alcune difficolta' emerse nelle discussioni " Super Virtutibus " del Servo di Dio Papa Pio IX » in Carlo SNIDER, **Pio IX nella luce dei processi canonici**, Editrice la Postulazione della causa di Pio IX/Libreria Editrice Vaticana, 1992, p. 234.

le nord de Rome. Qui plus est, les troupes régulières italiennes semblaient vouloir s'unir aux garibaldiens et entraient elles aussi dans les États pontificaux, occupant Acquapendente, Orte et Frosinone.

Une action commune des troupes françaises et pontificales fut décidée et ce fut la victoire de Mentana [1].

2 913 hommes des troupes pontificales, sous les ordres du général de Courten, et 2 000 Français, sous les ordres du général de Polhès, partirent de Rome le 3 novembre, alors que le jour n'était pas encore levé. Devant Mentana, ils rencontrèrent les premières troupes garibaldiennes. Les garibaldiens étaient 9 000 selon l'estimation du général Kanzler, 10 000 dira l'ambassadeur de France (15 000 même, écrira avec quelque exagération l'*Osservatore romano*). Les combats, à partir de la fin de la matinée, opposèrent d'abord troupes pontificales et garibaldienness. Les Français, jusque-là en réserve, n'intervinrent qu'en milieu d'après-midi. Le général de Failly dira dans son rapport que les nouveaux fusils dont était dotée l'armée française, les fusils Chassepot, avaient « fait merveille ». Les garibaldiens se retirèrent dans Mentana. Français et pontificaux firent le siège de la ville. Le 4 au matin, alors que Garibaldi s'était déjà enfui, les assiégés se rendirent. Ils laissèrent sur le champ de bataille environ un millier de tués et de blessés, les troupes pontificales comptèrent trente morts et une centaine de blessés et les Français deux morts, un dis-

---

1 - Dans les Archives du ministère des Affaires Étrangères, on trouve, classés par erreur en 1869, un récit détaillé de cette bataille, rédigé par l'ambassadeur de France à Rome, un plan et plusieurs autres pièces relatives à Mentana, CP Rome 1044, f. 201 sq. Le rapport du général Kanzler à Pie IX et celui du général de Failly à son ministre de la Guerre ont été publiés in ANNALES, t. II, pp. 114-121. Enfin, Paolo Dalla Torre a consacré un ouvrage à *L'anno di Mentana*, Aldo Martello Editore, Milan, 1968, 1ʳᵉ édition 1938.

paru et quatre-vingt six blessés. Bientôt Viterbe et Monte Rotondo, abandonnées par les troupes garibaldiennes, furent réoccupées et les troupes italiennes qui, officiellement, n'avaient pas pris part à la bataille, quittèrent les États pontificaux. Les Français et les Zouaves pontificaux, de retour à Rome le 6 novembre, y reçurent un accueil triomphal. Des souscriptions en faveur des blessés et des services funèbres pour les morts furent organisées, le pape fit frapper une nouvelle médaille militaire (*Fidei et Virtuti*) pour honorer les plus valeureux des combattants.

Dans tous les pays catholiques, Mentana sembla venger Castelfidardo. A Dublin, sous la présidence du cardinal Cullen, à Londres, sous la présidence de Mgr Manning, à Mayence, sous la présidence de Mgr Ketteler, de grandes réunions, rassemblant jusqu'à 100 000 personnes, témoignaient de la gratitude envers les héros de Mentana et adoptaient des résolutions en faveur du pouvoir temporel. De nombreux volontaires accoururent à Rome pour s'enrôler dans les armées pontificales (notamment 300 Canadiens).

Pie IX, même s'il participait à la joie générale, ne manquait pas d'être inquiet. Un mois après la victoire de Mentana, dans une lettre à son frère Gaetano, il écrivait : « Ici, c'est toujours l'alerte, dans la crainte de nouveaux attentats » [1]. L'hypocrisie et les tergiversations du gouvernement italien durant les derniers mois étaient aussi redoutables que les actions de Garibaldi. Ce n'est que grâce à l'intervention française que Rome avait pu être sauvée, mais combien de temps durerait cet appui ?

---

1 - Lettre du 9 décembre 1867 publiée par POLVERARI, « Lettre di Pio IX ai familiari », **in Pio IX nel primo centenario della sua morte**, Editrice la Postulazione della causa di Pio IX/ Libreria Editrice Vaticana, 1987, pp. 60-67.

Ut unum sint

Pie IX savait bien qu'une victoire militaire, aussi éclatante soit-elle, ne pouvait suffire à faire cesser la guerre que certains lui menaient. La guerre pour s'emparer de ses dernières possessions temporelles mais aussi une autre guerre, plus large et plus profonde, dépassant les frontières de l'Italie, la guerre menée contre l'Église par ses divers ennemis.

Pie IX n'a jamais séparé ces deux guerres, et quand certains historiens d'aujourd'hui qualifient les États pontificaux « d'anachronisme » et estiment que la question romaine « accentua le raidissement du pape et de nombreux catholiques à l'égard du libéralisme et contribua de la sorte à faire apparaître l'Église comme foncièrement hostile aux idées modernes » [1], ils méconnaissent le fait que Pie IX, en défendant de manière intransigeante sa souveraineté temporelle, ne menait pas d'abord un combat politique mais un combat religieux. Dans son esprit tout était lié : sa souveraineté temporelle, politique, était la condition d'un exercice libre de sa mission spirituelle et les adversaires de sa souveraineté temporelle avaient, selon lui, partie liée avec les adversaires de l'Église. Le combat qu'il avait à mener était donc indissolublement double.

---

1 - AUBERT p. 80. L'auteur estime aussi « qu'en bloquant les énergies des catholiques sur la solution d'un problème avant tout politique, elle les détourna pour de longues années des problèmes proprement religieux ». Toutes les grandes décisions et orientations spécifiquement religieuses du pontificat de Pie IX démentent une telle assertion : la réforme ou création de nombreuses congrégations religieuses, la formidable expansion des missions, l'essor des pèlerinages et des œuvres catholiques, sans parler du dogme de l'Immaculée Conception.

C'est ainsi qu'il faut comprendre les grands rassemblements d'évêques de 1854, et surtout ceux de 1862 et 1867. On voit se multiplier aussi, à partir de la fin des années 1860 — et le phénomène s'amplifiera après la prise de Rome — les audiences collectives accordées à des groupes importants de fidèles, occasion pour le pape de prononcer quelque courte allocution. Plus que les discours solennels en consistoire ou que les encycliques et brefs, dont la portée doctrinale nécessitait des choix thématiques précis, ces brèves allocutions aux pèlerins, où l'improvisation avait sa part, permettent de saisir sur le vif les préoccupations immédiates de Pie IX et d'avoir une expression plus spontanée de ses pensées.

Ainsi le 11 avril 1868, recevant au Vatican un millier de personnes — la plupart sont des laïcs — pour une audience publique, il leur adresse quelques paroles les appelant à « l'union autour du Saint-Siège » [1]. Une union dont le but est tout à la fois la défense de la souveraineté temporelle du pape, la défense de la foi contre les ennemis de l'Église et le retour au Saint-Siège des protestants et des orthodoxes. L'union autour du pape fera la force de l'Église : « Soyez unis pour être forts, forts contre l'enfer et contre les méchants qui vous attaquent et qui attaquent ce que vous devez défendre, ce que vous devez aimer : la justice, la vérité, l'Église, le Saint-Siège ».

En juin suivant, en comité plus restreint, devant les cardinaux réunis à l'occasion de l'anniversaire de son élection, Pie IX revient, de manière improvisée, sur cette « union » : « La lutte entre le mal et le bien est ancienne comme le monde, et cette lutte a suivi l'Église dans son développement à travers les siècles. Elle est ardente

---

1 - Texte de cette allocution in ANNALES, t. II, pp. 776-777.

jusque sous nos yeux, en Italie, où les profanations, les spoliations et les insultes se succèdent sans relâche. Elle est ardente surtout contre Rome, devenue le point de mire des méchants. Ici, Satan tend de tous ses efforts à détruire le centre de l'unité catholique, afin d'y établir le centre de l'abomination. Cependant cette guerre sans trêve et sans pitié a produit une réaction salutaire en notre faveur. Tout esprit élevé se met de notre côté : tout homme honnête fait des vœux pour notre défense. Il arrive ici chaque jour des prêtres et des évêques venant des pays les plus lointains. Ils demandent des lumières et de la force au tombeau des Apôtres. Cette lumière et cette force sont ici, dans la Ville Sainte » [1].

Le concile œcuménique qui se préparait allait être une occasion solennelle de manifester cette unité, unité visible par la présence de tous les évêques du monde et unité dans la foi par la réaffirmation ou la définition de points importants de la doctrine catholique.

A quelques mois de l'ouverture du concile, Pie IX célébra, en avril 1869, le cinquantième anniversaire de son ordination sacerdotale. Dès le mois de septembre 1868, la puissante Association catholique d'Allemagne, dirigée en grande partie par des laïcs et réunie pour son congrès annuel (le *Katholikentag*), lança le projet de célébrer avec éclat le jubilé sacerdotal du Souverain Pontife. L'idée fut reprise en Italie par l'Association catholique de la jeunesse italienne. Finalement, c'est de tous les pays d'Europe qu'affluèrent à Rome, pour ce jour solennel, des sommes importantes recueillies par souscriptions, des pétitions d'hommage et des présents somptueux. Les seuls Allemands catholiques, outre un don financier important,

---

1 - Allocution du 15 juin 1868, in Annales, t. II, p. 798.

envoyèrent une adresse collective signée par un million deux cent seize mille personnes.

Les cérémonies et fêtes s'étalèrent sur plusieurs jours : messe solennelle à la basilique Saint-Pierre (où le pape distribua la communion à trois cents personnes, au premier rang desquelles figurèrent neuf enfants de l'hospice Tata Giovanni), banquet offert à mille cinq cents personnes (tous les cardinaux, de nombreux évêques et prélats, le roi et la reine de Naples en exil, tous les diplomates accrédités auprès du Saint-Siège, etc.), messe et visite à l'hospice Tata Giovanni où il avait célébré sa première messe, visite à la basilique Sainte-Agnès en souvenir du miracle du 12 avril 1855, sans compter les festivités populaires et les illuminations diverses.

Ces cérémonies se terminèrent par une audience accordée, le 14 avril, à la Société de la jeunesse catholique italienne qui avait pris une grande part à la préparation de ce jubilé. Mille jeunes gens représentaient les cercles répandus dans toute l'Italie. Le pape leur adressa une allocution dont quelques mots sont restés célèbres : « Je suis avec vous et vous êtes avec moi. Nous devons combattre contre l'erreur, nous présenter aux ennemis, chercher à extirper le poison de leur cœur, et à en extirper ceux qu'il n'a pas encore atteints » [1].

---

1 - Allocution citée in ANNALES, t. III, p. 101.

CHAPITRE QUATORZIÈME

LE CONCILE DU VATICAN

D ANS L'HISTOIRE du pontificat de Pie IX, l'ouverture du concile du Vatican, en décembre 1869, a éclipsé les célébrations jubilaires d'avril.

Comme pour le *Syllabus,* l'événement avait fait l'objet d'une longue et minutieuse préparation que nous décrirons en détail. Il a également donné lieu à une multitude d'écrits. Nous nous sommes référés ici principalement à deux types d'ouvrages. D'une part, les écrits de certains acteurs ou témoins de l'événement : en particulier un manuscrit inédit de 394 pages, représentant le très riche *Journal de mon voyage et de mon séjour à Rome* tenu par Henri Icard, directeur du séminaire Saint-Sulpice et théologien au concile de Mgr Bernardou, archevêque de Sens [1]. D'autre part, les historiens classiques : Théodore Granderath [2] ; Fernand Mourret [3] ; Roger Aubert [4] ; Giuseppe Alberigo [5]. D'autres sources, manuscrites ou imprimées, seront citées dans la suite du chapitre.

_____

1 - Archives de Saint-Sulpice. Nous avons consulté également : Mgr MANNING, **Histoire du concile du Vatican**, Victor Palmé, Paris, 1872 ; Louis VEUILLOT, **Rome pendant le Concile**, P. Lethielleux, 1927 (recueil de ses articles parus dans l'*Univers*, 1ère édition 1872).

2 - Théodore GRANDERATH, **Histoire du concile du Vatican**, Libr. Albert Dewit, Bruxelles, 6 vol., 1907-1914 (édition allemande 1903-1906).

3 - Fernand MOURRET, **Le Concile du Vatican**, Bloud & Gay, 1919.

4 - Roger AUBERT, **Vatican I**, Editions de l'Orante, 1964.

5 - Giuseppe ALBERIGO, « Le Concile Vatican I (1869-1870) » in **Les Conciles œcuméniques**, Cerf, 1994, 2 tomes (l'Histoire et les Décrets) en 3 volumes.

Origines du Concile

C'est le cardinal Lambruschini qui, le premier semble-t-il, a suggéré à Pie IX de convoquer un concile œcuménique. C'était en 1849, alors que Pie IX était encore en exil à Gaète. « Je pense, écrivait l'ancien Secrétaire d'État, que Votre Sainteté devra en son temps (et ce temps ne peut être éloigné) convoquer un concile général pour condamner les erreurs récentes et faire revivre la foi dans le peuple chrétien, restaurer et raffermir la discipline ecclésiastique, si affaiblie de nos jours. Les maux sont généraux, il faut donc des remèdes généraux » [1].

En 1863, le cardinal Wiseman, en visite à Rome, suggéra lui aussi de convoquer un concile général. Le pape répondit qu'il y songeait et qu'il priait à cette intention mais il craignait que son grand âge ne lui permît pas de faire aboutir le projet [2].

L'année suivante, nous l'avons signalé, le 6 décembre 1864, deux jours avant la publication officielle de *Quanta cura* et du *Syllabus*, Pie IX interrogea confidentiellement les quinze cardinaux de la Congrégation des Rites, réunis en séance générale. Il sollicita leur avis écrit sur l'opportunité de réunir un concile et il leur demanda de garder le silence le plus absolu sur cette première consultation.

Les réponses lui parvinrent dans les semaines suivantes : treize des cardinaux consultés étaient favorables à la tenue d'un concile, un y était opposé et un autre laissait le pape juge de la question.

---

1 - Lettre publiée in M. MANZANI, **Il cardinale L. Lambruschini**, pp. 525-526, 1960, Rome, citée par R. AUBERT, **Vatican I**, *op. cit.*, p. 39.

2 - Article du **Tablet**, 20 février 1868, cité par T. GRANDERATH, *op. cit.*, pp. 23-24.

Le Père Mariano Spada, procureur général des Dominicains, fut chargé de rédiger un résumé des quinze avis
émis par les cardinaux, résumé qui fut imprimé [1].

En mars 1865, une commission cardinalice était créée,
chargée d'examiner les problèmes relatifs à ce concile
futur : la « Congrégation directrice et spéciale pour les
affaires du futur concile général ». Elle était composée de
cinq cardinaux et présidée par le cardinal Patrizi, vicaire
général de Pie IX et préfet de la Congrégation des Rites,
très lié au pape [2].

Cette Congrégation directrice tint sa première réunion
le 9 mars. Le *Quadro dei sentimenti* rédigé par le P. Spada
fut distribué aux participants et quatre questions leur
furent posées, relatives à la nécessité de convoquer un
concile, aux obstacles qui pourraient s'y opposer, aux dispositions à prendre avant la convocation et aux sujets à
traiter dans cette éventualité. Tous convinrent qu'une telle
convocation était opportune. Ils estimèrent utile qu'une
Congrégation extraordinaire fût créée afin de préparer le
futur concile et qu'après l'annonce officielle, des évêques
de différents pays fussent consultés pour connaître
quelles questions de doctrine et de discipline ils jugeraient
utiles de voir traiter par le concile.

Lorsque Mgr Giannelli lui rendit compte, le 13 mars, de
cette première réunion, Pie IX fut satisfait de l'assentiment
qu'avait rencontré son projet. Mais il jugea préférable de
ne pas attendre la publication de la bulle de convocation

---

1 - Sous le titre : **Quadro dei sentimenti, che gli eminentissimi Cardinali, invi-
tati dal S. Padre Pio IX, hanno manifestato sulla convocazione di un Concilio
ecumenico** (6 pages).

2 - Le nombre des membres de cette Congrégation sera porté à neuf, entre 1866 et
1869 par les nominations successives des cardinaux Barbabô, Bilio, Capalti et De
Luca.

pour interroger les évêques. Il souhaita que cette consultation, qui devait rester secrète, fût engagée sans tarder.

Le 20 avril 1865, le Préfet de la Congrégation du Concile adressa une lettre confidentielle à trente-six évêques d'Europe : onze Italiens (dont le cardinal Pecci, archevêque de Pérouse, futur Léon XIII), neuf Français (dont Mgr Pie et Mgr Dupanloup), sept Espagnols, cinq Autrichiens, deux Bavarois, un Belge et un Anglais. Leurs réponses furent publiées dans le *Rapporto sulle riposte date da varii Vescovi alla lettera del 20 Aprile 1865 diretta ai medesimi dall'eminentissimo Cardinale Prefetto della S. Congregazione del Concilio intorno alla idea di un futuro Concilio ecumenico* [1].

Un évêque, au moins, Mgr Dupanloup, se montra hésitant sur l'opportunité de réunir un concile [2]. Cette hésitation de départ contraste avec l'ardeur qu'il déploiera dans ce futur concile.

D'une manière générale, les évêques interrogés estimaient que le danger ne venait pas d'une nouvelle hérésie caractérisée mais d'une remise en cause générale du principe même de la révélation et des diverses doctrines de la religion catholique. Ils estimaient qu'il faudrait réaffirmer les vérités fondamentales du christianisme et endiguer les multiples erreurs répandues dans la société. Le cardinal Pecci signalait comme devant faire l'objet des réprobations spécifiques : le naturalisme, le rationalisme, la libre-pensée, l'indifférentisme et les superstitions magnétistes et spirites. Sept évêques demandaient une définition dog-

---

1 - Résumé par T. GRANDERATH, *op. cit.*, t. I, 54-65 ; à compléter par R. AUBERT, **Vatican I**, *op. cit.*

2 - « Dans sa réponse, il s'était borné à exposer les raisons pour et contre, sans conclure », F. LAGRANGE, **Vie de Mgr Dupanloup**, Libr. Poussielgue, Paris, 1884, t. III, p. 53.

matique de l'infaillibilité. Certains souhaitaient aussi une réaffirmation solennelle du *Syllabus*. Dans nombre de réponses, on insistait sur la nécessité de définir les rapports entre l'Église et l'État et de condamner la soumission du pouvoir spirituel au pouvoir temporel existant dans plusieurs pays.

Différentes questions de discipline ecclésiastique et la réforme des mœurs des fidèles étaient aussi fréquemment évoquées. « La future assemblée, demandait Mgr Pie, devrait rendre des décrets contre les excès du luxe et des plaisirs, contre cette soif des richesses qui pour se satisfaire plus rapidement recourt à la spéculation, contre l'abandon de la vie de famille, la profanation du mariage, le mépris du dimanche et des jours de fête, la négligence des offices de l'Église. On trouve chez d'autres prélats des propositions du même genre » [1].

Les évêques consultés accordaient aussi une grande attention aux problèmes de discipline ecclésiastique. Les points les plus souvent cités concernent : « L'amélioration de la formation du clergé, l'observance plus stricte de leur règle par les religieux et les relations de nombreuses congrégations nouvelles avec les autorités diocésaines, la surveillance de la presse, la diminution des censures et autres peines ecclésiastiques, l'unification du catéchisme, la question des écoles et surtout les problèmes relatifs au mariage : limitation du nombre des empêchements, règles concernant les mariages mixtes, pratique du mariage civil » [2].

Au début de 1866, une enquête complémentaire fut faite auprès de neuf évêques orientaux : le patriarche de

1 - T. GRANDERATH, *op. cit.*, t. I, p. 59.
2 - R. AUBERT, **Vatican I**, *op. cit.*, p. 42

Jérusalem, les patriarches maronite, melkite et syrien, deux prélats arméniens, deux évêques roumains de Transylvanie et le vicaire apostolique de Constantinople. Nombre de leurs suggestions rejoignaient celles des évêques européens. La plupart exprimèrent le souhait que le futur concile se préoccupât du retour des schismatiques orientaux au sein de l'Eglise catholique (quelques évêques européens avaient déjà formulé une telle demande, notamment le cardinal Pecci).

Pie IX avait songé un moment à faire coïncider l'ouverture du concile avec les cérémonies commémorant le XVIIIᵉ centenaire du martyr de saint Pierre et saint Paul. Mais en 1866 plusieurs pays d'Europe, et les États pontificaux eux-mêmes, se trouvèrent dans une situation inquiétante ou conflictuelle (guerre austro-prussienne à laquelle prit part l'Italie, retrait des troupes françaises de Rome). Le pape jugea plus prudent de ne pas convoquer le concile pour l'année suivante. Mais les solennités de juin 1867 furent l'occasion, nous l'avons dit, de l'annonce officielle du concile à tous les évêques présents, sans qu'une date fût néanmoins fixée. L'annonce fut faite le 1ᵉʳ juillet, dans la réponse que fit Pie IX à l'adresse des évêques.

Un mois auparavant, le 6 juin, le cardinal Caterini, préfet de la Congrégation du Concile, avait remis à tous les évêques présents à Rome un questionnaire sur la manière dont s'observent certains préceptes de l'Église dans leurs diocèses (*Quæstiones quæ ab Apostolica Sede Episcopis proponuntur*).

Dix-sept questions précises étaient posées, relatives à l'interdiction d'admettre des hérétiques ou schismatiques comme parrains de baptême, à différentes prescriptions canoniques sur le mariage, à la formation des clercs, aux congrégations nouvelles, aux sanctions à appliquer au clergé et aux cimetières [1]. Ce questionnaire était soumis aux évêques sans qu'il fûtt fait référence au futur concile dont on réservait l'annonce prochaine au pape. Deux cent vingt-quatre évêques seulement y répondirent. Le détail des réponses n'a pas fait l'objet d'une analyse systématique.

Travaux préparatoires

Dès le mois de septembre suivant, différentes commissions préparatoires furent créées et commencèrent à se réunir. Il y en eut cinq, présidées chacune par un cardinal : la Commission doctrinale, la Commission pour les missions et les Églises orientales, la Commission pour la discipline ecclésiastique, la Commission pour les religieux, la Commission politico-ecclésiastique. Sera créée ensuite une Commission des rites et cérémonies, plus particulièrement dévolue au déroulement des séances du concile. La Congrégation cardinalice directrice réunissait les cardinaux présidents des six commissions et deux autres cardinaux.

L'intitulé de ces différentes commissions disait bien quelles devaient être les préoccupations majeures du futur concile. Chaque commission était composée de plusieurs consulteurs (membres de Congrégations, professeurs ou recteurs de séminaires, professeurs d'université). Au total, on comptera quatre-vingt-seize consulteurs. Si une large majorité de ces consulteurs étaient italiens (cinquante-neuf), le nombre des consulteurs étrangers n'était pas négligeable (trente-sept). Pie IX avait expressément souhaité, à plusieurs reprises, que ces consulteurs étrangers ne fussent pas issus seulement des pays catholiques.

---

1 - Texte complet de la circulaire in ANNALES, t. II, pp. 174-176.

D'où une certaine universalité parmi eux : treize Allemands, six Français, cinq Espagnols, quatre Autrichiens,
trois Anglais, un Russe (résidant à Paris), un Hollandais,
un Suisse, un Américain, un Guatémaltèque (résidant en
Espagne), un Syrien.

Cette grande diversité géographique allait de pair avec
une réelle diversité d'origine. Il n'y eut pas de domination
des Jésuites dans la préparation du concile comme leurs
adversaires l'ont prétendu. Sur quatre-vingt-seize consulteurs, huit seulement étaient des Jésuites. Le clergé séculier comme le clergé régulier (à travers ses ordres les plus
importants) étaient représentés : même si l'on doit convenir que l'influence jésuite fut grande à la Commission doctrinale — la plus importante — par le rôle qu'y jouèrent
les consulteurs jésuites Perrone, Franzelin et Schrader. Ils
prirent une part active à la préparation des grands projets
de décrets doctrinaux.

Il est certain aussi que les théologiens suspects à Rome
furent écartés. Ainsi, Döllinger, dans une lettre à
Mgr Dupanloup, signale que l'archevêque de Prague, le
cardinal Schwarzenberg, et l'archevêque de Breslau,
Mgr Förster, ont demandé au pape de le nommer parmi
les consulteurs [1]. Döllinger n'avait pas d'espoir que cette
double demande aboutisse. Effectivement, il ne figurera
pas parmi les consulteurs mais sera, depuis l'Allemagne,
un des opposants les plus résolus au concile.

Le 29 juin 1868, Pie IX publiait la bulle *Æterni Patris* qui
convoquait le concile pour le 8 décembre 1869, en la fête
de l'Immaculée Conception [2].

---

1 - Lettre inédite du 28 décembre 1868, Archives de Saint-Sulpice.
2 - Texte de la bulle in ANNALES, t. II, pp. 178-181.

L'Eglise subit une « horrible tempête » et la société souffre de « maux immenses » :

« L'Église catholique et sa doctrine salutaire, sa puissance vénérable et la suprême autorité de ce Siège apostolique, sont attaquées et foulées aux pieds par des ennemis acharnés de Dieu et des hommes ; toutes les choses sacrées sont vouées au mépris, et les biens ecclésiastiques dilapidés ; les pontifes, les hommes les plus vénérables consacrés au divin ministère, les personnages éminents par leurs sentiments catholiques sont tourmentés de toutes manières ; on anéantit les communautés religieuses ; des livres impies de toute espèce et des journaux pestilentiels sont répandus de toutes parts ; les sectes les plus pernicieuses se multiplient partout et sous toutes les formes ; l'enseignement de la malheureuse jeunesse est presque partout retiré au clergé, et ce qui est encore pire, confié en beaucoup de lieux à des maîtres d'erreur et d'iniquité.

« Par suite de tous ces faits, pour notre désolation et la désolation de tous les gens de bien, pour la perte des âmes, qu'on ne pourra jamais assez pleurer, l'impiété, la corruption des mœurs, la licence sans frein, la contagion des opinions perverses de tout genre, de tous les vices et de tous les crimes, la violation des lois divines et humaines, se sont partout propagées à ce point que, non seulement notre très sainte religion, mais encore la société humaine sont misérablement dans le trouble et la confusion ».

Face à « un tel concours de calamités », le concile œcuménique « aura donc à examiner avec le plus grand soin et à déterminer ce qu'il convient le mieux de faire, en ces temps si difficiles et si durs, pour la plus grande gloire de Dieu, pour l'intégrité de la foi, pour la beauté du culte divin, pour le salut éternel des hommes, pour la discipline du clergé régulier et séculier et son instruction salutaire et solide, pour l'observance des lois ecclésiastiques, pour la réformation des mœurs, pour l'éducation chrétienne de la jeunesse, pour la paix commune et la concorde universelle.

« Il faudra aussi travailler de toutes nos forces, avec l'aide de Dieu, à éloigner tout mal de l'Église et de la société civile ; à ramener dans le droit sentier de la vérité, de la justice et du salut les malheureux qui se sont égarés ; à réprimer les vices et à repousser les erreurs. (…) Car l'influence de l'Église catholique et de sa doctrine s'exerce non seulement pour le salut éternel des hommes, mais encore, et personne ne pourra jamais prouver le contraire, elle contribue au bien temporel des peuples, à leur véritable prospérité, au maintien de l'ordre et de la tranquillité, au progrès même et à la solidité des sciences humaines… »

Cette convocation solennelle avait été précédée de débats relatifs à la participation : qui serait invité et qui pourrait participer aux débats conciliaires ? Par rapport aux conciles antérieurs, la participation fut élargie. Furent invités non plus seulement les évêques résidentiels (qui étaient un peu plus de sept cents) mais aussi tous ceux qui, sans être à la tête d'un diocèse, étaient néanmoins évêques par la consécration reçue. Nonces, vicaires apostoliques, prélats de Curie, évêques auxiliaires ou missionnaires furent donc invités, soit environ deux cent cinquante prélats.

Étaient également invités au concile les abbés généraux, les généraux d'ordres et les présidents des congrégations monastiques (mais point les abbés supérieurs d'un seul monastère ni les supérieurs de congrégations religieuses).

Un fait montre la sévérité du pape et, en même temps, les limites de ses pouvoirs. Le 8 mars 1869, recevant le secrétaire de la Congrégation directrice, il avait fait remarquer que certains évêques titulaires n'avaient pas une conduite exemplaire et il souhaitait que la convocation se fasse de telle manière que ces évêques indignes de siéger au concile ne puissent y venir. La Congrégation directrice n'accéda pas au désir du Saint-Père et estima, dans sa séance du 14 mars, que seul un évêque excommunié pourrait être exclu du concile. Pie IX s'inclina [1].

L'invitation au concile des vicaires apostoliques, qui n'ont pas la responsabilité d'un diocèse, fut critiquée par certains. Dépendant directement du Saint-Siège, souvent isolés dans de vastes terres de mission, on craignait qu'ils ne fussent une masse de manœuvre entre les mains du pape. Louis Veuillot fera justement remarquer qu'on ne saurait écarter du concile des hommes qui non seulement ont reçu la consécration épiscopale mais sont aux avant-postes de la chrétienté.

Autre nouveauté par rapport aux conciles antérieurs : l'invitation des évêques de rite oriental (ils seront soixante et un). Le développement des chrétientés d'Orient justifiait pleinement cette présence, rendue possible aussi par l'amélioration des moyens de transport. On notera enfin que les souverains temporels qui, au Moyen Age et durant la Contre-Réforme, avaient participé, eux ou leurs représentants, aux conciles, ne furent pas formellement invités. La Congrégation directrice qui avait à se prononcer sur le sujet avait été divisée. Pie IX était venu assister lui-même aux délibérations et, au cours d'une séance extraordinaire, il fut décidé que les princes ne seraient pas expressément

---

1 - T. GRANDERATH, t. I, pp. 114-115.

invités mais qu'une certaine coopération serait proposée à ceux qui le souhaiteraient. D'où l'expression de la bulle de convocation : « Les souverains et les chefs de tous les peuples, particulièrement les princes catholiques, non seulement n'empêcheront pas nos vénérables frères les évêques et les autres personnes ci-dessus mentionnées de venir au concile, mais au contraire se plairont à les favoriser, à les aider et à les assister de leur coopération... ».

Aucun souverain ne siègerait donc au concile œcuménique. Louis Veuillot interpréta le fait comme un signe officiel de la fin de la chrétienté : « La bulle d'indiction du concile œcuménique n'appelle pas les souverains à siéger dans cette assemblée législative. L'omission est remarquée ! Elle est en effet remarquable. Elle constate implicitement qu'il n'y a plus de couronnes catholiques, c'est-à-dire que l'ordre sur lequel la société a vécu durant plus de dix siècles a cessé d'exister. (...) Une autre ère commence. L'Église et l'État sont séparés de fait, et tous deux le reconnaissent. (...) C'est fait, et ce n'est pas un bien. L'État l'a voulu, non l'Église. L'âme et le corps ne sont plus unis » [1]. Pie IX l'expliquera bientôt en termes moins directs à un diplomate français qui regrettait cette exclusion : « Les rapports des puissances et du Saint-Siège sont tellement changés depuis le dernier concile qu'il lui semble difficile de convoquer certains gouvernements qui se désintéressent de plus en plus des questions religieuses » [2].

Un peu plus de deux mois après la bulle officielle de convocation du concile, le pape adressa deux lettres apostoliques aux chrétiens séparés de Rome. Elles étaient de

---

1 - Article du 11 juillet 1868, repris in **Rome pendant le concile**, *op. cit.*, p. 34.

2 - Dépêche du chargé d'affaires de Croy au ministre français des Affaires Étrangères, en date du 1.9.1869, A.M.A.E., C. P., Rome 1044, f. 80.

tonalité très différentes. La première, en date du 8 septembre 1868, était adressée à « tous les évêques des Églises
du rit oriental qui ne sont pas en communion avec le Siège
apostolique », c'est-à-dire les orthodoxes, les coptes, les
nestoriens, les jacobites, etc. [1]. Pie IX les reconnaissait
comme des « Églises » mais « éloignées et séparées de la
communion de la sainte Église romaine, qui est répandue
dans tout l'univers ».

En conséquence, il invitait ces évêques à venir au concile « afin que les lois de l'ancienne affection soient renouve-
lées, que la paix de nos pères, ce don céleste et salutaire de
Jésus-Christ que le temps a affaibli, reprenne une nouvelle
vigueur, et qu'ainsi brille aux yeux de tous, après une
longue nuit d'affliction et après les noires ténèbres d'une
division prolongée, la lumière sereine de l'union désirée ».

La seconde lettre était d'un esprit très différent. Datée
du 13 septembre, elle s'adressait à « tous les protestants et
autres acatholiques », c'est-à-dire aux membres des différentes confessions protestantes (anglicans, luthériens, calvinistes, etc.) et autres communautés schismatiques (jansénistes, etc.) [2]. Cette fois Pie IX ne s'adressait pas à des
« Églises » mais à des « sociétés religieuses », selon son
expression, et donc à tous les membres de ces sociétés et
non à des évêques (anglicans, épiscopaliens, etc.) que le
Saint-Siège refusait de considérer comme tels. Par ailleurs,
les protestants et « acatholiques » n'étaient pas invités au
concile mais simplement invités à « offrir les plus fer-
ventes prières au Dieu des miséricordes, afin qu'il renver-

---

1 - Lettre apostolique *Arcano divinæ Providentiæ*, publiée in ANNALES, t. II,
pp. 181-183.
2 - Lettre apostolique *Jam vos omnes noveritis*, publiée in ANNALES, t. II, pp. 183-
185·

se le mur de division, qu'il dissipe les ténèbres des erreurs, et qu'il les ramène à la sainte Mère Église... »

Ces invitations aux chrétiens séparés reçurent peu d'écho. Le patriarche de Constantinople, s'il accepta de recevoir les envoyés du pape, refusa de recevoir la lettre d'invitation qu'ils lui apportaient. Les patriarches et métropolites orthodoxes qui étaient sous sa dépendance agirent avec le même dédain. En Russie, la lettre apostolique de Pie IX fut publiée par plusieurs journaux, de manière générale on se félicita que le pape n'eût pas employé le mot de « schismatiques » mais la hiérarchie orthodoxe se refusa à répondre favorablement.

Les divisions du protestantisme étaient telles qu'une réponse commune était impossible. D'ailleurs Pie IX n'avait pas invité les protestants à venir au concile mais à se convertir au catholicisme. Il y eut quelques échos positifs mais qui n'allèrent pas jusqu'à la conversion [1].

Les jansénistes hollandais, par leurs instances dirigeantes, semblèrent favorablement disposés mais ces dispositions ne durèrent pas.

En Angleterre, enfin, les réactions furent, en général, plus vives. Le *Morning Post* estima que « la lettre entière est une insulte au bon sens et aux sentiments religieux de tous les chrétiens qui ne reconnaissent pas Pie IX comme successeur direct de saint Pierre » et le *Times* ironisa [2]. Mais quand un pasteur presbytérien, le Dr Cumming, écrivit au pape pour demander si les protestants auraient la possibilité de s'exprimer librement au concile et d'exposer leurs

---

1 - Joseph CHANTREL, dans les ANNALES, t. II, pp. 214-215, cite les écrits de protestants allemands : W. Menzel, R. Baumstark.

2 - Citations in ANNALES, t. II, p. 218

thèses, Pie IX ne laissa pas cette première démarche sans réponse. Par deux lettres à Mgr Manning, archevêque de Westminster, il confirma son désir de voir les protestants revenir au sein de l'Église catholique et précisa qu'il était disposé, non pas à les admettre dans les séances du concile, mais à désigner des théologiens compétents prêts à débattre avec eux, à Rome même [1]. La bonne volonté du pape était donc manifeste.

Pendant ce temps, les Commissions préparatoires se livrèrent à un travail intense, notamment la Commission doctrinale. Les rapports nombreux qu'elles recevaient étaient le matériau de base dont elles se servaient pour élaborer des projets de décrets.

A la Commission doctrinale furent soumis des exposés sur des sujets très divers : trois sur la primauté pontificale, un sur le pouvoir temporel, un sur l'infaillibilité, d'autres sur le panthéisme et le naturalisme (dont une analyse du cardinal Pecci), sur la liberté de conscience, les sociétés secrètes, la Trinité, la christologie, le communisme, etc. Au terme de cinquante-sept réunions, la Commission doctrinale avait abouti à la rédaction de quatre projets de décrets : sur l'Église, sur le pape, contre les erreurs modernes issus du rationalisme, sur le mariage chrétien [2].

Il est à noter que les premiers schémas avaient été rédigés avec, en introduction, la formule suivante : « *Pius Episcopus, servus servorum Dei, sacro approbante concilio* » (Pie Évêque, serviteur des serviteurs de Dieu, avec l'approbation du saint concile). Cette formule, déjà employée dans

---

1 - Lettres du Pape citées in ANNALES, t. III, pp. 189-190.

2 - Finalement le décret sur le pape fut inséré dans le schéma sur l'Église « pour que la doctrine du Corps mystique ne paraisse pas mutilée en exposant d'un côté ce qui a trait au corps et de l'autre ce qui se rapporte à la tête ».

des conciles précédents (notamment au Ve concile du Latran), semblait déjà marquer du sceau de l'autorité pontificale des matières soumises à délibération. La chose déplut à Pie IX, il demanda que cette formule fût modifiée [1]. La Commission centrale, après de multiples discussions, ne retira pas la formule initiale mais ajouta le complément: « *Schema constitutionis... quod Patribus examinandum proponitur* » (Schéma de constitution... qui est proposé à l'examen des Pères).

Les autres Commissions, elles aussi, préparèrent de très nombreux projets de décrets. La Commission pour la discipline ecclésiastique rédigea vingt-deux projets de décrets, celle des religieux dix-huit, la Commission pour les missions et les Églises de rite oriental prépara un projet de décret sur l'apostolat missionnaire, un autre sur les rites et un troisième sur le ministre extraordinaire de la confirmation. La Commission politico-ecclésiastique rédigea dix-huit projets de décrets (notamment un « Sur le soulagement à apporter à la misère des pauvres et des ouvriers »).

Tous les projets de décrets étaient examinés par la Congrégation directrice qui pouvait suggérer ou imposer des modifications. Celle-ci fut également chargée d'élaborer le règlement qui serait appliqué lors des sessions du concile. Fut notamment consulté le grand historien allemand Hefele, professeur à Tübingen, qui avait commencé à publier en 1855 une monumentale *Histoire des Conciles* qui fait, aujourd'hui encore, autorité.

Outre les questions de protocole et de cérémonial, fut déterminée l'organisation de la présidence : le pape était,

---

1 - T. GRANDERATH, *op. cit.*, t. I, p. 492 s. q.

de droit, président du concile ; aux « congrégations générales » il serait représenté par un conseil de cinq présidents, aux « sessions solennelles » il interviendrait personnellement. Au Souverain Pontife seul revenait le droit de
présenter les matières à discuter au concile, les Pères
conciliaires ne pouvaient émettre que des vœux qui
seraient proposés à l'agrément du pape. Les discussions
se feraient entre Pères du concile et il n'y aurait pas de
réunions parallèles de *theologi minores*, comme il y en avait
eu au concile de Trente. Le règlement fut publié par la
constitution *Multiplices inter* datée du 27 novembre 1869 et
portée à la connaissance des Pères au cours de la séance
présynodale du 2 décembre [1].

Inquiétudes et manœuvres

L'annonce du concile avait inquiété bien des catholiques libéraux qui redoutaient de voir condamner à nouveau leurs idées et qui, pour certains, étaient hostiles à
l'infaillibilité pontificale dont on devinait qu'elle serait
une des questions importantes abordées. Dès l'annonce
publique du concile, en 1867, ces inquiétudes s'étaient
manifestées.

Montalembert, se faisant l'écho des inquiétudes de
l'évêque de Dijon à son retour de Rome, écrivait : « Il croit
les prélats romains, évêques et cardinaux, plus portés à
étendre la portée du *Syllabus* qu'à la restreindre. L'archevêque Manning compte sur le prochain concile pour nous
donner le coup de grâce » [2]. Pendant le même temps Montalembert, dans une adresse au Congrès des catholiques
belges réuni à nouveau à Malines, faisait un éloge public

---

1 - Texte de la constitution in ANNALES, t. III, pp. 233-243.
2 - Lettre du 17 juillet 1867, citée par R. AUBERT, **Vatican I,** *op. cit.*, p. 71.

de l'initiative du pape : « Je salue avec autant de bonheur que de respect cette inspiration providentielle de Pie IX, qui met le comble aux grandeurs de son pontificat ; qui, au moment même où la trahison et l'abandon aggravent tous ses périls, répond aux menaces de mort par une menace de vie ; et, au sein de l'orage, nous inonde de force, de confiance et de lumière » [1].

Les craintes de Montalembert, exprimées à titre privé pour le moment, étaient partagées par un autre libéral, anglais, lord John Acton. Ce disciple de Döllinger, sera, à Rome, une des chevilles ouvrières des libéraux pendant le concile. Au lendemain de l'annonce du concile, il écrivait dans un article : « Pour les avocats des conceptions romaines, le souci de mettre l'autorité à l'abri est plus important que la propagation de la foi » [2].

Mgr Dupanloup, lui, revenu de ses préventions d'origine contre le concile, commença à déployer une activité tous azimuts. En août et septembre 1867, il se rendit à Malines pour s'entretenir avec Mgr Dechamps (qui s'avèrera bientôt un des plus ardents défenseurs de l'infaillibilité), puis à Mayence pour rencontrer Mgr Ketteler et à Cologne pour visiter Mgr Geissel, deux autres personnalités d'importance dans le futur concile. En 1868, il publia une première lettre pastorale sur le sujet, qui se voulait rassurante pour les libéraux, et fonda un journal, le *Français*, dont il confia la direction au libéral Augustin Cochin. Ce journal allait lui permettre d'avoir enfin une tribune quotidienne où répondre, parfois anonymement, aussi

---

1 - Lettre de Montalembert à Falloux, en date du 5 septembre 1867, destinée à être lue au Congrès, in MONTALEMBERT, **Correspondance inédite, 1852-1870**, Cerf, 1970, p. 356.

2 - *The Chronicle*, 13 juillet 1867, cité par R. AUBERT, **Vatican I,** *op. cit.*, p. 72.

bien aux journaux gouvernementaux qu'à la presse ultra-montaine, notamment l'*Univers*, si répandu parmi le clergé français.

C'est pendant l'année 1869, qui devait voir s'ouvrir le concile (en décembre), que les controverses apparurent au grand jour. Les premières furent suscitées par la publication, dans la *Civiltà cattolica* du 6 février, d'une « Correspondance de France » qui fit grand bruit [1]. Il s'agissait de longs extraits de deux mémoires rédigés par des prêtres français et qui avaient été envoyés à Rome par le nonce apostolique à Paris. Les extraits publiés comportaient notamment l'affirmation que les catholiques « proprement dits » désiraient « la proclamation par le futur concile œcuménique des doctrines du *Syllabus*... par des formules affirmatives et avec les développements nécessaires » et qu'ils « accueilleraient avec bonheur la proclamation par le futur concile de l'infaillibilité dogmatique du Souverain Pontife » et, sur ce dernier point : « On ne se dissimule pas cependant que le Souverain Pontife, par un sentiment d'auguste réserve, ne voudra peut-être pas prendre lui-même l'initiative d'une proposition qui semble le toucher personnellement. Mais on espère que l'explosion unanime de l'Esprit-Saint, par la bouche des Pères du futur concile œcuménique, définira par acclamation ». Enfin, était affirmé « qu'un grand nombre de catholiques émettent le vœu de voir le futur concile œcuménique compléter le cycle des hommages solennels rendus par l'Église à la Vierge Immaculée, en proclamant le dogme de son Assomption glorieuse ».

Certains virent dans cet article un coup monté des Jésuites en vue d'une définition de l'infaillibilité par accla-

---

1 - Traduction intégrale de l'article in R. AUBERT, **Vatican I**, *op. cit.*, pp. 261-269.

mation, sans discussion préalable au concile. Il s'agit plutôt d'une maladresse : la revue, très liée au pape, semblait
faire siens des observations et des avis exprimés anonymement. « D'ailleurs, note R. Aubert, des personnalités
telles que le Général des Jésuites ou le Maître du Sacré
Palais regrettèrent explicitement la publication de la mal-
encontreuse correspondance »[1]. Mais les polémiques s'en-
flèrent dans plusieurs pays.

En France, Mgr Dupanloup fit publier deux articles sur
le sujet dans le *Français*, qui déniaient toute autorité et
toute représentativité à cette correspondance et jugeaient
inopportune la définition du dogme de l'infaillibilité[2].

En Allemagne, Döllinger publia dans l'*Allgemeine Zeitung*, du 10 au 15 mars, cinq articles anonymes[3]. Face aux
prétentions exprimées dans la *Civiltà cattolica*, disait Döllinger, il faut « un acte de légitime défense, un appel aux
chrétiens qui réfléchissent, une protestation fondée sur
l'histoire contre un avenir menaçant, contre le programme
d'une puissante coalition... » L'article incriminé n'est que
la manifestation d'une tendance solidement établie dans
l'Église : « Il y a vingt-quatre ans environ qu'a commencé à
se faire sentir dans l'Église catholique un mouvement de
recul, actuellement devenu un puissant courant... ». Döllinger se plaçait dans le courant libéral : « Nous sommes
en communauté d'idées d'abord avec ceux qui sont
convaincus que l'Église catholique ne doit pas prendre
une attitude hostile à l'égard des principes de liberté et de

---

1 - R. Aubert, **Vatican I**, *op. cit.*, p. 78.

2 - F. Lagrange, **Vie de Mgr Dupanloup**, *op. cit.*, t. III, p. 125, mentionne les
articles mais ne dit pas qu'il en fut l'auteur sous la signature de « F. Beslay ».

3 - Ils seront repris et développés en volume sous le titre **Der Papst und dans
Konzil** ; ouvrage paru fin août 1869 à Leipzig, sous le pseudonyme de Janus, et traduit en plusieurs langues.

l'autonomie politique, intellectuelle et religieuse ». Il estimait « nécessaire, inévitable, une grande et profonde
réforme de l'Église ». Enfin il dénonçait la « révolution
ecclésiastique » en préparation et dénonçait comme infondées théologiquement aussi bien la doctrine de l'infaillibilité que celle de la primauté pontificale [1].

Döllinger était persuadé qu'un complot se préparait
pour imposer à l'Église ces doctrines. C'est ce qu'il expliquait dans une lettre privée à Mgr Dupanloup, se fondant
sur les propos tenus par un abbé allemand revenant de
Rome : « D'après ce qu'il a vu et entendu, la faction jésui-
tique conduite par le cardinal Reisach, et favorisée par le
pape, se croit sûre de la victoire. Les rôles sont déjà distribués : un prélat anglais, que vous devinerez de suite, a
promis de prendre l'initiative, et dès l'ouverture du concile, il doit adresser publiquement et de vive voix au pape la
prière de vouloir bien déclarer sa propre infaillibilité.
Alors les évêques suivront par une acclamation générale ;
le pape cédera à cet élan — à cette manifestation du Saint-
Esprit — et le monde catholique sera enrichi d'un nouveau dogme infiniment plus important que la conception
immaculée. Puis viendront les articles du *Syllabus,* etc. » [2].

Dans les mois suivants, plusieurs manifestes, en Allemagne, relayèrent les critiques de Döllinger, avec plus ou
moins de modération [3]. Un de ces manifestes, parti de
Coblence, souhaitait que l'on renonçât à une définition
dogmatique qui séparerait encore plus l'Église catholique
des confessions protestantes et assignait quatre tâches

---

1 - Cité par T. GRANDERATH, *op. cit.,* t. I, p. 219 s. q..

2 - Lettre inédite du 2 avril 1869, Archives de Saint-Sulpice. Le prélat anglais
auquel fait allusion Döllinger est vraisemblablement Mgr Manning.

3 - Textes cités par T. GRANDERATH, *op. cit.,* t. I, pp. 219-243.

prioritaires au futur concile : associer davantage les laïcs à la vie de l'Église, relever le niveau scientifique du clergé, rompre avec la théocratie médiévale, supprimer l'Index. Tous les points de ce manifeste n'étaient certes pas partagés par l'ensemble des catholiques de langue germanique. Mais un certain nombre d'évêques allemands n'étaient pas éloignés de ces vues.

En septembre 1869, lors de leur réunion annuelle à Fulda, une majorité déclara inopportune la définition de l'infaillibilité et quatorze des dix-neuf évêques d'Allemagne adressèrent une lettre collective au pape dans laquelle ils lui faisaient part de leur appréhension d'un tel acte dogmatique. Pie IX fut mécontent de cette lettre parce qu'elle manifestait de l'hostilité à l'égard d'une question qui n'était pas officiellement inscrite au programme du concile.

A la vérité, si certains redoutaient qu'elle fût abordée au concile (tels les évêques de Bohême et ceux de Hongrie qui, eux aussi, adressèrent des lettres collectives au pape), d'autres espéraient qu'elle le serait. Ceux-là aussi firent entendre leur voix. Le plus remarqué — qui allait devenir un des chefs de file des « infaillibilistes » — fut Mgr Dechamps, archevêque de Malines. En juin 1869 il publia une brochure, *L'Infaillibilité et le Concile général*. Le pape en fut très satisfait puisqu'il prit à sa charge les frais de traduction et d'impression de l'ouvrage en Italie [1].

L'ouvrage le plus important des adversaires de l'infaillibilité pontificale, avant une autre brochure de Mgr

---

1 - L'attaché d'ambassade de Croy, reçu en audience le 16 août, rapporte le fait dans une dépêche du 16 septembre 1869 à son ministre, A.M.A.E., C. P., Rome 1 044, f. 85.

Dupanloup dont nous reparlerons, fut celui publié en deux gros volumes par Mgr Maret, *Du Concile général et de la paix religieuse*, en septembre.

Mgr Maret, lié aux libéraux depuis qu'en 1848 il avait fondé avec Lacordaire et Ozanam un journal, l'*Ère Nouvelle*, représentatif d'un courant démocrate-chrétien très minoritaire et éphémère, était un des théologiens les plus influents de l'époque en France. Défenseur des théories gallicanes, qui connurent leur heure de gloire au XVIIᵉ siècle, et qui se caractérisaient par une affirmation farouche d'indépendance par rapport à Rome, Mgr Maret était aussi dans les meilleurs termes avec Napoléon III qui se satisfaisait tout à fait de son néo-gallicanisme. Il résumait sa doctrine en quatre points :

« — Indépendance du pouvoir séculier à l'égard de toute juridiction politique attribuée à l'Église ;
— Légitimité des principes de 1789 et de la constitution de la société moderne ;
— Résidence de la souveraineté spirituelle dans le corps épiscopal uni au Souverain Pontife ;
— Caractère tempéré de la monarchie pontificale [1]. »

Maret était doyen de la Faculté de théologie de Paris depuis 1853. Malgré les instances de Napoléon III, en 1861 Pie IX s'était refusé à le nommer évêque de Vannes. Tout au plus avait-il consenti à le nommer évêque *in partibus* de Sura, c'est-à-dire à lui conférer la dignité épiscopale sans lui confier la direction d'un diocèse existant. L'influence de Mgr Maret n'avait cessé de croître, parmi une certaine

---

1 - Cité par J.-R. PALANQUE, **Catholiques libéraux et gallicans en France face au concile du Vatican**. Publication des Annales de la Faculté des Lettres, Aix-en-Provence/Editions Ophrys, 1962, p. 29.

frange du clergé, mais aussi auprès de l'Empereur, à qui il suggéra nombre de nominations épiscopales, dont celle de Mgr Darboy, autre gallican, à l'archevêché de Paris.

Dès 1862, Mgr Maret avait pensé que la réunion d'un concile serait le remède suprême, « le seul moyen légitime, honorable, de sortir des difficultés présentes, de rétablir le droit dans l'Église, d'éviter un schisme en Italie, de réformer l'Église, de concilier, de pacifier… C'est le seul moyen d'étouffer les intrigues du parti théocratique absolutiste » [1]. Aussi les deux volumes qu'il faisait paraître — grâce à l'aide financière de Napoléon III — à moins de trois mois de l'ouverture du concile tant désiré, étaient-ils l'expression plus élaborée d'idéesdéjà anciennes. Cette fois, espérait-il, par la convocation à Rome de tous les évêques de la chrétienté, elles avaient quelque chance d'être écoutées. Dans son ouvrage il expliquait que les évêques tiennent leur juridiction de Dieu et non du pape, que l'infaillibilité dont peut jouir le pape n'est pas « personnelle » et « séparée » et qu'elle ne peut être exercée que par le consentement des évêques. Il affirmait enfin que le pape n'est pas supérieur au concile, même s'il a le privilège de le convoquer et de le présider. Et il suggérait, pour réconcilier papauté et épiscopat et permettre à ce dernier de jouer tout son rôle dans le gouvernement de l'Église, qu'un concile général soit réuni tous les dix ans.

Mgr Maret avait envoyé son ouvrage à tous les évêques français. Quelques-uns, qui lui devaient leur nomination et qui partageaient ses idées néo-gallicanes, le félicitèrent dans des lettres privées. Mais d'autres voix, contradictoires, se firent entendre publiquement. Et, en premier lieu Mgr Pie qui, le 28 septembre, dans une homélie à son cler-

---

1 - Cité par PALANQUE, *op. cit.*, p. 31.

gé à l'occasion du vingtième anniversaire de sa promotion à l'épiscopat, réfuta l'ouvrage sans le nommer. L'*Univers* publia l'homélie. D'autres évêques approuvèrent publiquement la réponse de leur confrère de Poitiers. Les *Études*, la grande revue des Jésuites français, publia une série d'articles du P. Matignon pour réfuter l'ouvrage de Mgr Maret.

Mgr Maret s'inquiéta quand on lui rapporta que son ouvrage avait été déféré à deux consulteurs de la Congrégation de l'Index. Aussitôt il fit intervenir ses puissantes protections [1]. Le 19 octobre, il adressa à Napoléon III une « Note sur la situation qui est faite à l'évêque de Sura ». Il disait craindre une condamnation prochaine de son livre, demandait à être entendu par le pape lui-même avant d'être jugé et priait l'Empereur de faire intervenir en ce sens son ministre des Affaires Étrangères par « voie télégraphique ». Napoléon III accepta d'intercéder en faveur de Mgr Maret. Le 20 octobre, le ministre adressait un télégramme chiffré à l'ambassadeur de France à Rome demandant à celui-ci d'intervenir auprès du cardinal Antonelli. Le 22 octobre, de Croy répondait par une dépêche télégraphique qu'après avoir consulté Antonelli, qui lui-même s'était enquis de la chose auprès de Pie IX, « personne ne s'est occupé jusqu'à aujourd'hui de porter un jugement sur le livre de l'évêque de Sura ». Effectivement, ce n'est que deux mois plus tard que l'ouvrage fut soumis, semble-t-il, à deux théologiens. Mais déjà le concile s'était ouvert et la réfutation des théories de Mgr Maret allait être faite lors des débats par les multiples interventions des « infaillibilistes ».

---

1 - Les Archives du ministère des Affaires Étrangères, C. P. Rome 1044, ff. 153-180, conservent les pièces de cette affaire.

D'autres voix s'étaient fait entendre suite à celle de Mgr Maret. Le 10 octobre la grande revue des libéraux, le *Correspondant*, avait publié un très long « article-manifeste » (selon l'expression de Montalembert) intitulé sobrement : « Le Concile » et signé « Pour le conseil de rédaction : P. Douhaire ». En fait, les principaux collaborateurs de la revue, hormis Montalembert, y avaient pris part. Tout en jetant « sur son style toutes les sourdines de la plus minutieuse prudence » [1], la revue disait son espoir que le concile repousserait comme inopportune la définition de l'infaillibilité et que le pape ne chercherait pas à l'imposer « car Pie IX n'aura pas moins à cœur que Pie IV la concorde de ses frères ». La revue se prononçait, comme Mgr Maret, pour une réunion périodique du concile œcuménique. L'article suscita la réprobation publique de plusieurs évêques, notamment ceux de Poitiers et de Cambrai, et l'ironie de Louis Veuillot qui consacra un article vengeur au « Janus français » [2].

Mgr Dupanloup, qui s'était montré discret depuis plusieurs mois, même si ses adversaires l'accusaient d'avoir inspiré l'article du *Correspondant*, publia le 11 novembre, avant de partir pour Rome, une brochure de soixante pages intitulée : *Observations sur la controverse soulevée relativement à la définition de l'infaillibilité au prochain Concile*. Expliquant : « Je ne discute pas l'infaillibilité, mais l'opportuni-té », il jugeait qu'une définition dogmatique de l'infaillibilité risquait d'éloigner davantage de l'Église catholique les orthodoxes et les protestants et de « ranimer

---

1 - Lettre de Falloux à Montalembert, le 20 novembre 1869 publiée in MONTALEMBERT, **Correspondance inédite**, *op. cit.*, p. 416. Sur l'article cf. PALANQUE, *op. cit.*, pp. 97-100.

2 - Article du 31 octobre 1869 repris in **Rome pendant le Concile**, *op. cit.*, pp. 58-64.

les vieilles défiances » des gouvernements. La doctrine elle-même n'était pas aisée à définir et en proclamant l'infaillibilité pontificale on risquait aussi d'affaiblir le rôle de l'épiscopat dans l'Église.

Cet écrit, que Mgr Dupanloup fit envoyer à tous les Pères du concile, eut un grand retentissement. La presse internationale en publia de larges extraits. Elle suscita aussi des controverses. Louis Veuillot, constatant que « la campagne contre la doctrine de l'infaillibilité du Vicaire de Jésus-Christ poursuit son cours », estima que la brochure de Mgr Dupanloup « donne une tête épiscopale régulière et officielle à cette prise d'armes » [1].

Le jugement de Louis Veuillot, qui associait Mgr Dupanloup à l'article du *Correspondant*, à l'ouvrage de Mgr Maret et aux écrits de Döllinger, était-il exagéré ? Si l'on analyse les positions de chacun, on doit convenir que sur certains points ils étaient en désaccord. En revanche, ils avaient en commun d'être hostiles à l'infaillibilité et par sa renommée Mgr Dupanloup se trouvait, de fait, chef de file. Döllinger le reconnaissait comme tel. Alors que l'évêque d'Orléans était déjà parti pour Rome, Döllinger l'exhortait en des termes propres à le flatter : « Continuez d'être le chevalier sans peur et sans reproche, le Bayard épiscopal dans ce concile. Tous les yeux sont tournés vers vous, on vous regarde comme le centre de tous les amis sincères de la vérité qui se trouveront à cette réunion. (...) Soyez le *Fabius Cunctator* de l'Église » [2]. Tous n'appréciaient pas, cependant, l'action de l'évêque d'Orléans. Bientôt un *lazzi* courra à Rome : « Mgr Dupanloup

---

1 - Article du 17 novembre 1869 repris in **Rome pendant le Concile**, *op. cit.*, p. 72. Mgr Dupanloup répliqua par un très vif et acerbe *Avertissement à M. Veuillot*.

2 - Lettre inédite du 29 novembre 1869, Archives de Saint-Supice.

traite les évêques comme s'il était le pape, le pape comme s'il n'était qu'un évêque et le concile comme s'il était lui-même le Saint-Esprit » [1].

Premières réunions

Les évêques commencèrent à arriver à Rome à partir de novembre. Le Saint-Siège prit en charge les frais d'héber-gement des évêques les moins fortunés — nombre d'évêques italiens privés de leur traitement par le gouver-nement, les évêques d'Orient ou de pays de mission, etc. Au total quatre évêques sur dix étaient à la charge du Saint-Siège. A quoi s'ajoutaient les frais d'installation et de fonctionnement : une salle de vingt-trois mètres sur quarante-sept, faite de cloisons de bois, aménagée dans le transept droit de la basilique Saint-Pierre et adossée à deux piliers du baldaquin ; des textes et des bulletins à imprimer et autres dépenses. Le concile coûterait 5 000 francs par jour, ce qui fera dire bientôt à Pie IX : « Je ne sais pas si le pape sortira de ce concile faillible ou infaillible, mais il sera certainement en faillite » [2]. Plusieurs journaux européens ouvrirent des souscriptions pour aider le pape à faire face aux frais du concile, notamment l'*Univers*. Pen-dant cent quatre-vingt quatre numéros, jusqu'en mai 1870, le journal de Veuillot publia de longues listes de souscrip-tion. Souvent, le donateur accompagnait son offrande d'une déclaration en faveur de l'infaillibilité ou de marques de vénération envers Pie IX.

Quand le concile s'ouvrit, l'Église comptait 55 cardi-naux, 6 patriarches orientaux, 964 évêques, six abbés *nul-lius*, 24 abbés généraux et 29 généraux d'ordres ou de

1 - R. AUBERT, **Vatican I**, *op., cit.*, p. 92.
2 - R. AUBERT, **Vatican I**, *op. cit.*, p. 94.

congrégations. Tous étaient membres de droit du concile, mais 292 d'entre eux ne vinrent pas à Rome, arguant de raisons de santé ou restant dans le diocèse dont ils n'étaient que l'évêque auxiliaire ou encore empêchés par leur gouvernement (c'est le cas de plusieurs évêques portugais et des seize évêques catholiques de l'Empire russe).

Le chiffre des Pères conciliaires a ensuite varié en fonction des nominations, des décès survenus au cours du concile et des retours anticipés dans les diocèses.

Dans les premiers mois, on comptera environ 700 Pères conciliaires, dans le dernier (juillet 1870) environ 600. C'était le concile le plus nombreux et le plus universel de l'histoire de l'Église. Le dernier concile, celui tenu à Trente au XVIᵉ siècle, avait compté trois fois moins de membres, qui, tous, étaient européens. Cette fois, un tiers des évêques venait des autres continents. Mais les latins dominaient encore, les plus nombreux étant les Italiens (285, soit 35 %) et les Français (131 soit 17 %). Le poids de ces derniers n'était donc pas négligeable, d'autant plus qu'ils ne manquaient pas de fortes personnalités bien connues à l'étranger (tel Mgr Dupanloup) ou appréciées du pape (tel Mgr Pie).

Le gouvernement français avait pleinement conscience du rôle important que joueraient ses évêques. Aussi espérait-il, à travers eux, avoir quelque influence sur le concile.

Alors que le concile s'ouvrait, le ministre de la Justice et des Cultes, Duveyrier, écrivit à son confrère, le ministre des Affaires Étrangères, La Tour d'Auvergne, pour qu'il transmît des consignes claires à l'ambassadeur de France à Rome, Banneville. Duveyrier insistait « pour que M. de Banneville soit invité à user de toute son influence pour prévenir une détermination dont les suites seraient extrêmement fâcheuses » [1]. La « détermination » en question était celle de définir l'infaillibilité pontificale. Le gouvernement y était hostile et le ministre donnait trois raisons : le pouvoir des évêques en serait amoindri, « l'accroissement de la somme des croyances imposées aux catholiques serait de nature à éloigner les fidèles du sein de l'Église et à les pousser vers les doctrines de la libre-pensée et du matérialisme », enfin un tel dogme porterait atteinte au concordat. Le ministre des Affaires Étrangères écrivit aussitôt à l'ambassadeur à Rome en reprenant les mêmes arguments [2]. Le déroulement du concile a montré que le gouvernement n'était pas en mesure d'imposer ses vues.

Le 2 décembre, dans la chapelle Sixtine, eut lieu une première réunion autour du pape. Environ 500 évêques et autres Pères conciliaires étaient déjà présents. Ce n'était point encore l'ouverture officielle du concile, fixée six jours plus tard, mais une réunion présynodale. Le pape y fit un important discours qui montre sa lucidité. Il évoqua les obstacles qui ne manqueraient pas de se présenter :

« Des disputes et des conflits, nous en aurons infailliblement à subir, et l'ennemi, qui ne demande qu'à semer la zizanie avec le bon grain, ne se donnera point de repos ; cependant souvenons-nous de la force et de la persévérance des apôtres, qui reçurent cet éloge du Maître : " Vous m'êtes restés fidèles dans mes tribulations " (Lc 12, 28) ; souvenons-nous de la sentence du Sauveur : " Qui n'est pas avec moi est contre moi " (Mt 12, 30). Souvenons-nous enfin de notre devoir et mettons toute l'application possible à suivre le Christ par une foi inébranlable et des sen-

---

1 - Lettre de Duveyrier à La Tour d'Auvergne, en date du 11 décembre 1869, A.M.A.E., C.P., Rome 1044, ff. 312-313.

2 - Lettre du 12 décembre 1869, A.M.A.E., C.P., Rome, 1044, ff. 314-315.

timents invariables, et à lui rester étroitement attachés » [1].
Le texte du règlement fut distribué.

Pour présider à sa place les futures congrégations générales, le pape avait désigné cinq membres de la Congrégation directrice préparatoire (les cardinaux de Reisach, De
Luca, Bizzarri, Bilio et Annibal Capalti ; le premier mourra
peu de temps après et sera remplacé, le 30 décembre, par
le cardinal De Angelis). Un secrétaire était aussi nommé :
Mgr Fessler, évêque de Saint-Pölten, en Autriche ; il jouera
un rôle de premier plan dans le déroulement du concile.
Ce choix d'un évêque de langue et de culture germa-
niques à un poste-clef pourrait mécontenter les évêques
des autres pays, avait fait remarquer le cardinal Caterini,
préfet de la Congrégation du Concile. Il eût préféré qu'un
Italien soit nommé à ce poste puisque les évêques italiens
étaient les plus nombreux au concile. Pie IX maintint son
choix mais accepta qu'un Italien fût nommé comme sous-
secrétaire : Mgr Ludovico Jacobini. Il était prévu aussi la
constitution de quatre Députations de 24 Pères.

Cette première réunion mécontenta certains. Icard rapporte une conversation qu'il eut avec Mgr Darboy. L'archevêque de Paris manifestait déjà sa mauvaise humeur :
« C'est creuser notre fosse que d'accepter ce règlement ; il
eût mieux valu qu'on nous laissât chez nous » [2].

A plusieurs reprises, le même auteur, en relations quotidiennes avec de nombreux évêques, fait état de craintes
exprimées par certains qu'à la première session générale,
le 8 décembre, ne soient soumis au vote des décrets qu'ils
n'auraient pas examinés. Il n'en fut rien.

---

1 - Cité par T. GRANDERATH, *op. cit.*, t. II, vol. 1, pp. 10-11.
2 - ICARD, « Journal... », 4 décembre 1869, f. 23.

Le 8 décembre, après une journée de jeûne et d'absti-
nence, eut lieu l'ouverture solennelle. Des milliers de pèlerins, venus de toute l'Europe, assistaient à la cérémonie
depuis la basilique Saint-Pierre. Seuls quelques privilégiés
avaient eu accès à des tribunes spéciales aménagées
autour de la salle de réunion : l'impératrice d'Autriche,
l'ex-roi de Naples, quelques autres membres de familles
souveraines et les diplomates accrédités auprès du Saint-
Siège. Après la messe solennelle de l'Immaculée Conception chantée par le doyen du Sacré-Collège dans la salle
du concile, le pape entonna les prières d'ouverture.

Puis deux décrets, tout à fait formels, furent adoptés
par acclamation et non par vote écrit : un décret proclamant le concile ouvert, un autre fixant la prochaine session générale au 6 janvier. Ensuite Pie IX fit un discours où
tour à tour il évoqua les dangers du libéralisme, rappela
que le concile avait été convoqué pour porter remède aux
maux de l'Église, réaffirma la nécessité du pouvoir temporel et enfin recommanda l'union des Pères conciliaires au
Saint-Siège.

Il les exhorta en ces termes : « Courage donc, vénérables
frères, réconfortez-vous dans le Seigneur ; et au nom de
l'auguste Trinité, sanctifiés dans la vérité, revêtus des
armes de la lumière, enseignez avec nous la voie, la vérité
et la vie à laquelle le genre humain, au milieu de toutes ses
agitations et de toutes ses misères, ne peut s'empêcher
d'aspirer ; travaillez avec nous à obtenir que les royaumes
retrouvent la paix, les barbares une loi, les monastères le
repos, les Églises l'ordre, les clercs la discipline, et Dieu,
un peuple qui lui soit agréable » [1].

------

1 -Cité par T. Granderath, op. cit., T. II, vol. 1, p. 32.

Mais il est à noter que, si Pie IX appelait à l'union, il n'entendait pas restreindre la liberté de parole pendant les séances. Lors du procès de béatification, le Promoteur de la Foi, en 1974, mentionnera « la liberté des Pères au concile Vatican I » parmi les « difficultés » que posait la cause de béatification [1].

Le reproche est injustifié. Avant même la séance d'ouverture, Pie IX avait tenu à rassurer lui-même les évêques qui auraient pu s'en inquiéter : « Les évêques admis hier à l'audience, note Icard le 5 décembre, étaient tous contents, parce que le pape leur avait témoigné de la bienveillance, et leur avait dit qu'il voulait qu'ils fussent libres » [2]. Le déroulement des débats conciliaires verra toutes les opinions s'exprimer et très longuement.

Au fil des débats, plusieurs tendances apparurent. Comme naturellement des réunions par groupes linguistiques se tinrent régulièrement en dehors des sessions plénières. L'Italie faisait exception, divisée en deux groupes principaux : « Le groupe de l'Italie centrale, où les Toscans donnaient le ton et qui se distingua à plusieurs reprises par sa modération ; le groupe septentrional, sous la présidence du patriarche de Venise, mais où un certain nombre d'évêques piémontais et lombards se distinguaient par leur tendance libérale et leur indépendance à l'égard des positions dominantes à Rome » [3]. Le groupe germanique, regroupant les évêques allemands, austro-hongrois et suisses était, à l'origine, nombreux : 78 Pères. Mais certains cessèrent d'assister aux réunions du groupe quand

---

1 - P. R. Pérfz, « Alcune difficolta' emerse nelle discussioni " *Super Virtutibus* " der Servo di Dio Pio Papa IX » in C. Snider, **Pio IX nella luce dei processi canonici**, Editrice la Postulazione della Causa di Pio IX/Libreria Editrice Vaticana, 1992, p. 237.

2 - Icard, « Journal... », 5 décembre 1869, f. 26.

3 - R. Aubert, **Vatican I**, *op. cit.*, p. 103.

celui-ci se montra majoritairement hostile à une définition de l'infaillibilité pontificale.

Le groupe hispanique (Espagne et Amérique latine), dès sa première réunion, décida de proposer la définition de l'infaillibilité pontificale si elle n'était pas officiellement mise au programme.

Le groupe français, auréolé du prestige de certains de ses évêques, du rayonnement dans le monde de ses congrégations missionnaires et de l'action de Napoléon III en faveur du pouvoir temporel du pape, était néanmoins très divisé entre libéraux et néo-gallicans d'un côté, et ultramontains de l'autre. Il n'y eut qu'une réunion commune puis des regroupements par tendances : les ultramontains rassemblés autour de l'archevêque de Bourges, au Séminaire français ; les adversaires de la définition de l'infaillibilité autour du cardinal Mathieu, au palais Salviati ; les modérés autour du cardinal de Bonnechose, à Saint-Louis des Français.

C'est avant tout la question de l'infaillibilité qui fit rapidement distinguer au sein du concile une « majorité » et une « minorité » (ces deux termes apparaissent dans le journal de Icard dès le 22 décembre). Le nombre des évêques favorables à une définition de l'infaillibilité pontificale par le concile était — chacun le savait avant l'ouverture même des travaux — très largement supérieur à celui des évêques qui, pour des raisons diverses, y étaient opposées. Toutefois, le clivage entre ces deux grandes tendances ne se faisait pas seulement sur la question de l'infaillibilité. Le plus souvent, il recoupait d'autres divergences portant sur une conception plus générale de l'Église et sur les rapports entre l'Église et l'État.

La majorité était constituée des évêques des pays traditionnellement catholiques (Italie, Espagne, Galicie, Tyrol,

Irlande, Amérique Latine) mais aussi d'évêques issus de pays confrontés au protestantisme ou au libéralisme (tous les évêques belges et hollandais, la plupart des suisses, un certain nombre d'évêques français, anglais, nord-américains, allemands) et un grand nombre d'évêques orientaux et missionnaires.

La minorité, selon les estimations de Roger Aubert, comptait, au début du concile, environ cent quarante membres. Certains étaient hostiles à la doctrine elle-même, la jugeant infondée théologiquement : c'était le cas de Mgr Maret. D'autres, sans y être foncièrement hostiles, jugeaient sa définition inopportune ; ils craignaient qu'elle n'envenimât davantage encore les rapports entre l'Église et l'État, c'était le cas de Mgr Ketteler, archevêque de Mayence, ou de Mgr Simor, primat de Hongrie. Cette minorité était constituée du plus grand nombre des évêques allemands et autrichiens. L'âme en fut le cardinal Rauscher, archevêque de Vienne (« le directeur spirituel de la minorité » selon l'expression de Johann Friedrich Schulte, professeur de droit canon à l'université de Prague [1]. Le second groupe important de la minorité était constitué d'évêques français où dominaient le cardinal Mathieu, Mgr Darboy, Mgr Maret, Mgr Dupanloup [2]. Ces évêques français de la minorité savaient que l'immense majorité de leurs prêtres ne comprenait pas leur position ; aussi, une fois le dogme proclamé, ils s'y rallieront tous, de plus ou moins bonne grâce.

Une des chevilles ouvrières de la minorité fut, significativement, un laïc, lord Acton, que nous avons déjà évoqué.

---

1 - Cité par R. AUBERT, **Vatican I**, *op. cit.*, p. 114.

2 - Icard, qui est un ultramontain modéré, décrit souvent l'évêque d'Orléans comme « fort exalté ».

Libéral, adversaire de l'infaillibilité pour des raisons d'ordre historique, il vint à Rome pour y faire triompher ses idées. « Servi par ses nombreuses relations internationales et sa connaissance des langues, il s'empressa de mettre en rapport les principales têtes de l'opposition, dont plusieurs se connaissaient à peine en arrivant à Rome. Il leur servait au besoin d'interprète, leur révélait les possibilités d'action commune devant lesquelles beaucoup avaient d'abord reculé, leur faisant entrevoir les possibilités de soutiens gouvernementaux qu'on pourrait obtenir, non seulement à Paris, à Vienne ou à Munich, mais même à Londres » [1].

A l'extérieur, l'adversaire le plus virulent de la majorité fut Döllinger. Du 17 décembre 1869 au 19 juillet 1870, il publia dans l'*Allgemeine Zeitung*, sous le pseudonyme de *Quirinus*, une série de « Lettres de Rome » qui firent grand bruit [2]. Döllinger alimentait ses chroniques des nombreuses correspondances que lui adressaient de Rome ses amis, notamment lord Acton, et aussi des dépêches des ambassadeurs de Bavière et de Prusse dont le gouvernement bavarois lui communiquait copie.

Enfin, on notera que dès les premiers jours de décembre, Mgr Haynald, évêque hongrois hostile à l'infaillibilité, suggéra à Mgr Dupanloup de constituer un « Comité international » pour défendre leurs idées [3]. Le projet séduisit l'évêque d'Orléans, qui s'activa beaucoup pour le réaliser, mais non sans peine. Les réunions par groupes linguistiques et les premiers travaux conciliaires

---

1 - R. AUBERT, **Vatican I**, *op. cit.*, p. 121.

2 - Les 79 lettres publiées dans l'*Allgemeine Zeitung* furent réunies ensuite en volume : **Quirinus Römische Briefe vom Konzil**, Munich, 1870.

3 - F. LAGRANGE, **Vie de Mgr Dupanloup**, *op. cit.*, t. III, p. 156.

avaient déjà commencé, quand ce « Comité international » fut effectif. Icard le mentionne pour la première fois le 29 décembre. Il le présente comme dominé par les archevêques de Vienne et de Prague, et note qu'y figurent plusieurs évêques français (Darboy, Dupanloup, Ginoulhiac), des Allemands, des Italiens et des Américains [1].

Le règlement prévoyait la constitution de plusieurs commissions destinées à examiner de manière plus approfondie les grands sujets à traiter. Une seule, la commission dite des postulats, chargée de recevoir et de trier les propositions (*postulata*) des Pères avant de les transmettre au pape, et composée de 26 membres, fut nommée directement par le pape. Les autres, composées chacune de 24 membres, furent élues : la Députation de la foi (ou commission dogmatique) le 14 décembre, la Députation de la discipline, le même jour, la Députation des religieux le 20 décembre, la Députation pour les Églises orientales et les missions le 14 janvier.

L'élection de la Députation de la foi donna lieu au premier dissentiment grave entre majorité et minorité. Les éléments les plus déterminés de chacune des deux tendances avaient constitué, avant le vote, une liste de candidats. Celle des partisans de l'infaillibilité, mise au point par certains champions de la cause (Dechamps, Manning, etc.) et par les cardinaux De Angelis et Patrizzi, recueillit sans peine une très large majorité des suffrages lors du vote. La plupart des Pères, ne se connaissant pas entre eux, jugèrent plus sage de voter pour une liste composée uniquement de défenseurs de la cause pontificale et qui semblait avoir été inspirée en haut lieu. La minorité se sentit mise à l'écart et, lors de l'élection des autres Députa-

---

1 - ICARD, « Journal... », 29 décembre 1869, f. 76.

tions, elle ne réussit à placer qu'un nombre très réduit de ses représentants.

On relèvera, une fois encore, sans tomber dans l'hagiographie, le souci de justice de Pie IX : il aurait voulu que Mgr Dupanloup, qui apparaissait comme un des chefs de file de la minorité, fît partie d'une des commissions importantes. Mgr Manning était hostile à cette idée. La chose ne se fit pas [1].

Premières discussions

Le premier schéma distribué aux Pères le 10 décembre était un projet de constitution dogmatique, *De doctrina catholica contra multiplices errores ex rationalismo derivatos* (« Sur la doctrine catholique contre les erreurs multiples dérivées du rationalisme ») : un long texte en dix-huit chapitres, auquel avait pris une grande part le P. Franzelin, professeur à la Grégorienne. Étaient tout d'abord condamnées plusieurs théories : le matérialisme, le panthéisme, le rationalisme absolu ainsi que son opposé, le traditionalisme [2].

Puis étaient développés les grands problèmes de théologie fondamentale : l'Écriture et la Tradition, sources de la révélation ; nécessité d'une révélation surnaturelle ; distinction entre connaissance de foi et science ; caractère immuable du dogme, etc. Enfin étaient redéfinis plusieurs points importants de théologie dogmatique : la Trinité, la création, l'Incarnation et la Rédemption, la nature de

---

1 - T. GRANDERATH, *op. cit.*, t. II, vol. 1, p. 92.

2 - Le traditionalisme, au XIXᵉ siècle, désignait une doctrine qui dénie à la raison le pouvoir de connaître quelque chose de Dieu si ce n'est à travers la Révélation et la tradition de l'Église. Cette doctrine avait été déjà condamnée par un décret de la Congrégation de l'Index, en juin 1855, contre les thèses d'Augustin Bonnetty, DENZINGER-SCHÖNMETZER, **Enchiridion symbolorum**, Herder, 1976, pp. 562-563.

l'homme, l'ordre surnaturel, le péché, la grâce. La discussion de ce schéma s'ouvrit le 28 décembre.

Le premier intervenant fut le cardinal Rauscher. Il en fit une critique en règle pendant plus d'une heure. Les erreurs évoquées, expliqua-t-il, ont déjà été plusieurs fois condamnées. Par ailleurs, l'exposé doctrinal était trop professoral. Plusieurs autres orateurs, dans la suite de la journée, critiquèrent eux aussi le schéma, lui reprochant « outre sa longueur et un plan discutable, son ton trop polémique et son langage trop technique, peu accessible aux fidèles » [1]. Les jours suivants, d'autres critiques furent formulées. Si bien que le 7 janvier la Députation de la foi, lors de sa première réunion, décida de retirer le projet et de le refondre entièrement.

Le premier projet de constitution repoussé, on passa à l'examen de plusieurs schémas présentés par la commission de la discipline ecclésiastique. Un premier schéma traitait des devoirs des évêques, de leur obligation de résidence dans le diocèse, des visites pastorales et des visites *ad limina*, des synodes provinciaux ou diocésains et des vicaires généraux. Un deuxième schéma traitait des problèmes que pose la vacance d'un siège épiscopal. La discussion de ces deux premiers schémas fut l'occasion pour les adversaires de la centralisation romaine de faire entendre leur voix. Mgr Dupanloup, qui intervenait pour la première fois, se plaignit que les décrets des conciles provinciaux furent parfois modifiés unilatéralement par les congrégations romaines. Mgr Strossmayer, évêque de Diakovar, un des meilleurs orateurs de la minorité,

---

1 - R. AUBERT, M. GUERET et P. TOMBEUR, **Concilium Vaticanum I. Concordance, Index, Listes de fréquence, Tables comparatives**. Publications du CETEDOC, B-Louvain, 1977, p. VII.

demanda que des conciles œcuméniques se tiennent périodiquement [1].

Un troisième schéma disciplinaire abordait des points de détail comme la tonsure, la soutane, les maisons de retraite pour vieux prêtres, etc. Si certains discours s'égarèrent dans des considérations trop locales, remarque Roger Aubert, d'autres abordèrent le problème avec une louable hauteur de vue que l'avenir confirma. Notamment Mgr Gastaldi, évêque de Saluces, qui demanda la rédaction d'un code unique de droit canonique, d'usage simple, pour unifier les différentes prescriptions en vigueur, dispersées dans des recueils de consultation malcommode, et parfois dépassées. Un quatrième projet portait sur la rédaction d'un catéchisme universel, en latin, pour remplacer les multiples catéchismes diocésains. Ces quatre projets furent tour à tour discutés en janvier puis dans les trois premières semaines de février et, finalement, eux aussi furent retirés pour être amendés, la Députation de la discipline étant chargée de modifier les textes primitifs. Deux des quatre schémas seulement seront présentés à nouveau au concile avant qu'il ne soit interrompu : celui sur le catéchisme, fin avril, et celui sur la direction des diocèses en cas de vacance.

La constitution *Dei Filius*

Mais d'autres sujets avaient occupé déjà les esprits. Le 21 janvier 1870, un nouveau projet de constitution dogmatique fut distribué aux Pères, *De Ecclesia Christi*, et fin février, six autres schémas : deux provenant à nouveau de

---

1 - Il reprenait là la vieille revendication conciliariste que Mgr Maret avait ressuscitée quelques mois auparavant et que certains participants au concile Vatican II formuleront à nouveau un siècle plus tard.

la Députation de discipline et relatifs à la messe et aux titres d'ordination, et quatre provenant de la Députation des religieux.

La nouvelle constitution dogmatique visait, en quinze chapitres, à exposer la nature, les propriétés et le pouvoir de l'Église puis à condamner des erreurs relatives à l'ecclésiologie. L'Église y était définie comme le Corps mystique du Christ et présentée comme « une société spirituelle, d'un ordre absolument surnaturel » mais « une société visible », dotée d'un magistère, d'un culte, d'un sacerdoce visibles. On y précisait en quel sens il faut entendre l'axiome « Hors de l'Église point de salut ». Si la primauté du pape dans l'Église faisait l'objet d'un long chapitre, la question, controversée alors, de l'infaillibilité pontificale n'était pas évoquée parce qu'elle n'avait pas encore été inscrite officiellement à l'ordre du jour des débats conciliaires. La justification de la souveraineté temporelle de la papauté était rappelée et le schéma se terminait par trois longs chapitres consacrés aux rapports entre l'Église et l'État. Si la légitimité de « formes multiples et variées de sociétés civiles » était reconnue, la séparation de l'Église et de l'État était rejetée comme une erreur. L'État se doit non seulement de s'inspirer de la morale chrétienne mais aussi de respecter les droits des parents sur leurs enfants (notamment dans le domaine éducatif) et les droits de l'Église sur les fidèles.

La définition de l'Église comme « Corps mystique du Christ », pourtant tirée des Pères de l'Église, désarçonna certains évêques qui demandèrent qu'on lui substituât une définition plus habituelle. D'autres regrettèrent que la fondation de l'Église par le Christ n'ait pas été suffisamment mise en valeur et que la fonction propre à l'épiscopat soit éclipsée par l'importance accordée à la papauté. De ce dernier point, convinrent même des évêques jugés ultramontains, tel Mgr Pie qui reconnut : « Le schéma est répréhensible par le silence qu'il garde sur les évêques. Il y a là une lacune fâcheuse » [1]. Ce schéma fut, lui aussi, retiré et profondément remanié. La suspension du concile, quelques mois plus tard, fit que le nouveau texte ne put jamais être distribué aux Pères.

Le premier schéma doctrinal sur la Révélation, renvoyé en commission le 10 janvier, avait été totalement remanié « pour lui donner une allure moins professorale et éviter toute condamnation d'une opinion librement discutée » [2]. Trois hommes y prirent une part prépondérante : Mgr Dechamps, Mgr Pie et Mgr Martin, assistés de théologiens de valeur, notamment le P. Kleutgen, Jésuite allemand et thomiste.

Ce schéma sur la Révélation fut réduit à neuf chapitres puis finalement divisé en deux constitutions distinctes. La première, *Dei Filius*, portait sur « la foi catholique » et fut distribué aux Pères le 14 mars. Sa discussion en congrégation générale commença quatre jours plus tard. Elle dura plus d'un mois et permit d'introduire des nuances et des précisions, même si un certain nombre d'évêques se plaignirent que les quelque 281 amendements proposés fussent examinés bien trop rapidement. Le 24 avril enfin, dans une session solennelle présidée par le pape, les 667 Pères présents approuvèrent à l'unanimité la constitution. La minorité qui, parfois, avait hésité jusqu'à la veille du vote, se rallia.

Quelques opposants irréductibles, tel Mgr Strossmayer, préférèrent ne pas venir prendre part au vote. C'était la

1 - Icard, « Journal... », f. 188.
2 - R. Aubert, **Vatican I**, *op. cit.*, p. 182.

première constitution à être approuvée par le concile. Une fois le résultat acquis, Pie IX se leva pour proclamer : « Les décisions et les canons contenus dans la constitution dont il a été donné lecture ont reçu l'approbation de tous les Pères sans exception ; et nous, de notre part, avec l'approbation du saint concile, nous définissons les uns et les autres tels qu'ils ont été lus et nous les confirmons en vertu de notre autorité apostolique ».

Cette constitution a été jugée sévèrement par quelques évêques qui l'avaient votée à contre-cœur, et dénigrée par certains historiens à leur suite qui lui ont reproché son formalisme. Un spécialiste du catholicisme contemporain comme Roger Aubert, rarement laudateur, reconnaît que *Dei Filius* « constitue une œuvre remarquable, qui oppose au panthéisme, au matérialisme et au rationalisme modernes un exposé dense et lumineux de la doctrine catholique sur Dieu, la Révélation et la foi » [1].

Un prologue assez développé rappelait les principales erreurs qui se sont répandues à l'époque moderne et contre lesquelles l'Église a dû lutter : les Saintes Écritures considérées comme des « inventions fabuleuses » (étaient visées ici, sans être nommés, les exégètes et historiens qui voulaient « démythologiser » le christianisme : Strauss en Allemagne, Renan en France, etc.), le rationalisme ou naturalisme qui mène à « l'abîme du panthéisme, du matérialisme et de l'athéisme » et aussi ceux des théologiens catholiques qui « confondant à tort la nature et la grâce, la science humaine et la foi divine, se trouvent donner aux dogmes un sens détourné de celui que tient et enseigne la Sainte Église, leur mère, et mettre en péril l'intégrité et la pureté de la foi ».

___

1 - R. AUBERT, **Vatican I**, *op. cit.*, p. 191.

Face à ces erreurs diverses, quatre courts chapitres réaffirmaient la doctrine catholique : « Dieu, créateur de toutes choses », « la Révélation », « La foi » et « La foi et la raison ». Dix-huit canons étaient annexés à la constitution proprement dite pour frapper d'anathème ceux qui professent des hérésies en contradiction directe avec les vérités de foi rappelées dans les quatre chapitres.

Le dogme de l'infaillibilité

Pendant que les schémas disciplinaires et la constitution *Dei Filius* étaient discutés, la question de l'infaillibilité était déjà discutée hors des séances du concile et faisait l'objet de manœuvres diverses.

La commission dogmatique préparatoire, nous l'avons vu, avait décidé de ne pas proposer un schéma sur l'infaillibilité pontificale aux Pères, pour ne pas faire apparaître la question comme suggérée par l'intéressé lui-même, le pape.

Il appartiendrait aux évêques d'en faire eux-mêmes la demande s'ils jugeaient une telle définition théologiquement fondée et opportune. Dès le 18 décembre, Mgr Pluym, passioniste hollandais, vicaire patriarcal de Constantinople, avait déposé à la commission des postulats une demande d'inscription aux débats de la question de l'infaillibilité.

Peu de jours après, le cardinal Rauscher fit circuler un exposé manuscrit de ses objections. Infaillibilistes et antiinfaillibilistes (ou « faillibilistes » comme les appelait ironiquement Veuillot) n'allaient dès lors cesser de s'affronter par pétitions, mémoires et discours interposés.

A la fin du mois de janvier, parut un ouvrage qui produisit un grand effet : *De la Monarchie pontificale à propos du livre de Mgr de Sura*, de dom Guéranger [1]. L'abbé de Solesmes, membre de droit du concile en tant que chef de congrégation, n'avait pas voulu s'y rendre pour des raisons de santé. Mais il souhaitait répondre au livre de Mgr Maret et défendre la possibilité d'une définition doctrinale de l'infaillibilité personnelle du Souverain Pontife. Il réfutait aussi, au passage, les assertions du *Correspondant*, de Döllinger et de Mgr Dupanloup. L'ouvrage tombait à point. Pie IX, informé de son contenu, en fut satisfait et voulut qu'il en fût distribué « un grand nombre ». Son désir avait été devancé puisque l'évêque du Mans en avait déjà fait venir trois cents exemplaires. Quand il eut lu le livre, le pape adressa un bref à dom Guéranger qui, plus qu'un éloge, était une vive critique des antiinfaillibilistes : « Les adversaires de l'infaillibilité sont des hommes qui, tout en se faisant gloire du nom de catholiques, se montrent complètement imbus de principes corrompus, ressassent des chicanes, des calomnies, des sophismes, pour abaisser l'autorité du chef suprême que le Christ a préposé à l'Église, et dont ils redoutent les prérogatives. Ils ne croient pas, comme les autres catholiques, que le concile est gouverné par le Saint-Esprit ; pleins d'audace, de folie, de déraison, d'impudence, de haine, de violence, pour exciter les gens de leur faction, ils emploient les menées à l'aide desquelles on a coutume de capter les suffrages dans les assemblées populaires ; ils entreprennent de refaire la divine constitution de l'Église, et de l'adapter aux formes modernes des gouvernements civils » [2].

---

1 - Cf. Dom DELATTE, **Dom Guéranger abbé de Solesmes**, Solesmes, 1984, édition revue et augmentée, p. 804-807.

2 - Cité par U. MAYNARD, **Mgr Dupanloup et M. Lagrange son historien**, Société générale de librairie catholique, 1884, p. 264. Le cardinal Pitra écrira à dom Guéranger que ce bref, pour le moins énergique, n'était en fait que la version atténuée d'un texte qui avait connu deux brouillons beaucoup plus virulents, Dom DELATTE, *op. cit.*, p. 815.

La critique sévère de Pie IX était justifiée à l'encontre d'adversaires de l'infaillibilité tel Mgr Maret qui prônait un néo-gallicanisme et un libéralisme contraires à la constitution de l'Église. Elle était sans doute exagérée quand elle ne distinguait pas ceux-là de ceux qui étaient hostiles à la définition pour des raisons d'opportunité, tel Mgr Ketteler.

Enfin, quand Pie IX stigmatisait les antiinfaillibilistes pour des « menées à l'aide desquelles on a coutume de capter les suffrages dans les assemblées populaires », il aurait pu adresser le même reproche aux partisans de l'infaillibilité. De part et d'autre, en effet, on agit par conciliabules, manœuvres et pétitions.

Le premier texte qui circula, semble-t-il, fut l'œuvre des antiinfailibilistes. Le 15 janvier, Icard signale que plusieurs évêques se sont réunis pour préparer une lettre demandant au pape d'écarter la question de l'infaillibilité. 33 évêques français la signèrent [1].

La riposte fut d'envergure : le 28 janvier, un postulat était déposé en faveur de la définition dogmatique de l'infaillibilité pontificale. A l'initiative d'Antoine Pierre IX Hassoun, patriarche arménien, et de Mgr Ledochowski, archevêque de Gnesnen et Posnan, quatre exemplaires de ce postulat circulèrent et permirent de recueillir 380 signatures.

Si l'on ajoute une demande des évêques de l'ancien royaume de Naples qui recueillit 69 signatures, un postulat de sens identique des 17 évêques de l'ordre franciscain et divers autres postulats individuels ou collectifs, on arrive à un chiffre important de 480 pères conciliaires deman-

---

1 - ICARD, « Journal... », 15 janvier 1870, f. 127.

dant expressément une définition dogmatique de l'in-faillibilité[1].

Le postulat des 380 proposait la formule suivante de définition : « L'autorité du Pontife romain est exempte de toute erreur quand, en matière de foi et de mœurs, il déter-mine et prescrit ce que tous les fidèles ont à croire et tenir ou à rejeter et condamner ». Cette formule, jugée trop absolue — n'était pas mentionnée la nécessaire commu-nion avec la foi de l'Église et n'étaient pas précisées non plus les conditions exactes d'une telle infaillibilité —, fit que certains évêques préférèrent signer les autres postu-lats évoqués.

Ces pétitions inquiétèrent les antiinfaillibilistes. Une délégation de quarante d'entre eux obtint d'être reçue en audience par Pie IX et lui demanda que ne fût pas donné suite aux pétitions soumises à la commission des postu-lats. Après les avoir écoutés, le pape leur répondit : « Confiez-vous au concile, mes frères, donnez vos suf-frages en votre âme et conscience, exposez vos idées à vos collègues à la congrégation générale, et laissez le reste à Dieu et à l'Esprit-Saint qui n'abandonnera jamais, au grand jamais, l'Église du Fils de Dieu, mais éclairera sûre-ment l'assemblée »[2].

Les antiinfaillibilistes continuèrent à agir. Sans doute le « Comité international », dont nous avons parlé, ne vou-lut-il pas apparaître comme un bloc d'opposition en fai-sant circuler un texte unique. Aussi, c'est par groupes nationaux que les adversaires de la définition rédigèrent des documents.

---

1 - T. GRANDERATH, *op. cit.*, t. IV, pp. 168-169.
2 - T. GRANDERATH, *op. cit.*, t. II, vol. 1, p. 374.

Cette manière d'agir permettait aussi de présenter, de l'un à l'autre, des arguments différents et de recueillir ainsi un plus grand nombre de signatures. Cinq documents distincts furent rédigés pour refuser d'inscrire la question aux débats. Certains insistaient sur les difficultés doctrinales, d'autres s'en tenaient à l'opportunité.

Les pétitions antiinfaillibilistes recueillirent 136 signatures. Certes il ne s'agissait que d'une minorité des Pères mais une minorité qui n'était pas insignifiante (environ 20 % du concile) et qui comptait quelques personnalités de grande notoriété, représentant des diocèses souvent importants. Pendant ce temps, en lien avec le cardinal de Rouen, Icard préparait un texte de conciliation qui ne rencontra guère de succès.

Malgré le nombre non négligeable des opposants, le 9 février, la commission des postulats transmit au pape, avec avis favorable, les pétitions en faveur de la définition. Pie IX hésita près de trois semaines avant de prendre sa décision. Certains crurent qu'il n'osait aller de l'avant devant l'importance numérique des opposants. C'était une vue fausse de la situation.

Une anecdote, rapportée, entre autres, par Granderath, illustre bien l'état d'esprit du pape à ce moment. Le cardinal Schwarzenberg, reçu en audience par le pape, s'efforçait de lui montrer que la définition était inopportune et pleine de dangers. Pie IX l'interrompit : « Moi Giovanni Maria Mastai, je crois à l'infaillibilité du Souverain Pontife. Comme pape, je n'ai rien à demander au concile. L'Esprit-Saint éclairera les Pères » [1].

---

1 - T. GRANDERATH, *op. cit.*, t. II, vol. 1, p. 372. L'auteur précise : « Nous ne pouvons certifier l'exactitude de ce récit », mais tient le propos pour significatif de la pensée du pape.

Aussi, le 1ᵉʳ mars, le pape informait Mgr Fessler, le secrétaire du concile, de son souhait de voir l'infaillibilité discutée en séance. Le 6 mars un premier projet de définition était distribué aux Pères conciliaires.

Se place à ce moment-là un épisode qui n'eut pas de conséquence sur le déroulement du concile mais qui est significatif de l'exaspération atteinte dans certains milieux libéraux.

Montalembert, qui s'était brouillé avec ses amis du *Correspondant*, jugés trop timorés, et qui plaçait maintenant ses espoirs en Mgr Dupanloup, publia le 7 mars dans la *Gazette de France*, et le 9 dans le *Journal des Débats*, une lettre d'une extrême virulence. Il y répondait à un contradicteur qui lui reprochait d'avoir abandonné ses positions anti-gallicanes de 1847 : « Qu'est-ce qui pouvait nous faire soupçonner en 1847 que le pontificat libéral de Pie IX, acclamé par tous les libéraux des deux mondes, deviendrait le pontificat représenté et personnifié par l'*Univers* et la *Civiltà* ?... Qui est-ce qui pouvait prévoir l'enthousiasme de la plupart des docteurs ultramontains pour la renaissance du césarisme... et le triomphe permanent de ces théologiens laïques de l'absolutisme, qui ont commencé par faire litière de toutes nos libertés, de tous nos principes, de toutes nos idées d'autrefois, devant Napoléon III, pour venir ensuite immoler la justice et la vérité, la raison et l'histoire en holocauste à l'idole qu'ils se sont érigée au Vatican » [1].

Ce furent les dernières paroles publiques de Montalembert. Le 13 mars il mourait. Nombre d'historiens signalent que Pie IX, irrité de cet écrit injurieux, fit interdire le servi-

1 - Cité par J.-R. PALANQUE, *op. cit.*, pp. 125-126.

ce funèbre que Mgr de Mérode, beau-frère de Montalembert, avait organisé à Rome, au sanctuaire de l'Ara Cœli [1].

Mais aucun ne rapporte la suite de l'histoire qui montre qu'en la circonstance Pie IX ne méconnut pas la charité. En effet, Icard relate que le 18 mars le pape assista à un service funèbre qu'il fit célébrer pour Montalembert à l'église Santa Maria Transportina. Un prélat de la Maison du pape expliqua à Icard l'attitude du pape : « Le Saint Père n'avait pas approuvé le service annoncé à l'Ara Cœli pour M. de Montalembert, parce qu'on avait manqué aux convenances en l'annonçant sans lui en avoir rien dit, ni au cardinal vicaire, ce que l'on aurait dû faire eu égard aux circonstances. (...) Mais pour montrer qu'il n'oublie pas les services que cet homme a rendus à l'Église et qu'il lui conserve la charité, il a voulu qu'on chantât une grande messe à Sainte-Marie in Transportina à laquelle lui-même assisterait. Il y a assisté, en effet, dans une tribune ; mais aucun avis n'ayant été donné, presque personne n'y est venu, et ceux qui étaient là ne savaient même pas pour qui était chantée cette messe de mort » [2]. L'affaire Montalembert n'eut d'ailleurs pas de conséquence sur le débat en cours à propos de l'infaillibilité.

Le projet distribué le 6 mars n'était pas une constitution nouvelle mais un chapitre complémentaire à insérer dans le schéma sur l'Église, après le chapitre sur la primauté du pape. Le texte, mis au point par la commission préparatoire, avait été rédigé par le cardinal Bilio et soumis à l'approbation de Pie IX. Le cardinal Bilio s'inspirait de deux propositions faites auparavant par Dechamps et Manning.

_____

1 - P. Tollu, **Montalembert**, Albatros, 1987, p. 523 ; J.-R. Palanque, *op. cit.*, p. 126 ; R. Aubert, **Le Pontificat de Pie IX**, Bloud & Gay, 1963, p. 345.
2 - Icard, « Journal... », ff. 277-278

Les Pères conciliaires eurent, d'abord, dix jours pour faire parvenir leurs observations. Il y eut nombre de réunions, souvent par groupes nationaux, pour mettre au point des réponses communes. Autour du cardinal Rauscher, notamment, les évêques de langue germanique se réunirent presque chaque jour.

Le 11 mars le Comité international adressa une lettre aux présidents du concile pour demander un délai supplémentaire et la constitution d'une commission spéciale qui réunirait des délégués de la Députation de la foi et des représentants de la minorité. La première demande fut accordée et le délai pour la rédaction des amendements fut repoussé jusqu'au 25 mars ; mais la seconde demande fut repoussée parce qu'une telle commission aurait été en opposition avec le règlement qui voulait que les débats conciliaires soient publics.

Le chapitre XI, relatif à la primauté pontificale, reçut 88 amendements, et le texte sur l'infaillibilité pontificale, qui lui était théologiquement lié, fit l'objet de 139 amendements : ce qui montre l'ardeur de la controverse. Les infaillibilistes estimaient que la définition de l'infaillibilité du pape pouvait aisément être justifiée par des textes de l'Écriture Sainte et par des arguments tirés des grands théologiens scolastiques, de saint Thomas d'Aquin à saint Robert Bellarmin. D'autres évoquaient les nécessités de la situation présente.

Sont significatifs, à cet égard, les arguments qu'avaient avancés, quelques mois auparavant, Mgr Mermillod, évêque de Genève, à Mgr Dupanloup, après que celui-ci eut publié sa brochure antiinfaillibiliste : « Un centre infaillible est la condition de l'unité de la foi. De plus, à notre époque de sentimentalisme dans la foi, les doctrines précises et formulées sont des barrières à l'enthousiasme qui excède et à la témérité qui redoute. Il y a un autre péril dans la vie actuelle de l'Église ; le pouvoir central doctrinal est un rempart contre le fonctionnarisme qui se glisse dans l'épiscopat. Aux époques de démocratie et de statolâtrie qui abaissent les hommes, l'Église a besoin de liberté, de dignité ; l'abri et l'appui de l'épiscopat, c'est le centre infaillible » [1].

Les antiinfaillibilistes, eux, présentaient une grande diversité d'arguments. Certains jugeaient une telle définition inopportune : l'autorité doctrinale du pape n'était pas menacée ; les conciles, expliquaient-ils, n'ont défini des vérités de foi que lorsqu'il y avait péril grave. D'autres, hostiles au principe même d'une définition, mettaient en avant des arguments historiques et théologiques : certains exprimaient la crainte de voir l'autorité de l'épiscopat affaiblie ou craignaient un schisme ; d'autres encore, notamment nombre d'évêques américains, redoutaient qu'un tel dogme ne renforce l'hostilité des protestants ou, c'était le sentiment de Mgr Strossmayer, ne creuse davantage le fossé avec les orthodoxes.

Une brochure anonyme, *Quæstio*, diffusée par Mgr Ketteler, reprenait les thèses gallicanes : l'Église est une monarchie tempérée où le pape n'a que la part principale du pouvoir donné à l'Église, les évêques ayant aussi leur part. Le pape ne peut exercer un magistère infaillible que s'il le fait en collaboration et avec l'approbation des évêques. La diffusion de cette brochure donna lieu à un incident. Les brochures étaient arrivées par la poste, dans une caisse. Le maître du Sacré Palais, informé, la fit saisir. Mgr Ketteler cherchait donc à la récupérer.

––––––

1 - Lettre inédite du 26 décembre 1869, Archives de Saint-Sulpice.

Pie IX fut informé de l'affaire. Sa réaction montre, une fois encore, qu'il ne fut pas « l'idole » autoritariste que dénonçaient Montalembert et d'autres. Le pape a raconté à Mgr Senestrey, évêque de Ratisbonne, défenseur de l'infaillibilité, comment il laissa Mgr Ketteler décider en son âme et conscience de la conduite à tenir : « La brochure a été écrite contre moi ; je fis donc demander à l'évêque de Mayence s'il croyait que dans ma maison je livrerais à mes ennemis des armes contre moi. D'ailleurs je lui ai fait remettre la caisse des brochures, lui demandant seulement de s'agenouiller devant son crucifix et de méditer sur la décision à prendre au sujet de ces brochures » [1]. Mgr Ketteler, qui a déclaré ensuite ne pas partager les thèses de la brochure, la fit distribuer malgré l'avertissement papal, pour « que l'on étudie la question ».

Cette brochure diffusée par Mgr Ketteler ne fut qu'une des quelque deux cents brochures consacrées au concile qu'on a pu dénombrer en Allemagne et dont soixante et onze traitaient explicitement de la question de l'infaillibilité.

En France aussi, la « guerre des brochures » fit rage. Aux antiinfaillibilistes (le P. Gratry, l'abbé Gaduel, l'abbé Lagrange, etc.) répondaient les infaillibilistes (A. de Margerie, dom Guéranger auteur d'un nouveau livre *Défense de l'Église romaine contre les accusations du P. Gratry*). Ce sont les écrits de Döllinger qui, dans le camp antiinfaillibiliste, manièrent l'invective avec le plus de constance. L'infaillibilité, selon Döllinger, était voulue par un pape porté, par tempérament, à l'autocratisme. Un des portraits qu'il fit, à cette époque, de Pie IX, par son injustice même, illustre bien sa thèse : « Pie, *totus teres atque rotundus*, est

---

1 - T. Granderath, *op. cit.*, t. III, vol. 1, p. 39, n. 1.

ferme, inébranlable, à la fois poli et dur comme du marbre ; d'une intelligence très médiocre, dépourvu d'idées, ignorant, il ne comprend rien à l'état d'esprit et aux besoins présents de l'humanité ; il ne soupçonne même pas l'existence des diverses nationalités ; mais, avec la foi d'une nonne et la plus profonde vénération pour sa propre personne où repose l'Esprit-Saint, il respire l'absolutisme par tout son être et une seule pensée le remplit : moi, et en dehors de moi, personne » [1].

Au lendemain de la distribution du texte sur l'infaillibilité, le bruit avait couru qu'on le ferait voter par acclamation à la prochaine congrégation générale. Si une telle idée a pu être lancée par un prélat infaillibiliste très zélé, Pie IX n'y était pas du tout favorable. Il souhaitait que, sur cette question aussi, le débat au concile se déroulât selon des procédures normales. Fin mars il déclara au cardinal de Bonnechose que loin de vouloir imposer une formule, il souhaitait « qu'on étudie bien librement les termes par lesquels doit être défini le pouvoir du pontife romain » [2].

Si l'ordre des travaux était respecté, le texte sur l'infaillibilité ne serait pas discuté en séance générale avant plusieurs mois. La constitution sur la Révélation et la foi, que nous avons déjà évoquée, était encore en discussion à cette époque et les onze chapitres de la constitution sur l'Église devaient être discutés avant d'aborder le texte additionnel sur l'infaillibilité. Aussi de nombreux infaillibilistes commencèrent à souhaiter que ce texte sur l'infaillibilité fût mis en discussion aussitôt que la constitution *Dei Filius* serait votée, certains mêmes avancèrent l'idée d'en faire une constitution distincte de celle de l'É-

---

1 - **Römische Briefe**, p. 626, cité par T. GRANDERATH, *op. cit.*, t. II, vol. 2, p. 254.
2 - Cité par R. AUBERT, **Vatican I**, *op. cit.*, p. 201.

glise. Leurs arguments n'étaient pas sans fondement. La question de l'infaillibilité, très disputée, entretenait une agitation permanente. L'aborder immédiatement et lui donner une réponse définitive permettrait de rendre au concile le calme nécessaire à l'examen des autres sujets prévus. D'autre part, si l'on suivait l'ordre prévu des travaux, le texte sur l'infaillibilité ne serait sans doute pas examiné avant le printemps de l'année prochaine ; d'ici là nombre d'évêques venus de pays lointains seraient sans doute rentrés dans leur diocèse, or la question de l'infaillibilité méritait un débat le plus large possible.

Dès la première quinzaine de mars, près de deux cents pères conciliaires se montrèrent favorables à un examen anticipé de l'infaillibilité. La minorité était hostile à une telle anticipation, dans laquelle elle voyait une manœuvre pour interrompre les débats sur le sujet. Les Présidents du concile étaient d'avis partagés. La décision revenait au pape. Des démarches furent faites auprès de lui par les partisans comme par les adversaires de l'anticipation. Certains espéraient encore que l'infaillibilité ne serait finalement pas abordée au concile. Icard rapporte que le Secrétaire d'État fit une démarche en ce sens à la fin du mois de mars : « Sérieusement préoccupé des conséquences que peut avoir une définition dans la circonstance présente, (le cardinal Antonelli) a réuni un certain nombre de cardinaux qu'il consulte souvent pour les affaires politiques. Il a été convenu entre eux qu'ils iraient voir le Saint-Père pour le prier instamment d'écarter du concile la question fameuse. Le pape n'a pas du tout accueilli leurs observations : il leur a dit : J'ai la Sainte Vierge avec moi, j'irai en avant » [1].

---

1 - ICARD, « Journal... », 27 mars 1870, f. 298.

Pie IX, après avoir fait étudier le meilleur moyen de concilier l'examen des nombreux textes en chantier, fit annoncer par le cardinal Bilio, le 27 avril (trois jours après le vote et la promulgation de la constitution *Dei Filius*), que les textes sur la primauté pontificale et sur l'infaillibilité feraient l'objet d'une constitution séparée, *Constitutio prima de Ecclesia Christi* (Première constitution sur l'Église du Christ) et qu'elle allait aussitôt faire l'objet de débats. Soixante et onze membres de la minorité signèrent une pétition, rédigée par Mgr Ketteler, pour protester contre la décision mais ils n'y demandaient pas au pape de revenir sur sa décision.

Le temps que le nouveau décret sur le Souverain Pontife soit mis en forme, les Pères conciliaires examinèrent le texte remanié du décret sur le catéchisme, du 29 avril au 13 mai. Le 4 mai intervint un vote sur l'ensemble du schéma : 491 *placet*, 56 *non placet*, 44 *placet juxta modum*. Parmi les opposants ou les hésitants, certains étaient hostiles, par principe, à un catéchisme unique pour toute l'Église, d'autres auraient souhaité qu'il fût facultatif, d'autres aussi demandaient qu'il ne fût pas rédigé par les seuls théologiens romains sous l'autorité du pape mais que des évêques délégués par le concile fussent associés à sa rédaction. La session solennelle qui devait promulguer ce décret sur le catéchisme n'eut jamais lieu par suite de l'interruption du concile. Le 9 mai le projet de constitution sur le Souverain Pontife fut distribué aux Pères du concile [1].

La discussion s'ouvrit le 13 mai par un rapport général qui avait été confié à Mgr Pie. Ce rapport était clair et

---

1 - Texte intégral publié in T. GRANDERATH, *op. cit.*, t. III, 1, Appendice II, pp. 406-416, avec, en regard, le projet primitif, avant sa révision par la Députation de la foi.

nuancé, à même de rassurer les antiinfaillibilistes de bonne foi ou les hésitants. Pendant quatorze séances, du 14 mai au 3 juin, le schéma en son ensemble fut débattu. Une innovation fut bien accueillie parce qu'elle permettait de faire avancer le débat : chaque séance s'ouvrait par une intervention d'un représentant de la Députation de la foi qui répondait en détail aux objections avancées par les orateurs de la veille. Les débats furent vifs, parfois tendus. Mgr Foulon, évêque de Nancy, écrivait le 23 mai à un correspondant : « Plusieurs orateurs me font l'effet de parler les poings fermés ou le doigt sur la détente d'un revolver »[1].

La minorité fit intervenir ses orateurs les plus incisifs ou les plus profonds, selon un ordre longuement préparé. A Mgr Hefele, évêque de Rottenburg, brillant historien des conciles, il appartint de mettre en avant les difficultés historiques d'une telle définition, à Mgr Strossmayer et à Mgr Maret les arguments théologiques.

Après trois semaines, le 3 juin, alors que 65 Pères avaient pu intervenir à la tribune (dont 26 appartenant à la minorité), les Présidents décidèrent de clore la discussion générale, bien qu'il restât quarante orateurs inscrits. Ils craignaient, à juste titre, que la répétition d'arguments déjà entendus ne devînt fastidieuse et retardât la nécessaire discussion chapitre par chapitre.

Cette discussion allait permettre d'examiner en quels termes devait être exposée la doctrine de l'infaillibilité. Les adversaires de celle-ci espéraient qu'une telle discussion mettrait en lumière les difficultés théologiques auxquelles elle conduisait.

---

1 - Cité par R. AUBERT, **Vatican I**, *op. cit.*, p. 213.

Il serait simplificateur d'opposer antiinfaillibilistes et infaillibilistes comme deux factions en tout contraires. A certains moments, il y eut entre les deux « camps » des tentatives pour parvenir à un moyen terme. Nous avons évoqué la tentative d'Icard et du cardinal de Rouen, en janvier-février. Il y eut aussi, à la même époque, autour de Louis Isoard, auditeur de rote (futur évêque d'Annecy), la constitution d'un « tiers parti » qui chercha à élaborer un projet destiné à accorder adversaires et partisans de l'infaillibilité [1].

Roger Aubert a mis en lumière d'autres rencontres qui commencèrent dans la troisième semaine de mai. Elles réunirent des partisans déterminés de la définition (notamment Mgr Dechamps et Mgr Senestrey, évêque de Ratisbonne) et adversaires (notamment Mgr Simor, Mgr Dupanloup et quelques évêques français). « L'archevêque de Malines crut un moment qu'un accord était en vue, tandis que Dupanloup de son côté n'était pas sans espoir » [2]. Mais des questions de fond divisaient encore les partis malgré un certain rapprochement des points de vue.

Lorsque le chapitre IV, qui traitait spécifiquement de l'infaillibilité, entra en discussion, le 15 juin, on vit bien la grande diversité des positions, y compris dans chacun des camps. Dans quelle mesure les évêques participent-ils au magistère infaillible de l'Église ? Dans quelles conditions le pape peut-il exercer un magistère infaillible ? Le pape dans l'exercice de sa juridiction suprême a-t-il la part principale ou la totale plénitude ? Doit-il prendre conseil de l'épiscopat avant de définir une vérité de foi ? Autant de

---

1 - ICARD, « Journal... », 29 janvier 1870, ff. 152-153.
2 - R. AUBERT, **Vatican I,** *op. cit.,* p. 219.

points à propos desquels ni la majorité ni la minorité ne se prononcèrent de manière univoque et qui firent l'objet de plusieurs amendements.

Un des discours les plus remarqués fut celui du cardinal Filippo Guidi, archevêque de Bologne. Les membres de la minorité se réjouirent qu'un cardinal italien des plus illustres rallie leur opposition à la définition. En réalité, la position du cardinal Guidi n'était pas hostile à la définition de l'infaillibilité, elle tenait celle-ci pour certaine mais exprimait une opinion toute personnelle sur les conditions de son exercice.

Guidi n'estimait pas, comme certains gallicans, que le pape doive obtenir l'assentiment des évêques avant de définir infailliblement, comme s'il partageait son autorité avec eux. Mais, résume Granderath, Guidi affirmait que « le pape doit demander aux évêques quelle est la pensée commune de l'Église et la tradition des Églises particulières sur la vérité en question ; il doit s'informer si cette vérité a été crue partout et toujours, plus ou moins explicitement ou implicitement. En un mot, le pape, avant de porter son suprême et définitif jugement, doit écouter le jugement de l'Église, savoir quelle est la croyance des Églises-filles, et si cette croyance est d'accord avec la Mère-Église, l'Église romaine » [1].

Cette opinion était toute personnelle et contredite par l'histoire. Si la définition d'un nouveau dogme est, bien évidemment, précédée d'une étude de la question, rien n'oblige le pape à consulter les évêques. Il peut se contenter de soumettre la question à des théologiens ou encore l'étudier seul. L'affirmation du cardinal Guidi causa quelque tumulte dans les travées. Certains partisans de la

---

1 - T. GRANDERATH, *op. cit.*, t. III, vol. 2, 19-20.

définition l'interrompirent, le traitèrent de *birbante* (fripon) ou de *brigantino* (brigand). Les adversaires de la définition, au contraire, l'encouragèrent. Certains auteurs prétendent que, suite à ce discours, le cardinal fut convoqué par Pie IX et réprimandé. Alors que Guidi évoquait la tradition pour défendre sa position, Pie IX l'aurait interrompu vivement en disant : « La tradition, c'est moi » [1]. Si l'audience est bien attestée historiquement à cette date, la réplique de Pie IX est sujette à caution.

Le 4 juillet la discussion sur le chapitre IV fut suspendue. Une nouvelle définition de l'infaillibilité fut rédigée qui tint compte de certaines objections de la minorité ; c'était le sixième en quatre mois. Preuve, s'il en est besoin, que Pie IX n'imposa pas une formule fixiste. L'union du pape et de l'Église était mieux affirmée et l'expression *ex cathedra*, notamment, déterminait plus précisément les conditions dans lesquelles le pape peut exercer son infaillibilité.

On procéda à un premier vote sur les amendements puis, le 13 juillet, à un vote provisoire sur l'ensemble du texte. Une cinquantaine de Pères préférèrent ne pas venir à la basilique Saint-Pierre pour ne pas avoir à se prononcer. Une immense majorité (601 votants) approuva le texte, 88 se prononcèrent contre et 62 émirent un *placet juxta modum* (une vingtaine de ceux-ci émanaient d'infaillibilistes mécontents des concessions faites à la minorité). Parmi les 88 figuraient des chefs de diocèses parmi les plus importants de la chrétienté d'alors (Paris, Lyon, Cologne, Munich, Milan). Veuillot, le jour même du vote, se faisait l'écho, dans une correspondance, du sentiment

---

1 - Propos rapporté par l'historien, vieux-catholique, Friedrich, cité par T. GRANDERATH, *op. cit.*, t. III, vol. 2, p. 23.

de nombre des infaillibilistes : « Les quatre-vingt huit *Non placet* ont étonné, et çà et là consterné, mais non découragé. Ils ont produit plutôt un effet contraire. On a vu l'entêtement hérétique, l'inutilité des concessions et ce qui pourra être modifié d'après les *Juxta modum* le sera dans le sens de la vigueur » [1].

Dans chaque camp on fit des démarches auprès de Pie IX pour demander des modifications du texte. Des antiinfaillibilistes se rendirent chez le pape, le 15 juillet au soir, pour demander un ajout qui fît apparaître le consentement de l'Église dans l'exercice de l'infaillibilité pontificale. La délégation était menée par Mgr Darboy et comprenait Mgr Simor, Mgr Ginoulhiac, Mgr Ketteler, Mgr Scherr, Mgr Rivet : autant de personnalités de la minorité, et non des moindres, qui, par cette démarche même, montraient qu'elles étaient prêtes à s'incliner si satisfaction leur était accordée. Pie IX ne voulut point leur donner, à lui seul, une réponse définitive. Il conseilla à la députation de présenter ses vœux par écrit. Ce que fit Mgr Darboy, le lendemain matin, à la première heure.

Certains dans la majorité firent des démarches pour qu'au contraire soit précisée que le consentement de l'Église n'était pas nécessaire pour une définition infaillible par le pape. Pie IX transmit cette demande au cardinal Bilio, avec avis favorable. Si bien que la définition dogmatique fut, une fois encore, modifiée. Le texte sur lequel les Pères allaient devoir se prononcer de manière définitive comportait donc cette formulation : « Nous enseignons et proclamons comme un dogme révélé de Dieu : le Pontife romain, lorsqu'il parle *ex cathedra*, c'est-à-dire lorsque, remplissant sa charge de pasteur et de docteur de tous les

---

1 - Cité par R. AUBERT, **Vatican I**, *op. cit.*, p. 229.

chrétiens, il définit, en vertu de sa suprême autorité apostolique, qu'une doctrine en matière de foi ou de morale doit être admise par toute l'Église, jouit, par l'assistance divine à lui promise en la personne de saint Pierre, de cette infaillibilité dont le divin Rédempteur a voulu que fût pourvue son Église, lorsqu'elle définit la doctrine sur la foi ou la morale. Par conséquent, ces définitions du Pontife romain sont irréformables de par elles-mêmes et non en vertu du consentement de l'Église ».

Alors qu'il ne faisait plus de doute que le texte allait être voté à une très large majorité par le concile, Mgr Dupanloup tenta une ultime démarche. Il écrivit une lettre au pape lui suggérant d'adopter l'attitude suivante : le pape accueillerait avec reconnaissance le vote des Pères sur les prérogatives du Siège romain et l'infaillibilité pontificale mais il déclarerait aussitôt que vu les circonstances et le trouble des esprits, il était préférable de ne pas confirmer immédiatement le vote et de ne pas promulguer le dogme.

Dupanloup ajoutait : « Ce procédé plein de sagesse, qui, avec une telle simplicité et d'une manière si inespérée, arrêterait à la dernière heure des maux inévitables et tout à fait certains, étonnerait l'univers, provoquerait une reconnaissance et une admiration universelles, et redoublerait l'amour qu'on porte à Votre Sainteté. Les gouvernements et les peuples se verraient obligés à la reconnaissance pour avoir été délivrés d'une source nouvelle de désagréments, à un moment où toute l'Europe est peut-être à la veille d'un bouleversement ; l'autorité paternelle de Sa Sainteté en serait grandement fortifiée »[1].

---

1 - Cité par T. GRANDERATH, *op. cit.*, t. III, vol. 2, p. 134.

Le pape ne pouvait adopter cette proposition. Une soixantaine d'évêques préférèrent quitter Rome plutôt que de persister dans leur opposition lors du vote définitif. Certains des représentants diplomatiques de pays hostiles à l'infaillibilité — les ambassadeurs de France et d'Autriche, les ministres plénipotentiaires de Prusse et de Bavière — marquèrent leur désapprobation du vote qui allait être émis en s'abstenant d'assister à la séance solennelle.

Ce jour-là, 18 juillet, sur 535 Pères présents, 2 seulement prononcèrent encore contre [1]. Cette ratification massive de la constitution *Pastor æternus*, malgré les absences remarquées, suscita un tonnerre d'acclamations et d'applaudissements qui se prolongea jusque sur le parvis de la basilique où était massée une foule de fidèles et de prêtres. Un orage extraordinaire donna d'ailleurs une tonalité étrange à la journée. Avant le *Te Deum* qui clôtura la cérémonie, Pie IX prononça une brève allocution où il voulut tout d'abord rassurer les inquiets : « Cette autorité suprême de l'évêque romain, vénérables frères, ne vous écrase pas mais vous appuie ».

Après l'adoption de cette nouvelle constitution, pour éviter aux évêques de subir les fortes chaleurs romaines et pour leur permettre de retrouver quelque temps leur diocèse, les Pères furent autorisés à s'absenter jusqu'au 11 novembre. Le concile n'en était pas interrompu pour autant. Furent distribués, pendant l'été, un projet de constitution sur les missions et le texte remanié du schéma

---

1 - Mgr Luigi Riccio, évêque de Cajazzo, et Mgr Edouard Fitzgerald, évêque de Little Rock. Celui-ci aurait dit « *Nunc placet* » — maintenant je suis d'accord — qui aurait été compris comme un « *Non placet* » — je ne suis pas d'accord (R. AUBERT, **Vatican I**, *op. cit.*, p. 232).

sur la vacance du siège épiscopal. Mais les travaux se poursuivaient au ralenti et devant une assemblée de plus en plus clairsemée.

Le 1ᵉʳ septembre, cent quatre Pères conciliaires seulement était encore présents. Cette congrégation générale, la quatre-vingt-neuvième, fut la dernière. La guerre, déclarée par la France à la Prusse le 19 juillet, allait avoir des conséquences en Italie. Le 20 septembre, Victor-Emmanuel II faisait occuper les derniers États pontificaux et Rome par les troupes italiennes. Le pape se retrouvait « prisonnier au Vatican » et le concile était interrompu.

CHAPITRE QUINZIÈME

LE « PRISONNIER DU VATICAN »

ALORS QUE la France avait déjà déclaré la guerre à la Prusse depuis trois jours, Pie IX, le 22 juillet 1870, écrivit à Guillaume Ier, roi de Prusse, et à Napoléon III [1].

Il leur demandait d'arrêter les combats et offrait sa médiation. L'un et l'autre refusèrent. En août, Napoléon III décida de retirer la garnison qu'il avait maintenue à Rome depuis l'intervention de 1867.

Le 2 septembre, l'armée française capitulait à Sedan, l'Empereur, le maréchal Mac-Mahon, 39 généraux et 105 000 hommes étaient faits prisonniers. C'était la fin du Second Empire et l'avènement, le 4 septembre, de la IIIe République.

Victor-Emmanuel profita de la circonstance pour s'emparer des restes du petit État pontifical. Le 6 septembre, il dénonça la Convention de septembre et fit exposer aux autres puissances la nécessité de l'occupation de Rome. Tous les gouvernements déclarèrent alors leur non-intervention et l'Autriche, par la voix de son chancelier Beust, adressa même ses encouragements au gouvernement italien [2].

---

1 - Lettres, et réponses des souverains, publiées in P. PIRRI, **Pio IX e Vittorio Emanuele II dal loro Carteggio privato**, Pontificia Università Gregoriana, 1961, t. III, « La Questione Romana », partie II, pp. 231-233.
2 - Luigi SALVATORELLI, **Histoire de l'Italie**, Editions Horvath, 1973, p. 518.

La fin des États pontificaux

A partir du 8 septembre, les troupes italiennes pénétrè-rent par plusieurs points dans les États pontificaux [1].

Déjà, Victor-Emmanuel II avait nommé, pour représen-ter son autorité, un commissaire général des États romains : le comte Ponza di San Martino. Le 10 septembre, celui-ci sollicita une audience du pape pour lui présenter une lettre de Victor-Emmanuel. Le roi demandait à Pie IX de renoncer de lui-même à ses droits. Le pape ne pouvait accepter. Sa réponse au comte fut vive et l'écho s'en fit entendre jusque dans les couloirs. Selon le témoignage du secrétaire particulier du Souverain Pontife, Ponza di San Martino sortit tout chancelant de l'audience et il fallut le soutenir pour le guider vers la sortie.

L'intéressé, dans son rapport officiel sur l'audience, donne, bien sûr, une version plus à son avantage, mais rapporte précisément les raisons du refus de Pie IX : il a trouvé, écrit-il, « le pape calme et digne, mais absolument et inflexiblement résolu à n'entrer dans aucun arrange-ment. (Il) protesta avec grande force que l'état de la situa-tion, parfaitement normale et tranquille, ne justifiait en aucune manière la résolution prise par le roi ». Quand le comte protesta que le pape n'oserait résister jusqu'à faire

---

1 - Une présentation détaillée des événements de septembre a été faite par Paolo DALLA TORRE, « La difesa di Roma nel 1870 » in **Pio IX nel primo centenario della sua morte**, Editrice la Postulazione della causa di Pio IX/Libreria Editrice Vaticana, Cité du Vatican, 1978, pp. 485-662. Dalla Torre reproduit intégralement les 124 docu-ments laissés par le major Fortunato Rivalta, chef d'état-major auprès du général Kanzler et les « Mémoires familiaux» de Rudolf Kanzler, fils du ministre des Armées de Pie IX. Nous citerons en note d'autres sources.

couler le sang, « le Saint Père protesta qu'en vérité il avait horreur du sang, mais qu'il ne se reconnaissait pas le droit de donner aux troupes des ordres qui les auraient déshonorées. Il était nécessaire que l'Europe ait la preuve que le Saint-Siège cède seulement à une injuste agression »[1].

En fait, deux solutions semblaient s'offrir à Pie IX : soit ordonner une résistance armée à une invasion injuste, soit laisser l'occupation se faire en se contentant de protester. C'est une solution intermédiaire qu'il choisit. Après que le chef d'état-major des armées pontificales ait établi l'état des troupes disponibles, il s'avéra que le Souverain Pontife ne pouvait compter que sur 8 860 officiers et soldats.

Il ne fallait pas espérer de secours étrangers : même si on recrutait des milliers de volontaires dans les pays catholiques, ils ne seraient pas présents à Rome et en état de combattre avant plusieurs semaines. On ne pouvait espérer non plus le secours des grandes puissances catholiques : l'Autriche et l'Espagne étaient dirigées depuis plusieurs années par des gouvernements qui s'étaient montrés hostiles à l'Église ; la France, devenue une république, entendait d'abord se consacrer à la guerre contre la Prusse qu'elle refusait de considérer comme perdue.

Abandonné de tous les gouvernements, Pie IX décida que, sans faire combattre ses troupes jusqu'à épuisement, il se devait néanmoins de ne pas les laisser se rendre sans résister. Leur honneur serait sauf et le monde entier verrait ainsi que le Saint-Siège était victime d'une violence injuste.

Pie IX savait que les heures du pouvoir temporel étaient comptées. Pour montrer qu'il ne se laissait pas inti-

---

1 - Cité in P. DALLA TORRE, *op. cit.*, p. 525.

mider par la menace pesant sur ses États et pour rassurer la population, le 10 septembre, après avoir accordé au comte Ponza di San Martino l'audience ci-dessus mentionnée, il se rendit dans Rome. Il alla procéder à deux inaugurations prévues depuis plusieurs semaines : celle de l'aqueduc d'Acqua Marcia (qui venait d'être restauré) et celle de la fontaine de Termini. Ce furent ses deux derniers actes de souverain temporel.

Le général Cadorna, à la tête d'une forte armée italienne, avait reçu l'ordre de marcher sur Rome. Le 12 septembre, le lieutenant-colonel de Charette était obligé de quitter Viterbe avec ses Zouaves pour se replier à Civita Vecchia, place fortifiée et base navale où, dans le passé, étaient arrivés les secours étrangers. Mais il reçut bientôt l'ordre de se replier sur Rome où le ministre des Armées, le général Kanzler, entendait concentrer les troupes. Le 16 septembre, les troupes italiennes s'emparèrent de Civita Vecchia, que l'espagnol José Serra y Navarro, au service du pape depuis 1862, avait défendu jusqu'à la dernière heure. Le 18, convergèrent sur Rome plusieurs corps de troupes italiens.

Pie IX, dans une lettre en date du 14 septembre au général Kanzler, après avoir déploré le sort qui était fait aux États pontificaux (« un grand sacrilège et la plus énorme injustice »), avait indiqué quelle devait être la résistance à opposer à l'envahisseur : « Quant à la durée de la défense, je suis en devoir d'ordonner que celle-ci doit uniquement consister en une protestation face à la violence et à rien de plus, c'est-à-dire qu'il faudra ouvrir des négociations pour la reddition aux premiers coups de canon. En un moment où l'Europe entière déplore des victimes très nombreuses suite à une guerre entre deux grandes nations, il ne sera jamais dit que le Vicaire de Jésus-Christ même injustement attaqué a consenti à quelque effusion de sang ». Mais le général Kanzler et les deux généraux de brigade Zappi et De Courten avaient protesté qu'ils ne pouvaient ordonner à leurs troupes de se rendre sans combattre. Aussi, le 19 septembre, Pie IX accepta de modifier certains termes de sa lettre : à l'indication « aux premiers coups de canons », il substitua « après l'ouverture d'une brèche » (dans les remparts) et à « quelque effusion de sang que ce soit », il substitua « une grande effusion de sang » [1].

Pie IX avait donc finalement autorisé une résistance « symbolique ». Que pouvaient ses 8 800 hommes et les centaines de Romains qui se portaient volontaires, face aux quelque 70 000 hommes que Victor-Emmanuel II avait envoyés contre les États pontificaux ?

Le 19 septembre, pour la dernière fois de sa vie, Pie IX parcourut les rues de Rome. Son ultime visite fut pour la Scala Santa et le couvent des Passionistes qui s'occupent de ce sanctuaire vénéré par le pape depuis sa jeunesse. Pie IX bénit aussi les troupes qui défendaient la porte San Giovanni toute proche. Sur le chemin du retour au Vatican, il fut accompagné de petits groupes qui lui criaient : « *Forte, Santo Padre ! Si defenda ! Coraggio ! Coraggio !* » (Soyez fort, Saint Père ! Défendez-vous ! Courage ! Courage !)

Le 20 septembre, à 4 h 30 du matin, les troupes italiennes se ruèrent en masse contre les portes de la ville. A partir de 5 h 15 la canonnade commença et dura deux heures et demie. Lorsqu'on annonça au pape, vers huit

---

1 - La *Civiltà cattolica* a publié le 21, après la chute de Rome, la seconde version de la lettre. Quand la première version de la lettre fut connue, certains historiens ont cru qu'elle était du 19 et que c'était la revue qui avait modifié ultérieurement le texte. D'où des polémiques accusant Kanzler d'avoir désobéi aux ordres de Pie IX. Vaine polémique comme le montrent les documents publiés par P. DALLA TORRE, *op. cit.*, p. 600 et pp. 621-623, qui éclairent toute cette affaire.

heures, qu'une brèche était ouverte dans la muraille de la Porte Pia, il donna l'ordre d'arrêter les combats. La capitulation fut rapidement négociée entre les chefs militaires des deux camps. Rome était déclarée occupée « excepté la partie qui est limitée au sud par les bastions du Saint-Esprit et comprend le mont Vatican et le château Saint-Ange, et est constituée par la Cité léonine ». Les Italiens exigaient aussi que les soldats étrangers au service du pape quittent la ville. A 10 h 00, le drapeau blanc fut hissé en différents points de la ville et sur la coupole de la basilique Saint-Pierre. C'était la fin du plus ancien État d'Europe par la succession ininterrompue de ses souverains.

Ce 20 septembre (« *XX settembre* ») est resté dans l'histoire italienne comme un jour glorieux, comme l'aboutissement d'un processus historique qui a permis à l'Italie d'être complètement unifiée et de retrouver Rome comme capitale.

Pour l'Église, ce jour a marqué la fin de son pouvoir temporel. A l'occasion du centième anniversaire de l'événement, le P. Angelo Martini, jésuite, dans deux publications « autorisées », a donné en quelque sorte le jugement officiel de l'Église d'aujourd'hui sur cet événement historique [1]. Il y expliquait que la prise de Rome était devenue « inéluctable » et qu'elle fut « une intervention de la Providence dans le cours de l'histoire de l'Église et du monde », « un coup d'épée qui trancha un nœud », celui qui liait l'Église à des intérêts temporels et à des problèmes devenus inextricables pour elle.

Face à l'événement, Pie IX eut une toute autre réaction. Au lendemain de la prise de Rome, il écrivait à son neveu Luigi un court billet : « Tout est fini ! Sans liberté l'Église

1 - Angelo MARTINI, « *XX settembre 1870* », **Civiltà cattolica**, septembre 1970, reproduit in l'*Osservatore romano*, 20 septembre 1970.

ne peut être gouvernée. Priez tous pour moi. Je vous bénis » [1].

Captif au Vatican

Le 21 septembre eut lieu, place Saint-Pierre, l'ultime rassemblement des troupes pontificales. Dans le dernier combat, elles avaient compté seize morts et cinquante-huit blessés. Elles allaient symboliser désormais, dans l'histoire catholique, le dévouement au Saint-Siège. Alors que les troupes étaient déjà en ordre de marche, d'une fenêtre, à l'improviste, Pie IX apparut et les bénit encore une fois. Puis, très ému, il couvrit de ses mains son visage en pleurs et se retira. Les Zouaves et autres troupes pontificales agitèrent leur béret, lancèrent des acclamations et tirèrent quelques salves de fusil. Les généraux De Courten et Zappi prirent la tête des colonnes qui sortirent de Rome. A la porte San Pancrazio, elles passèrent devant le vainqueur, le général Cadorna, qui les fit désarmer. Les soldats pontificaux furent emmenés par train vers différentes villes d'Italie où ils furent retenus quelques jours, ou pour certains quelques mois, avant d'être libérés.

Pie IX se retrouvait donc sans armée, réduit au seul Vatican. L'image du « pape prisonnier » s'imposa d'emblée aux défenseurs de sa cause.

Depuis les Accords du Latran signés en 1929 entre Pie XI et Mussolini, les catholiques se sont habitués à considérer l'État du Vatican comme un petit territoire suffisant au pape pour exercer sa mission spirituelle. Mais en 1870, les États pontificaux représentaient encore 12 000 km²

---

1 - Lettre du 21 septembre 1870, publiée par POLVERARI, « Lettere di Pio IX ai familiari » in **Pio IX nel primo centenario...**, *op. cit.*, p. 64.

(soit l'équivalent de deux départements français) et 600 000 habitants.

Les retirer tout à coup au pape, lui laisser le Vatican comme seule possession, apparut à la plupart des catholiques d'alors non seulement comme une spoliation injuste mais comme une atteinte à sa liberté. Pie IX se considéra lui-même comme désormais privé de liberté. Il le dit dès le 21 septembre dans la courte lettre à son neveu que nous avons citée, il le dit publiquement dans son premier acte officiel depuis la chute de Rome.

Le 29 septembre, dans un bref adressé aux cardinaux, il déplore : « Nous nous trouvons maintenant manquer de cette liberté qui nous est absolument indispensable pour gouverner l'Église de Dieu et maintenir ses droits » [1].

Bientôt, dans une longue encyclique adressée à tous les évêques, en date du 1er novembre, il emploiera le mot de « captivité » pour désigner sa condition [2]. Le terme, pris au sens littéral, était exagéré. Pie IX était libre de sortir du Vatican, d'aller à l'étranger par exemple. Mais, moralement, il lui était impossible de sortir du Vatican.

En effet, écrit Pie IX dans son encyclique, « depuis ce jour, nous avons vu se dérouler, sous nos yeux, des faits qu'on ne peut rappeler sans exciter la juste indignation de tous les honnêtes gens ; des écrits infâmes remplis de mensonges, de turpitudes, d'impiété, offerts à bas prix et répandus partout ; de nombreux journaux, consacrés à propager la corruption de l'esprit et la corruption des mœurs, le mépris et la calomnie contre la religion et à

---

1 - Bref du 29 septembre 1870, publié par Auguste Roussel, **Actes et paroles de Pie IX captif au Vatican**, Victor Palmé, 1874, p. 5.

2 - **Actes et paroles**, *op. cit.*, pp. 9-20.

enflammer l'opinion contre nous et contre ce Siège apostolique ; des images dégoûtantes et d'autres œuvres du même genre livrant à la risée publique les choses et les personnes sacrées ; des honneurs et des monuments décrétés pour ceux qui, coupables des crimes les plus graves, ont été jugés et punis conformément aux lois ; les ministres de l'Église, contre lesquels on excite toutes les haines, poursuivis d'injures et quelques-uns même frappés et blessés ; plusieurs maisons religieuses spoliées ; notre palais du Quirinal violé, et l'un de ceux qui l'habitaient, cardinal de la sainte Église romaine, contraint violemment de s'en éloigner ; d'autres ecclésiastiques, du nombre de ceux qui font partie de notre maison, obligés également de quitter cette demeure après toutes sortes de vexations ; des lois et des décrets qui violent et foulent aux pieds la liberté, l'immunité, les propriétés et les droits de l'Église de Dieu. Tous ces maux si grands, si Dieu dans sa miséricorde ne l'empêche, nous aurons la douleur de les voir croître encore, nous trouvant dans l'impossibilité d'y apporter aucun remède dans l'état de captivité où nous sommes, et n'ayant plus cette pleine liberté qu'en adressant au monde des paroles de mensonge, on veut faire croire nous être laissée dans l'exercice de notre ministère apostolique et que le gouvernement intrus se vante de vouloir assurer par ce qu'il appelle des garanties nécessaires ».

Rome n'était plus dans Rome, Pie IX n'avait plus la liberté d'agir pour protéger son clergé et ses fidèles des attaques physiques ou des agressions morales, il ne pouvait non plus sortir du Vatican sans s'exposer à « une si vaste conspiration contre l'Église de Dieu et contre ce Saint-Siège ». Le pape se considérait donc comme « captif ». Les événements des premières semaines de l'occupation de Rome avaient d'ailleurs montré la volonté du gouvernement italien de s'imposer définitivement à Rome en éliminant les vestiges de l'ancien pouvoir temporel, fût-ce par la brutalité.

Violant la convention de capitulation, les troupes italiennes avaient occupé, fin septembre, la Cité léonine et la place fortifiée proche du Vatican, le château Saint-Ange, y faisant main basse sur le trésor pontifical (4 millions d'écus). Puis le palais apostolique du Quirinal, où s'étaient déroulés les trois derniers conclaves, fut investi, ses occupants — un cardinal, de nombreux prélats et clercs — furent expulsés, le palais étant destiné à devenir la résidence du roi quand Rome aurait été proclamée capitale. Il ne restait plus au pape que les palais du Latran et du Vatican.

Pour donner quelque légitimité à l'invasion des États pontificaux et de Rome, un plébiscite avait été organisé le 2 octobre. A Rome, selon les chiffres officiels, 40 785 personnes approuvèrent le rattachement au royaume d'Italie et 46 seulement s'y opposèrent. Nombre d'historiens contemporains citent ces chiffres en y voyant une « unanime adhésion » [1]. En fait, outre la « très forte abstention » que signale le P. Martina, il faut noter toutes les irrégularités dont fut entaché ce vote. Les bureaux de vote n'avaient pas d'isoloir et le vote public se déroula sous l'œil vigilant des partisans de l'annexion qui applaudissaient ceux qui votaient « oui » et invectivaient ceux qui votaient « non » [2]. On nota aussi l'absence de listes électorales, la présence massive d'environ 10 000 « patriotes » venus de toutes les régions d'Italie « munis de cartes délivrés par les préfets et

---

1 - MARTINA, t. III, p. 250. Cf. aussi AUBERT, p. 360 et SALVATORELLI, *op. cit.*, p. 518.

2 - *Civiltà cattolica*, VIII, I, pp. 214-216, 1870, cité par POLVERARI, t. III, p. 220.

sous-préfets… et amenés gratuitement à Rome » et les votes multiples, dans trois ou quatre bureaux différents [1]. « L'unanime adhésion » du vote du 2 octobre 1870 est donc bien un mythe historique. On en a aussi la preuve par une sorte de contre-plébiscite qui fut organisé quelques mois plus tard par la Société des intérêts catholiques. On fit signer, dans chaque paroisse de Rome, des registres par les hommes en âge de voter qui refusaient l'annexion de Rome et on recueillit 27 161 signatures, qui furent présentées au pape [2].

Le nombre des opposants au nouveau régime était donc bien plus élevé que ne le laissaient croire les résultats officiels du vote du 2 octobre. Néanmoins, le 9 octobre, un décret royal stipulait :

« Art. 1 - Rome et les provinces romaines font partie intégrante du royaume d'Italie ;

Art. 2 - Le Souverain Pontife conserve la dignité, l'inviolabilité et les prérogatives personnelles du souverain ;

Art. 3 - Une loi ad hoc établira les conditions aptes à garantir — y compris par des franchises territoriales — l'indépendance du Souverain Pontife et le libre exercice de l'autorité spirituelle du Saint-Siège ».

Avant que la loi prévue ne fût adoptée, une autre loi avait été présentée au Parlement italien en décembre 1870, prévoyant le transfert de la capitale du royaume d'Italie à Rome et l'expropriation des « corporations et personnes morales des bâtiments, situés à Rome, qui seront reconnus d'utilité publique pour l'installation des administrations et des ministères ». Dès le 4 mars 1871, un décret autorisait

---

1 - Dom CHAMARD, ANNALES, t. III, p. 426

2 - Dom CHAMARD, *op. cit.*, pp. 426-427 présente en détail ce contre-plébiscite du 24 juillet 1871.

le ministère des Travaux publics à occuper huit couvents appartenant à différents ordres religieux. Plusieurs dizaines d'autres furent expropriés dans les mois suivants. Aussi, quand la loi visant à « garantir... l'indépendance du Souverain Pontife et le libre exercice de l'autorité spirituelle du Saint-Siège » fut élaborée, les catholiques redoutèrent le pire.

Cette loi dite « des garanties » fut approuvée par la Chambre le 9 mai 1871 et promulguée le 13 mai [1]. Elle reconnaissait la personne du Souverain Pontife comme « inviolable et sacrée » et donc lui accordait une entière immunité : il ne pouvait être cité à comparaître devant les tribunaux ni comme accusé ni comme témoin. Les « offenses et injures publiques » dont il pouvait être victime étaient considérées comme des délits publics passibles de la Cour d'assises mais « la discussion sur les matières religieuses est entièrement libre ». Sans lui en reconnaître la propriété, la loi garantissait au pape qu'il pourrait continuer à résider aux palais du Latran et du Vatican et dans la résidence de Castel Gandolfo et que l'État italien verserait au Saint-Siège une dotation annuelle de 3 225 000 lires (le chiffre correspond au « budget romain » tel qu'il fut rendu public en 1847-1848, soit un quart de siècle plus tôt...). Étaient garanties au pape la libre communication avec l'extérieur et l'immunité diplomatique de ses représentants.

Cette « loi des garanties », dont les juristes ont reconnu les incohérences, était, de la part de l'État italien, une suite de concessions qui masquait mal une remise en cause tota-

---

1 - Texte de la loi in dom CHAMARD, *op. cit.*, pp. 502-504 et analyse juridique détaillée in D. LE TOURNEAU, « La Loi des garanties (13 mai 1871) : portée et contenu », *Revue des Sciences Religieuses*, avril-juillet 1988, pp. 137-158.

le de la souveraineté temporelle. Émile Ollivier, qui fut un adversaire déterminé du pouvoir temporel des papes, reconnaissait dix ans après la promulgation de ces garanties : « Elles peuvent se comparer à une voie ferrée sur laquelle aucune catastrophe ne s'est encore produite pour la simple raison qu'aucun train n'y est encore passé ». Et Dominique Le Tourneau, qui cite ce propos, commente : « Les " garanties " n'ont donc de valeur qu'à la condition de ne pas s'en servir ; si le pape se risquait à sortir dans les rues de Rome, les garanties disparaîtraient en fumée »[1].

Pie IX, après avoir protesté contre le décret d'annexion du 9 octobre 1870 et renouvelé, dans l'encyclique du 1er novembre suivant, les excommunications contre les spoliateurs de ses États, refusa pareillement cette loi des garanties du 13 mai 1871. Dès le 15 mai, par l'encyclique *Ubi nos*, il fit connnaître son *Non possumus* : « Nous n'admettrons, nous n'accepterons jamais aucune immunité ou garantie quelle qu'elle puisse être, qui, sous prétexte de protéger notre puissance sacrée et notre liberté, nous serait offerte en échange et pour tenir lieu de cette souveraineté temporelle dont la divine Providence a voulu que le Saint-Siège apostolique fût pourvu et fortifié et que nous assurent des titres légitimes et inattaquables et une possession de plus de onze siècles »[2].

Suites du Concile

Après le vote de la constitution *Pastor Æternus*, le 18 juillet 1870, la prochaine session solennelle du concile avait été fixée au 11 novembre. Pendant la deuxième quinzaine d'août quelques congrégations générales avaient eu

---

1 - D. Le Tourneau, art. cit., p. 156.
2 - Texte in **Actes et Paroles**..., *op. cit.*, pp. 42-51·

lieu, avec un nombre très restreint de participants. L'occupation de Rome, le 20 septembre, avait interrompu les travaux. Après le décret royal du 9 octobre proclamant l'annexion de Rome et de sa province à l'Italie. Pie IX estima que la liberté du concile n'était plus assurée. Aussi, le 20 octobre, déclara-t-il officiellement le concile prorogé *sine die*. La suggestion de certains évêques de poursuivre les travaux à Malines, où l'on avait l'habitude, suite aux congrès catholiques, d'organiser la réunion de grandes assemblées, ne fut pas retenue.

Le concile, quoique inachevé, a profondément marqué l'Église des décennies suivantes. La constitution *Dei Filius*, note Roger Aubert, « a exercé sur l'enseignement théologique une profonde influence, en particulier en ce qui concerne la question brûlante des rapports entre la raison et la foi : les traités *De religione revelata* et *De fide* ne peuvent plus être les mêmes depuis 1870 qu'auparavant » [1].

On ajoutera que Pie IX avait préparé la voie à cette constitution importante en condamnant dans les années précédentes les théories erronées, et opposées, sur le sujet (condamnations de Frohschammer, du traditionalisme, etc.).

La constitution *Pastor Æternus*, elle, avait tranché, en des termes précis, la question de l'infaillibilité pontificale. La doctrine, admise majoritairement avant le concile, se trouvait, par sa définition dogmatique, strictement circonscrite. La suite de l'histoire de l'Église a montré que cette définition dogmatique de 1870 a permis de mieux distinguer la nature, la portée et l'autorité des différents actes du Magistère. Les opposants à cette doctrine se sont d'ailleurs tous soumis, sauf Döllinger.

---

1 - Aubert, p. 361.

Dès le mois de mai 1870, avant même que le dogme ne fût défini, Mgr Fessler, secrétaire du concile, était venu à Munich rencontrer Döllinger [1]. Il s'agissait, estime Döllinger, d'une démarche personnelle. Mgr Fessler, au cours de plusieurs entretiens, lui avait demandé de cesser ses attaques contre le dogme en préparation ou de se soumettre. Puis en juin, c'était le professeur Laemmer, de Breslau, qui était venu le voir, porteur cette fois d'un message de Pie IX : « Le pape lui avait ordonné de passer par Munich et de me dire de sa part qu'il continuait d'avoir des sentiments de bienveillance pour moi et qu'il priait pour moi tous les jours » [2]. Signe, une fois encore, de la charité qui animait Pie IX envers ses adversaires, même si cette charité envers les personnes ne signifiait pas tolérance à l'égard de leurs idées erronées. Mais Döllinger s'obstina.

Quand, de retour dans son diocèse après l'adoption du nouveau dogme, l'archevêque de Munich invita les professeurs de la Faculté de théologie à « travailler pour la Sainte Église », Döllinger répliqua : « Oui, pour l'ancienne Église ! — Il n'y a qu'une Église, reprit l'archevêque, il n'y en a pas de nouvelle ou d'ancienne. — On en a fait une nouvelle ! » affirma Döllinger [3]. Döllinger rallia à lui quelques professeurs de théologie ou de droit canon et finalement il fut excommunié le 23 avril 1871.

Dans les mois suivants, se mit en place une communauté schismatique, le mouvement « vieux-catholique » qui, à

---

1 - C'est ce qu'indique Döllinger dans une lettre, inédite, s. d., adressée probablement à Mgr Maret ou à Mgr Dupanloup et conservée dans les Archives de Saint-Sulpice.

2 - Même document.

3 - Anecdote rapportée par l'historien FRIEDRICH, disciple de Döllinger, et citée par AUBERT, p. 365.

son apogée vers 1875, compta en Allemagne et en Autriche quelque 52 000 adhérents et en Suisse 73 000 fidèles. Mais le mouvement déclina rapidement et évolua vers un réformisme radical qui corrrespondait au souhait de Döllinger, exprimé dès 1869, d'une « grande et profonde réforme de l'Église ».

Le mouvement « vieux-catholique » s'essoufla vite parce qu'il ne reçut le soutien d'aucun des évêques qui s'étaient opposés à l'infaillibilité pendant le concile. Tous firent connaître, plus ou moins rapidement, leur acceptation du nouveau dogme. Dès le 1er août 1870, Mgr Melchers, archevêque de Cologne, publia la constitution dogmatique dans la revue de son diocèse et à la fin du mois, tous les évêques allemands réunis à Fulda, sauf cinq, signèrent une lettre pastorale invitant les fidèles à adhérer au nouveau dogme. Les cinq évêques encore réticents refusèrent néanmoins de soutenir Döllinger et finalement s'inclinèrent les uns après les autres dans les mois suivants.

En France, les lettres de soumission des chefs de file se succédèrent avec une certaine lenteur.

Si le cardinal Mathieu et Mgr Ginoulhiac le firent dès le mois d'août 1870, ce n'est que le 18 février 1871 que Mgr Dupanloup fit connaître sa soumission à Pie IX : « Je n'ai écrit et parlé que contre l'opportunité de la définition ; quant à la doctrine, je l'ai toujours professée, non seulement dans mon cœur, mais dans des écrits publics »[1]. Mgr Darboy, empêché par le siège de Paris, ne put faire connaître sa soumission au pape qu'en mars. Ce n'est que longtemps après avoir reçu un bref de Pie IX, en date du

---

1 - Cité par T. GRANDERATH, **Histoire du concile du Vatican**, t. III, vol. 2, p. 255.

28 novembre 1870, le menaçant d'inscrire son livre à l'Index, que Mgr Maret se soumit, en août 1871; et il ne retira son livre des librairies que plusieurs mois plus tard [1].

Les évêques de l'empire austro-hongrois comptaient, eux aussi, dans leur rang, nombre d'opposants déterminés. Certains d'entre eux se rallièrent à l'infaillibilité après que Mgr Fessler, dans une brochure parue en 1871, *La vraie et la fausse infaillibilité des papes*, eut précisé dans quel sens technique et restrictif il fallait entendre le mot « définit » qui figure dans la formulation dogmatique. La brochure reçut l'approbation formelle de Pie IX. Le ralliement des derniers opposants ne se fit qu'en octobre 1871 pour Mgr Haynald et décembre 1872 pour Mgr Strossmayer.

L'interruption du concile laissait inachevé un grand chantier de réflexions et de réformes dont on attendait beaucoup. 51 schémas, dont 28 de nature disciplinaire, étaient prêts et n'avaient pu être ni discutés ni votés. Mais ces travaux préparatoires et les suggestions émises par les Pères conciliaires à la Commission des postulats ne tombèrent pas tous dans l'oubli.

Pie IX s'attacha à donner satisfaction à ceux qui avaient demandé l'extension du culte de saint Joseph. De nombreux instituts religieux créés pendant son pontificat étaient dédiés à saint Joseph (cinq congrégations féminines pour la seule France). Pendant le concile, trois pétitions avaient successivement circulé demandant que saint Joseph soit proclamé « Patron de l'Église universelle ». Ces pétitions avaient rassemblé au total 314 signatures [2]. Le 8 décembre 1870, la Congrégation des rites déclara saint Joseph patron de l'Église universelle et éleva sa fête au rite

1 - ANNALES, t. III, p. 523.
2 - ANNALES, t. III, p. 444.

double de première classe [1]. Le 7 juillet 1871, Pie IX, par la lettre apostolique *Inclytum Patriarchum*, vint confirmer ce décret. Pendant le concile aussi, de nombreux évêques avaient demandé que l'Église soit consacrée au Sacré-Cœur. Pie IX accéda aussi à cette demande, le 16 juin 1875. Ce même jour était posée, à Paris, la première pierre de la basilique du Sacré-Cœur ; elle répondait à un « Vœu national au Sacré-Cœur de Jésus pour obtenir la délivrance du Souverain Pontife et le salut de la France » [2].

D'autres travaux préparatoires du concile trouvèrent leur aboutissement dans les pontificats suivants. Un schéma de la Commission dogmatique avait pour objet le mariage chrétien : Léon XIII consacra au sujet, en 1880, une encyclique importante, *Arcanum*. Le regroupement et l'unification des multiples lois canoniques avaient été aussi demandés au concile. Pendant les années suivantes, Pie IX, puis Léon XIII, s'efforcèrent de régler « d'abord les affaires plus urgentes qui paraissaient toucher de plus près la discipline », après quoi on envisagea une mise en ordre de la législation [3]. C'est sous le pontificat de saint Pie X qu'un Code de droit canonique fut élaboré, il sera promulgué par son successeur en 1917.

« Pie IX le Grand »

En 1871, fut célébré le jubilé pontifical de Pie IX. Il était le premier pape de l'histoire de l'Église, depuis saint Pierre, à avoir régné vingt-cinq années à Rome et à démentir

---

1 - Ce jour-là, les catholiques de Rome célébrèrent la fête de l'Immaculée Conception avec un éclat particulier : c'était la première grande solennité religieuse depuis l'occupation de Rome. Une bande de révolutionnaires agressa les fidèles qui sortaient de la basilique Saint-Pierre et fit cinq blessés.

2 - Cf. Alfred VAN DER BRULE, **Le Sacré-Cœur de Montmartre**, Téqui, 1995.

3 - Préface au **Code de droit canonique**, Centurion-Cerf-Tardy, 1984, p. XIX.

l'adage traditionnel rappelé dans la cérémonie de couronnement des papes : « *Tu non videbis annos Petri* » (Tu ne verras pas les années de Pierre). Cette exceptionnelle longévité du pontificat en même que la situation dramatique à laquelle était réduit le pape incitèrent les catholiques à célébrer avec éclat l'anniversaire de l'élection. C'était aussi l'occasion de renouveler les grandes cérémonies unanimistes des années 1860. Le XXVe anniversaire de l'élection pontificale tombait le 16 juin. Le 4 juin, par une lettre encyclique, après avoir renouvelé ses protestations contre l'annexion de Rome, le pape remerciait tous les fidèles de leur dévouement et de leur fidélité au Saint-Siège [1].

Il écrivait aussi : « Après tant de vicissitudes, par la protection du Dieu très clément, nous voyons déjà approcher ce jour anniversaire de notre promotion, où, successeur du bienheureux Pierre sur son Siège, nous nous trouverons, si loin que nous soyons de lui par nos mérites, avoir passé le même nombre d'années que lui dans le service apostolique. C'est assurément une grâce nouvelle, singulière et très grande, de la munificence divine, et qui, dans une si longue série de nos très saints prédécesseurs, durant dix-neuf siècles, n'a été, par la disposition de Dieu, accordée qu'à nous seul ».

Pour célébrer avec fruit cet anniversaire, Pie IX accordait « une indulgence plénière de tous leurs péchés » aux fidèles qui se confesseraient et communieraient à l'occasion de son jubilé pontifical.

Pendant tout le mois de juin, les délégations se succédèrent au Vatican, représentant diverses associations catho-

---

1 - Texte de l'encyclique in **Actes et paroles**..., *op. cit.*, pp. 52-58.

liques ou venues de pays étrangers. A chaque groupe, le pape adressait de petits discours, plus ou moins improvisés. Celui adressé à la délégation française, le 16 juin, eut un grand retentissement en France et y suscita une polémique. Le groupe d'environ quatre-vingt personnes était conduit par Mgr Forcade, évêque de Nevers, et comprenait deux cardinaux et plusieurs prélats. La France, après avoir secouru à plusieurs reprises le Saint-Siège, avait précipité la chute de son pouvoir temporel en retirant ses troupes à l'improviste au début de la guerre contre la Prusse. Puis elle avait connu de grands bouleversements qui avaient culminé dans l'installation d'un pouvoir révolutionnaire à Paris, la Commune, de juin à mai 1871. Outre les destructions importantes par incendie, les insurgés avaient fusillé 52 otages, parmi lesquels Mgr Darboy [1].

Recevant la délégation française, Pie IX avait sans doute tous ces événements à l'esprit, peut-être aussi se souvenait-il des derniers propos publics de Montalembert, de la forte opposition française, néo-gallicane et libérale, au concile. Aussi dans sa courte allocution, éloges et reproches alternèrent :

« J'aime la France, elle est toujours imprimée dans mon cœur. Je prie tous les jours pour elle, principalement à ce grand saint sacrifice de la messe ; elle est toujours présente à mes pensées. Je l'ai toujours aimée et je l'aimerai toujours ! Je sais combien elle a toujours offert le spectacle des plus tendres dévouements, combien sa charité est grande et compatit à la misère des pauvres, à la misère de l'Église, combien d'institutions charitables elle a fondées et en par-

---

1 - Ce qui devait faire dire à Pie IX, quand il apprit la mort de l'archevêque de Paris qui avait été antiinfaillibiliste : « Il a lavé ses fautes dans son sang et il s'est revêtu de la robe des martyrs », ANNALES, t. III, p. 518.

ticulier quelle grande ardeur s'y manifeste pour les bonnes œuvres; chez les hommes aussi, mais parmi les femmes spécialement ».

Puis, poursuivant son propos manifestement improvisé, Pie IX livra ce qu'il avait sur le cœur : « Cependant je dois dire à la France la vérité. (…) Mes chers enfants, il faut que mes paroles vous disent bien ce que j'ai dans mon cœur. Ce qui afflige votre pays et l'empêche de mériter les bénédictions de Dieu, c'est ce mélange des principes. Je dirai le mot et je ne le tairai pas : ce que je crains, ce ne sont pas tous ces misérables de la Commune de Paris, vrais démons de l'enfer qui se promènent sur terre. Non, ce n'est pas cela ; ce que je crains, c'est cette malheureuse politique, ce libéralisme catholique qui est le véritable fléau. (…) Il faut sans doute pratiquer la charité, faire ce qui est possible pour ramener ceux qui sont égarés : mais pour cela il n'est pas besoin de partager leurs opinions » [1]. Souvent Pie IX avait condamné le libéralisme sous toutes ces formes, mais ici, pour la première fois, il désignait nommément le « libéralisme catholique » [2].

La presse catholique en France engagea des controverses sur le propos et les *Annales du diocèse d'Orléans*, de Mgr Dupanloup, reproduisirent l'allocution en omettant le passage sur le « libéralisme catholique ». Cela fit l'objet d'une vive polémique avec l'*Univers* et la *Semaine liturgique de Poitiers*, de Mgr Pie.

---

1 - Allocution du 16 juin 1871 in **Actes et Paroles**..., *op. cit.*, pp. 65-67.

2 - Pendant le concile, inaugurant le 17 février 1870 l'exposition romaine d'antiquités et d'art religieux, Pie IX avait déjà suscité quelque émotion chez les catholiques libéraux en déclarant : « Selon quelques-uns, la religion doit changer avec le temps et elle aussi a besoin de son 89. Je dis que c'est un blasphème… ». On crut que c'était un propos de Falloux qui était visé. Le pape fit savoir à l'intéressé, par l'intermédiaire de Mgr Freppel, qu'il n'en était rien mais qu'il maintenait sa condamnation. Cf. MONTALEMBERT, **Correspondance inédite, 1852-1870**, Cerf, 1970, p. 427, n. 140.

On aura noté dans cette allocution une allusion à la Commune. Pie IX y revint peu de temps après dans une lettre à Thiers. Celui-ci, en tant que chef du pouvoir exécutif de la République, avait adressé, au nom du gouvernement, une lettre de félicitations à Pie IX, à l'occasion du XXVe anniversaire de son pontificat. Il y saluait la « grandeur de sa foi », « l'éclat de ses vertus apostoliques » et son « mémorable pontificat »[1].

Pie IX y répondit par une lettre manuscrite, en italien, très aimable et où il recommandait : « Je vous prie de faire tout ce qui peut dépendre de vous pour remettre toujours en honneur notre très sainte religion, et spécialement pour donner à l'instruction un caractère catholique éminent. Ce sera un des moyens puissants pour faire opposition à la Commune, à l'*Internationale* et à toutes ces institutions destructrices de la société »[2]. On relève l'importance accordée à l'éducation catholique comme remède prioritaire aux maux de la société moderne. Ce sera un des thèmes récurrents des discours et entretiens des dernières années du pontificat de Pie IX.

Les cérémonies du XXVe anniversaire de son élection furent marquées par plusieurs incidents dans certaines villes de province, provoqués par les anticléricaux, mais à Rome et dans tous les pays catholiques la note dominante fut une respectueuse vénération. Les festivités étaient terminées quand Pie IX eut connaissance qu'un comité s'était formé, autour du marquis Cavaletti, sénateur de Rome, pour lui offrir un trône d'or et lui décerner le titre de

---

1 - Le brouillon de cette lettre — corrigé par Jules Favre — et la copie du texte envoyé se trouvent au Département des Manuscrits de la Bibliothèque nationale, N.A.Fr. 20623, ff. 223-225.

2 - Lettre inédite du 2 juillet 1871, B.N. ms. N.A.Fr. 20622, ff. 261-262. L'écriture est déjà un peu tremblante.

« Grand », en référence à certains papes du passé qui avaient reçu ce titre après leur mort (saint Léon Ier, saint Grégoire Ier, saint Nicolas Ier).

Par une lettre au marquis Cavaletti, Pie IX récusa ces deux hommages. Il demanda que les sommes déjà recueillies pour la confection d'un trône pontifical en or servent plutôt à payer les droits d'exemption de service militaire auquel étaient désormais astreints les séminaristes.

Quant au titre de « Grand », avec l'esprit de sincère humilité que l'on retrouve souvent chez lui, Pie IX le refusa en ces termes : « Une sentence du divin Rédempteur me revient à l'esprit. Comme il parcourait, revêtu de la nature humaine, les contrées de la Judée, quelqu'un, admirant ses vertus divines, l'appela "Bon maître". Mais Jésus répondit aussitôt : "Pourquoi m'appelles-tu bon ? Dieu seul est bon". Or, si Jésus-Christ parlant de lui-même comme homme a déclaré que Dieu seul est bon, comment son indigne vicaire ne devra-t-il pas dire que Dieu seul est grand ? Grand par les faveurs qu'il octroie à ce même vicaire ; grand par l'appui qu'il accorde à son Église ; grand par la patience infinie dont il use avec ses ennemis ; grand par les récompenses qu'il prépare à ceux qui abandonnent les voies du péché pour s'appliquer à l'exercice de la pénitence ; grand par les rigueurs de sa justice pour les châtiments des incrédules et de tous les ennemis obstinés de son Église » [1].

L'état d'esprit du pape dans ces dernières années de son existence n'était pas au triomphalisme. Il ne se flattait pas non plus des marques d'adulation qu'on lui témoignait ici et là. On le verra, dans les derniers temps de son

---

1 - Lettre du 8 août 1871, publiée in ANNALES, t. III, pp. 550-551.

pontificat, porter des appréciations lucides et critiques sur certaines de ses actions temprelles. Mais dès ce début des années 1870, dans des lettres personnelles, il se montrait à la fois humble et confiant. Ainsi, en 1872, il répondait à son frère qui espérait voir le triomphe prochain de la papauté sur ses ennemis : « Dieu l'accordera quand et comme il le jugera opportun ». Et il se plaçait sous « la protection de Dieu, qui anime les peuples et ramène chaque jour davantage les cœurs vers ce centre de vérité. Que sa volonté soit toujours faite ! » [1]

Contre le Kulturkampf

Le dernier grand combat de Pie IX fut dirigé contre la politique de laïcisation engagée par l'Allemagne dans les années 1870, politique que ses inspirateurs appelèrent le *Kulturkampf* (« la lutte pour la civilisation »).

Dès les années 1850 et 1860, nous l'avons vu, certains États allemands avaient cherché à accentuer le contrôle de l'État sur l'Église. Ce contre quoi l'Église catholique avait protesté. Au lendemain de la victoire de son pays sur la France, dans la galerie des glaces du château de Versailles, le roi de Prusse, Guillaume Ier, fut proclamé, le 18 janvier 1871, empereur d'une Allemagne qui regroupait désormais 25 États. Le dernier chancelier du royaume de Prusse, le protestant Bismarck, devint tout naturellement le premier chancelier de cet empire unifié sous domination prussienne. Sous l'influence des nationaux-libéraux, partisans non plus seulement d'un contrôle renforcé de l'État mais d'une laïcisation de la société, le gouvernement allemand multiplia dans les mois et les années qui suivirent

---

1 -Lettre du 2 juin 1872 à Gaetano Mastai, publiée par POLVERARI, « Lettere ... » in **Pio IX nel primo centenario**..., *op. cit.*, pp. 69-70.

les lois inacceptables pour les catholiques. Ceux-ci firent front autour de leurs évêques et autour d'un parti : le *Zentrum*, animé principalement par le député Windthorst. Pie IX soutint cette résistance catholique allemande [1].

Les premières mesures contre les catholiques furent prises dès l'été 1871. Le 29 juin, Bismarck interdisait aux évêques de relever de leurs fonctions les professeurs qui prenaient parti pour les « vieux-catholiques ». Le 8 juillet, fut supprimée la section catholique du ministère des Cultes, une division administrative qui, dans l'ancien gouvernement prussien, avait joué un rôle de « tampon » entre l'État et l'Église catholique. Puis, le 16 décembre, Bismarck fit voter par le Reichstag ce qu'on a appelé le *Kanzel Paragraph* (le paragraphe de la chaire), une loi visant à punir d'une peine d'amende ou de prison les prédicateurs qui critiqueraient un acte du gouvernement.

Au début de 1872 fut nommé un nouveau ministre des Cultes, Adalbert Falk, « théoricien rigide, obstiné dans sa conception des droits tout-puissants de l'État en matière ecclésiastique et qui avait en outre puisé dans la famille de pasteurs dont il était issu une antipathie profonde à l'égard du catholicisme » [2]. Falk fit adopter en mars suivant par l'assemblée de Prusse une loi scolaire qui enlevait aux curés ou aux pasteurs l'inspection des écoles primaires pour la confier à des agents de l'État. Puis, en juin suivant, une circulaire excluait de l'enseignement public

---

1 - Cf. principalement G. BAZIN, **Windthorst, ses alliés et ses adversaires**, Bloud et Cie, s.d. (1ʳᵉ édition, 1896) ; AUBERT, pp. 384-396 ; Mgr B. GHERARDINI, « Pio IX, episcopato e " Kulturkampf "», **Pio IX**, 1, 1977, pp. 22-59 et Paul COLONGE, « Ludwig Windthorst, âme de la résistance catholique dans l'Allemagne bismarckienne » in **Les Résistances spirituelles** (Actes de la Xᵉ Rencontre d'histoire religieuse de Fontevraud), Presses de l'Université d'Angers, 1987, pp. 135-153.

2 - AUBERT, p. 386.

tous les ordres religieux ; cette mesure allait concerner près de 900 établissements scolaires. Enfin le 4 juillet, le Reichstag adoptait une loi qui stipulait :

« Art. 1 - Les membres de la Société de Jésus ou des ordres qui lui sont affiliés (Rédemptoristes, Lazaristes, Pères du Saint-Esprit, Congrégation du Sacré-Cœur) peuvent être exclus du territoire de l'Empire par simple mesure de police, même quand ils possèdent l'indigénat allemand.

Art. 2 - La Société de Jésus et les congrégations qui sont en rapport avec elle sont bannies de l'Empire » [1].

La « lutte pour la civilisation » dont se flattaient Bismarck et ses ministres était en fait dirigée contre les catholiques, jugés « barbares » et *Vaterlandlos* (« sans patrie ») selon les expressions employées fréquemment par la presse gouvernementale.

Pie IX dénonça à plusieurs reprises, pendant l'année 1872, ces lois anticatholiques, prises dans un « pays séduit par le mirage de l'esprit anticatholique et d'un esprit d'ambition » (13 avril 1872). Puis le 23 décembre, dans son allocution consistoriale de fin d'année, passant en revue différents pays, il protesta contre « les cruelles persécutions » dont souffrait l'Église en Allemagne, « non seulement par de sourdes manœuvres, mais par force ouverte l'on travaille à la détruire de fond en comble ». Et il encouragea la hiérarchie catholique, le clergé et les fidèles allemands à continuer à résister. « Plaise à Dieu, concluait le pape, qu'instruits par une longue expérience, les pouvoirs publics apprennent enfin que, parmi leurs sujets, personne n'est plus soucieux que les catholiques de rendre à

---

1 - Cité par G. BAZIN, *op. cit.*, pp. 74-75.

César ce qui est à César, précisément parce qu'ils s'étudient religieusement à rendre à Dieu ce qui est à Dieu » [1].

L'allocution déplut fortement au gouvernement allemand. Le chargé d'affaires d'Allemagne auprès du Saint-Siège fut rappelé à Berlin. Le ministre de l'Intérieur fit confisquer les journaux catholiques qui avaient publié le discours du pape et quelques jours plus tard, le 9 janvier 1873, Falk déposait au Reichstag quatre projets de lois qui renforçaient la persécution anti-catholique. Ces lois, adoptées en mai suivant, sont passées dans l'histoire sous le nom de « lois de mai » [2]. On a pu les comparer à la Constitution civile du clergé que la Révolution française imposa à l'Église. Inspirées par des juristes protestants et par la franc-maçonnerie, très influente alors en Allemagne, elles s'appliquaient aussi bien aux communautés luthériennes qu'à l'Église catholique. Mais tandis que les premières étaient depuis toujours sous le contrôle de l'État, et donc ne voyaient pas leur fonctionnement foncièrement modifié, pour l'Église catholique il en allait tout autrement. Sans que ni le Saint-Siège ni les évêques allemands n'aient été consultés au préalable, les « lois de mai » bouleversaient son organisation.

La première loi portait sur la formation et la nomination du clergé et stipulait que seuls les sujets allemands pouvaient exercer une fonction ecclésiastique, ce qui excluait du territoire allemand tous les prêtres et religieux étrangers ; que les petits et les grands séminaires étaient « placés sous la surveillance de l'État » ; que les séminaristes devraient faire trois années d'études préalables en université ; que « l'examen scientifique » indispensable

---

1 - Texte de l'allocution in **Actes et Paroles**..., *op. cit.*, pp. 291-301.
2 - Texte intégral de ces lois in ANNALES, t. III, pp. 737-742.

pour exercer une fonction ecclésiastique serait assuré par une commission constituée par le ministre des Cultes ; que toutes les nominations ecclésiastiques devaient être faites avec l'accord des autorités civiles provinciales.

Les autres lois réduisaient le pouvoir de juridiction des évêques, en leur interdisant notamment de procéder de leur propre initiative à des sanctions contre leur clergé et de prononcer des excommunications publiques. Était instituée en revanche une « Cour de justice pour les affaires ecclésiastiques », dépendant de l'État, où les clercs pouvaient faire appel contre les décisions de leurs supérieurs.

Les évêques allemands, encouragés par le pape, refusèrent d'observer ces lois. Celles-ci étaient appliquées avec plus ou moins de rigueur selon les États de l'Empire : c'est surtout en Prusse, en Hesse et en Bade que les autorités civiles se montrèrent les plus intransigeantes. De multiples procès eurent lieu, des amendes furent infligées, des prêtres et des évêques furent emprisonnés. Le premier d'entre eux fut Mgr Ledochowski, archevêque de Posen et Gnesen (aujourd'hui Poznan). Il avait protesté contre l'interdiction faite d'enseigner le catéchisme en polonais dans les écoles primaires des territoires polonais alors annexés à l'Allemagne. Il fut arrêté, condamné à deux ans de détention et déposé de son siège. Il sera contraint de s'exiler à Rome où Pie IX le créera cardinal.

De nombreux autres évêques seront arrêtés et incarcérés. L'un d'entre eux, Mgr Eberhardt, évêque de Trèves, mourra en prison. D'autres mesures renforcèrent la persécution. Beaucoup de paroisses se retrouvèrent sans prêtres et la plupart des sièges épiscopaux devinrent vacants. En Prusse tous les ordres religieux, sauf les hospitaliers, furent expulsés, et une loi sur « l'administration des diocèses catholiques vacants » prévoyait, dans les paroisses sans prêtre (il y en aura jusqu'à une sur quatre), l'élection du curé par la population, catholique ou non. Le clergé comme les fidèles furent quasi unanimes à refuser ces lois. En Prusse, sur 4 000 prêtres, on ne compta qu'une vingtaine de « *Staatspfarrer* » (curés d'État).

Dans tous les autres États de l'Empire allemand, la résistance catholique fut persévérante. De nombreux prêtres durent poursuivre leur ministère dans la clandestinité et de Belgique, de Hollande, d'Autriche ou de Rome, les évêques exilés continuaient à diriger secrètement leurs diocèses. Le *Zentrum* fut l'animateur public de cette résistance. Jusqu'à sa mort, en 1891, Windthorst fut au Reichstag l'orateur redouté qui combattait Bismarck, ses ministres et ses lois. Son parti gagna en audience : aux secondes élections du Reichstag il doubla le nombre de ses voix et passa de 58 à 90 sièges. Des protestants conservateurs, hostiles à la politique laïciste menée par le gouvernement, avaient donné leur voix au parti catholique. Windthorst sut inciter aussi la presse catholique à se développer et à suppléer dans la défense des intérêts de l'Église la voix bâillonnée des prêtres et des évêques. Le nombre des journaux catholiques doubla pendant le *Kulturkampf*.

Après les diverses interventions que nous avons signalées, Pie IX consacra une encyclique entière, le 5 février 1875, à dénoncer les « lois de mai » et les persécutions [1]. Il élevait une voix accusatrice contre ces lois et contre les mauvaises actions qu'elles ont fait et qu'elles feront commettre. Il déclara solennellement : « Ces lois sont nulles, parce qu'elles sont entièrement contraires à la divine constitution de l'Église. Car ce n'est pas aux puissants de la terre que le Seigneur a soumis les évêques de son Église,

---

1 - Texte complet in ANNALES, t. IV, pp. 256-258.

en ce qui concerne son service sacré, mais à Pierre, à qui il a confié ses agneaux et ses brebis (Jn 21, 16-17) ». Il exhortait aussi prêtres et fidèles à ne pas se soumettre à ces lois et déclarait « frappés, de fait et de droit, de l'excommunication majeure » les clercs qui accepteraient un ministère imposé par le gouvernement allemand. Pour tous, le mot d'ordre était : « Il faut obéir à Dieu plutôt qu'aux hommes », parce que l'on ne fait aucun tort à l'autorité civile « en refusant de donner à César ce qui est à Dieu ». Ce n'est que près de dix ans après la mort de Pie IX qu'un accord interviendra entre Rome et Berlin[1].

Certains cantons suisses s'inspirèrent du *Kulturkampf* allemand pour imposer une nouvelle législation religieuse et réduire l'influence de l'Église. Mais la particularité de la Suisse fut d'introduire ces mesures discriminatoires à l'encontre des catholiques dans une nouvelle Constitution, en 1874, ce qui eut des conséquences pendant près d'un siècle[2]. Pour ce faire, ils trouvèrent l'appui de certains prêtres et de nombreux fidèles qui avaient refusé le dogme de l'infaillibilité. Mgr Lachat, évêque du diocèse de Bâle, fut destitué par les autorités cantonales parce qu'il avait lui-même suspendu de leurs fonctions deux prêtres refusant les décrets du concile. Dans de nombreuses paroisses des cinq cantons qui dépendaient du

---

1 - On peut signaler deux apparitions mariales en territoire allemand, dans ce contexte de *Kulturkampf* : celles à Marpingen, en 1876-1877, non reconnues à ce jour par l'Église ; les autres à Dietrichwalde (auj. Gietrzwalde en Pologne), en 1877, reconnues comme authentiques, cf. Y. CHIRON **Enquête sur les apparitions de la Vierge**, Perrin/Mame, 1995, pp. 232-235.

2 - Cf. principalement F. MOURRET, **Histoire générale de l'Église**, t. VIII, « L'Église contemporaine », Bloud et Gay, 1922, pp. 603-608, malgré ses erreurs de détail et ses oublis ; AUBERT, 395-396 ; G. FÉLIX, **S. E. le cardinal Mermillod**, Alfred Cattier, Tours, 1893 et Victor CONZEMIUS, **Philipp Anton von Segesser**, Beauchesne, 1991.

diocèse, on destitua les curés fidèles à leur évêque et on les remplaça par des prêtres vieux-catholiques. Il faut noter, pour être juste, que les autorités du canton de Lucerne offrirent l'asile à Mgr Lachat et lui permirent d'exercer son ministère sur leur territoire. Dans les cantons qui dépendaient du diocèse de Bâle (cantons de Soleure, Argovie, Berne, Thurgovie et Bâle-campagne), les fidèles en très grand nombre restèrent fidèles à leur évêque exilé et refusèrent les prêtres qu'on leur imposait. Une vie religieuse clandestine s'organisa et dura plusieurs années.

Le canton de Genève connut une persécution aussi grave. Le président du Conseil d'État, Carteret, était un franc-maçon très hostile à l'Église catholique. il alla jusqu'à déclarer : « Ce qu'il nous faut, c'est que l'Église catholique s'en aille avec le bâton et la besace » [1]. Une loi du 3 février 1872 obligea les congrégations religieuses à demander l'autorisation de l'État pour continuer à exister, ce qui permit de « déconfessionnaliser » les écoles : les frères des Écoles chrétiennes furent expulsés et les sœurs de la Charité furent interdites d'enseignement. Puis on interdit aux congrégations religieuses d'accepter de nouveaux membres. Le 30 août de cette même année, le Conseil d'État de Genève interdisait toute fonction épiscopale à Mgr Mermillod, évêque de Genève [2].

En septembre d'autres arrêtés le destituaient de ses fonctions de vicaire général et de curé de l'église Notre-Dame et interdisaient au clergé du canton toute relation

---

1 - Cité par F. MOURRET, p. 603.

2 - Mgr Mermillod avait été nommé en 1864 évêque auxiliaire de Mgr Marilley, lui-même évêque de Lausanne, avec la charge particulière du canton de Genève. Pie IX, en le sacrant évêque, lui avait dit : « Allez, montez sur le siège de saint François de Sales ; allez vers cette Genève qui n'a pas craint de s'appeler la Rome protestante, et convertissez-la ».

hiérarchique avec lui. Cette destitution injustifiée appelait une réponse qui préservât les intérêts et les droits des catholiques genevois. Par un bref en date du 16 janvier 1873, Pie IX nomma Mgr Mermillod vicaire apostolique, comme s'il se fût trouvé à Genève en terre de mission. Devant son refus de renoncer aux fonctions ecclésiastiques, Mgr Mermillod fut arrêté le 11 février suivant et expulsé du pays. Un décret du Conseil d'État lui interdit de revenir en territoire suisse. Mgr Mermillod s'établit alors à la frontière, à Ferney, comme jadis Voltaire, et de là, pendant dix ans, il administra son diocèse.

Le 30 mai 1873, le Grand Conseil de Genève adoptait une « loi de réorganisation de l'Église catholique » au même moment où l'Allemagne adoptait ses fameuses « lois de mai ». La coïncidence des dates ne faisait que souligner une ressemblance frappante d'intention : placer l'Église sous la tutelle de l'État. Celui-ci seul avait désormais le droit de « supprimer des cures ou d'en créer de nouvelles » ; les curés seraient élus par une assemblée paroissiale ; tous les mandements et ordonnances de la hiérarchie ecclésiastique devraient avoir obtenu au préalable une autorisation des autorités civiles.

En pratique, la « loi de réorganisation » était plus ambitieuse encore. Elle visait à substituer à l'Église catholique une « Église catholique nationale » indépendante de Rome et soumise à l'État. Pour cela fut fait appel à des prêtres vieux-catholiques ou en rupture avec l'Église, tel le carme apostat Hyacinthe Loyson, qui fut élu à la cure de Genève en octobre suivant. Le 21 novembre, Pie IX publia l'encyclique *Etsi multa luctuosa* pour dénoncer ce *Kulturkampf* suisse et les « misérables sectaires » de « l'Église catholique nationale ». En représailles, les autorités fédérales expulsèrent le nonce apostolique de Berne et les relations diplomatiques avec le Saint-Siège furent rompues. Quelques mois plus tard, l'opposition au catholicisme fut officialisée par une nouvelle Constitution fédérale, adoptée à une majorité écrasante par les Suisses le 19 avril 1874. L'interdiction de la Compagnie de Jésus fut confirmée, les associations qui lui étaient « affiliées » étaient elles aussi prohibées et il était précisé que « cette interdiction peut s'étendre aussi par voie d'arrêté fédéral à d'autres ordres religieux dont l'action est dangereuse pour l'État ou trouble la paix entre les confessions » ; la fondation de nouveaux couvents fut déclarée illicite ainsi que la fondation de nouveaux évêchés ; le mariage civil était rendu obligatoire et la juridiction ecclésiastique était abolie.

Pie IX ne put que protester à nouveau, par une encyclique en date du 23 mars 1875 « aux évêques, au clergé et aux fidèles de Suisse, ayant grâce et communion avec le Saint-Siège » [1]. La précision, inhabituelle, était justifiée par l'appui que recevaient les « vieux-catholiques » de la part des autorités civiles pour s'installer dans les paroisses et supplanter le clergé catholique. Aussi Pie IX mettait-il en garde solennellement contre « ces misérables sectaires ». Employez, disait-il aux évêques, « tous les moyens dont vous disposez, pour conserver, dans les fidèles confiés à vos soins, l'unité de la foi et pour leur rappeler sans cesse qu'ils doivent s'éloigner de ces dangereux ennemis du troupeau du Christ, et de leurs pâturages empoisonnés. Qu'ils fuient leurs cérémonies religieuses, leurs instructions, leurs chaires de pestilence, qu'ils ont l'audace de dresser pour trahir les doctrines sacrées ; qu'ils fuient leurs écrits et leur contact. Qu'ils n'aient aucun rapport, aucune relation avec les prêtres intrus et les apostats qui

---

1 - Texte in ANNALES, t. IV, pp. 266-267.

osent exercer les fonctions du ministère ecclésiastique et
qui manquent absolument de toute juridiction et de toute
mission légitime. Qu'ils les aient en horreur comme des
étrangers et des voleurs qui ne viennent que pour voler,
assassiner et perdre ». Le pape dénonçait aussi les dernières dispositions de la Constitution helvétique « qui
sont opposées aux prescriptions canoniques concernant le
mariage et qui font disparaître entièrement l'autorité et la
juridiction ecclésiastiques ».

La sévérité du pape était justifiée et il cherchait avant
tout à défendre l'unité de la foi et de l'Église en Suisse. Si
les tentatives de constitution d'une « Eglise catholique
nationale » finirent par échouer, les dispositions anticatholiques de l'État helvétique persistèrent officiellement
pendant des décennies. Les relations diplomatiques entre
la Suisse et le Saint-Siège ne seront rétablies qu'en 1920 et
il faudra attendre 1973 pour que les articles 51 et 52 de la
Constitution relatifs aux Jésuites et aux couvents soient
abrogés [1].

Sans entrer dans le détail de l'histoire religieuse de tous
les pays, ce qui n'a pas été notre propos dans ce livre, on
doit encore signaler la situation difficile, dans ces mêmes
années d'après-concile, de l'Église catholique en Autriche.
Pie IX en conçut une particulière amertume. L'Autriche
catholique, qui avait signé un concordat si favorable en
1855, avait, suite à un changement de gouvernement,
commencé à prendre des dispositions hostiles à l'Église
dès la fin des années 1860. A la suite de la promulgation
du dogme de l'infaillibilité pontificale, le ministre autrichien des Cultes, Stremayr, exposait dans un long rapport

---

1 - Philippe CHENAUX, « La Suisse » in **Histoire du Christianisme**, t. 12,
« Guerres mondiales et totalitarismes (1914-1958) », Desclée/Fayard, 1990,
p. 554 sq.

à l'empereur François-Joseph, le 25 juillet 1870, les raisons pour lesquelles l'Autriche devait dénoncer le concordat de 1855. « Le pape infaillible, expliquait-il, n'est plus le pape avec lequel l'Autriche avait conclu un concordat ». Cinq jours plus tard, l'empereur François-Joseph lui répondait que le concordat était frappé de « caducité » et il engageait son ministre des Cultes à « préparer les projets de loi qui seront nécessaires en vue de régler les rapports de l'Église catholique avec mon Empire, conformément aux lois fondamentales et eu égard aux conditions indiquées par l'histoire » [1].

L'offensive qui se préparait contre l'Église ne doit pas être reliée au *Kulturkampf* anti-catholique de l'Allemagne et de la Suisse. Elle doit plutôt être considérée comme une résurgence du joséphisme. L'Autriche était encore très majoritairement catholique, à l'inverse de l'Allemagne et de la Suisse, et l'empereur ne souhaitait pas aller jusqu'à une séparation de l'Église et de l'État [2]. Lui et son gouvernement désiraient plutôt contrôler davantage l'Église autrichienne qu'ils redoutaient de voir inféodée à Rome depuis le vote de l'infaillibilité et la soumission au pape des très nombreux évêques antiinfaillibilistes.

Le 27 juillet 1873, les universités, toutes fondées par l'Église, furent placées sous le contrôle de l'État et les évêques furent exclus de leur administration.

L'année suivante fut présentée au Parlement autrichien une série de « lois confessionnelles » qui visaient notam-

---

1 - Lettre du 30 juillet 1870, citée par F. MOURRET, *op. cit.*, pp. 609-610 ; cf. aussi AUBERT, pp. 392-394 et MARTINA t. III, pp.427-434.

2 - Le 25 août 1870 il écrivait à sa mère : « Je désire ardemment aboutir à un nouvel accord avec Rome, mais avec le pape actuel c'est impossible », cité par MARTINA, t. III, p. 430.

ment à soumettre les nominations ecclésiastiques, tous les mandements épiscopaux et l'exercice du culte à un contrôle gouvernemental.

Pie IX, alors que ces lois étaient encore en discussion, adressa, le 7 mars 1874, une lettre personnelle à l'empereur et, le même jour, publia une encyclique. Dans sa lettre à François-Joseph, il l'exhortait à ne pas ouvrir « la voie à un avenir désastreux pour l'Église et pour le bien de ses peuples » et il laissait planer la menace d'une excommunication. Dans l'encyclique adressée aux évêques autrichiens, *Vix dum a Nobis*, le pape défendait la valeur du concordat de 1855 et invitait l'épiscopat à étudier les moyens les plus efficaces pour défendre la liberté de l'Église.

On remarquera qu'en la circonstance Pie IX tint compte des services rendus jadis par l'Autriche catholique et laissa aux évêques autrichiens, dont il avait pu observer la détermination lors du précédent concile, le soin de répondre à la menace. Avant même l'encyclique, le cardinal Rauscher, archevêque de Vienne, s'était refusé à engager une épreuve de force avec le gouvernement et il avait fait ouvrir des discussions avec le ministre des Cultes. Son évêque auxiliaire, Mgr Kutschker, obtint que certaines mesures des projets de lois soient retirées. L'Empereur lui-même, qui redoutait sans doute l'excommunication, céda à certaines instances épiscopales.

Quand, au début de l'année 1876, une loi déposée depuis 1874 et qui prévoyait la suppression des couvents vint en discussion, le cardinal Schwarzenberg, archevêque de Prague et chef de file de l'épiscopat autrichien depuis la mort récente de Rauscher, protesta énergiquement. La loi fut votée mais François-Joseph refusa de la signer. Peut-être avait-il à l'esprit cet avertissement de Pie IX, donné dans une allocution le 11 mars 1875 : après avoir dénoncé « ces gouvernements catholiques qui dépassent les gouvernements protestants dans la honteuse carrière de l'oppression religieuse », il avait ajouté : « Dieu criera au persécuteur protestant : Tu as péché et gravement péché. Mais au persécuteur catholique, il dira : Tu as péché plus gravement encore : *majus peccatum habes* » [1].

On doit relever aussi, comme une des dernières victoires du pontificat, le rétablissement de la hiérarchie épiscopale en Écosse. Comme jadis l'Angleterre, l'Écosse ne possédait plus d'évêques pour régir les quelque 380 000 catholiques qu'elle comptait. Trois vicaires apostoliques, comme dans un pays de mission, avaient en charge ces fidèles et leurs 257 prêtres. Pendant les années 1860, des prêtres et des fidèles écossais avaient sollicité du pape la nomination d'évêques. Devant les réticences des vicaires apostoliques eux-mêmes et du cardinal Manning, Pie IX n'avait pas donné suite. Quand, en 1877, une délégation du clergé écossais vint à Rome et renouvela la demande, Pie IX fit engager des négociations [2]. Le 28 janvier 1878, un décret de la Congrégation de la Propagande de la Foi rétablissait les deux anciens archevêchés de Glasgow et d'Edimbourg et les quatre évêchés d'Aberdeen, Dunkeld, Galloway et Argyll. Pie IX mourut le mois suivant et ce fut son successeur, Léon XIII, qui annonça la nouvelle et procéda à la nomination des titulaires par une bulle, en mars 1878.

Les dernières années du pontificat

Faisant le bilan du pontificat de Pie IX, Roger Aubert écrivait il y a près de quarante ans : « Pie IX, très maladroi-

---

1 - Cité par F. MOURRET, p. 613.

2 - F. MOURRET, *op. cit.*, p. 618 et AUBERT p. 397.

tement conseillé par son entourage, n'a pas réussi à adapter l'Église à la profonde évolution politique qui transforme du tout au tout l'organisation de la société civile au cours du XIXᵉ siècle. Il ne s'est pas assez rendu compte par ailleurs de l'urgente nécessité de s'adapter à une autre évolution, la transformation progressive de l'ancienne économie agricole en un monde industrialisé et la prise de conscience de sa misère mais aussi de sa force par un prolétariat urbain dont l'importance numérique croît d'année en année. Heureusement, des catholiques et des évêques ont commencé à aborder le problème, en Allemagne, puis en Autriche, en France, en Angleterre. Mais il est regrettable que le Saint-Siège, trop absorbé par la lutte contre le libéralisme doctrinal et politique et contre les dernières traces du gallicanisme et du joséphisme, n'ait encore donné aucune directive quelque peu précise ni sur le plan des principes, ni sur celui de l'organisation pastorale » [1].

Le Postulateur de la Foi, en 1974, a inscrit ce même thème parmi les « difficultés » posées par la cause de béatification de Pie IX : « La "question sociale"... semble avoir été étrangère aux soucis et aux préoccupations pastorales de Pie IX » [2]. Ces appréciations, sévères, reprochaient en somme à Pie IX de n'avoir pas écrit la grande encyclique sociale, *Rerum Novarum*, que son successeur publiera en 1891.

C'est méconnaître que Léon XIII n'a en rien rompu avec Pie IX, et que le « catholicisme social », dont le premier serait le porte-drapeau par cette encyclique, n'était pas

---

1 - AUBERT, pp. 499-500.

2 - P. R. PÉREZ, « Alcune difficolta' emerse nelle discussioni " *Super Virtutibus* " del Servo di Dio Pio Papa IX » in C. SNIDER, **Pio IX nella luce dei processi canonici**, Editrice la Postulazione della Causa di Pio IX/Libreria Editrice Vaticana, 1992, p. 237.

étranger au « catholicisme intransigeant » de Pie IX. Tout au contraire. Georges Goyau, historien et fin observateur du catholicisme de son temps, faisait remarquer au lendemain de la parution de *Rerum Novarum* : « Des journaux déclarèrent que Léon XIII se rapprochait du monde moderne dont Pie IX s'était séparé. Un tel langage est plein d'improprietés... Il paraît impliquer que le *Syllabus* condamne la démocratie, et que l'encyclique *Rerum novarum* canonise le libéralisme » [1]. De nombreuses études italiennes et françaises ont confirmé ces dernières décennies que le catholicisme intransigeant de Pie IX fut le terreau du catholicisme social et que, loin de s'opposer, ils partaient tous deux d'un même refus du libéralisme sous toutes ses formes.

Nous avons déjà signalé comment, à la fin des années 1860, Pie IX encouragea ce que l'on peut considérer comme les premiers mouvements « d'Action atholique », même si l'expression n'était pas encore employée à l'époque. L'une d'entre elles fut durable et prit de l'essor : la Société de la jeunesse catholique, d'Acquaderni. Dans les dernières années du pontificat de Pie IX, le *movimento cattolico* italien continua à se développer, avec les encouragements du pape.

A la Société de la jeunesse catholique, s'ajouta, en décembre 1870, la « Société des intérêts catholiques », dirigée par un des fondateurs de la *Civiltà cattolica*, le P. Curci, et un laïc, le prince Chigi. En 1872 fut créée la « Société promotrice des bonnes œuvres », dirigée par Girolamo Cavaletti. Puis, à l'initiative de la Jeunesse catholique, se tint à Venise, du 12 au 16 juin 1874, le premier « Congrès

---

1 - Cité par J.-M. MAYEUR, **Catholicisme social et démocratie chrétienne**, Cerf, 1986, pp. 27-28.

catholique italien », à l'imitation des congrès que les catholiques belges et allemands réunissaient depuis plusieurs années. Acquaderni, en la circonstance, définit quels étaient les domaines où devaient œuvrer « le laïc catholique dans ce terrible quart d'heure que traverse la société » : des œuvres religieuses, des œuvres caritatives, des œuvres d'instruction et d'éducation, la presse et les arts [1].

En 1875 apparut « l'Œuvre des Congrès », le plus ample des mouvements catholiques de ces décennies. Ce furent deux des participants du congrès de Venise, Vito D'Ondes Reggio et Giuseppe Sacchetti, qui décidèrent de fonder une œuvre, indépendante de la Jeunesse catholique, destinée à fédérer les initiatives locales en plusieurs domaines. Le deuxième Congrès catholique italien, tenu à Florence en août 1875 sous la présidence du duc Salviati, permit d'annoncer officiellement l'initiative. Des propos peu connus de Pie IX éclairent l'encouragement qu'il ne cessa de donner au *movimento cattolico*. Recevant à l'époque du congrès de Florence des religieuses du Sacré-Cœur en audience, il rapporta quels conseils il avait donné à son président :

« Je lui ai dit de faire comme l'Irlande, qui demande et demande toujours. Demandez pour l'Église la liberté de l'enseignement, dont le gouvernement a le monopole ; demandez qu'elle soit libre dans le choix de ses ministres, et dans la vocation de ses clercs… Demandez que soit mis un frein à la licence de la presse, source et origine de tant de péchés mortels… Quand j'ai l'occasion de dire quelque

---

1 - Cité par N. Bᴇʀᴛᴀᴢᴢᴏɴɪ, « Pio IX e l'Azione Cattolica Italiana », in **Atti del II, Convegno di ricerca storica sulla figura e sull'opera di papa Pio IX** (1977), Centro Studi Pio IX, Senigallia, s. d, p. 376.

parole, je répète toujours qu'il faut être uni pour réclamer : si le peuple réclame, il obtient. Que voulez-vous ? Je finis par être moi aussi un peu républicain » [1].

Les conseils de Pie IX seront suivis puisque, quelque temps plus tard, la Société de la jeunesse catholique mit sur pied une « Ligue Daniel O'Connel » (du nom du grand patriote catholique irlandais) pour réclamer la liberté de l'enseignement. Elle organisa notamment une pétition qui recueillit 30 000 signatures et fut remise au Parlement italien. Les Congrès catholiques italiens se poursuivirent d'année en année. Le troisième fut organisé à Bologne, en 1876, mais fut brutalement dissout par les autorités civiles suite à des incidents créés par les républicains de la ville.

Le quatrième, le dernier du vivant de Pie IX, se tint à Bergame en octobre 1877. A cette occasion, le pape adressa une lettre d'encouragement au président du Congrès, l'incitant « à propager les congrès catholiques, que les conditions toujours plus déplorables de la société religieuse et civile doivent rendre plus fréquents » [2].

A ce Congrès de Bergame participa le jeune Giorgio Montini, secrétaire du cercle de la Jeunesse atholique de l'université de Padoue. Giorgio Montini deviendra un des principaux représentants du *movimento cattolico* à Brescia et le père du futur Paul VI [3].

Quant à l'Œuvre des Congrès, elle fut l'expression du catholicisme « intransigeant » hostile aux catholiques dits « transigeants », favorables à une « conciliation » entre le pape et l'État italien, mais son anti-libéralisme la condui-

---

1 - *Summarium* § 584.

2 - Lettre du 24 septembre 1877, publiée in ANNALES, t. IV, pp. 659-660.

3 - A. FAPPANI « Montini, Giorgio » in **Dizionario storico del movimento cattolico in Italia (1860-1980)**, Marietti, Turin, 1982, pp. 399-400.

sait tout autant à agir de manière multiforme sur le terrain social. Dès ses premières années, c'est-à-dire dans les derniers temps du pontificat de Pie IX, l'Œuvre multiplie les initiatives, dans différentes régions d'Italie (notamment la Lombardie et la Vénétie) : elle crée ou aide à la création, toujours à un niveau local, non seulement d'actions caritatives, mais aussi de banques populaires, de mutuelles, de ligues paysannes, de journaux [1]. Évêques et laïcs œuvraient souvent de concert et si Pie IX n'a pas eu le temps de donner la grande encyclique qui aurait exposé dans toute son ampleur la doctrine de cette action sociale catholique, il l'a encouragée. La « question sociale » a donc bien fait partie de ses « soucis » et de ses « préoccupations pastorales ».

La situation particulière dans laquelle se trouva Pie IX à partir de 1870, « prisonnier du Vatican », explique en partie le ralentissement des activités et initiatives que l'on observe dans les dernières années de son pontificat. Mais il faut tenir compte aussi de l'âge avancé qu'atteignait le pape, faisant preuve d'une longévité rare à l'époque.

C'est dans la fameuse allocution du 16 juin 1871 aux Français, à l'occasion du XXVe anniversaire de son élection pontificale, que Pie IX fit allusion, pour la première fois semble-t-il, à son état de santé. Il dit en effet : « Je ne veux pas prolonger mon discours : mes forces ni mon âge ne me le permettraient pas » [2]. Il avait soixante-dix neuf ans. Ses

---

1 - Cf. les très riches notices du **Dizionario storico del movimento catolico in Italia (1860-1980)**, Marietti, Turin, 1981-1984, 3 tomes en six volumes. Evoquer les initiatives étrangères déborderait le cadre de cette biographie mais une histoire de l'Église des années 1860-1870 devrait présenter l'action de La Tour du Pin et de son « Œuvre des Cercles » en France, de la « Fédération des sociétés ouvrières catholiques » en Belgique, de Mgr Ketteler en Allemagne, du baron von Vogelsang en Autriche, etc.

2 - **Actes et paroles**…, op. cit., p. 66.

familiers s'étaient déjà rendu compte depuis plusieurs années des atteintes que l'âge lui portait. Il souffrait notamment d'une tumeur à la jambe, « c'étaient des douleurs telles que quand elles le prenaient sa physionomie s'en trouvait altérée » a rapporté le cardinal Nocella [1]. Pour se déplacer il usa d'abord d'une canne, puis de béquilles et finalement d'un fauteuil roulant. Il ne fut pas de ces vieillards portés perpétuellement à se plaindre de leur santé déclinante. Ce n'est qu'après sa mort qu'on a découvert des ulcères aux bras qu'il avait négligé de faire soigner [2].

Pie IX vieillissant avait bien conscience de conclure une période de l'histoire de l'Église. Il vit disparaître l'un après l'autre certains de ses collaborateurs les plus proches : en 1874, le cardinal Barnabo et Mgr de Mérode, en novembre 1876 le cardinal Antonelli. Pour remplacer celui-ci à la Secrétairie d'État, il choisit un cardinal déjà âgé, le cardinal Simeoni, de façon à laisser les mains libres à son successeur. « J'ai choisi Simeoni, aurait dit le pape, mais ce ne sera pas pour longtemps, parce que, en prenant un cardinal qui n'est indiqué ni pour la papauté ni pour les fonctions politiques, je laisse entière liberté au futur conclave et à mon successeur » [3]. De fait, Simeoni, jusquelà pro-nonce à Madrid, fut un continuateur, sans éclat, de la politique d'Antonelli.

Pie IX acceptait son déclin physique avec une sérénité attestée par de nombreux témoins. Parlant familièrement à des proches, il se désignait souvent comme « ce pauvre

---

1 - *Summarium* § 38.

2 - *Summarium* § 151.

3 - Propos rapporté par le ministre de Belgique à Rome, cité par C. FALCONI, **Il cardinale Antonelli**, Arnoldo Mondadori Editore, 1983, pp. 530-531 et, dans une version approchante par AUBERT, p. 498.

homme ». En 1875, il avait rédigé son testament, demandant notamment à être enterré dans la basilique Saint-Laurent hors les Murs, un sanctuaire qui lui tenait à cœur et dont il avait suivi de près les travaux de restauration effectués à partir des années 1850. Des codicilles postérieurs prévirent certains legs à des institutions qui lui étaient chères : il léguait sa bibliothèque principale au Séminaire romain et sa bibliothèque personnelle, constituée surtout de livres ascétiques, au couvent des Passionistes de la Scala Santa, des objets précieux à l'église collégiale de Santa-Maria in Via lata dont il avait été chanoine, aux cathédrales de Senigallia, de Santiago du Chili et d'Imola. Des pièces d'art religieux étaient destinés à plusieurs princes et souverains catholiques, dont l'attachement au pape avait été indéfectible (notamment le comte de Chambord, le roi de Naples, Isabelle d'Espagne et Alphonse de Bourbon). Enfin une somme de 100 000 lires devait être distribuée aux pauvres.

Parallèlement des bulles avaient été édictées pour fixer les règles à suivre pour l'élection de son successeur : après celles d'août 1871 et de septembre 1874, la dernière, en octobre 1877, fut promulguée par Pie IX le même mois où il ajoutait un dernier codicille à son testament.

La maladie qui devait l'emporter— un catarrhe bronchique — le saisit le mois suivant, en novembre 1877. Les périodes de rémission succédèrent aux crises qui le tenaient alité et lui interdisaient toute activité, même la célébration de la messe. Les journaux commencèrent alors à faire des supputations sur sa mort et les chancelleries à s'interroger à propos de son successeur.

En date du 4 janvier 1878, le ministre français des Affaires Étrangères, Waddington, adresse une longue dépêche au baron Baude, ambassadeur de France auprès du Saint-Siège, lui donnant des instructions sur un éventuel conclave [1]. Il indique notamment que la France, devenue république, n'entend pas se priver de son droit de veto traditionnel. Il évoque aussi une question déjà discrètement disputée : le conclave aura-t-il lieu à Rome ou, par crainte d'une ingérence italienne, se déroulera-t-il ailleurs ? Divers autres lieux étaient envisagés : la principauté de Monaco, l'un ou l'autre des cantons suisses.

Contre toute attente, ce ne fut pas Pie IX qui mourut dans l'immédiat mais Victor-Emmanuel II. Celui-ci était beaucoup plus jeune que le pape, il n'avait que cinquante-huit ans. Son décès fut soudain. Le roi fut contraint de s'aliter le 5 janvier, saisi d'une forte fièvre produite par une pleuro-pneumonie. Aussitôt que Pie IX eut pris connaissance de la gravité de la maladie de celui qu'il avait excommunié pour avoir usurpé ses États, le 6 janvier, il envoya au Quirinal son confesseur et sacriste, Mgr Marinelli « pour y prendre des nouvelles du roi et se mettre à sa disposition » [2]. Le pape espérait que sur son lit de mort, le roi se repentirait de ses fautes et se réconcilierait avec Dieu et avec l'Église. Mais ce jour-là Mgr Marinelli ne put avoir accès au roi. Le lendemain, 7 janvier, Pie IX demanda à Mgr Marinelli de retourner au Quirinal et lui dit : « Si j'allais bien, je serais allé moi-même l'absoudre. Je veux absolument que cette âme soit sauvée et je prie chaque jour à cette intention » [3]. Mais cette fois encore, l'entourage du roi ne laissa pas entrer l'envoyé du pape. C'est le chapelain de la cour, l'abbé Anzino, qui put, le 9 janvier, confesser le roi d'Italie à l'article de la mort et lui

---

1 - A.M.A.E., C.P., Rome 1063, ff. 8-15.

2 - Dépêche du baron Baude à Waddington, en date du 9 janvier 1876, A.M.A.E., C.P., Rome 1063, ff. 22-26.

3 - *Summarium* § 39.

donner l'absolution et la communion après qu'il se fût rétracté de ses fautes.

Ces derniers instants de Victor-Emmanuel donnèrent lieu à des polémiques. Les journaux du gouvernement dénaturèrent le repentir final du roi, lui faisant dire notamment : « Dans tout ce que j'ai fait, j'ai toujours acquis la conscience d'avoir rempli mes devoirs de citoyen et de prince, et de n'avoir rien commis contre la religion de mes pères ». Pie IX demanda alors à son Secrétaire d'État de rectifier cette présentation mensongère des faits par une longue circulaire qui fut adressée aux diplomates présents à Rome et à tous les nonces et représentants du Saint-Siège en Europe. Le cardinal Simeoni expliqua comment le repentir exprimé verbalement par le roi fut un véritable acte de rétractation de ses erreurs et un repentir sincère de ses actes de spoliation du Saint-Siège [1].

Le gouvernement italien et l'héritier du royaume, Humbert, refusaient de reconnaître cette rétractation. Le jour même de la mort de son père, Humbert, proclamé roi, s'engageait, dans une déclaration, à suivre les « grands exemples » donnés par le roi défunt : « Dévouement envers la patrie, amour pour le progrès et foi dans nos libres institutions ». Pie IX ordonna à son Secrétaire d'État de protester par une note officielle remise aux diplomates accrédités auprès du Saint-Siège [2].

Le pape dénonçait une fois encore « l'inique spoliation » et entendait « maintenir intact... le droit de l'Église elle-même sur ses antiques possessions romaines, destinées par la divine Providence à assurer l'indépendance des Pontifes romains, la pleine liberté de leur minis-

---

1 - Circulaire du 28 janvier 1878 in ANNALES, t. IV, pp. 694-697.
2 - Texte de la note in ANNALES, t. IV, pp. 698-699 .

tère apostolique, la paix et la tranquillité des catholiques répandus dans le monde entier ».

Pie IX restait inflexible dans la revendication du pouvoir temporel de l'Église. C'est sur une note plus strictement religieuse néanmoins que se termina sa vie. Le 2 février, fête de la Purification, il prononça ses dernières allocutions publiques. Il recevait, comme chaque année à pareille date, une délégation du clergé romain, des ordres religieux et des collèges ecclésiastiques venue lui remettre le cierge traditionnel de la Chandeleur. Il leur adressa quelques paroles leur recommandant d'enseigner avec soin le catéchisme aux enfants [1].

Ce jour-là était aussi le 75ᵉ anniversaire de sa première communion. On se souvient quel souvenir d'émotion religieuse il en avait gardé. Il avait accepté que cet anniversaire fût l'occasion de cérémonies particulières, non par gloriole mais par dévotion envers ce sacrement. Toutes les paroisses de Rome organisèrent des messes de première communion ce jour-là et Pie IX reçut au Vatican un groupe de premiers communiants venus de différentes paroisses. Il leur fit un petit discours. Il est significatif que la vie publique de Pie IX s'achève sur un enseignement eucharistique aux enfants. Cela le relie à un de ses successeurs, saint Pie X, qui sera le grand apôtre de l'Eucharistie au début du siècle suivant.

On sait qu'au XIXᵉ siècle la première communion se faisait tardivement, vers 12-14 ans, et ce n'est que sous le pontificat de saint Pie X, par le décret *Quam singulari Chritus amore* (8 août 1910), que cet âge fut abaissé « vers sept ans, soit au-dessus soit même au-dessous » à condition que l'enfant satisfasse aussi au précepte de la confession et

---

1 - Texte de l'allocution in ANNALES, t. IV, pp. 698-699.

« sache distinguer le pain eucharistique du pain ordinaire et corporel » [1].

Mais ce même décret rappelle que c'est Pie IX, le premier, qui commença à remettre en cause l'habitude de la communion à un âge tardif : le 15 mars 1851, la Congrégation du Concile corrigea un chapitre du concile provincial de Rouen qui défendait d'admettre les enfants à la communion avant l'âge de douze ans et, le 12 mars 1866, le Secrétaire d'État Antonelli écrivit aux évêques de France pour réprouver la coutume « de différer la première communion jusqu'à un âge tardif et fixe ».

C'est également sous le pontificat de saint Pie X que fut pris un décret, *Sacra tridentina synodus* (20 décembre 1905), qui encourageait les fidèles à la communion quotidienne, à condition que le fidèle soit dans les dispositions voulues : « état de grâce et intention droite » [2]. Le décret se référait à l'enseignement du concile de Trente sur le sujet [3]. Dans les siècles suivants cependant, rappelle le décret, « la piété s'étant affaiblie et plus tard surtout le venin du jansénisme s'étant répandu partout, on commença à discuter sur les dispositions qu'il fallait apporter pour s'approcher de la communion fréquente et quotidienne : c'était à qui en réclamerait comme nécessaires de plus grandes et de plus difficiles ».

Telle était encore la situation sous le pontificat de Pie IX, mais les esprits commençaient à changer, notamment sous l'influence d'une dévotion eucharistique grandissante et de certains auteurs : parmi eux, Mgr de Ségur, très lié à

1 - Décret publié in **Documents pontificaux de Sa Sainteté saint Pie X**, Publications du « Courrier de Rome », 1993, t. II, pp. 651-656.

2 - Décret publié in **Documents pontificaux...**, *op. cit.*, t. I, pp. 673-676.

3 - L'Eucharistie, disait ce concile, est « l'antidote qui nous délivre des fautes quotidiennes et nous préserve des péchés mortels ».

Pie IX. Quand Mgr de Ségur publia en 1860 *La Très Sainte Communion*, pour répandre la pratique de la communion fréquente, Pie IX lui adressa une lettre d'approbation [1]. Dans le domaine de la pratique eucharistique, Pie IX fut donc un précurseur de saint Pie X.

La mort

Ces audiences publiques du 2 février furent les dernières. Dans les jours suivants il reçut encore quelques cardinaux, mais le 6, étant particulièrement fatigué, il dut les recevoir de son lit.

Après une nuit agitée, le matin du 7, il fut pris de tremblements et sa respiration devint précipitée [2]. Aussitôt le cardinal-vicaire fit exposer le Saint-Sacrement dans toutes les églises de Rome tandis que les cloches appelaient les fidèles à la prière.

Le pape avait bien conscience que l'heure de sa mort était arrivée. Il demanda que les derniers sacrements lui fussent administrés. Il était neuf heures du matin. La situation s'aggrava dans l'après-midi, et, à cinq heures trente-cinq, alors que les cloches de Rome appelaient à l'*Angelus*, Pie IX rendit son dernier soupir. Le cardinal camerlingue était le cardinal Pecci (le futur Léon XIII, élu quelques jours plus tard). Il accomplit le cérémonial prescrit puis la mort fut annoncée aux Romains par la grosse cloche du Capitole. Le corps du défunt fut embaumé le lendemain et exposé d'abord dans le palais du Vatican puis dans la chapelle du Saint-Sacrement de la basilique

---

1 - Lettre du 29 septembre 1860, B.N. ms. N.A.Fr. 22833, ff. 24-25.

2 - Le témoignage le plus circonstancié sur la mort et les funérailles de Pie IX est celui fait par un de ses camériers secrets, Francesco Salesio DALLA VOLPE, au procès de canonisation, *Summarium* § 312-336, cf. aussi ANNALES, t. IV, pp. 699-704.

Saint-Pierre. Là, les fidèles purent venir, pendant trois jours, lui rendre un dernier hommage.

Pie IX fut enterré provisoirement dans la crypte de la basilique Saint-Pierre, le temps que le tombeau de Saint-Laurent hors les Murs fût construit. Le transfert n'eut lieu que le 13 juillet 1881 et donna lieu à de vifs et scandaleux incidents [1].

Pour ne pas perturber la vie quotidienne de Rome et ne pas donner prétexte à des provocations, il avait été convenu que la dépouille de Pie IX serait transférée de nuit.Plus de 100 000 fidèles se pressèrent le long du parcours en récitant le rosaire et les litanies ou en jetant des fleurs depuis les fenêtres. Mais des groupes hostiles se mêlèrent aux fidèles dès que le cortège eut quitté la place Saint-Pierre.

Quand le convoi funèbre s'engagea sur le pont Sant'Angelo, les cris hostiles et injurieux redoublèrent : « Vive l'Italie ! Vive Garibaldi ! Au fleuve, la charogne ! Au Tibre le porc ! » et des bousculades se produisirent.

Tout au long du parcours les incidents se répétèrent, certains individus allant jusqu'à attaquer le cortège avec des bâtons. La police se montra particulièrement discrète et inefficace.

Léon XIII protesta, une pétition circula à Rome recueillant plus de 100 000 signatures et finalement le roi Humbert présenta des excuses officielles au Vatican. Jusqu'au-delà de sa mort, Pie IX fut donc un « signe de contradiction ». Il le reste aujourd'hui encore dans une large mesure.

---

1 - Cf. le témoignage de Mgr DALLA VOLPE in *Summarium* I, § 329, 330. D'autres témoignages : § 173.

Cependant, même un adversaire comme le libéral Charles de Mazade devait convenir, au lendemain de la mort du pape : « Il entre aujourd'hui dans l'histoire accompagné du respect, de l'émotion religieuse du monde. Il disparaît après avoir offert sur la Chaire de saint Pierre le spectacle de cette étonnante longévité qui lui a permis de tout voir et de tout connaître, les révolutions les plus profondes, les crises nationales, les mobilités de la fortune, les espérances et les mécomptes, les exaltations et les amertumes. Il quitte la scène après avoir été, lui aussi, un personnage européen, universel, dans la période la plus agitée, la plus tourmentée du siècle » [1].

---

1 - « Chronique de la Quinzaine », **Revue des Deux-Mondes**, 1ᵉʳ mars 1878, p. 953-964. Le libéral Mazade tempérait son éloge en estimant : « Ce ne fut pas sans doute, au point de vue humain, un politique de premier ordre ».

CONCLUSION

VERS LA CANONISATION

L E JUGEMENT que les historiens peuvent porter sur Pie IX et son pontificat se fonde sur des critères et des éléments d'appréciation où l'objectivité des faits devrait primer. L'action du pape a-t-elle été favorable à l'Église, à son essor et à son indépendance ? A-t-il su résoudre les nombreux problèmes qui se sont posés dans les domaines de la foi, de la société, etc. ?

En proclamant bienheureux puis saint un de ses membres, l'Église porte un jugement de nature différente. Cette appréciation s'appuie sur des critères et des éléments d'appréciation d'ordre spirituel et doctrinal. Comment l'intéressé a-t-il pratiqué les vertus théologales de foi, d'espérance et de charité, ainsi que les vertus cardinales de prudence, de justice, de force et de tempérance ? C'est à l'issue d'un long examen des actes et des paroles, effectué au cours du procès de béatification puis de canonisation, qu'un tel jugement est porté.

Pie IX n'était pas encore enterré que, le 8 février 1879, les membres du Tiers-ordre franciscain de Vienne adressèrent un télégramme au Saint-Siège sollicitant l'introduction de sa cause de béatification et de canonisation (Pie IX, nous l'avons vu, était membre du Tiers-ordre franciscain). Puis, le 11 février, des fidèles de Palerme adressèrent à leur évêque une requête semblable. La première demande hiérarchique, faite à Léon XIII, émanait des huit évêques de la région de Venise réunis autour de leur patriarche, le cardinal Agostini. Dans une longue lettre datée du 24 mai 1878, soit moins de quatre mois après la mort du pape, ils estimaient que « la durée de son pontificat unique dans l'histoire » fut un signe de la Providence divine et que « Pie IX exerça les vertus théologales et morales à un degré si élevé qu'il mérite d'être proposé comme modèle et d'être vénéré comme saint » [1].

Ils demandaient l'ouverture d'un procès canonique. Cette même année, des demandes similaires furent formulées par des évêques napolitains et canadiens. D'autres seront faites dans les années suivantes, mais Léon XIII n'y accéda pas, sans doute pour des raisons politiques.

Son successeur n'eut pas les mêmes hésitations. En 1904, un an après son élection au pontificat, et à l'occasion du cinquantenaire de la définition dogmatique de l'Immaculée Conception, saint Pie X engagea le processus canonique en ordonnant une enquête sur la réputation de sainteté, sur les vertus et sur les miracles attribués à Pie IX.

En 1907, un premier Postulateur de la cause fut nommé, Mgr Cani, et les procès informatifs commencèrent. Le procès ordinaire à Rome permit d'interroger, de 1907 à 1922, 83 personnes ; le procès rogatoire à Senigallia, de 1908 à 1915, 16 personnes ; le procès rogatoire à Spolète, en 1916, 24 personnes ; le procès rogatoire à Imola, de 1908 à 1916, 29 personnes et le procès rogatoire à Naples, de 1907 à 1913, 91 personnes [2]. Au total 243 témoins directs, clercs ou laïcs, furent interrogés longuement sur les diverses étapes de la vie de Pie IX et sur sa pratique des différentes vertus.

---

1 - Extraits de cette lettre in ANNALES, t. IV, pp. 732-735.
2 - « Index testium et summarii » in *Summarium*, pp. 1-50.

L'ensemble des réponses détaillées a été recueilli dans douze gros volumes.

En 1952, l'avocat de la cause, Mgr Giuseppe Stella, a extrait de ces douze volumes manuscrits les réponses les plus significatives : c'est le *Summarium*, en 1 159 pages grand format, qui constitue la première partie de la *Positio* et que nous avons cité fréquemment ici-même. Le 7 décembre 1954 fut promulgué le décret officiel d'introduction de la cause.

En 1955 et 1956 eut lieu le procès apostolique sur les vertus et les miracles, où furent recueillis 19 autres témoignages. La Postulation de la cause, dirigée alors par Mgr Canestri, put publier ensuite un recueil des relations de cent trente-trois miracles attribués à l'intercession de Pie IX.

Après les procès informatifs, l'ouverture de la cause et les procès apostoliques, la quatrième étape canonique intervint à partir du 25 octobre 1956 avec « l'exhumation, la reconnaissance et la reposition du corps du Serviteur de Dieu, Pie IX ». En présence du cardinal-vicaire Micara, du cardinal Cicognani, préfet de la Congrégation des Rites, du cardinal Valeri, préfet de la Congrégation des Religieux, de Mgr Canestri, le Postulateur de la cause, et d'autres prélats, la tombe fut ouverte. Non sans quelque difficulté fut retrouvé le triple cercueil (châtaigner, plomb, cyprès) dans lequel avait été enseveli Pie IX. Les cercueils furent ouverts dans la crypte et, à la grande joie des assistants, le corps fut retrouvé intact. Les journalistes présents constatèrent eux aussi le fait. Le corps fut à nouveau enseveli le 23 novembre.

La Congrégation des Rites devait examiner ensuite elle-même les vertus et les miracles attribués à Pie IX, en trois congrégations (antépréparatoire, préparatoire et ordinaire générale).

La première intervint le 2 octobre 1962, la seconde le 28 mai 1963. La troisième tarda à être réunie. Paul VI était devenu pape et se tenait le concile Vatican II qui, sur bien des points, apparut comme contraire à l'enseignement de Pie IX. Par exemple, à propos de la Déclaration sur la liberté religieuse, un des principaux théologiens du concile, le Père Congar, a reconnu : « On ne peut nier qu'un tel texte ne dise matériellement autre chose que le *Syllabus* de 1864, et même à peu près le contraire des propositions 15, 77 à 79 de ce document » [1].

En 1971, après la mort de Mgr Canestri, un nouveau Postulateur de la cause fut nommé : Mgr Piolanti, recteur de l'université du Latran. Il fit beaucoup pour réactiver une cause tombée en sommeil. En 1972 parut le premier numéro de la revue trimestrielle *Pio IX*, consacrée à des études historiques sur les différents aspects de la vie et du pontificat de Giovanni Maria Mastai. En 1975, Mgr Piolanti créa, auprès des éditions de la Librairie vaticane, une collection *Studi Piani* où sont parues, à ce jour, neuf études historiques d'un grand intérêt.

Entre temps, le 15 avril 1974, suite à une pétition signée par quatre cardinaux (Parente, Guerri, Mozzoni et Palazzini) demandant à Paul VI la reprise de la cause de Pie IX, le Promoteur général de la Foi, le P. Pérez faisait connaître à la postulation de la cause 13 « difficultés » apparues lors des deux congrégations antépréparatoire et préparatoire de 1962 et 1963 [2].

---

1 - Yves Congar, **La Crise de l'Eglise et Mgr Lefebvre**, Cerf, 1976, p. 54.

2 - Texte in Carlo SNIDER, **Pio IX nella luce dei processi canonici**, Editrice la Postulazione della causa di Pio IX/Libreria editrice Vaticana, 1992, pp. 234-238.

La Postulation de la cause nomma un nouvel avocat, Carlo Snider, pour répondre à ces « difficultés ». D'origine suisse, avocat près de la Congrégation de la cause des saints, il avait eu précédemment à s'occuper d'autres causes célèbres, notamment celles de Frédéric Ozanam, du cardinal Ferrari, de l'empereur Charles d'Autriche et de Mgr Darboy. Le 7 octobre 1984, Snider présenta la réponse aux 13 « difficultés » sous le titre : « *La nota della santità nella vita e nel pontificato di Pio IX* ». Mgr Piolanti, le Postulateur de la cause, obtint alors que la troisième congrégation (dite ordinaire générale) se réunit enfin, le 11 décembre suivant. A l'issue de sa réunion elle conclut que Pie IX avait exercé dans sa vie, de « manière héroïque » (selon la formule canonique), les vertus théologales de foi, d'espérance et de charité et les vertus cardinales de prudence, de justice, de force et de tempérance.

Le pape Jean-Paul II promulgua enfin, le 6 juillet 1985, le décret sur l'héroïcité des vertus [1]. Pie IX porte désormais le titre de « vénérable ».

Le procès de béatification s'est poursuivi. La reconnaissance d'un miracle attribué à l'intercession du vénérable est, en effet, nécessaire pour qu'il soit proclamé « bienheureux ».

Cette reconnaissance a eu lieu en janvier 1986. La *Consulta dei medici* attachée à la Congrégation pour la cause des saints a certifié à l'unanimité, le 15 janvier 1986, que par l'intercession de Pie IX une religieuse française, sœur Marie-Thérèse de Saint-Paul, du carmel de Nantes, avait été miraculeusement guérie. Au terme d'une expertise médicale scrupuleuse des documents et témoignages

---

1 - Texte latin in **Pio IX**, 1-2, 1986, pp. 3-10.

en leur possession, les médecins de la *Consulta* ont établi que cette religieuse, née à la fin du siècle dernier, souffrait d'une fracture de la rotule droite dont elle ne s'était jamais remise et que cette fracture s'était transformée en une « pseudo-arthrose avec diastase des fragments » qui la faisait beaucoup souffrir. Par dévotion envers Pie IX — son père, ses deux oncles et deux de ses cousins avaient été Zouaves pontificaux —, elle commença, le 11 février 1910, une neuvaine pour demander sa guérison par l'intercession de Pie IX. La douleur disparut subitement. Sœur Marie-Thérèse put à nouveau mener une activité normale, monter et descendre des escaliers, s'agenouiller, marcher sans effort, toutes choses qu'elle ne pouvait plus faire auparavant. La guérison avait été soudaine, complète, sans rechute et obtenue sans le secours de la médecine — conditions pour qu'une guérison soit reconnue miraculeuse.

La reconnaissance officielle de ce miracle attribué à l'intercession de Pie IX aurait dû permettre sa béatification. A ce jour, elle n'a pas eu lieu. Jean-Paul II a jugé utile, en 1987, d'instituer une commission particulière de sept membres chargée d'étudier et de se prononcer sur « l'opportunité » de la béatification de son prédécesseur. Le P. Giacomo Martina, dont nous avons souvent cité les travaux historiques sur Pie IX — non sans relever le caractère contestable de certains de ses jugements — était un des sept membres de cette commission. A l'issue de quatre sessions de travail, la commission a procédé à un vote : cinq de ses membres ont estimé que la béatification était « opportune », un autre s'y est déclaré favorable *juxta modum* et un seul s'est déclaré hostile [1]. C'était le P. Marti-

---

1 - Tommaso RICCI, « Beato in pectore », **30 Giorni**, juin 1991, p. 65.

na. Jusqu'à ce jour, son avis semble avoir prévalu, puisque Jean-Paul II n'a toujours pas procédé à la béatification que certains attendent depuis longtemps.

Le P. Martina a expliqué son opposition à la béatification d'un pape à laquelle il a consacré, comme historien, tant d'années de sa vie, en arguant que l'opinion publique, surtout en Italie, ne comprendrait pas pourquoi l'Église porte sur ses autels celui qui s'est tant opposé au processus d'unification nationale. Il estime aussi que l'Église ne peut pas béatifier puis canoniser celui qui, dans le *Syllabus*, a condamné des principes sur lesquels reposent aujourd'hui toutes les sociétés modernes. Enfin, il juge qu'une béatification de Pie IX renforcerait les courants d'opposition traditionaliste dans l'Eglise. Plutôt que de béatifier Pie IX, estime le P. Martina, mieux vaut le « vénérer en silence, sans manifestation bruyante » [1].

Mais cette opinion personnelle n'engage pas l'Église qui jugera peut-être « opportun », dans un autre temps, de procéder à la béatification de Pie IX.

---

1 - Entretien accordé à la revue italienne *Jesus*, 4 avril 1991, p. 69.

REMERCIEMENTS

M ES REMERCIEMENTS vont d'abord à Mgr Antonio Piolanti, postulateur de la cause de béatification de Pie IX qui, depuis presque une dizaine d'années, à Rome, a encouragé de diverses manières mon travail. Il m'a notamment fourni le *Summarium*, souvent cité dans ce livre, recueil documentaire exceptionnel dont la consultation est usuellement réservée aux membres de la Congrégation pour la cause des saints.

Mgr Angelo Mencucci, directeur du Centre d'études et du Musée Pie IX à Senigallia, m'a réservé le meilleur accueil et m'a permis de travailler à loisir dans la riche bibliothèque qu'il dirige.

Mes remerciements vont aussi au Père Irénée Noye p.s.s. qui, à Paris, m'a ouvert avec générosité les Archives du Séminaire Saint-Sulpice.

Mgr Pietro Biggio, Nonce apostolique à Santiago du Chili, le Père Jésus Leceo, de la Curie généralice des Pères Scolopes, le Père Luis Enrique Bernal, archiviste de la Congrégation des Passionistes et l'archiviste de l'Institut d'Etudes et de Recherches maçonniques du Grand-Orient de France m'ont permis d'accéder à une documentation qui m'a été très utile : qu'ils en soient ici remerciés.

Enfin, ma gratitude va à René Rancœur et à Grégoire Celier qui m'ont fait profiter généreusement de leurs riches bibliothèques.

ABRÉVIATIONS UTILISÉES

Afin de ne pas alourdir les notes, nous avons abrégé les références bibliographiques de certaines sources, imprimées ou d'archives, les plus fréquemment citées :

A.M.A.E., C.P. Rome :
Archives du Ministère des Affaires Etrangères, Paris, « **Correspondance Politique** », Rome.

ANNALES I:
Joseph CHANTREL, **Annales ecclésiastiques de 1846 à 1866**, Gaume et Cie., 1887.

ANNALES II :
Joseph CHANTREL, **Annales ecclésiastiques de 1867 à 1868**, Gaume et Cie., 1896.

ANNALES III :
Dom François CHAMARD, **Annales ecclésiastiques (1869-1873)**, Gaume et Cie., 1893.

ANNALES IV :
Dom François CHAMARD, **Annales ecclésiastiques (1873-1879)**, Gaume et Cie., 1896.

AUBERT :
Roger AUBERT, **Le Pontificat de Pie IX**, Bloud & Gay, 1963 (2e édition).

ENCYCLIQUES I ou II :
Encycliques et documents en français et en latin, (édités par l'abbé Raulx), L.Guérin, 1865, 2 volumes.

MARTINA I, II ou III :
Giacomo MARTINA, **Pio IX**, Editrice Pontificia Università Gregoriana, 3 vol., 1974-1990.

POLVERARI I, II ou III :
Mgr Alberto POLVERARI, **Vita di Pio IX**, Editrice La Postulazione della causa di Pio ; IX/Libreria Editrice Vaticana, 3 vol., 1986-1988.

SERAFINI :
Alberto SERAFINI, **Pio Nono**, Tipografia Poliglotta Vaticana, 1958.

SUMMARIUM :
Positio super Introductione Causæ, vol. I « Tabella testium et Summarium », Sacrée Congrégation des Rites, 1954.

BIBLIOGRAPHIE

ARCHIVES

Archives du Ministère des Affaires Etrangères, Paris :
Correspondance Politique, Rome : 986, 987, 994, 1028, 1044, 1045, 1063.

Archives du Séminaire Saint-Sulpice, Paris :
Henri ICARD « Journal de mon voyage et de mon séjour à Rome », 394 pages ms.
Lettres de Mgr DECHAMPS, d'Ignaz DÖLLINGEr, de Mgr GINOULHIAC, de Mgr MANNING, de Mgr MARET, de Mgr MERMILLOD, de Mgr de MÉRODE à Mgr DUPANLOUP.

Bibliothèque Nationale, Paris :
N.A.Fr. 11911, 20622, 20623, 22833, 22953.

ACTES DE PIE IX

Il n'existe pas encore de traduction française complète des Actes pontificaux de Pie IX. Une édition critique latine de ses encycliques, avec traduction italienne, va paraître prochainement aux éditions Dehoniane de Bologne dans la série *Enchiridion delle encicliche*. Nous citons ci-dessous les différents recueils utilisés dans notre ouvrage :

Actes et paroles de Pie IX captif au Vatican, publiés par Auguste Roussel, Victor Palmé, Paris, 1874.

Les Actes pontificaux cités dans l'encyclique et le Syllabus du 8 décembre 1864 suivis de divers autres documents, édités par Joseph Chantrel, Librairie Vve. Poussielgue et Fils, Paris, 1865.

Annales ecclésiastiques de 1846 à 1866, éditées par Joseph Chantrel, Gaume et Cie, Paris, 1887.

Annales ecclésiastiques de 1867 à 1868, éditées par Joseph Chantrel, Gaume et Cie, Paris, 1896.

Annales ecclésiastiques (1869-1873), éditées par dom François Chamard, Gaume et Cie, Paris, 1893.

Annales ecclésiastiques (1873-1879), éditées pardom François Chamard, Gaume et Cie, Paris, 1896.

Enchiridion symbolorum definitionum et declarationum de rebus fidei et morum, H.Denzinger-A. Schönmetzer, éditions Herder, Barcelone-Fribourg-Rome, 1976 (XXXVIe édition).

Encycliques et Documents en français et en latin, édités par l'abbé Raulx, L. Guérin Éditeur, Bar-le-Duc, 2 vol., 1865.

L'Encyclique et les Évêques de France. Recueil complet des lettres, E. Dentu, Paris, 1865.

OUVRAGES OU ARTICLES SUR PIE IX ET SUR SON PONTIFICAT

Il n'existe pas encore de bibliographie exhaustive consacrée à Pie IX, comme il en existe pour d'autres papes. Néanmoins on trouvera dans la deuxième édition du *Pontificat de Pie IX* de Roger Aubert (Bloud et Gay, 1963), outre la « Bibliographie générale » qui ouvrait la première édition (1952), un important « Supplément bibliographique » (p. 505-565). Par ailleurs, le P. Giacomo Martina a publié dans le premier volume de *Pio IX* (Università Gregoriana Editrice, 1974), un chapitre introductif, « Interpretazioni di Pio IX. Storia di una storiografia » (pp. 1-48), qui donne une historiographie très ample et critique, quoique incomplète. Enfin, la revue *Pio IX* (Rome) et surtout la *Revue d'Histoire Ecclésiastique* (Louvain-la-Neuve) publient régulièrement des compte-rendus d'articles ou d'ouvrages consacrés à Pie IX et à son pontificat.

Nous ne donnons ci-dessous que les ouvrages ou articles consultés pour cette biographie. Pour les actes des colloques, nous ne citons que le titre générique sans donner l'intitulé de chacune des communications que le lecteur a trouvées citées en notes au cours des chapitres. Pareillement, nous ne répétons pas ici l'intitulé des nombreux articles tirés de la revue *Pio IX* (premier numéro paru en 1972), intitulés cités eux aussi en notes au cours des chapitres.

Ouvrages anonymes et actes de colloques :

Atti del II° Convegno di ricerca storica sulla figura e sull'opera di Papa Pio IX, 9-10-11 octobre 1977, Centro Studi Pio IX, Senigallia.

Pio IX nel primo centenario della sua morte, Editrice la Postulazione della causa di Pio IX / Libreria Editrice Vaticane, 1978.

Positio super introductione Causæ, vol. I, « Tabella testium et Summarium », Sacrée Congrégation des Rites, 1954.

Grâces obtenues par l'intercession de Pie IX depuis l'époque de sa mort, Impr. de l'Archevêché, Bologne, 1884.

AUBERT (Roger), *Le Pontificat de Pie IX*, Bloud & Gay, 1963 (2ᵉ édition).
    Vatican I, Editions de l'Orante, 1964, vol. 12 de l'« Histoire des conciles œcuméniques ».

AUBERT (Michel Gueret, Paul Tombeur et Roger), *Concilium Vaticanum I. Concordance, Index, Listes de fréquence, Tables comparatives*, Publications du CETEDOC, Louvain, 1977.

AUSENDA (Claudio Vila Pila et Giovanni), *Pio IX y las escuelas pias*, Editiones Calasanctianae, Rome, 1979.

BOGLIOLO (Luigi), *Pio IX profilo spirituale*, Libreria Editrice Vaticane, 1989.

BRUNETTI (Manlio), *Pio IX : giudizio storico-teologico*, Edizione dell'Opera Pia Mastai Ferretti, Senigallia, 1992.

CALM (Lillian), *El Chile de Pio IX : 1824*, Editorial Andres Bello, Santiago du Chili, 1987.

CEMPANARI (Maria Angela Luzi et Mario), *La Biblioteca privata di Pio IX alla Scala Santa in Roma*, Fratelli Palombi Editori, 1995.

CANESTRI (Mgr Alberto), *L'Anima di Pio IX*, Tipografia santa « Lucia », Marino, 4 vol., 1965-1967.

CANI (Mgr), *Procès romain pour la Cause de béatification et de canonisation du Serviteur de Dieu le pape Pie IX*, Maison de la Bonne Presse, Paris, 1910.

CITTADINI (Giovanni), *Giovanni Maria Mastai-Ferretti. Lettere III,* Mierma, Pieve Torina, 1993.

Giovanni Maria Mastai-Ferretti. Lettere IV, Acquasanta-Frascati, 1994.

CORTEVILLE (Fernand), *Pie IX, le Père Semenenko et les défenseurs du message de Notre-Dame de La Salette,* diffusion Téqui, 1987.

DUPANLOUP (Mgr), *Lettre à M. le Vte. de La Guéronnière,* Charles Douniol, Paris, Paris, 1861.

La Convention du 15 septembre et l'encyclique du 8 décembre, Charles Douniol, Paris, 1865.

FALCONI (Carlo), *Il giovane Mastai,* Rusconi, Milan, 1981.

FERNESSOLE (Pierre), *Pie IX,* Lethielleux, 2 vol., 1960 et 1963.

FERRI (Mario Gregorio), *L'Opera pia Mastai Ferretti : bilancio di un secolo,* Edizione dell'Opera Pia Mastai Ferretti, Senigallia, 1992.

GRANDERATH (Théodore), *Histoire du Concile du Vatican,* Libr. Albert Dewit, Bruxelles, 3 tomes en 5 vol. + 1 vol. « Appendices et documents », 1907-1914.

HUGUET (R.P.), *L'Esprit de Pie IX,* Félix Girard, Lyon-Paris, 1866.

IDEVILLE (comte d'), *Pie IX. Sa vie, sa mort. Souvenirs personnels,* Victor Palmé, Paris/J. Albanel, Bruxelles, 1878.

LE TOURNEAU (Dominique), « La Loi des Garanties (13 mai 1871) : portée et contenu », *Revue des Sciences Religieuses,* avril-juillet 1988, pp. 137-158.

MANNING (Mgr), *Histoire du Concile du Vatican,* Victor Palmé, Paris, 1872.

MARET (Mgr), *De la Papauté,* Gaume Frères et J. Duprey, Paris, 1860.

MARTIN (Mgr Jacques), « Pie IX et le néo-gallicanisme : le cas de Mgr Darboy », *L'Osservatore romano,* 17.6.1986, pp. 5-8.

MARTINA (P. Giacomo), *Pio IX (1846-1850),* Università Gregoriana Editrice, Rome, 1974.

Pio IX (1851-1866), Editrice Pontificia Università Gregoriana, 1986.

Pio IX (1867-1878), Editrice Pontifica Università Gregoriana, 1990.

MENCUCCI (Mgr Angelo), *Pio IX e Senigallia*, Adriatica, Senigallia, 1987.

La Genealogia della famiglia Mastai-Ferretti, Rotary Club, Senigallia, 1992.

MONTALEMBERT (comte de), *Pie IX et la France*, Jacques Lecoffre et Cie, Paris, 1859.

MOURRET (Fernand), *Le Concile du Vatican*, Bloud & Gay, 1919.

PAROCCHI (card. Lucido M.), *Pio IX caro a Dio e agli uomini*, Libreria Editrice Vaticana, 1986.

PIOLANTI (Mgr Antonio), *Pio IX e la rinascita del tomismo*, Libreria Editrice Vaticana, 1984.

PIRRI (Pietro), *Pio IX e Vittorio Emanuele II dal loro carteggio privato*, Pontificia Università Grégoriana, 5 vol., 1948-1961.

POLVERARI (Mgr Alberto), *Vita di Pio IX*, Editrice la Postulazione della Causa di Pio IX, Libreria Editrice Vaticana, 3 t., 1986-1988.

RETAMAL FUENTES (Fernando), *Escritos Menores de la mision Muzi*, Pontificia Universidad Catolica de Chile, Santiago, 1987.

RICCI (Tommaso), « Beato in pectore », *30 Giorni*, juin 1991, pp. 64-67.

ROBERT (dom Léon), *Dom Guéranger chez Pie IX 1851-1852*, Association des Amis de Solesmes, 1960.

SAINT-ALBIN (Alex. de), *Histoire de Pie IX*, Victor Palmé, Paris/Joseph Albanel, Bruxelles, 3 t., 1878-1879.

SAINT-HERMEL (E. de), *Pie IX*, L. Hachette, Paris, 1854.

SÉGUR (marquis de), *Les Martyrs de Castelfidardo*, Tolra, Paris, 1891.

SERAFINI (Alberto), *Pio Nono*, Tipografia Poliglotta Vaticana, 1958.

SNIDER (Carlo), *Pio IX nella luce dei processi canonici*, Editrice la Postulazione della Causa di Pio IX/Libreria Editrice Vaticana, 1992.

VEUILLOT (Louis), *Le Pape et la diplomatie*, Gaume Frères et J. Duprey, Paris, 1861.

Le Guêpier italien, Victor Palmé, Paris, 1865.

A propos de la guerre, Palmé, Paris, 1866.

Rome pendant le Concile, t. XII des « Œuvres Complètes », P. Lethielleux, 1927.

Pie IX, t. X des « Œuvres Complètes », P. Lethielleux, 1929.

L'Illusion libérale, Dismas, B-Haut-le-Wastia, 1989.

VIBRAC (abbé Dominique), « Le Vénérable Pie IX, Pape de l'Immaculée, Bon Pasteur et grand spirituel », *La Pensée Catholique*, n° 261, nov.-déc. 1992, pp. 46-53.

« Pie IX : le pape "Bon Pasteur" », *La Nef*, juillet-août 1995, pp. 30-31.

AUTRES OUVRAGES CONSULTÉS

AGASSO (Domenico), *Un prophète pour l'Afrique. Daniel Comboni*, Médiaspaul, 1994.

ALBERIGO (ss. la dir. de Giuseppe), *Les Conciles œcuméniques*, 3 vol. en 2 tomes, Cerf, 1994.

ANONYME, *Histoire civile, politique et religieuse de Pie VI*, s.d., Avignon.

ANTONETTI (Guy), *Louis-Philippe*, Fayard, 1994.

BARBIER (abbé Emmanuel), *Histoire du catholicisme libéral et du catholicisme social en France*, t. I, s.n.e., 1923.

BATTANDIER (Albert), *Le cardinal Jean-Baptiste Pitra*, Sauvaître, Paris, 1893.

BAZIN (G.), *Windhorst, ses alliés et ses adversaires*, Bloud et Cie, s.d.

BERNET (Anne), *Bernadette Soubirous*, Perrin, 1994.

BESSON (Mgr), *Frédéric-François-Xavier de Mérode*, Société de Saint-Augustin, 1898.

BILLET (dom Bernad), « Culte et dévotion à la Vierge Marie dans l'ordre monastique aux VIIIᵉ-IXᵉ siècles », *Esprit et Vie*, 11. 5. 1972, pp. 299-303.

BONVIN (Bernard), *Lacordaire - Jandel*, Cerf, 1990.

BOSCO (don), *Souvenirs autobiographiques*, Médiaspaul, 1995.

BOULENGER (abbé A.), *Histoire générale de l'Église*, vol. IX « XIXᵉ et XXᵉ siècles », Librairie Catholique Emmanuel Vitte, Lyon-Paris, 1947.

BOUTRY (Philippe), « Le mouvement vers Rome et le renouveau missionnaire » *in Histoire de la France religieuse*, Seuil, t. 3, 1991.

BRASSEUR (ss. la dir. de Paul Coulon et Paule), *Libermann 1802-1852*, Cerf, 1988.

BRULE (Alfred van der), *Le Sacré-Coeur de Montmartre. Hubert Rohault de Fleury*, Téqui, 1995.

CABROL (dom Fernand), *Histoire du cardinal Pitra*, Victor Retaux et Fils, Paris, 1893.

CARCEL ORTI (Vincente), « Le cardinal Mercier et les études ecclésiastiques en Espagne », *Rvue d'Histoire Ecclésiastique*, janvier-juin 1995, p. 104-112.

CATTA (Etienne), « L'ordre social chrétien et le cardinal Pie », *La Pensée Catholique*, n° 10, 1949, pp. 48-83.

CELIER (Grégoire), *Essai bibliographique sur l'antilibéralisme catholique*, Procure Séminaire saint-Pie X, CH-Riddes, 1986.

CERBELAUD-SALAGNAC (Georges), *Les Zouaves pontificaux*, France-Empire, 1963.

CHAIX-RUY (Jules), *Donoso Cortès. Théologien de l'histoire et prophète*, Beauchesne, 1956.

CHIRON (Yves), *Enquête sur les apparitions de la Vierge*, Perrin-Mame, 1995.

COLONGE (Paul) « Ludwig Windthorst, âme de la résistance catholique dans l'Allemagne bismarckienne », *Les Résistances spiriuelles* (Actes de la Xᵉ Rencontre d'Histoire religieuse de Fontevraud), Presses de l'Université d'Angers, 1987.

CONZEMIUS (Victor), *Philipp Anton von Segesser*, Beauchesne, 1991.

CRETE (Jean), « Vie du cardinal Pie », *Itinéraires*, n° 247, 1980, pp. 85-104 et n° 248, 1980, pp. 118-135.

DANSETTE (Adrien), *Histoire religieuse de la France contemporaine*, Flammarion, 1948.

DELATTE (dom), *Dom Guéranger, abbé de Solesmes*, Solesmes, 1984 (édition revue et augmentée).

EPIPHANIUS *Massoneria e sette segrete : la faccia occulta della storia*, Cooperativa Adveniat, I - Albano Laziale, s.d.

FALCONI (Carlo), *Il Cardinale Antonelli*, Arnoldo Mondadori, Milan, 1983.

FÉLIX (G.), *S.E. le cardinal Mermillod. Vie intime et Souvenirs*, Alfred Cattier, Tours, 1893.

FRENAUD, (dom Georges) « Dom Guéranger et le projet de bulle "Quemadmodum Ecclesia" pour la définition de l'Immaculée Conception », *Virgo Immaculata*, Academia Mariana Internationalis, Rome, 1956, vol. II, pp. 337-386.

GIRARD (Louis), *Napoléon III*, Fayard, 1986.

GIZZI (Stefano), *Il Cardinale Tommaso Pasquale Gizzi*, Amministrazione Provinciale di Frosinone, 1993.

GOYAU (Georges), *Autour du catholicisme social*, Libr. Acad. Perrin, 1909.

JOHNSON (dom Cuthbert), *Dom Guéranger et le renouveau liturgique*, Téqui, 1988.

JOUETTE (André), *Toute l'histoire par les dates et les documents*, Perrin, 1989.

KOSYK (Wolodymyr), *L'Ukraine et les Ukrainiens*, Publications de l'Est européen, Paris, 1993.

LACORDAIRE et MONTALEMBERT, *Corrrespondance 1830-1861*, Cerf, 1989.

LAGRANGE (abbé F.), *Vie de Mgr Dupanloup*, Libr. Poussielgue Frères, Paris, 3 t., 1884.

LOTTMAN (Herbert R.), *La Dynastie Rothschild*, Seuil, 1995.

MAYEUR (Jean-Marie), *Catholicisme social et démocratie chrétienne*, Cerf, 1986.

MAYNARD (abbé U.), *Monseigneur Dupanloup et M. Lagrange son historien*, Société générale de Librairie catholique, Paris, 1884.

MERKLEN (Léon), « Civilta cattolica », *Catholicisme*, Letouzey et Ané, 1950, t. II, col. 1153-1154.

MONTALEMBERT (Charles de), *Corrrespondance inédite 1852-1870*, Cerf, 1970.

MOURRET (Fernand), *Histoire générale de l'Église*, t. VIII "L'Eglise contemporaine", Bloud & Gay, 1922.

NAUDON (Paul), *Histoire générale de la franc-maçonnerie*, Office du Livre, 1987.

NEWMAN (card. John-Henry), *Choix de lettres*, Téqui, 1990.

PALANQUE (Jean-Rémy), *Catholiques libéraux et gallicans en France face au concile du Vatican 1867-1870*, Publications des annales de la Faculté des Lettres, Aix-en-Provence/Editions Ophrys, 1962.

PELLETIER (Paul), *Pierre Simon de Dreux-Brézé, Évêque de Moulins (1850-1893)*, Éditions des Cahiers Bourbonnais, Charroux, 1994.

PIE X (saint), *Documents pontificaux de Sa Sainteté Pie X*, 2 t., Publications du « Courrier de Rome », 1993.

PIE (Mgr), *Œuvres de Mgr l'Evêque de Poitiers*, H. Oudin, Paris-Poitiers, 10 t., 1883-1894.

PLESSIS (Alain), *De la fête impériale au mur des fédérés (1852-1871)*, Editions du Seuil, 1973.

RENAULT (François), *Le cardinal Lavigerie*, Fayard, 1992.

RICARD (Mgr), *François de la Bouillerie*, Maison Saint-Joseph, Lille/Œuvre de Saint-Charles, B - Grammont, s.d.

SORIA (Diego), *Histoire générale de l'Italie de 1815 à 1850*, 3 vol., s.n.e., Nîmes, 1861.

SALVATORELLi (Luigi), *Histoire de l'Italie*, Editions Horvath, 1973.

SOLTNER (dom Louis), *Les débuts d'une renaissance monastique. Solesmes 1831-1833*, Association « Les Amis de Solesmes », Solesmes, 1974.

« Pie IX et Solesmes », *Lettre aux amis de Solesmes*, n° 4, 1978, pp. 6-30.

STERN (Jean), *La Salette. Documents authentiques*, t. 3, Éditions du Cerf, 1991.

TOLLU (Philippe), *Montalembert. Les libertés sous le Second Empire*, Albatros, 1987.

VALOGNES (Jean-Pierre), *Vie et mort des Chrétiens d'Orient. Des origines à nos jours*, Fayard, 1994.

VIREBEAU (Georges), *Les Papes et la franc-maçonnerie*, Documents et Témoignages, 1977.

WOODWARD (Kenneth L.), *Comment l'Église fait les saints*, Grasset, 1992.

ARTICLES DE DICTIONNAIRES ET D'ENCYCLOPÉDIES

Dictionnaire de la Papauté, Fayard : « Pie IX » (G. MARTINA), « Veto » (J.-B. d'ONORIO).

Dictionnaire Pratique des Connaissances Religieuses, Letouzey et Ané : « Dupanloup » (J. BRICOUT), « Papes contemporains » (J. BRICOUT), « Pouvoir temporel du Pape » (Y. de LA BRIÈRE), « Syllabus » (J. RIVIÈRE).

Dictionnaire de Théologie Catholique, Letouzey et Ané : « Conclave » (T. ORTOLAN), « Pie IX » (G. MOLLAT), « Syllabus » (L. BRIGUÉ).

Enciclopedia Cattolica, Cité du Vatican : « Bernetti Tommaso » (A.M. GHISALBERTI), « Gizzi Pasquale Tommaso » (M. DE CAMILLIS), « Lambruschini Luigi » (F. FONZI), « Macchi Vincenzo » (M. DE CAMILLIS), « Pio IX » (P. PIRRI).

Enciclopedia Europea, Ed. Garzanti, Rome : « Pio IX ».

New Catholic Encyclopedia, Mc Graw-Hill Book Cpy, New-York : « Pius IX, Pope » (R. AUBERT).

INDEX DES NOMS DE PERSONNES

TABLE DES MATIÈRES